HEINZ G. KONSALIK

Dschungel-Gold

Buch

Kaum zwanzig Jahre alt, reist Belisa García zum ersten Mal auf die Insel Mindanao. Im Auftrag ihres Schwagers soll sie dort eine Goldmine leiten. Es erwarten sie dreißigtausend Arbeiter, Menschen ohne Hoffnung, moderne Sklaven des Goldes. Und es erwarten sie Enge, Hitze, Krankheiten und Gewalt, die den Alltag in der maroden Schürferstadt zur Hölle machen. Doch mit eiserner Strenge verschafft sich Belisa bald Respekt unter den meuternden Goldschürfern, und schon bald arbeiten die Männer härter als je zuvor. Nur einer leistet anhaltenden Widerstand gegen den gnadenlosen Kurs, den Belisa eingeschlagen hat: der deutsche Arzt Dr. Peter Falke, der das armselige Hospital in der Minenstadt leitet. Immer wieder bittet er die »Gold-Lady« um Nachsicht und Hilfe für die Minenarbeiter, doch ohne Erfolg. Dennoch bleibt der Arzt für lange Zeit der einzige Mensch, dem Belisa Respekt und Achtung entgegenbringt.

Drei Jahre später hat Belisa ihr Ziel erreicht. Die Mine gehört inzwischen ihr allein, der Profit ist um ein Vielfaches gestiegen, und Belisa steht kurz davor, dem mörderischen Dschungel den Rücken zu kehren. Da trifft eines Tages der amerikanische CIA-Captain David Tortosa auf der Insel ein. Er sucht nach einem Doppelagenten, der mit geheimen Militärdokumenten in der Schürferstadt untergetaucht ist …

Autor

Heinz G. Konsalik, Jahrgang 1921, stammt aus Köln. Nach dem Abitur studierte er in Köln, München und Wien Theaterwissenschaften, Literaturgeschichte und Germanistik. Nach 1945 arbeitete Konsalik zunächst als Dramaturg und Redakteur; seit 1951 ist er als freier Schriftsteller tätig. Konsalik ist der national und international meistgelesene deutschsprachige Autor der Nachkriegszeit. Seit dem »Arzt von Stalingrad« wurde jedes seiner weiteren Bücher ein Bestseller. Insgesamt schuf er 154 Romane mit einer Gesamtauflage von über 83 Millionen verkauften Exemplaren in 46 Sprachen! Heinz G. Konsalik verstarb im Herbst 1999.

Zuletzt erschien von Heinz G. Konsalik bei Blanvalet

Schlüsselspiele für drei Paare. Roman (35793)

Heinz G. Konsalik

Dschungel-Gold

Roman

BLANVALET

Blanvalet Taschenbücher erscheinen im Goldmann Verlag,
einem Unternehmen der Verlagsgruppe Random House GmbH.

Taschenbuchausgabe Juni 2000
Copyright © 1998 by
GKV-Günther-Konsalik-Verwaltungs- und Verwertungsges.mbH,
Blanvalet Verlag, München,
in der Verlagsgruppe Random House GmbH
Umschlaggestaltung: Design Team München
Umschlagfoto: Tony Stone Bilderwelten
Druck: Elsnerdruck, Berlin
Verlagsnummer: 35309
KvD · Herstellung: Heidrun Nawrot
Made in Germany
ISBN 3-442-35309-2
www.blanvalet-verlag.de

5 7 9 10 8 6

Die Personen

Belisa García	Die »Lady«.
Carlos	
Miguel	Ihre Brüder.
Pedro	
Felipe Meléndez Ramos	Ingenieur und Leiter der Mine.
Antonio Pérez, alias Mark Suffolk	Schürfer, vom CIA gesucht.
Leonardo Avila	Leiter der Sicherheitsgruppe.
Manuel Morales	Bordellbesitzer.
Mercédes	
Carmela	Huren.
Violeta	
Landro Liborio	Goldhändler.
Arturo Gómez	Goldhändler.
Francisco del Carlo	Oberst der Armee.
Jacinto Ferreras	Wirt des chinesischen Friedhofs in Manila.
Rafael	Ein Schürfer.
David Tortosa	Captain im CIA.
Dr. Peter Falke	Deutscher Arzt, Chirurg.
Federico Fernández Burgos	Pater, Priester.

Ort der Handlung: Philippinen; auf der Insel Mindanao (im Gebiet von Davao und dessen Dschungel).

Zeit: Gegenwart

1

Niemand hörte etwas.

Kein Grollen, kein Knirschen, keinen dumpfen Knall, keinen kurzen Donner. Das Rumpeln und Knattern der Goldwaschgatter übertönte alles, die dicke Lärmwolke, die um den Berg hing, schluckte alles. Wenn dreißigtausend Männer sich in den Fels wühlen, das Gestein unter den Preßlufthämmern aufschreit, aus dreißigtausend Kehlen heiseres Keuchen und Stöhnen dringt, sechzigtausend Füße durch Schlamm, Geröll, Wasserpfützen und glitschigen Lehm schlurfen, Brüllen, Schimpfen, Fluchen und Japsen nach frischer Luft sich vermischen mit dem Klatschen ausgeleerter Erdsäcke, jeder dreißig bis vierzig Kilogramm schwer, dann hört man nichts mehr als den eigenen Atem. Und den eigenen Schweiß hört man, ja, auch Schweiß kann man hören. Man hört, wie er aus den Poren quillt. Wie die Haut explodiert. Diese zu Leder gewordene Haut, gegerbt in der Hitze der Dschungelhölle, rissig und reibeisenrauh trotz der fast hundertprozentigen Luftfeuchtigkeit um den Berg, am Berg und im Berg.

Der Berg. Nur ihn gibt es noch im Leben. Der Diwata-Berg. Ein Berg, den der Teufel, um Gott bei der Schöpfung zu ärgern, auf das Land geschissen hat. Ein Berg voller Gold. Tief drinnen, von hartem Gestein eingeschlossen. Gold, das es hier eigentlich nicht geben durfte – das es aber gab, weil eben der Satan, nur der Satan, Scheiße in Gold verwandeln konnte. So hieß es in den uralten Sagen der Mindanao-Stämme. Und jetzt gab es einen neuen, lebenden Satan, der befohlen hatte: Holt diese Goldscheiße heraus ... und dreißigtausend Goldgräber, Digger aus allen Ländern dieser Welt, wühlten sich in Hunderten von Schächten und Stollen in den Kern des Berges vor, um den Teufelsschiß herauszubrechen.

Ein Heer von Armseligen, Gescheiterten, Glücksrittern, Analphabeten, Flüchtigen, Gesetzlosen, Namenlosen, Gesichtslosen, Entwurzelten, zusammengeströmt in der wahnsinnigen Hoffnung, dem Berg ein wenig Reichtum für sich selbst zu entreißen.

Niemand hörte etwas.

Nur eine kurz aus dem Stollen herausquellende Staubwolke von Steinstaub, die sich schnell verflüchtigte, wies darauf hin, daß etwas Schreckliches geschehen war. Das nachfolgende dumpfe Grollen blieb im Berg.

Felipe Meléndez Ramos blickte unwillig auf, als die Tür seines Büros aufgerissen wurde. Er hatte gerade einen starken Kaffee gebraut, ihn mit einem Schuß Rum verfeinert, rauchte eine Zigarre und genoß die Stunde nach dem Mittagessen. Die Stunde, in der er sich einem Traum hingab. Jeden Tag. Dem Traum von einem Leben weitab von diesem Höllenberg. In einem Haus am Strand, mit einem Palmengarten, mit einem chromblitzenden Wagen, mit einem Golfplatz in der Nähe, einer Motoryacht am eigenen Anleger und einem Freund, mit dem man hinausfahren konnte aufs Meer und prächtige Merline angelte. Dem Traum folgte dann immer die Ernüchterung, wenn die Zigarre geraucht und der Kaffee mit Rum getrunken war: der Weg aus seiner Steinbaracke hinaus zu dem Gewirr von Steinhaufen, Schlamm, Erde, Lärm, Gestank und schweißnassen, ächzenden Menschen.

Ramos hatte schon bessere Zeiten gesehen. Als ausgebildeter Bergwerksingenieur hatte er eine gute, überschaubare Zukunft vor sich gehabt. Er war in den Staatsdienst übernommen worden, hatte eine gute Stellung auf der philippinischen Hauptinsel

Luzon im Gebiet von Cagayan bekommen, wo er die bekannten *Tanlangan Falls* beaufsichtigte, ein Naturereignis, das jährlich viele Touristen anlockte, und hier hatte ihn der Fußtritt seines Schicksals ereilt.

Ramos hatte beim Anblick eines blonden Touristen aus Schweden seine schwule Veranlagung nicht unterdrücken können. Peinlich war, daß der schöne blonde Jüngling in Begleitung eines Freundes eine Philippinenrundreise gebucht hatte. Der Freund brachte kein Verständnis für exotische Beziehungen auf, schlug Ramos zu Boden und wurde tags darauf mit durchgeschnittener Kehle im Hotelgarten gefunden.

Ab diesem Tag war Ramos verschwunden. Er tauchte, viel später, auf Mindanao auf, weit weg von den Tanlangan Falls, suchte verzweifelt einen Job und geriet an einen Goldgräber, der sein Leben gerettet hatte, indem er den sagenhaften Goldberg Diwata nach einem Jahr fluchtartig verließ.

Ramos gefiel die Geschichte von der güldenen Hölle. Er meldete sich bei der Zentralverwaltung der Grube in Davao, erklärte sein Interesse, tischte ein Lebensmärchen auf – aber das war gar nicht nötig, keiner interessierte sich dafür, woher er kam, wie er hieß, man las nur sein Ingenieurszeugnis mit Wohlwollen und flog ihn mit einem Hubschrauber in das Innere des Dschungels. Zum Diwata-Berg.

Nach zwei Jahren ernannte man Ramos zum ersten Verwalter vor Ort. Ein Vertrauensposten, der von dem Spruch begleitet wurde:

»Du übernimmst die Aufsicht. Du bist verantwortlich! Was auch immer geschieht, du allein hast die Schuld. Begreifst du das? Du allein hältst den Kopf hin! Also, sorge dafür, daß nichts geschieht, mit einer Ausnahme: daß du den Umsatz steigerst! Ist das klar?«

»Völlig klar!« hatte Ramos geantwortet.

Und danach handelte er auch. Ramos gab der Hölle die letzte Flamme. Er wurde zum Gesetz am Diwata-Berg.

Nun geschah es also, daß jemand seine heilige Kaffeestunde störte. Ein mit Lehm und Dreck überkrusteter Mann stürzte in das Büro und blieb schwer atmend an der Tür stehen.

»Was ist?« brüllte Ramos ihn an.

Der Mann rang nach Atem. Der schnelle Lauf ... eine kaputte Lunge steckt so etwas nicht weg.

»Der Schacht ...« keuchte er. »Der Schacht!« Er lehnte sich gegen die Wand, wischte den Schweiß aus dem Gesicht und verschmierte es dadurch noch mehr zu einer Fratze.

»Was für'n Schacht?« bellte Ramos zurück.

»Der Schacht 97 ist zusammengebrochen!«

»Na und?«

Ramos zog die Augenbrauen zusammen. Zusammengebrochen. Schacht 97. Mist!

»Sie sind noch drin ...« stammelte der Goldgräber. »Sie sind noch ...«

»Na und?«

»Wir müssen ...«

»Zuschütten!« Ramos lehnt sich zurück und legte die Zigarre in einen Aschenbecher aus Glimmergestein. »Holt euch vom Lager Dynamit und sprengt den Stollen zu.«

»Ginoóng Ramos ...« Der Mann faltete die Hände und holte tief Atem. »Es sind über sechzig Mann im Stollen. Mindestens. So genau weiß man das nicht. Sechzig ...«

»Na und?«

Dieses ›Na und‹ war entnervend. Ramos drehte sich auf seinem Stuhl um, blickte auf die große Karte, die hinter ihm an die Wand gepinnt war, und nickte mehrmals. Der Plan zeigte alle Stollen, Schächte und Claims des Berges.

»Zusprengen!« wiederholte er. »Schacht 97 ist ein impotenter Schacht. Hat nie viel gebracht. Lohnt sich nicht. Zu mit ihm!«

»Und ... die Kameraden, die verschüttet sind? Über sechzig ...«

»Kameraden? Hab ich hier was von Kameraden gehört?« Ramos beugte sich etwas vor. »Was ist denn das für'n neues Wort?! Wanzen sind plötzlich Kameraden? Mach, daß du rauskommst, du Arschloch! Raus! Und der Schacht wird gesprengt. Ich werde mich selbst davon überzeugen. Raus!«

Der Mann an der Tür zögerte. Sein lehmfratziges Gesicht bewegte sich nicht ... der nasse Lehm war getrocknet und erstarrt. »Mein Bruder ist auch im Schacht«, sagte er leise. »Mein einziger Bruder ...«

»Pech gehabt. Sei froh, daß du's nicht bist.« Ramos erhob sich von seinem Stuhl und stieß ihn zurück an die Wand. »Gehen wir.«

»Es wird Unruhe geben, Ginoóng Ramos.«

Ramos blieb abrupt stehen. Er zog das Kinn an und klopfte mit den Fingern beider Hände gegen seine Hosenbeine. »Moment!« sagte er. »Ihr droht mir? Wer droht mir? Du sagst mir so einfach ins Gesicht, daß es Unruhe gibt? Bei mir, hier am Berg, Unruhe? Jetzt paß mal auf, du Amcise, wie das hier läuft.«

Er ging zurück zum Tisch, griff zum Telefon und drückte zwei Nummern. Eine laute Stimme meldete sich. Der Digger an der Tür konnte sie hören, aber die Worte verstand er nicht.

»Leonardo«, sagte Ramos. Er war keineswegs aufgeregt. Seine Stimme klang sogar etwas gelangweilt. »Komm rüber zu Schacht 97. Nimm zehn Mann mit. Und drei Maschinengewehre. Nein! Kein Alarm. Nur eine kleine Verständigungsschwierigkeit. Ach ja, nimm auch Tränengas mit. Und vier Mann vom Bautrupp sollen mit Dynamit anrücken. Das ist alles. Bis gleich.«

»Sie ... Sie wollen auf uns schießen?« stammelte der Goldgräber und wich zurück, als Ramos auf ihn zuging.

»Aber nein! Ich sorge nur für Ordnung. Ich räume auf. Ich beseitige Müll. Ich bin ein sauberer Mensch. Außerdem«, er lächelte breit, »bin ich neugierig, wie Kameraden aussehen. Ich habe bisher noch keinen kennengelernt.«

Er ging zur Tür, stieß den Digger zur Seite und betrat die Straße vor der Verwaltungsbaracke. Es war das einzige wirklich massive Haus in der Höllenstadt am Berg, zusammengesetzt aus Betonfertigteilen und gedeckt mit gewellten Asbestplatten. Ihm gegenüber lag ein langgestreckter, zweistöckiger Holzbau ... der Puff von Diwata.

Das Wichtigste, ja das Lebensnotwendigste in einer Goldgräberstadt sind: Kneipen und Bordelle. Ohne sie hat das Leben in dieser geballten Männergesellschaft keinen Sinn. Als beim ersten großen Goldrausch der Neuzeit Alaska von einem Heer Glückssucher überschwemmt wurde und am Klondike, dem sagenhaften Goldfluß, die Besiedlung begann, als ehemalige Indianerdörfer wie Sitka, Ketchikan oder Skagway zu wilden »Goldenen Städten« wurden und Trecks von Tausenden Abenteurern hinauf zum Yukon zogen, durch eisige Wüsten, über Gletscher und reißende Flüsse hinweg, oft geradewegs hinein in den Tod, folgten ihnen auch die Huren und bauten, wo man sich niederließ, um Gold zu suchen, als erstes die Bordelle und die Schnapsbuden.

Nicht anders war es am Diwata-Berg gewesen. Als um den »Satansschiß« herum die Dörfer aus Holzlatten, Wellblech, Nylonplanen, Palmstroh und platt geklopften Benzinfässern entstanden, als der Lockruf vom Reichtum im Fels die Abenteurer anzog wie Honig die Bären, baute der Minenbesitzer Juan Perón Toledo inmitten der neuen Stadt den lebenswichtigen Puff. Mit Hubschraubern, der einzig sicheren Verbindung zum Diwata-Berg, ließ er zunächst vierundsechzig Huren einfliegen. Junge, hübsche Mädchen von den armen Inseln rund um Mindanao, die schnell begriffen, daß ihre geschmeidigen Körper totes Kapital waren, wenn sie auf den Feldern vertrockneten. Zudem wurde ein Spruch weitergereicht, den die berühmteste Hure, Theresa aus der Goldmine von Diwalwal, der staatlichen Grube bei Tagum, einmal von sich gegeben hatte: »Mit zwei Titten und einer Möse kann man Paläste bauen!«

Auch das Bordell am Diwata-Berg hob sich von den anderen armseligen Hütten deutlich ab. Es hatte, außer einem massiven Dach aus gestrichenem Wellblech, bunt bemalte Fensterläden, hinter den Fenstern verhüllten sogar Gardinen den Einblick in die Zimmer, und ein Witzbold hatte um das Holzhaus großblättrige Nipapalmen gepflanzt und zwei Narras, den philippinischen Nationalbaum. Es waren die einzigen Pflanzen in diesem stinkenden Slum.

Sogar jetzt, zur Arbeitszeit, standen vor dem Puff zwei Schlangen von Männern, sich langsam vorwärts schiebend und geduldig wartend, bis sie eingelassen wurden. An den beiden dicken Holzbohlentüren standen vier Wächter mit schußbereiten Maschinenpistolen. Im Inneren des Bordells hielten drei weitere »Ordnungshüter« Wache. Nur zu oft kam es vor, daß Digger nicht genügend Pesos oder Goldstaub bei sich hatten, um die gewünschten Dienste zu bezahlen. Dann gab es Streit, die Wächter griffen ein und warfen den bis zur Bewußtlosigkeit Zerschlagenen auf die Straße. Dort blieb er liegen. Keiner hob ihn auf. Eine Warnung für die Wartenden: Jeder Griff einer Hurenhand kostete Geld.

Ramos blieb draußen auf der Straße stehen und wartete, bis der Unglücksbote neben ihm stand.

»Wie heißt du?« fragte Ramos.

»Rafael, Ginoóng Ramos.«

Wie fast alle auf den Philippinen sprach auch Rafael das Philippino, das zur neuen Staatsprache ernannt worden war. Das Spanisch der Entdecker blieb den feinen Kreisen vorbehalten. Das Englisch der amerikanischen Besatzer war nach der Unabhängigkeit der Philippinen 1946 die zweite Sprache, die noch von vielen gebraucht wurde. Ginoóng hieß Herr. Eine höfliche Anrede.

»Rafael.« Ramos blickte zur Seite. »Welcher Schacht?«

»Siebenundneunzig, Ginoóng.« Er schluckte, bevor er weitersprach. »Sie wollen wirklich den Schacht zuschütten?«

»Ein Aufgraben lohnt sich nicht! Ich brauche jede Hand. Zum Steinebrechen. Zum Säcketragen. Wenn ich zehn Mann zum Ausgraben abstelle ... wieviel Säcke gehen mir dann verloren!«

»Und die Menschen? Mein Bruder? Sie ... Sie können doch nicht ...«

»Ich kann alles. Ich werde euch zeigen, was ich kann! Ihr wollt einen Aufstand? Könnt ihr haben!«

»Wir sind dreißigtausend, Ginoóng ...«

»Von denen nur ein paar Idioten sind wie du! Willst du gegen Maschinengewehre anrennen?«

»Wir alle haben Waffen ...«

»Rafael.« Ramos drehte sich zu ihm um und starrte in das dreckverschmierte, starre Gesicht. »Wie lange bist du am Diwata?«

»Drei Jahre.«

»Und lebst noch! Warum bist du nicht glücklich, daß du lebst? Drei Jahre ... du solltest schnell verschwinden. Ganz schnell! Ab in den Dschungel, irgendwohin, wo dich keiner kennt, keiner findet. Am besten weit weg. Das ist ein guter Rat, du Idiot! Mein bester Rat!« Ramos' Stimme hob sich etwas, aber sie wurde nicht laut. »Wenn ein einziger Schuß fällt, wirst du deine Mutter verfluchen, daß sie dich geboren hat. Kennst du Avila?«

»Wer kennt ihn nicht?«

»Avila praktiziert eine Spezialität, wenn es ums Bestrafen geht. Bei den Augen fängt er an ... und jeder Mensch hat nur zwei Augen.«

»Ich verstehe ...« Rafaels Stimme versank in Heiserkeit. »Ich lebe in der Hölle.«

»Gut, wenn einer das erkennt. Nützlich, wenn er es anwendet. Und jetzt mach Dampf unter deine Sohlen und verschwinde!«

Ramos hob den Kopf. Mit zwei Jeeps rasten Leonardo Avila

und neun Männer seiner Sicherheitstruppe die Straße hinunter. Statt der Frontscheiben hatten sie vorn zwei Maschinengewehre montiert. Der Dreck spritzte von den Reifen weg über die Straße und überschüttete jeden mit Matschfontänen.

Rafael gab keine Antwort mehr.

Er befolgte Ramos' Rat und lief davon. So schnell er konnte. Lief einfach weg und verschwand im Gewirr der Hütten.

Aber während er unter sich das Knirschen seiner Stiefel hörte, dachte er nur eins: Mein Bruder! Mein Bruder wird zugeschüttet. Lebend zugeschüttet! Einfach lebendig begraben. Unter Geröll und Felsgestein, das vielleicht sogar mit Gold durchzogen ist. Ein Goldgrab. Mein Bruder. Placido, der Kleine, wie Mutter ihn immer nannte. Der so gerne Dinuguan aß, die in frischem Blut geschmorten Innereien von Huhn und Schwein. Das konnten wir armen Leute uns damals leisten, wir bettelten die Innereien den Metzgern ab. Der kleine Placido ... nun liegt er für immer in diesem verfluchten Berg!

An einer Hüttenwand aus Holzschwarten blieb er stehen, drückte das Lehmgesicht gegen die Borke und weinte. Placido ... ich werde dich rächen ...

An diesem Tag verschwand Rafael aus Diwata.

Der undurchdringliche Dschungel rund um den Berg verschluckte ihn.

Niemand vermißte ihn ... Menschen kommen und verschwinden, und keiner fragt, weil das eigene Überleben das Wichtigste ist.

Am Abend dieses Tages, nachdem ein Miniertrupp den Stollen zugesprengt hatte, lag eine gefährliche Stimmung über der Goldgräberstadt. Ramos spürte es deutlich. Die Luft war wie mit Elektrizität aufgeladen. In den Kneipen ballten sich die Digger und diskutierten, verfluchten die Minenleitung und wünschten, Ramos würde in die richtigen Hände fallen, die ihm den Hals zudrückten.

»Das ist der vierte Schacht, der zusammengebrochen ist!«

schrie einer in Pilars Tanzbar. »Alle eingemauert! Wieviel Tote? Wer weiß das?! Hundert? Zweihundert? Es gibt Stollen, da kannst du die Leichen riechen! Jawohl, riechen. Durch die Steinritzen kriecht der Gestank. Und dann mußt du kotzen, ob du willst oder nicht. Und was sagt Ramos, dieser Wichser? ›Bindet euch ein nasses Tuch um die Nase!‹ Soll das so weitergehen? Wollt ihr die nächsten sein, die er einmauern läßt? Jungs, holt sie aus dem Schacht 97 heraus! Holt sie raus! Sofort!«

»Die sind längst verreckt!« Einer der Vorarbeiter, die sonst an den Sammelstellen die Säcke zählten und die Nummern der Schlepper eintrugen, winkte ab. »Was wir brauchen, sind abgestützte Stollen. Holzstempel, Stahlgerüste, so wie in den staatlichen Gruben. Zu teuer, zu teuer, heißt es bei uns. Menschen sind billiger zu haben. Die kommen freiwillig. Ihr seid doch auch alle gekommen. Jeder von euch. Und wühlt euch in den Berg, vierzehn Stunden lang. Also, was wollt ihr? Maul halten . . . ihr wollt doch Gold sehen! Warum seid ihr sonst hier?«

Avila mit seiner Sicherheitstruppe besetzte die Sammelstellen, die Goldwaschanlagen, die Magazine, das Elektrowerk, die Wasserreservoires, die Wasserzuleitungen, die Funkstation. Seitlich des Hauptweges, der zu den Schächten führte, gingen drei Kanonen in Stellung. Vier leichte Panzer rasselten über die Straßen . . . alles Beutestücke, die einmal die Rebellen von Mindanao dem Militär abgenommen hatten. Das war Anfang der achtziger Jahre gewesen, als die kommunistischen Guerillas der NPA und Truppen der Moro National Liberation Front – MNLF – auf Mindanao gegen die Regierung Marcos kämpften. Wie Kanonen, Panzer, Granatwerfer, Minen, Munition und Granaten, schwere Maschinengewehre und sogar zwölf Erd-Erd-Raketen samt Abschußrampe in den Dschungel des Diwata-Berges gekommen waren, wußte niemand mehr. Man wußte nur, daß der reiche und mächtige Minenbesitzer Juan Perón Toledo mitten im Urwald eine eigene Armee besaß, daß er um den Berg herum granatsichere Bunker gebaut hatte und daß Diwata eine Festung geworden war, an die sich keine Regierungstruppen heranwagten.

Nur einmal hatte man es versucht, vor fünf Jahren. Aus der Luft, mit Fallschirmtrupps. Ein ganzes Bataillon war über dem Berg abgesprungen ... und ein ganzes Bataillon war nicht mehr zurückgekommen. Von da ab duldete man Diwata, als sei es gar nicht vorhanden.

Am Abend dieses kritischen Tages fuhren drei Wagen mit Lautsprechern durch die Straßen. Nach Abspielen eines Volksliedes dröhnten Stimmen über die Hütten.

»Männer! Seid vernünftig! Hört nicht auf ein paar Idioten! Es hat ein Unglück gegeben. Es hat Tote gegeben. Aber das Leben, euer Leben, geht weiter. An den Toten könnte ihr keine Pesos verdienen, aber in der Mine. Macht eure Arbeit – das allein zählt! Männer! Ihr könnt die Toten nicht wieder lebendig machen, aber ihr könnt die Lebenden gefährden. Seid vernünftig! Wer gegen die Mine ist, ist auch gegen euch. Denn ihr seid die Mine!«

Und dann wieder Musik. Ein T'boli-Tanz, wie man ihn im südwestlichen Mindanao tanzt.

Der Text der Lautsprecherdurchsage stammte von Ramos. Das konnte er blendend: Sprechen. Überzeugende Worte, hinter denen die Drohung stand. Worte, die jeder verstand, auch wenn man schwerfällig im Denken war. Man brauchte nicht lesen und schreiben zu können, um ein Leben durchzustehen ... aber Worte deuten zu können, das gehörte zur Basis des Überlebens.

Über Diwata senkte sich nach diesem Lautsprechergedröhn die Stille des Duckens.

Die Minenleitung hat recht.

Ein Flugzeug stürzt ab, ein Schiff versinkt, eine Explosion zerreißt Menschen, ein Taifun fegt ganze Küsten leer, ein Erdbeben macht aus Städten Ruinen, und überall ist Krieg mit Tau-

senden von Toten ... wer wird da wegen sechzig Menschen rebellieren, die man einmauern muß? Überall, überall, überall
Tote. Leute, man gewöhnt sich daran. Und was hier im Dschungel passiert, wen kümmert es? Bei einem Jumboabsturz sind es
dreihundertsechzig Tote. Und auch die vergißt man am nächsten Tag.

Herrgott noch mal – das Leben geht doch weiter.

Juliano, du Gauner von einem Wirt, noch einen Brandy oder
einen Añejo-Rum!

Wer weiß, ob wir morgen nicht die nächsten sind.

Der Berg ist ein Mörder ... aber er ist voller Gold ...

Juan Perón Toledo galt in Davao, der Hauptstadt der Insel
Mindanao, als der reichste Mann im Lande.

Ob er wirklich Toledo hieß, und dazu auch noch Juan Perón
wie der charismatische Diktator von Argentinien mit seiner fast
heiligen Frau Evita, wußte keiner. Es interessierte auch niemanden, am wenigsten die Behörden. Toledo stiftete Waisenhäu-
ser, ein Schwimmbad, ein Altersheim, ließ ein Fußballstadion
bauen, beglückte das Seebad Dakak Beach Resort mit einem
Luxushotel und war auch sonst finanziell sehr großzügig im
Umgang mit maßgebenden Politikern. Da fragt man nicht, woher jemand stammt ... es ist ein Segen, daß es ihn überhaupt
gibt.

Bekannt war die Quelle seines Reichtums – da gab es keine
Geheimnisse. Toledo hatte im Dschungel von Davao del Norte
den Berg Diwata entdeckt, besetzt und annektiert. Der Regierung kaufte er das bis dahin unerforschte Urwaldgebiet für
einen nie bekannt gewordenen symbolischen Preis von wenigen
Pesos ab. Als die ersten Goldsäcke in Davao auftauchten, war
es für eine Annullierung des Kaufs zu spät. Vertrag ist Vertrag.
Das war vor vierundzwanzig Jahren, Toledo war damals fünfundzwanzig Jahre jung, ein großer, muskulöser, zäher Bursche,
der erstaunlicherweise ein gepflegtes Spanisch sprach, wie es

18

sonst nur in gehobenen Kreisen üblich war. Er mußte irgendwo einen wohlhabenden Vater verborgen haben ... er sprach nie von ihm, aber er hatte immer genügend Pesos in der Tasche, um unabhängig vom normalen Geldverdienen zu sein.

Als er mit dem ersten Säckchen Gold aus dem Urwald auftauchte und einem völlig irritierten Goldhändler in Davao die Nuggets auf den Tisch schüttete, hatte er – so die Überlieferung – gesagt:

»Wieviel Gold kaufen Sie pro Jahr?«

»Ungefähr siebzig Kilo«, antwortete der Händler.

»Ich werde Ihnen eine Tonne liefern. Pures Gold.«

Man hielt ihn für verrückt.

Fünf Jahre später – Juan Perón war gerade dreißig geworden – stiftete er zweihunderttausend Dollar, nicht Pesos, für den Ausbau des Botanischen Gartens von Davao und wurde damit gesellschaftsfähig. Die Türen der Einflußreichen öffneten sich ihm. Der Bürgermeister drückte ihm die Hand und lud ihn zum Essen ein. Bankiers buhlten darum, daß er bei ihnen ein Konto eröffnete. Spekulanten gaben sich die Klinke von Toledos Haus in die Hand. Was man bisher ungläubig geflüstert hatte, wurde zur Tatsache: Im Dschungel lag ein Berg voller Gold. Ein ganzes Bergmassiv. Urgestein mit Goldadern. Tonnenweise reines Gold. Ein Reichtum, kaum berechenbar. Aus dem, was man hörte, folgerten Geologen, daß im Urwald von Davao del Norte das drittgrößte Goldaufkommen der Erde liegen mußte, nach Südafrika und Sibirien.

Und alles gehörte einem einzigen Mann.

Juan Perón Toledo.

Die Regierung in Manila begann nachzudenken. Ein Enteignungsgesetz stand zur Debatte. Es besagte, daß Bodenschätze, vor allem Edelmetalle, dem Staat gehörten. Man könne zwar Land kaufen, aber volkswirtschaftlich wichtige Funde gehörten dem Volk. Der Entdecker der Schätze werde am Gewinn beteiligt.

Aber zu diesem Zeitpunkt, als eine Kommission in Manila das neue Gesetz hin und her wälzte, hatte sich Toledo längst auf die Zukunft eingestellt.

Über russische und arabische Waffenhändler hatte er seine mittlerweile über zehntausend Mann starke Goldgräbertruppe mit Waffen versorgt. Aus zurückgelassenen amerikanischen Army-Beständen, die damals auf rätselhafte Weise verschwunden waren, bezog er zwei Vierlings-Flaks, Flugabwehrgeschütze, die er für äußerst wichtig hielt. Sollten jemals Regierungstruppen den Diwata-Berg angreifen, dann nur aus der Luft. Der Weg durch den Dschungel, vierzehn Tage Marsch durch die Grüne Hölle, durch die man sich einen Weg schlagen mußte, war militärstrategisch sinnlos. Überall konnte man auf diesem Weg die Truppen aus dem Hinterhalt überfallen. Die guerillageschulten Männer Toledos konnten das Gebiet verminen. Wie man Soldaten im Dschungel aufhält und vernichtet, hatte man aus den Kriegen in Korea und Vietnam gelernt. Das mächtige Amerika hatte davor kapituliert ... die unlustige Armee der Regierung dachte nicht einmal an einen Versuch, sich durch den Dschungel zum Diwata-Berg zu schlagen. Selbst ein Diktator wie Marcos schrak davor zurück.

Juan Peróns Reichtum wuchs und wuchs.

Nahe der Stadt Davaos baute er sich eine weiße, schloßartige Villa an der Meeresküste, umgeben von einem tropischen Park voller Blumen und Palmen und exotischen Tieren wie Pfauen, Flamingos und Papageien. Vor allem die bunten Kakadus und das Wappentier, der philippinische Adler, gehörten zu Toledos Lieblingstieren. In einem großen, künstlichen Teich schwammen Krokodile und sonnten sich auf aufgeschütteten Inselchen. Riesenechsen, die man Monitoriden nannte, huschten durch Gebüsche und schliefen unter Mangrovensträuchern. Es war ein Luxus, den der Hausherr jedem zeigte, der zu ihm kam. Nicht, um damit zu prahlen, nicht, um sich voller Stolz aufzublähen ... sein Reichtum war zur Waffe geworden.

Da meistens Besucher an seine Tür klopften, um Geschäfte mit ihm zu machen, wiederholte sich alles wie bei einer Besichtigung mit einem Fremdenführer, der die Große Mauer in China oder die Niagarafälle erklärt: Rundgang durch den Park, Fütterung der Krokodile, Konzert der Papageien, Blütenketten um den Hals, als sei man auf Hawaii oder Tahiti, großes Buffet auf der Terrasse mit Folkloremusik. Tanzende Mädchen der *Manobe-Mandaya-* und *T'boli* –Stämme und dann die nüchterne Feststellung Toledos:

»Meine Herren, Sie haben das alles gesehen. Sie wissen nun, wieviel ein Geschäft mit mir kostet.«

Die Wirkung war immer die gleiche. Die zukünftigen Geschäftspartner knickten ein.

Trotzdem kam kein Haß auf. Im Gegenteil. Wer mit Toledo ins Geschäft kam, konnte sich auf sein Wort verlassen. Es gab keine schiefen Manipulationen. Ehrlichkeit ... die setzte Toledo mit der eigenen Ehre gleich. Sein Ehrbegriff war so ausgeprägt, daß er in den Anfangszeiten der Diwata-Mine jeden Goldgräber, der heimlich ein paar Nuggets für sich abzweigte, mit aller Härte bestrafte.

Bisher hatte noch niemand nachgeforscht, wie viele Gräber der Urwald überwucherte. Man sprach auch nicht darüber. Am Diwata-Berg herrschten eigene Gesetze. Wer Tausende von Abenteurern beherrschen will, kann die Welt nicht mit Samthandschuhen anfassen. Diese besondere Welt erkennt nur eines an: die Faust.

Das war nun alles schon Historie geworden.

Eine Vergangenheit, die einige dunkel, die meisten aber glanzvoll nannten.

Juan Perón Toledo, der lebende Goldberg von Davao, hatte sein neunundvierzigstes Lebensjahr fast hinter sich und steuerte auf die Fünfzig zu, das »Bergfest«, wie er es nannte, und es war nun die Zeit gekommen zu überlegen, was einem das Leben noch zu bieten hatte, vor allem aber, wie man es genießen

21

konnte. Die längste Zeit lag hinter ihm ... noch einmal fünfzig Jahre gehörten ins Reich der Illusionen.

Die Sensation schlug in Davao ein wie eine Bombe.

Der reichste Mann dieser neunhunderttausend Einwohner zählenden Stadt, der zweitgrößten der Philippinen, der Mann, bei dem jede Handbewegung eine Bedeutung hatte, heiratete.

Die Zahl seiner bisherigen Freundinnen, so drückte man es vornehm aus, wurde unter Insidern nur als Gerücht verbreitet ... Väter mit heiratsfähigen Töchtern hatten sich über Jahre hinweg bemüht, ihre Augenweiden ins Blickfeld des großen Toledo zu rücken. Vergebens. Zu deutlich war spürbar, daß alle Väter nur an den Goldberg dachten. Eine Einstellung, die Toledo fast mit Ekel erfüllte. Er wollte als Mensch geliebt werden, nicht als wandelnder Goldklumpen.

Aber plötzlich – eben einer Bombe gleich, wie von einem Terroristen – gab er bekannt: Herr Juan Perón Toledo wird mit der ehrenhaften Jessica García die Ehe eingehen.

Wer ist Jessica García?

Ein unbekanntes Mädchen. Keine Tochter aus bestem Haus. Eine kleine, zarte Schönheit, wie Freunde verunsichert berichteten. Mit bräunlicher kreolischer Haut. Indianerblut. Und das Sensationellste, Schockierendste: Sie war erst neunzehn Jahre alt!

Eine Kindfrau. Mit einem Puppengesicht. Feingliedrig wie eine Porzellanfigur. Wenn sie lächelte, wurden der Himmel blauer und die Sonne heller.

Jessica war die Jüngste von fünf Kindern des Malermeisters Enrique García. Sie war am Rande von Davao aufgewachsen, in einem Siedlerhaus, das Vater Enrique mit eigenen Händen gebaut hatte. Vor neun Jahren war ihre Mutter gestorben. Nicht an einer Krankheit, sondern an einem Schlangenbiß. Vom nahen Davao River krochen oft Giftschlangen bis in die Siedlung, um dort Mäuse zu suchen oder Kaninchen zu fressen, die von den Bewohnern gezüchtet wurden.

Die Familie García fiel in Davao nicht sonderlich auf. Das Geschäft Enriques als Maler und Tapezierer ernährte die fünf Kinder leidlich. Große Sorgen kannte er nicht, bis auf das Kreuz mit seinem zweitältesten Sohn: Carlos lehnte jede Lehre ab, hielt Wissen für unnützen Ballast und verließ sich nur auf seine Fäuste. Er wurde Boxer. Dafür machte ihm die Drittjüngste viel Freude: Belisa García entwickelte große Intelligenz und machte eine Banklehre durch. Schon mit zwanzig Jahren übertrug man ihr die Buchhaltung einer Bankfiliale in Davao. Eine sichere Stelle mit einer sorgenfreien Zukunft. Miguel, der älteste Sohn, hieb als Schmied auf glühendes Eisen, und Pedro, der jüngste unter den drei Brüdern, ein Muskelmann mit einem Kindergesicht, quälte sich durch Vermittlung seiner Schwester Belisa ebenfalls auf einer Bank herum: Er bewachte den Kassenraum und wartete darauf, daß irgendein Idiot die Bank überfallen würde.

Drei sehr verschiedene Brüder. Nur eines hatten sie gemeinsam: Sie waren berüchtigt als Schläger in Bars und Diskotheken. Anlaß der Schlägereien waren meistens Mädchen, die zu anderen Männern gehörten. Das störte die Brüder wenig. Sie hielten sich für unwiderstehlich. In den Polizeiakten waren ihre Namen dick unterstrichen.

Der Zufall wollte es, daß Malermeister Enrique García von einer großen Baufirma aufgefordert wurde, den Anstrich eines Gartenpavillons zu übernehmen.

Es war kein gewöhnlicher Pavillon ... er stand in dem riesigen Park von Juan Perón Toledo, und es war weniger ein Pavillon, als vielmehr ein großes Gewächshaus, in dem eine Orchideenzucht untergebracht war.

Orchideen gehörten neben Papageien zu den Lieblingen des Herrn Toledo. Vor allem zwei Arten konnten ihn entzücken: Die *Amasiella philippinensis* und die bizarre *Dendrobium secundum*. Jeden Tag saß er eine Stunde lang in dem Orchideen-Pavillon unter seinen geliebten Pflanzen, die Stunde, in der der knallharte Herr des Goldes vor der Schönheit kapitulierte.

Enrique García nahm den Auftrag an, nachdem er das Gewächshaus besichtigt hatte.

»Du mußt mir helfen«, hatte er zu seiner Tochter Jessica gesagt. »Das ist eine große Arbeit. Ich brauche jemanden, der mir das Material zureicht.«

Von allen Geschwistern war Jessica als einzige im Haus geblieben und hatte die Stelle der toten Mutter übernommen. Sie kochte, kaufte ein, putzte, betreute die Kaninchen, wusch und bügelte, flickte. Sie kümmerte sich um die alltäglichen Verrichtungen. Und sie war zufrieden damit.

Für Enrique García war Jessica immer das Kind geblieben, der Sonnenstrahl, der Haus und Familie erhellte. Und obwohl sie schon bald neunzehn Jahre alt wurde und ihre Schönheit der eines bunten Schmetterlings glich, eines *Salatura genutia* oder eines *Troides magellanus* vielleicht – Vater García kannte sich da aus, denn er sammelte Schmetterlinge und besaß etliche Glaskästen mit seltenen Exemplaren –, hatte es bisher noch kein junger Bursche gewagt, sich der schönen Jessica zu nähern. Dafür sorgten die drei Brüder. Wenn die Familie einen Ausflug machte, vor allem an Sonntagen nach dem obligatorischen Besuch der Morgenmesse in der Kirche, war mindestens einer der Brüder immer in ihrer Nähe und wehrte Interessenten ab wie lästige Mücken.

Solche Ausflüge hatten meist eine stille Bucht am Meer zum Ziel, wo ein rot, blau und gelb bemaltes Holzboot angepflockt war, mit dem der Vater hinausruderte, um Fische zu fangen. Und Fische gab es genug, vor allem den schmackhaften Plattfisch *Labahita,* den bunten *Banak,* eine Delikatesse, oder den populärsten Fisch der Philippinen, den man wie jenen Inselhäuptling nannte, der den spanischen Eroberer und Entdecker Ferdinand Magellan umgebracht hatte: *Lapu-Lapu.*

Jessica begleitete also ihren Vater in das Orchideenhaus, um ihm die Farbeimer zu tragen, die Pinsel zu waschen und beim Bau eines wackeligen Gerüstes zu helfen. Wenn Enrique hoch oben unter dem Dach balancierte und die Decke mit hellgrüner Farbe tönte, saß Jessica meistens zwischen den Orchideen und strickte oder nähte aus bunten Stoffresten kleine Decken zusammen. Jeden Monat kam ein Händler bei den Garcías vorbei, holte die kleinen Kunstwerke ab und hinterließ einen willkommenen Nebenverdienst. Die Deckchen tauchten dann in den Touristenzentren als Handarbeiten wilder Bergstämme auf … die dämlichen Fremden zahlten Wahnsinnspreise dafür und hängten sie zu Hause an die Wände.

Bei dieser Arbeit an einem Flickendeckchen sah Juan Perón Toledo das zierliche Mädchen, als er wieder einmal seine Orchideen besuchte. Er blieb hinter ihr stehen, blickte auf ihre flinken, zarten Hände, auf das schwarze, glänzende Haar, auf die apfelgroßen runden Brüstchen unter der dünnen Bluse und auf die braunen, schlanken Beine.

Jessica, die nicht wußte, wer hinter ihr stand, drehte den Kopf, sah einen stämmigen älteren Mann in einem ungepflegten Anzug, legte das Deckchen zur Seite und sagte:

»Geh weiter. Glotz mich nicht an! Was ist hier zu sehen? Wenn dich mein Bruder erwischt, hast du eine schiefe Nase.«

»Wie heißt du?« fragte Toledo.

»Das geht dich nichts an!«

»Was machst du hier?«

»Ich helfe meinem Vater.« Sie zeigte mit dem Daumen zur Decke. »Dort ist er. Soll ich ihn rufen?«

»Das mache ich selbst.«

Toledo trat zwei Schritte zurück, winkte Enrique García zu und rief hinauf:

»Komm runter! Ja, komm runter. Es ist wichtig. Ich will deine Tochter heiraten.«

So, erzählte man sich, soll es sich zugetragen haben.

Die Hochzeit war kein großes gesellschaftliches Ereignis, keine prunkvolle Feier, kein Volksfest, wie man es von Toledo erwartet hatte.

Ganz still, im Kreise der Familie García, vollzog ein Priester im Gartensaal der Villa die Trauung. Nur der Bürgermeister von Davao war als Gast anwesend, um den behördlichen Akt vorzunehmen. Dafür erhielt er einen Scheck für ein neues Kinderheim, und auf dem weitläufigen Grund seines Anwesens ließ Juan Perón eine Kapelle bauen zu Ehren des Heiligen San Isidro, des Schutzheiligen der Farmer. Das entsprach der Einstellung Toledos. Er sagte immer: »Ich bin nur ein Farmer. Die einen ernten Reis, ich ernte Gold.«

Das alles lag ein halbes Jahr zurück.

Jessica, nun die reichste Frau Mindanaos, hatte das Regiment im Hause Toledo übernommen, von allen geliebt, von allen bewundert, von allen beneidet und von allen umschmeichelt. Juan Perón näherte sich dem fünfzigsten Geburtstag. Er hatte den Gipfel seines Lebensberges erreicht ... er verfügte über einen Reichtum, den nur er kannte, und hatte eine wunderschöne junge Frau, die sein Herz verjüngte und sein Alter erwärmen würde.

Es war die Zeit gekommen, da er umdenken mußte.

Toledo, von jeher ein Mann des impulsiven Entschlusses, rief in der Bank an und verlangte Belisa García zu sprechen.

»Komm heute abend zu mir«, sagte er. »Um zwanzig Uhr.«

»Ist etwas mit Jessica?« fragte Belisa besorgt.

»Es ist alles in Ordnung.«

»Bekommt sie ein Kind?«

»Wir wünschen es uns. Wenn Gott unser Rufen erhört ...«

»Soll ich allein kommen?«

»Ja. Allein.«

Belisa García ließ sich an diesem Abend von ihrem ältesten Bruder Miguel, dem Schmied, zu Toledos weißem Palast bringen. Seit Jessica die Obhut ihrer Brüder nicht mehr nötig hatte, weil zehn Bodyguards sie bewachten, bildeten die drei Muskelmänner abwechselnd das Begleitkommando für die noch unverheiratete andere Schwester. Belisa hatte sich dagegen gewehrt ... aber wie kann man sich gegen Brüder wehren, die ihre Schwester abgöttisch lieben?

»Ich warte auf dich«, sagte Miguel, als sie vor dem Säulenportal der Villa hielten. »Oder nein – ich komme mit.«

»Ich soll allein kommen, Miguel.«

»Das gefällt mir nicht. Warum allein? Wir sind eine Familie ...«

»Du magst Juan Perón nicht ...«

»Er ist unheimlich. Sieht Jessica eine Minute lang und heiratet sie. Ist das normal? Ich habe das nie begriffen.«

»Die Liebe kann wie ein Blitz sein.«

»Aber ein Blitz tötet.«

»Jessica ist glücklich.«

»Er überhäuft sie mit Kleidern und Schmuck. Das ist alles. Und seine welke Haut muß sie massieren, damit er einen hoch kriegt.«

»Du bist ein Schwein, Miguel!« Sie stieg aus dem Wagen. Ein Butler öffnete die vergoldete Flügeltür des Eingangs und verbeugte sich tief. »Warte nicht auf mich. Juan Perón wird mich nach Hause bringen lassen.«

Sie betrat das Haus. Die riesige Eingangshalle beeindruckte sie immer wieder. Marmorsäulen, geschnitzte Decken, vergoldeten Lampen, alte, persische Teppiche, die jedes Museum schmücken würden. Sie folgte dem Butler hinaus auf die überdeckte Terrasse, von der man einen weiten Blick über den Park hatte. Über die Blumenrabatten, die Palmengruppen, den künstlichen See mit den Krokodilen, das Orchideenhaus und die Allee, die hinunter bis zum Meer führte.

Nur etwas störte: die bewaffneten Männer, die über den Park verteilt jeden Winkel des Grundstücks überwachten. Wohin Juan Perón auch ging ... er war, manchmal unsichtbar, von Maschinenpistolen umgeben.

Reichtum kann einsam machen.

Toledo erwartete Belisa auf der Terrasse. Ein großer Tisch

war mit den köstlichsten Speisen gedeckt, zwei Diener standen im Hintergrund, bereit, auf jeden Wink zu reagieren, ein Pfau vor der Treppe zum Park schlug sein schillerndes Rad.

»Sei gegrüßt.« Toledo trug eine weiße Hose und ein hellblaues Seidenhemd, unter dem sich sein muskulöser Oberkörper abzeichnete. Durchaus nicht der Körper eines alternden Mannes. Er kam Belisa entgegen, umarmte sie und küßte sie auf beide Wangen.

Er riecht nach Zitronen und Moschus, dachte Belisa. Nicht erotisch, aber anziehend. Belisa nahm den Kopf zurück. Sie blickte sich um und sah Toledo dann fragend an.

»Wo ist Jessica?«

»In einem Konzert. Die Davoa-Symphoniker. Beethoven, Ravel.«

»Du hast sie weggeschickt?«

»Du weißt, Jessi liebt Musik.«

»Und du gehst nicht mit?«

»Ich verstehe zu wenig davon. Vielleicht lerne ich es noch. Ich werde mich bemühen. Das ist auch ein Teil dessen, worüber ich mit dir sprechen will. Jessi hat mich einmal in ein Konzert mitgenommen. Wagner. Als die Pauken losdonnerten, mußte ich sofort an die Sprengungen im Berg denken.« Er hob die Schultern. »Ich kann nichts dafür, Belisa. Mein Leben war bisher davon bestimmt. Bisher ...« Er zeigte auf den gedeckten Tisch. »Setzen wir uns.«

»Was heißt bisher?« Belisa nahm Platz und musterte ihren Schwager.

Bisher – das klang nach Veränderung.

»Du hast eine gute Auffassungsgabe und reagierst sofort. Das gefällt mir. Auch deshalb sind wir heute zusammen. Allein. Was ich zu sagen habe, geht nur dich und mich an. Zur Zeit jedenfalls.« Er griff nach dem Glas Wein, das einer der Diener sofort einschenkte, und hielt es Belisa entgegen. »Auf dein Wohl, Schwägerin.«

»Auf mein Wohl?« Sie nahm einen kleinen Schluck und stellte das Glas auf den Tisch zurück. »Du hast etwas vor, Juan Perón.«

»Erraten.«

»Und es hängt mit mir zusammen?«

»Kluges Kind. Diese Klugheit mag ich an dir. Und deine Zähigkeit, deinen Blick für das Reale, deinen erlernten Umgang mit Zahlen, die Flamme, die in dir brennt und die keiner sieht. Du bist ein schlafender Vulkan, den man nur anzubohren braucht, damit er ausbricht ...«

Toledo holte Atem. Diese Pause benutzte Belisa um zu sagen: »Bist du fertig mit diesem Blödsinn?«

»Nein. Ich fange erst an.« Toledo griff nach einer Kristallschale mit geeistem Obstsalat und aß zwei Löffel voll davon. »Ich werde fünfzig.«

»Man sieht es dir nicht an.«

»Es geht schneller, als man denkt, als man es sich wünscht. Ich kann mir alles kaufen, alles ... nur nicht die Jugend. Nicht das Aufhalten der Jahre. Nicht ein Stillstehen auf dem Höhepunkt der Kraft. Und dann fragt man sich: Hat sich dieses Leben gelohnt? Dieses verdammte, umkämpfte Leben. Was bringen die Narben, die du zurückbehalten hast? Was hast du erreicht?«

»Du bist der reichste Mann von Mindanao. Vielleicht der reichste Mann des ganzen Landes ... mit Ausnahme der korrupten Präsidenten wie Marcos. Was willst du mehr?«

»Leben! Nicht um mein Leben kämpfen, sondern mein Leben genießen. Die kommenden zwanzig oder dreißig Jahre glücklich sein. Glücklich sein mit Jessica, deiner Schwester. Glücklich sein irgendwo auf dieser weiten, schönen Welt, die ich nicht kenne und die ich endlich kennenlernen möchte. Wie oft stehe ich vor dem Globus und drehe ihn hin und her. Und dann sage ich mir: Was hast du alles verpaßt?! Du hast nur geschuftet und Gold zusammengescheffelt, du hast nur deinen verfluchten Diwata-Berg gekannt und den Dschungel und dreißigtausend schwitzende Digger, die sich für dich in den Felsen wühlen, um dich noch reicher zu machen. Und da ... da ist die übrige Welt, die du verpaßt hast. Und ich frage mich weiter: Ist es schon zu spät, das alles nachzuholen, und ich antworte mir: Nein! Es ist nicht zu spät! Du hast eine wundervolle junge Frau, du bist noch stark genug, diese ganze Welt an deine Brust zu drücken, du kannst es noch. Und nun zögere nicht. Tu es. Tu es! Stürz dich auf diese Welt, und wenn du einmal die Augen schließt, dann kannst du sagen: Diese Augen haben alles gesehen, was ein Mensch sehen kann. Du hast die Welt umarmt.« Er holte tief Atem und sah Belisa mit flackernden Augen an. »Das ist mein Ziel. Und deshalb sitzen wir jetzt zusammen.«

»Was ... was hat das mit mir zu tun?« Belisas Stimme war leise und fast erschrocken. Sie erkannte Juan Perón nicht wieder. Vor ihr saß ein fremder Mann, der ihr gestand, daß er sich innerlich zerfleischte. Ein Opfer seines Reichtums. Zugeschüttet vom Gold.

»Um es kurz zu machen: Ich möchte die Leitung der Mine abgeben.«

»Du willst verkaufen?«

»Abgeben ist nicht verkaufen. Bisher habe ich alles allein gemacht. Mit ein paar Verwaltungsdirektoren, die nichts waren als mein Sprachrohr. Knechte, die blaß wurden, wenn ich hustete. Niemand, der mir eine Entscheidung abnahm. Der einen Vorschlag aus der Tasche zog. Der eine Idee entwickelte. Nur Duckmäuser, die mir in den Arsch krochen. Das habe ich alles satt, satt, satt. Seit ich Jessica liebe, weiß ich, daß es ein anderes Leben gibt. Und das will ich jetzt genießen. In vollen Zügen genießen. Unbelastet. Frei sein! Mein Gott, wie habe ich immer die Freiheit gesucht, mein ganzes Leben lang. Freiheit! Das höchste Gut des Menschen. Dafür habe ich geschuftet. Und ich wurde reicher und reicher und reicher ... und verlor immer mehr den Weg in die Freiheit. Ich habe mich selbst gefesselt. Jetzt möchte ich das alles von mir werfen ...«

»Und wie denkst du dir das?« fragte Belisa. Sie spürte eine Art Krampf, der ihr das Herz zusammenpreßte. Er ist verrückt, dachte sie erschrocken. Total verrückt. Wie kann man an Reichtum zugrunde gehen? Wie kann Reichtum krank machen? Wie kann man Reichtum beklagen?

»Wie ich mir das denke?« wiederholte er ihre Frage. »Ich übergebe.«

»An wen?«

»An ein Management.«

»Ein Konsortium?«

»Nein.«

»An eine Bank?«

»Um Himmels willen, nein!«

»Gründung einer Aktiengesellschaft?«

»Nein! Alles soll in der Familie bleiben.«

»Eine Familienstiftung?«

»Aus dir spricht der Bankfachmann. Denk einfacher. Ich brauche einen Manager, der für mich die Geschäfte leitet. Nicht hier in Davao, sondern vor Ort. Am Berg. In Diwata. Einen Manager, der sich nicht vor dreißigtausend Entwurzelten fürchtet. Der sie im Griff hält. Der mit dem Teufel leben kann. Jemand, der die Hölle am Kochen hält ...«

»Und wen hast du dafür ausgesucht?«

»Dich!«

Einen Augenblick lang hing völlige Stille zwischen ihnen. Nur Belisas Augen weiteten sich, und ihr ganzer Körper drückte Entsetzen aus.

»Du ... du bist verrückt, Juan Perón ...« sagte sie dann. Ihre Stimme verlor sich in Heiserkeit und wurde fast unhörbar. »Du bist wirklich verrückt.«

»Ich habe das lange überlegt. Ich weiß keinen besseren Manager für Diwata als dich.«

»Ich? Unmöglich.«

»Das Wort unmöglich habe ich nie gekannt. Ich kenne es auch jetzt nicht. Ich höre es gar nicht. Du wirst die Mine übernehmen.«

»Nein.«

»Ich biete dir eine Beteiligung von fünfzig Prozent am Gewinn.«

»Nein!« Jetzt schrie sie, so explosiv, daß die Diener an der Terrassentür verschreckt zusammenzuckten. »Ich nicht!«

»Nur du.« Toledo löffelte wieder ein paar Bissen des Fruchtsalates. »Ich habe dich ein halbes Jahr beobachtet. Und ich weiß, daß du gar nicht ahnst, was in dir steckt. Ich brauche nur in deine Augen zu sehen. So sanft Jessica ist, so wild ist dein Blut. Du wirst den Diwata-Berg übernehmen. Ich weiß es ... und jetzt, in diesem Augenblick, weißt du es auch! Du wirst es für deine Familie tun.«

»Warum gerade ich?« Sie schrie wieder. Toledo winkte den Dienern. Geht! Sie zogen sich sofort ins Innere des Hauses zurück und schlossen die Terrassentüren hinter sich. »Meine Brüder ...«

»Sie gehen natürlich mit.« Juan Perón prostete Belisa wieder mit dem Wein zu, aber sie rührte ihr Glas nicht an. Mit geballten Fäusten hockte sie auf dem Stuhl. Ein Bündel konzentrierter Abwehr. »Hast du nie Träume gehabt?« fragte Toledo.

»Was geht das dich an?«

»Träume von Reichtum?«

»Wer träumt nicht davon, reich zu sein?«

»Du wirst es sein.«

»Indem ich im Dschungel verschimmele?«

»Du wirst die Mine führen wie kein anderer Mann.«

»Ich bin kein Mann. Ich bin ein kleines Mädchen. Ein Meter achtundfünfzig klein ...«

»Die kleinsten Hunde bellen am lautesten. Die meisten Eroberer und Staatsmänner waren klein. Napoleon war klein.

Friedrich der Große war klein. Mao Tsedong war klein. Auch du bist zum Herrschen geboren. Zum Herrschen über den Goldberg Diwata.« Er beugte sich über den Tisch zu ihr vor. »Ich weiß von Jessica, daß du von einem Schloß geträumt hast. Am liebsten hast du Märchen gelesen und sie dann Jessica erzählt. Und du hast immer gesagt: Ich möchte einmal in einem Schloß wohnen. Ich möchte reich sein. So reich wie eine Prinzessin. Wie eine Prinzessin im Märchen. Wenn ich etwas anfasse – ein Sandkorn, ein Blatt, eine Blume, irgend etwas – es soll in meinen Händen zu Gold werden. Ja, das hast du gesagt. Stimmt es?«

Belisa zögerte, dann nickte sie stumm. Die Märchen von den goldenen Prinzessinnen. Sie kannte sie jetzt noch auswendig.

»Streck die Hände aus ... und alles wird zu Gold!« sagte Toledo in ihre Gedanken hinein. »Vor dir liegt ein Berg aus Gold, und dreißigtausend Männer holen es für dich aus den Schächten. Für dich und für mich ... wie ich dir angeboten habe. Halbe-halbe.«

»Wie kann ich dreißigtausend Männer befehligen, wenn ich nicht mal meine Brüder im Griff habe?!«

»Irrtum. Du merkst es nicht, aber ich sehe es: Diese drei Wilden fressen dir aus der Hand. Sie beten dich an. Du bist für sie eine zweite Sonne.«

»Das ist nicht wahr. Das ist immer Jessica gewesen.«

»Sie ist jetzt mein Weltall. Ich weiß, ich habe sie deinen Brüdern weggenommen. Sie mögen mich nicht. Und das freut mich. Mein Geld blendet sie nicht. Sie sind eine ganz besondere Sorte Mensch. Genau die Außenseiter, die ich am Diwata brauche. Du, zusammen mit ihnen, wirst der beste Manager sein für diesen Job ... und du wirst einmal durch den Garten und die Räume deines Märchenschlosses gehen und sagen: Ich träume nicht. Ich träume nicht. Alles gehört wirklich mir. Alles! Alles!«

»Wann soll ich die Mine übernehmen?«

Sie fragte es plötzlich und so nüchtern, daß Juan Perón unwillkürlich zusammenzuckte. Auch ihre Stimme hatte sich verändert ... sie klang kalt und bestimmt.

»Sofort. Ich werde in drei Wochen mit Jessica nach Europa fliegen. Nach Venedig, nach Paris, nach Rom, nach London ... ich weiß noch nicht, was wir alles besuchen werden. Wir werden uns durch die Welt treiben lassen.«

»Und wann kommt ihr zurück?«

»Das weiß ich auch nicht. In einem Jahr, in zwei Jahren ... ich will keine Tage oder Monate mehr zählen.«

»Das heißt: Ich bin Herrin der Mine?«

»Zu fünfzig Prozent.«

»Wer wird regieren?«

»Regieren. Welch ein Wort! Aber du hast es erfaßt. Man muß regieren. Du wirst regieren.«

»Und ich habe freie Hand?«

»Solange es uns nutzt und du Erfolg hast.«

»Und wenn ich keinen Erfolg habe?«

»Dann hast du mich enttäuscht.« Toledo hob wie bedauernd die Schultern. »Ich würde sehr traurig sein.«

»In drei Wochen.« Belisa griff nach einer Glasschale mit Orangenstücken und aß zwei Scheiben, bevor sie weitersprach.

»Sagst du es meinen Brüdern?«

»Nein. Du. Wenn du mir jetzt die Hand gibst, bist du der Boß.« Toledo streckte ihr seine Hand entgegen. In seinen Augen glitzerte die Spannung. Was würde sie jetzt tun? Schlug sie ein?

Er war geradezu erschrocken, als Belisa ohne das leiseste Zögern seine Hand ergriff. Ihr Druck war fest, wie der eines Mannes, und Toledo fragte sich, woher diese Kraft in den kleinen, zarten Fingern kam. Er atmete deutlich hörbar aus und hielt ihre Hand fest.

»Ein Hubschrauber wird dich nach Diwata fliegen«, sagte er.

»Du hast einen Hubschrauber?«

»Ich habe vier. Zwei große Transporthubschrauber, die bis zu zwanzig Mann aufnehmen können, und zwei kleinere für jeweils sechs Passagiere. Und die besten Piloten der Philippinen. Abgeworben bei den Luftstreitkräften. Alles hochqualifizierte ehemalige Offiziere. Ich zahle ihnen das Zehnfache ihres früheren Soldes.«

»Du kannst dir alles kaufen, nicht wahr?«

»Keine hundert Jahre Leben ... und darum will ich jetzt leben.«

Als Belisa wieder nach Hause kam, warteten ihre drei Brüder bereits auf sie. Auch Vater Enrique platzte vor Neugier und hatte sich mit drei Glas Rum auf die Neuigkeiten aus dem Hause Toledo vorbereitet.

»Nun, was war los?« fragte Miguel.

»Hat er Jessica ein Kind gemacht?« rief Carlos, der Boxer.

»Ich werde Großvater, nicht wahr?« rief auch Enrique. »Sag es, Belisa, sag es. Ich bekomme ein Enkelchen?«

Und Pedro, der Jüngste, orakelte: »Wenn Jessi ein Kind bekommt, ist sie fein raus. Was auch passiert ... das Balg wird erben!«

»Jessica geht es gut.« Belisa setzte sich an den Tisch, griff nach dem Rumglas ihres Vaters und trank einen kräftigen Schluck. »Nein! Juan Perón hat ihr noch kein Kind gemacht. Noch nicht. Vielleicht in Venedig oder Berlin.« Sie blickte in die ratlosen Gesichter ihrer Brüder und lachte. »Sie gehen auf Weltreise. Ein Jahr, zwei Jahre, drei Jahre ... wer weiß das jetzt schon?«

»Jessica muß ihn verrückt gemacht haben.« Miguel schüttelte den Kopf. »Er läßt seine Mine allein? Er bewegt sich wirklich von seinem Goldberg weg? Er läßt den Diwata ohne Aufsicht? Für ein Jahr? Für mehrere Jahre? Er *muß* verrückt sein. Das geht schief, sagt ich euch. Das geht schief!«

»Es geht nicht schief.« Belisa kostete den Augenblick voll aus. Die Ratlosigkeit der Brüder. Die Enttäuschung des Vaters.

Er wurde nicht Großvater. Kein Enkel war in Sicht. Kein Erbe eines Riesenvermögens. »Juan Perón hat einen neuen Manager für die Mine eingestellt.«

»Der ihn von oben bis unten bescheißen wird!« rief Carlos.

»Das glaube ich nicht.« Belisa lächelte, was ihre Brüder überhaupt nicht verstanden. »Ich kenne den neuen Manager.«

»Aha! Und wer ist das?«

»Ich ...«

Die plötzliche Stille wirkte wie eine Explosion. Die Luft war bis zum Bersten geladen.

»Du?« fragte endlich Miguel. »Du? Wieviel Rum oder Brandy hast du bei Toledo schon gesoffen?«

»Er hat mir das Angebot gemacht, die Mine zu leiten. Und ich habe angenommen.«

»Du hast ...?!« Carlos schlug die Hände zusammen. Es waren riesige Hände. Boxerhände. »Mein Gott ... statt Gehirn hat sie Scheiße im Kopf!«

»Wir fliegen in vierzehn Tagen nach Diwata!« sagte Belisa unbeirrt und von Carlos' Ausfällen gar nicht beeindruckt.

»Wir? Wer fliegt denn noch mit?« Pedro wischte sich über das Gesicht, als müsse er Wahnbilder verscheuchen.

»Ihr ...«

»Wer ist ihr?« spottete Miguel.

»Drei Idioten: Miguel, Carlos und Pedro.«

»Sie meint uns«, stammelte Pedro. »Wirklich uns ...«

»Verrückt! Ich habe Verträge über drei Boxkämpfe abgeschlossen!« sagte Carlos.

»Absagen!«

»Ich kann doch meine Schmiede nicht zumachen.«

»Du kannst!«

»Meine Bank ...« rief Pedro.

»Sie wird auch ohne dich auskommen.«

»Und was sollen wir an diesem verdammten Berg?« schrie Miguel.

»Auf mich aufpassen. Für Ordnung sorgen. Dreißigtausend Diggern zeigen, wer der neue Herr ist. Weiter nichts!«

»Weiter nichts!« Miguel starrte seinen Vater hilfesuchend an. »Papa, sag doch was! Sie ist verrückt geworden! Gib ihr ein paar Ohrfeigen, damit sie vernünftig wird. Nun tu doch was, Papa!«

»Was soll man da sagen und tun?« Enrique García trank das Glas Rum leer, kaute an der Unterlippe und hob dabei immer wieder die Schultern, als stoße ihn jemand von hinten an. »Es ist eine ehrenvolle Aufgabe ...«

»Das ist alles, was du dazu zu sagen hast?!«

»Wenn Belisa es will ... und wenn ihr dabei helft ... warum soll es nicht möglich sein?« Er blickte hinüber zu seiner Tochter. Belisa saß zurückgelehnt in einem Korbsessel und hatte die Arme vor der Brust verschränkt. Aber ihre Muskeln waren angespannt wie die einer Katze vor dem Sprung auf eine Maus. »Zahlt dir Juan Perón ein gutes Gehalt?«

»Fünfzig Prozent Beteiligung am Gewinn.«

»Fünfzig ...« Pedro, der Wachmann, verdrehte die Augen. Was Belisa da sagte, war nicht zu glauben. Fünfzig Prozent. Sie muß sich verhört haben. Fünf Prozent sind realistisch. »Das kann nicht sein.«

»Es ist so.«

»Im Berg liegen Millionen ...«

»Ich weiß.«

»Und davon fünfzig Prozent?«

»Exakt.«

»Ich werd verrückt.«

»Wir alle sind verrückt, wenn wir das glauben!« schrie Miguel. »Auch wenn er unser Schwager ist, auch wenn er Jessica vögelt, auch wenn er seiner Jugend nachrennt ... so verrückt ist Juan Perón nicht!«

»Denkt, was ihr wollt!« Belisa erhob sich aus ihrem Korbsessel. Ihre Stimme, ihre Körperhaltung ließen keinen Zweifel aufkommen: Sie hatte sich entschieden. Endgültig. Warum noch diskutieren? »Ich fliege nach Diwata. Ich übernehme die Mine ... auch ohne euch! Carlos hat gesagt, ich hätte Scheiße im Kopf ... wenigstens etwas. Euer Kopf ist leer. Ausgeblasen. Ihr könnt nur saufen, schlagen und huren. Genau solche Typen brauche ich. Aber – ich komme auch allein zurecht. Bleibt hier ...«

Brüsk drehte sie sich um, legte stolz den Kopf in den Nacken und verließ das Zimmer. Die Brüder und Vater Enrique starrten ihr nach und zuckten zusammen, als sie die Tür hinter sich zuknallen ließ.

»Amen!« sagte Miguel nach einer Weile qualvoller Stille. »Also dann ab zum Diwata-Berg. Papa, das ist doch selbstverständlich: Wir lassen Belisa nicht allein.«

In ihrem Zimmer warf sich Belisa auf das eiserne Bett, verschränkte die Arme hinter dem Nacken und starrte an die getünchte Decke. Sie wußte, daß ihre Brüder mitkommen würden, und sie wußte auch, daß ihr ein Leben in der Hölle bevorstand. Und wieder dachte sie an die Märchen ihrer Kindheit. Einmal Prinzessin sein. Einmal in einem Schloß wohnen ... so, wie es die kleine Jessica jetzt konnte. Einmal so reich sein, daß sie sagen konnte: Das möchte ich haben, und das, und das auch ... und dann griff man in einen Haufen Geld und konnte alles, alles bezahlen.

Können Märchen Wahrheit werden? Können Träume sich erfüllen?

Kann ein kleines, ein Meter achtundfünfzig großes, zartes Mädchen dreißigtausend wilde Goldgräber regieren? Wie stellte man es an, daß man von allen geliebt, aber auch gefürchtet wird? Ein Lächeln und eine eiserne Faust. Ein Herz, härter als das Gestein des Diwata-Berges. Eine Seele, die in einem Panzer ruht. Ein Kampf um jede Minute Leben. Und nur ein Ziel, ein einziges: Gold – Gold – Gold!

»Ich schaffe es!« sagte sie und schlug die geballten Fäuste

zusammen. »Verdammt, ich schaffe es! Mich wird keiner unterkriegen. Keiner! Ich werde immer die Stärkere sein! Immer! Wie hat Juan Perón gesagt: Die kleinsten Hunde bellen am lautesten. – Nicht nur bellen ... nein ... auch beißen! Ich werde um mich beißen, bis niemand mehr wagt, in meine Nähe zu kommen. Gott im Himmel ... das ist ein Schwur!«

Mehr, viel mehr als bei ihren Geschwistern, schlug bei Belisa das Blut ihrer mütterlichen Vorfahren durch. Während die Garcías – so behauptete wenigstens Enrique – zu den Überresten der spanischen Entdecker gehörten, konnte der Clan der Mukamowa, also der Mutter, auf eine weitverzweigte Stammesabkunft verweisen. Urstämme wie die *Subanon*, *T'boli* und *Manobo* gehörten zu den Ahnen und hatten dafür gesorgt, daß eine geradezu kriegerische Blutsmischung zustande gekommen war.

Belisa schien eine Ballung dieses Erbes zu sein. Ihre Haut war dunkler als die ihrer Geschwister, die Augen schwärzer und glühender, und wenn sie ging, glich es dem lautlosen Dahingleiten einer Katze. Sie war klein und sehr schlank, aber wenn sie die Muskeln spannte, traten die Stränge deutlich hervor und zeigten an, welche Zähigkeit in ihnen verborgen war. Es war kein jungenhafter Körper ... wenn sie im Bikini über den Strand lief oder sich in die Brandung des Meeres warf, konnten ihre kleinen Brüste, die schlanken Schenkel, der Schwung ihrer Hüften und ihr runder, fester Hintern durchaus Begehrlichkeit wecken. Nur ... bisher hatte es noch keinen Mann gegeben, der seine Hand auf diesen Körper gelegt hatte. Sie war im besten Sinn des Wortes unberührt – und sie hatte auch nie das Verlangen gehabt, die Wärme eines anderen Körpers an sich zu spüren.

Ein Mann! Was war schon ein Mann? Das abschreckendste Beispiel waren ihre Brüder. Sie konnte sich nicht vorstellen, mit so einem Wesen in näheren Kontakt zu kommen. Selbst der gepflegte Juan Perón Toledo erweckte keinerlei erotische Gedanken in ihr. Er war der Mann ihrer Schwester Jessica, weiter nichts. Und jetzt ihr Chef – das war noch unpersönlicher.

Sie schrak hoch, als es an der Tür klopfte und Miguel ins Zimmer kam. Er blieb an der Tür stehen und räusperte sich, weil Belisa die Lider geschlossen hielt.

»Schläfst du?« fragte er.

»Jetzt nicht mehr, du Klotz!«

»Wir haben eine Entscheidung getroffen.«

»Interessiert mich nicht mehr.«

»Wir kommen mit ...«

»Ach nein.«

»Wir alle drei.« Miguel räusperte sich wieder. »Freust du dich?«

»Nein.«

»Warum nicht?«

»Ich wußte es vorher.«

»Schade, daß du ein Mädchen bist.« Miguel riß die Tür auf. »Man sollte dich verprügeln! Du hast den Teufel in dir!«

Sie lachte, und sie lachte noch immer, als Miguel längst gegangen war. Ein Lachen des Triumphes.

Brüder, meine lieben Brüder, wir werden den Goldberg aufsprengen ...

Auf dem kleinen Flugplatz der Fliegerschule von Davao warteten zwei Hubschrauber der Diwata-Mine. Eine kleine Menschenansammlung stand um sie herum und sah dem großen Cadillac entgegen, der jetzt zu ihnen hinrollte. Toledo hatte Belisa und ihre Brüder abholen lassen. Er selbst war nicht zum Flugplatz gekommen.

»Ich habe dort nichts mehr zu suchen«, hatte er bei der letzten Besprechung gesagt. »Das ist jetzt dein Job. Du bist der Boß. Die Gold-Lady. Sieh zu, daß du dieses Namens würdig bist ... nein, erarbeite ihn dir. Ich wünsche dir viel Glück ... und Gottes Segen. Aber Gott wirst du am Diwata-Berg nicht begegnen.«

Der Wagen hielt, die Brüder stiegen aus und halfen ihrer Schwester galant aus dem Auto.

»Was ist denn das?« fragte Carlos, der Boxer. »Da fliegen ja Weiber mit. Weißt du davon, Schwester?«

»Ja. Es sind vierzehn Huren.«

»Das fängt ja gut an.«

»Nicht für dich. Nachschub für das Bordell. Es ist zu klein ... siebenundsechzig Mädchen für dreißigtausend Männer – das ist nicht zu schaffen.«

»Die müssen ja am Morgen dampfen.«

»Da lohnt sich eine Eisfabrik zur Kühlung!« Miguel, der Praktiker, grinste breit. »Das wäre die richtige Arbeit für mich.«

Sie gingen zu den Hubschraubern hinüber. Die kleine Menschengruppe starrte ihnen entgegen, gespannt, abwartend, abtastend. Jeder von ihnen wußte, wer die kleine Person war, die jetzt, in engen Jeans, einem weiten roten Pullover, mit halbhohen Stiefelchen an den Füßen und einem roten Band um das zusammengeschlungene Haar, auf sie zukam.

Das ist sie also, las man in ihren Blicken. Des großen Toledos Stellvertreter. Ein schmales Mädchen. Ein kindgroßes Körperchen. Ein Windstoß konnte sie umblasen. Was hat sich Toledo bloß dabei gedacht?

»Guten Morgen!« sagte Belisa laut. Ihre Stimme hatte einen metallenen Klang, der alle verblüffte. Ihr Blick tastete die Wartenden ab. Da waren die vierzehn Huren, zusammengedrängt wie eine Hühnerschar im Regen. Die beiden grinsenden Männer in Tropenanzügen mußten die Piloten sein, die ehemaligen Herren Offiziere. Und da stand noch ein Mitflieger in der Reihe, lang, hager, knochig, mit einer Haut, die wie gegerbt aussah, und schien hier völlig fehl am Platze zu sein. Er trug einen breitkrempigen Hut und eine bodenlange schwarze Soutane.

Ein Priester.

Belisa nahm den Kopf etwas zurück.

»Sie haben sich nicht verirrt?« fragte sie.

»Pater Federico Fernández Burgos von der Mission des Heiligen Blutes.« Der Priester lächelte Belisa unbefangen an. »Ich glaube, ich bin hier richtig.«

»Hat Herr Toledo Sie angestellt?«

»Gott hat mich angestellt, Dalagáng García.«

»Oh! Sie sprechen Cebuano? Die Sprache unserer Vorfahren?«

»Ich spreche neun Sprachen.«

»Und was wollen Sie in Diwata?«

»Ich habe den Auftrag, eine Kirche zu bauen.«

»Dort?« Carlos lachte laut. »Was man dort braucht, sind Puffs, aber keine Gebete.«

»Wo ein Hurenhaus steht, kann auch ein Haus Gottes stehen.«

»Mein Schwager weiß von diesem Plan?« Belisa hatte Carlos gegen das Schienbein getreten. Mit einem dumpfen Laut wich er zwei Schritte zurück. »Er hat mir nichts davon gesagt.«

»Es war sein ausdrücklicher Wunsch. Vielleicht sollte es eine Überraschung für Sie sein. Er hat die Kirche gestiftet. Die Urkunde liegt im Koffer, ich zeige sie Ihnen nach der Ankunft. Das Geld für den Bau soll ich bei Ihnen abholen.«

»Das steht in der Urkunde?«

»In einem Begleitbrief. Dreißigtausend Menschen ohne Gottes Wort, Kranke ohne Trost, Sterbende ohne das Sakrament ... Gott leidet mit.«

»Ich scheiß mir gleich in die Hose!« Carlos trat wieder näher an Belisa heran.

»Auch du, mein Sohn, wirst bald Gott suchen.«

»Wir sind keine Kinder, Pater.« Belisa streckte Pater Burgos ihre kleine Hand hin. »Wir haben jeden Sonntag die Messe besucht. Vor unserer Abfahrt haben wir gebeichtet und die Kommunion empfangen. Wir alle. Ich und meine Brüder. Aber dort, wo wir hinfliegen, ist ein Priester so unnütz wie eine Warze.«

»Jeder Mensch braucht Gott. Am meisten die Verfluchten, die Verzweifelten, die Entwurzelten, die Vergessenen. Ich bin zuversichtlich.«

»Natürlich. Sonst wären Sie nicht hier.« Miguel schob sich an die Seite Belisas. »Man wird Sie auslachen, Pater. Wetten, daß man Sie auslacht?«

»Wetten, daß mehr Männer die Predigt hören werden als das Zwitschern der Huren?«

»Ihre Sprache gefällt mir, Pater.« Miguel streckte seine riesige Schmiedehand aus. »Um was wetten wir?«

»Um eine Beichte, in der Sie die Wahrheit sagen.«

»Und was bieten Sie?«

»Nichts ... weil ich gewinne.«

»Können wir jetzt abfliegen?« unterbrach einer der Piloten die Wette. »Ich möchte am Abend wieder in Davao sein.«

»Einsteigen!« Der andere Pilot ging hinüber zu dem großen Transporthubschrauber. »Die Mädchen hierher zu mir. Los! Beeilung!«

Carlos lachte auf. Er klatschte in die Hände und ging auf die Gruppe der Dirnen zu. »Hopphopp!« schrie er. »Alles einsteigen in die Mösenschaukel! Anschnallen, aber Vorsicht bei den Titten! Sie werden noch gebraucht!«

Die Mädchen, alles junge Dinger aus dem Hinterland, nicht älter als höchstens zwanzig, liefen zu dem großen Hubschrauber. Nur eine blieb stehen. Sie war älter als die anderen, um die Dreißig herum, und stemmte die Fäuste in die Seiten. Kampfbereit und furchtlos. Carlos blieb vor ihr stehen.

»Wer bist du?« fragte sie. »Ich bin Carmela. Mir imponierst du nicht mit deiner Gurke. Großmaul, du!«

»Ich bin Carlos, der Blitz! Der Boxer ...«

»Ein Boxer! Oben Muskeln und unten ein Würmchen! Bei mir bist du in zwei Runden k.o. ...«

»Darauf lasse ich es ankommen. Auf diesen Fight brauchst du nicht lange zu warten.«

»Vergiß es nicht.« Carmela wandte sich ab und folgte den anderen zum Hubschrauber. Bevor sie einstieg, rief sie Carlos noch über die Schulter zu: »Ich rate dir, vorher zehn Eier zu essen, du Arsch!«

Breit grinsend kam Carlos zu Belisa zurück. »Ist das ein Weib!« sagte er genußvoll. »Ich werde sie in Stücke reißen.«

»Wenn du sie anrührst, schmeiß ich dich aus Diwata hinaus.«

Das klang endgültig, nicht wie eine Warnung. Das war schon ein Urteil. Carlos steckte die Hände in die Hosentaschen.

»Schwesterchen ...« sagte er stockend. »Man darf doch auch in Diwata ein bißchen Spaß haben ...«

»Eure Späße bestimme ich!«

Und jetzt, zum erstenmal, machte Pedro, der bisher geschwiegen hatte, den Mund auf.

»Ich glaube«, sagte er, »Belisa hat ihr Wesen gewechselt. Das ist eine andere Belisa. Wir werden noch allerhand mit ihr erleben.«

»Kann es endlich losgehen?« rief vom Hubschrauber her der Pilot. Er war ungeduldig geworden und böse. Der Transporter mit den Huren war startbereit, die Rotorflügel drehten sich knatternd und pfeifend. Dann stieg er senkrecht in die Luft und schwebte davon.

Pater Burgos hockte schon auf seinem Sitz. Belisa klemmte sich neben ihn. Hinter ihnen nahmen die drei Brüder Platz. Der Pilot schloß die Tür und setzte seinen Helm mit dem eingebauten Funksprechgerät auf.

»Anschnallen!«

»Halt's Maul!« knurrte Miguel.

»Der Pater will noch ein Gebet sprechen«, rief Carlos. »Lieber Gott, laß mich Frommen sicher nach Diwata kommen ... Gut, was?«

»Schlecht.« Pater Burgos drehte den Kopf nach hinten. »Besser: Lieber Gott, hier kommt ein Haufen, den du solltest noch mal taufen.«

»Eins zu null für Sie, Pater. Aber Priester haben ja immer das letzte Wort.«

Der Hubschrauber dröhnte in den Himmel. Weit ging der Blick über das Land, über die Riesenstadt Davao, über den Dschungel, der hinter der Stadt begann. Ein Urwald, der noch Tausende von Geheimnissen barg.

Belisa blickte über den dichten Teppich der Baumwipfel unter sich. Unberührtes Land. Drohend, gefährlich, verschlingend ... aber schön. Unbeschreiblich schön.

Sie legte ihre kleine Hand auf das Knie des Paters und lehnte den Kopf zurück.

Burgos legte seine Hand über ihre zitternden Finger.

»Was ist, meine Tochter?« fragte er leise, nahe an ihrem Ohr.

»Ich habe Angst.« Sie krallte sich in seine Handfläche. »Ich habe Angst, Pater ...«

»Wir alle haben Angst ... doch Gott ist bei uns ...«

2

Am Diwata-Berg hatte sich die explosive Stimmung gelegt.

Der verschüttete Schacht war zugemauert worden. Die über sechzig Toten, die genaue Zahl wußte niemand, wurden nicht einmal registriert. Es gab keine Namenslisten, keine Angaben zur Person ... man tauchte bei der Mine auf, bekam eine Blechmarke mit einer Nummer, die man sich um den Hals hängte, und diese Nummer allein war Ausweis und überhaupt das Wichtigste im Leben der Schürfer. Denn jeder Sack, den man aus den Stollen schleppte, trug diese persönliche Nummer, wurde von der Aufsicht an der Sammelstelle notiert, und danach richtete sich der Lohn. Viele Säcke, viele Pesos. Ein einfaches und sicheres Verfahren, bei dem es keine Betrügereien gab. Die Nummer war das Leben ... es war nicht wichtig, wer die Blechmarke um den Hals trug. Was war schon ein Name? Wozu brauchte man ihn am Diwata-Berg? Ein Sack Goldgestein hieß Nr. 10 636 und nicht José oder Manuel.

Die Lautsprecheraktion war erfolgreich gewesen.

Nach anfänglichem Murren kamen die Männer zu der Überzeugung, daß es völlig sinnlos und vor allem unproduktiv war, sich um Tote zu kümmern. Durch Protest wurden sie nicht wieder lebendig, Streiks minderten den Lohn, denn es wurde ja nach Säcken bezahlt, und selbst wenn man Besitzer einer Maschinenpistole oder anderer Waffen war – gegen Panzer und Maschinengewehre, Minen, Granatwerfer und Kanonen der Sicherheitstruppe hatte man keinerlei Chance. Selbst eine Gedenkstunde, in der die Arbeit ruhte, würde man selbst bezahlen müssen.

Es blieb nur eines übrig: Man bemühte sich, die Eingemauerten zu vergessen. Nur einen Strauß aus Palmenblättern und *Sampaguita* –Blüten mit ihrem starken, süßen Duft legten Unbekannte vor dem zugeschütteten Schacht nieder.

Avila, der Sicherheitchef, ließ die Blumen sofort entfernen. Ramos hatte den Befehl dazu gegeben.

»Wir wollen keine Märtyrer züchten!« hatte er gesagt. »Betriebsunfälle gibt es überall. Wer noch mal Blumen an den Stollen bringt, wird bestraft.«

Von der Veränderung in der Führung der Mine war Ramos durch einen Telefonanruf aus der Zentrale unterrichtet worden. Der große Herr Toledo selbst hatte angerufen. Ramos fühlte sich geehrt, er nahm am Telefon sogar eine stramme Haltung an, als spräche ein General zu ihm. Hinterher hatte er große Mühe, das Gehörte zu verdauen.

Er berief eine Konferenz der Führungskräfte der Mine ein ... die gefürchteten vier versammelten sich in Ramos' Büro: Avila, der Bordellverwalter Manuel Morales, der erste Vorarbeiter Rogelio Sotto und Felipe Ramos selbst.

Ramos bot Zigarren an und ein Glas San-Miguel-Bier. Nach ein paar genußvollen Zügen – Kenner behaupten, die philippinischen Zigarren seien besser als die Havannas, würziger, aber milder – ließ Ramos die Neuigkeit heraus.

»Wir bekommen einen neuen Boß.«

»Das mußt du uns erklären«, sagte Avila. »Was heißt hier Boß? Du bist hier der Boß. Oder hat Toledo den Berg verkauft? An den Staat?«

»Er gibt nur die Leitung ab.«

»An wen?« fragte Morales.

Er war ein kleiner, dicker Mann mit chinesischem Blut, der seinen Vater nie gekannt und nichts weiter von ihm erfahren hatte, als daß er Layung Li, die Morales' Mutter war, geschwängert hatte. Von ihr wußte er, daß der Sauhund von Mann ein Wanderarbeiter gewesen war und Morales geheißen hatte. Also nahm er diesen Namen an.

»Ich weiß es nicht.« Ramos zuckte mit der Schulter. »Er soll García heißen. Sicherlich so ein studierter Maßgeschneiderter, der uns zeigen will, wie man rationell arbeitet.«

»Der wird sich wundern.« Sotto, der Vorarbeiter, dem die Kolonne der Sackzähler unterstand, knurrte hinter seiner qualmenden Zigarre.

»Wir werden ihn gebührend empfangen.« Avila grinste breit. »Er wird froh sein und sich heiß baden, wenn er seine Inspektion schnell beenden kann.«

»Das ist es ja. Das ist das Problem.« Ramos schob sein Bierglas hin und her. Ein Zeichen aufgestauter Nervosität. »Er bleibt hier.«

»Wir werden ihm 'ne Menge Salz in die Suppe streuen.« Avila lachte kurz auf. »Wie heißt er?«

»García. B. García. Toledo hat nur B. gesagt . . . ich habe ihn nicht nach dem vollen Vornamen gefragt. B. García.«

»Wer es auch ist . . . wir werden ihm Feuer unterm Schwanz machen.« Morales strahlte über das ganze Gesicht. »Ich werde ihm Juana ins Bett legen. Dann habt ihr Ruhe. Wen Juana bearbeitet, der hat kein Rückgrat mehr.«

»Auch da ist Nachschub angekündigt.« Ramos zog einen Notizzettel zu sich heran. »Aus Davao kommen vierzehn Mädchen für dich.«

»Vierzehn?« Morales seufzte. »Das wird hart. Ich muß sie alle testen . . .«

»Zehn Kilo weniger Fett täten dir gut«, sagte Avila anzüglich.

»Und drei Brüder kommen mit.«

»Neue Digger? Drei? Mit dem Hubschrauber vom Chef? Was soll denn das?«

»Es sollen die Brüder von diesem B. García sein.«

»Aha!« Avila schlug mit der flachen Hand auf den Tisch. »Der Herr García ist wohl zu feig oder zu vornehm, allein zu kommen. Braucht drei Bodyguards. Kommt nur. Kommt nur ... mit euch werden wir auch noch fertig!«

»Und ein Priester ist auch dabei.«

»Ein was?« fragte Sotto ungläubig.

»Ein Pater. Federico Burgos. Vom Heiligen Blut.«

»Blut kann er hier genug sehen.« Avila griff zum Bier und trank sein Glas leer. »In Davao muß die Gehirnerweichung grassieren! Ein Priester. Was sollen wir hier mit einem Priester? Will er etwa auch Säcke schleppen?«

»Er wird jeden Sack segnen!« schrie Sotto und überschlug sich vor Lachen. »Meinen kann er zuerst segnen – ich halt ihn ihm gerne hin ...«

»Auf jeden Fall wird es unangenehm.« Ramos schob den Notizzettel zur Seite. »Wir kennen das ja. Neue Maulhelden. Wollen beweisen, wie gut sie sind. Ihre Vorgänger waren nur Versager. Idioten. Aber sie ... die großen Macher. Darauf sollten wir uns einstellen. Passiver Widerstand. Laßt diesen B. García reden, was er will ... wir haben zwei Ohren: Zum einen hinein, zum anderen hinaus. Und wenn er unerträglich wird ...«

»Dann überlaß ihn mir.« Avila lehnte sich zurück und blickte an die rohe Holzdecke. Vier Jahre war es her. Von der Minenleitung war Juan Ortiz aus Davao geschickt worden. Ein Revisor. Er hatte sich die Lohnbücher vorgenommen, die Zahl der Säcke pro Arbeiter, das Ergebnis der Goldwäscherei, die Reinheit des herausgefilterten Goldes.

Sechs Wochen hatte er sich durch die Aufzeichnungen gewühlt und dann zum immer freundlichen Ramos gesagt:

»Ihr lebt hier im Dschungel. Aber dieser Dschungel ist ein Rosengarten gegen den Dschungel in eurer Buchführung. Da stimmt gar nichts. Da fehlt kilogrammweise Gold. Da sind Tausende von Pesos im Sumpf verschwunden. Ramos, wie willst du das Herrn Toledo erklären?«

Es hatte keine Erklärung gegeben. Statt dessen war es zu einem bedauerlichen Unglücksfall gekommen.

Der Revisor, ein Großstadtmensch und zum ersten Mal im Urwald, kannte natürlich den unauffälligen Strauch *Abrus precatorius* nicht. Der Strauch wächst an Flußufern und auf Lichtungen im Dschungel, und wenn seine Samenkapseln reif sind, streuen sie schwarzrot gemusterte Hülsenfrüchte auf den Boden. So entsteht ein farbenprächtiger, verlockend schöner Teppich aus Erbsen. »Paternoster-Erbsen«, wie die Eingeborenen sie nennen, denn aus ihnen wurden früher Rosenkränze hergestellt. Nach sorgfältiger Bearbeitung, denn die schöne Paternoster-Erbse ist ein Höllensamen. Er enthält Abrin, das schwerste aller bekannten Kontaktgifte. Bruchteile eines Milligramms dieses Giftes, durch einen Ritz in der Haut in den Körper eingedrungen, genügen, um einen Menschen zu töten. Nur hoch spezialisierten Tropenärzten ist es möglich, das Gift später im Leichnam nachzuweisen ... der Tod tritt durch Herzlähmung ein. Wer denkt schon bei einem plötzlichen Herzstillstand an Abrin, das Gift der Paternoster-Erbse ...

Der Revisor aus Davao war plötzlich durch eine Herzlähmung gestorben. Vor Schreck. Durch einen Schock, wie man feststellte. Neben ihm hatte man eine erschlagene Schlange gefunden. Die Rekonstruktion des Falles war einfach: Der arme Mann war im Urwald einer Schlange begegnet, hatte sie noch töten können und war dann durch diesen Schock an Herzversagen gestorben.

Eine klare Diagnose. Niemand war auf den Gedanken gekommen, den Körper näher zu untersuchen. Und selbst dabei hätte man vielleicht den kleinen Hautkratzer auf der Brust übersehen.

Nur einer wußte von diesem Kratzer. Und der schwieg.

Warum auch sollte Avila verraten, wie man einen Menschen auf »natürliche« Weise sterben lassen kann?

Avila schrak aus seiner Erinnerung hoch, als Ramos geräuschvoll eine neue Bierflasche öffnete.

»Warten wir erst mal ab, wie sich dieser B. García benimmt!« lautete Ramos' Anweisung. »Wenn er ein wenig Hirn im Köpfchen hat, wird er sich mit uns arrangieren. Das Leben ist kurz – das muß man sich immer wieder vorbeten.«

Auf dem Hubschrauberlandeplatz, auf einem Plateau des Diwata- Berges, warteten die vier gespannt auf die Maschinen, die knatternd über dem Bergmassiv auftauchten, heruntergingen und nebeneinander einschwebten.

Zuerst landete der große Transporter. An den Fenstern drückten sich die Mädchen die Nasen platt. So also sah ihre neue Welt aus ...

»Da kommen meine Mäuse!« schrie Morales durch den Motorenlärm und stemmte sich gegen den Wind, den die Rotorblätter zu ihm hinbliesen.

»Und da«, Ramos zeigte auf den kleineren Hubschrauber, »kommt B. García mit seinen Brüdern. Ich platze vor Spannung.«

»Auf eins bin ich gespannt«, sagte Avila.

»Auf was?«

»Ob der Pater auch die Erde küßt wie sein großer Meister in Rom.«

Sie lachten noch immer, als auch die zweite Maschine aufsetzte und sich die Tür öffnete. Der Pilot sprang heraus, drehte sich um und half einem jungen Mädchen beim Aussteigen. Morales schien die Lage sofort zu erkennen.

»Das muß eine besondere Matratze sein!« rief er. »Kommt mit 'nem Segler vom Boß. Jungs, ich sage euch: Dieser García bringt seine eigene Möse mit. Macht ihn fast sympathisch. Schein ein cleverer Junge zu sein.«

Dem Mädchen folgte der Pater. Burgos küßte nicht die Erde. Er warf nur einen Blick vom Plateau hinunter auf das Gewirr der armseligen Hütten und aufgeweichten Gassen, auf die Dächer aus Palmstroh, die Zeltplanen, die flachgeklopften Benzintonnen und steinbewehrten Holzlatten.

»O Gott«, sagte er und faltete die Hände. »O Gott, Du hast mich an den richtigen Ort geschickt.«

»Jetzt betet er!« kreischte Morales. »Das hätte man fotografieren müssen.«

Die drei Brüder kletterten aus dem Hubschrauber und umringten das Mädchen wie einen Schutzwall. Avila zog das Kinn an.

»Die sind für dich!« sagte Ramos ironisch. »Keine Typen, die aussehen, als schissen sie sich in die Hosen.«

»Abwarten.« Avila starrte auf den Hubschrauber. Na, komm ... komm schon, steig aus. Aber der Pilot ließ die Tür zufallen. »Da fehlt noch einer«, sagte Avila enttäuscht. Auch Ramos war verunsichert. »Wo ist der neue Boß?«

»Vielleicht kommt noch eine Maschine? Angekündigt ist sie nicht. Aber möglich ist es.« Ramos setzte sich in Bewegung. »Der feine Herr fliegt nicht mit dem Pöbel. Er schwebt solo ein.«

»Und schickt seine Schwanzbetreuerin voraus?« Morales schüttelte den Kopf. »Was sind das denn für Flegeleien ...«

Mitten auf dem Platz blieben sie stehen und warteten, bis die Gelandeten auf sie zukamen. Vor dem großen Transporter standen die Huren wieder zusammengedrängt in der feuchtheißen Luft. Der zerklüftete Berg, der Dschungel, die dreckige Stadt zu ihren Füßen, diese bis zu ihnen hinauf stinkenden Slums jagten ihnen Schrecken ein.

Ohne Begrüßung, mit einem Hochmut, der zeigen sollte, daß hier in Diwata der Mensch ein Stück Dreck ist, raunzte Ramos den ihm am nächsten Stehenden an. Es war ausgerechnet Carlos, der Boxer.

»Wo ist Herr García?«

»Jaja, wo ist er denn?« Carlos sah sich wie suchend um. »Herr García, melden Sie sich. Verstecken Sie sich nicht! Sie sind uns doch nicht abhanden gekommen? Herr García, wir sind da. Wir werden von einem Arschloch begrüßt ...«

Mit zwischen die Schultern gezogenem Kopf trat Avila vor. Wenn Augen Schwerter wären, hätten sie Carlos in diesem Moment durchbohrt.

»Nimm das zurück!« sagte Avila laut.

Carlos drehte sich zu den anderen um. »Seht euch das an!« rief er. Es klang fast begeistert. »Da pißt eine Maus auf meine Schuhspitze. Oje, was gibt es hier für freche Mäuse. Da werden wir aber viele Mauselöcher ausräumen müssen.«

»Laß das, Carlos.« Belisa ging um ihre Brüder herum und baute sich vor Ramos und Avila auf. Der dicke Morales schnalzte herausfordernd mit der Zunge. Welch ein Hürchen. Etwas klein und kindlich, aber so etwas kommt an. Hat einen guten Geschmack, dieser Herr B. García.

Der einzige, der sich zurückhielt, war Sotto, der erste Vorarbeiter. Er war ein erfahrener Mann. Er ahnte nichts Gutes, als er die drei Brüder aus dem Hubschrauber steigen sah. Das waren keine Digger. Wer Gesteinssäcke aus dem Berg schleppen will, kommt nicht in einem sauberen Anzug daher und duftet nicht nach Rasierwasser.

»Sie warten auf García?« fragte Belisa. Sie stand mit durchgedrücktem Kreuz vor Ramos. Der Blitz ihrer schwarzen Augen war für ihn körperlich spürbar. »Ich bin García. Belisa García ...«

»Sie sind ...« Ramos starrte sie verwirrt an. Sein Blick umfing die kleine, schmale Gestalt. »B. García?«

»B wie Belisa. Und das sind meine Brüder Miguel, Carlos und Pedro.«

»Sie haben einen besonderen Auftrag?«

»Darauf kannst du einen Furz lassen.« Carlos sah dabei nicht Ramos, sondern Avila an. Instinktiv wußte er, daß dort ein Gegner stand, der ihn massiv beschäftigen würde. »Es wird sich hier vieles ändern. Vieles.«

»Es wäre gut, wenn es jetzt weiterginge.« Miguel sah hinüber zu den vier Jeeps, die an der Straße nach Diwata warteten. Dort stand ein klappriger Omnibus mit leeren Fensterhöhlen. Die Scheiben waren längst eingeschlagen. Der Bus, der die Huren zum Bordell fahren sollte.

Morales war der erste, der sich von dem Schock erholte. Ein Weib als Chef. Ein kindhaftes Mädchen als Boß. In Davao mußten sie stockbesoffen gewesen sein, als sie das ausgeknobelt hatten. Ein Trost: Das wird schnell vorbei sein. In spätestens einer Woche würde das Weibchen heulend zurück nach Davao schweben. Und mit ihr die drei Muskelbrüder. Übrig bliebe dann noch der Pfaffe. Und mit dem würde man auch fertig werden.

Morales nickte Belisa zu und rollte seinen dicken Körper zu den zusammengedrängten Mädchen hinüber. Belisa zeigte mit ausgestrecktem Arm hinter ihm her.

»Wer ist das?«

»Manuel Morales. Der Verwalter des Bordells.«

»Den werde ich mal unter die Lupe nehmen«, sagte Miguel. Es klang drohend. »Verdammt! Können wir nicht endlich fahren?! Ich habe Hunger. Haben Sie ein Essen vorbereitet?«

Ramos schüttelte den Kopf. »Nein. Ich dachte . . .«

»Er denkt!« Nun war es Pedro, der sich zu Wort meldete. »Aber sehr beschränkt. Und er ist unhöflich. Man empfängt Gäste mit einem guten Essen. So sind wir es gewöhnt.«

»In Diwata ist alles anders.«

»Noch! Du Eierkopf – noch!« Carlos legte den Arm um Belisas Schulter, als brauchte sie Schutz und Halt. »Was hast du heute Mittag gefressen?«

»Etwas Schweinebraten mit schwarzen Bohnen.« Ramos atmete schwer. Ein paarmal schielte er zu Avila hin, aber der blinkerte ihm beruhigend zu.

Keine Panik, Felipe. Bremse dich. Schluck es hinunter. Es wird alles anders kommen. Knete du diese Belisa García zusammen – ich kümmere mich um die Brüder. Zieh vorläufig den Kopf ein, ... man kann dreißigtausend Männer nicht so einfach am Gängelband führen. Bleib ganz ruhig, Felipe ...«

»Das mag ich auch!« Carlos lachte und rieb sich die Hände. »Schwarze Bohnen, da donnert's aus dem Loch!« Er zog Belisa an sich und zeigte hinunter auf die Slums von Diwata. »Da liegt unser Leben. Stürzen wir uns hinein.«

»Das wäre es«, sagte Ramos, nachdem er Belisa die verdreckten Räume der Verwaltungsbaracke gezeigt hatte. Ein Raum war fast leer, nur mit einem Bett und einem Stuhl ausgestattet. »Ihr Zimmer.«

»Luxuriös.«

»Es ist das Beste, was wir zu bieten haben.«

»Und wo wasche ich mich?«

»Ich werde Ihnen einen Eimer hinstellen lassen.«

»Sie baden auch in Eimern, Ramos?«

»Ich habe eine alte Badewanne. Sie steht Ihnen selbstverständlich zur Verfügung. Sie hat nur einen Nachteil: Sie steht in einem offenen Raum neben meinem Zimmer. Wenn Sie nicht besonders schamhaft sind ...«

»Ich könnte jetzt sagen: Räumen Sie Ihr Zimmer, ich ziehe dort ein. Wo Sie unterkommen, ist mir gleichgültig. Und sollten Sie sich weigern, werden Sie durch meine Brüder fliegen lernen.« Sie ging an Ramos vorbei, trat ans Fenster und blickte über die zusammengeflickten Hütten. »Aber ich will Ihr Zimmer gar nicht. Ich will dort wohnen, wo gearbeitet wird. Ich will bei meinen Arbeitern sein. Unter ihnen.«

»Wie soll ich das verstehen?« fragte Ramos verblüfft.

»Man soll mir eine Hütte mitten im Arbeitsbereich bauen. Bei den Waschanlagen. Bei der Sammelstelle. Bei der Goldwaage. Mittendrin.«

»Unmöglich.« Ramos wischte sich die Augen. »Unmöglich.«

»Bei mir ist nichts unmöglich.«

»Sie ... Sie haben noch gar nichts gesehen. Der Dreck, der Lärm. Und Ratten, so dick wie Biber. Wo Wasser und Dreck und Abfälle sind, da sind auch die Ratten.«

»Ich will unter meinen Diggern leben!« Belisas Stimme war scharf und duldete keinen Widerspruch mehr. Ramos begriff plötzlich, daß es bei Belisa García keine Diskussion gab. »Und ich werde die Goldablieferung selbst übernehmen. Haben Sie noch Fragen, Ramos?«

»Nein.« Ramos nahm sich vor, mit Avila zu sprechen. Die Neuen mußten weg, so schnell wie möglich. Alle. Zurück nach Davao ... oder im Dschungel verunglücken. Dafür war Avila der Spezialist. Er mußte sich etwas einfallen lassen. Und zwar schnell. Sehr schnell. »Es wird alles so gemacht, wie Sie es wünschen, Mrs. García.«

Vor dem Bordell wurde der Bus ausgeladen. Die Goldgräber, die in langer Schlange nach einem schnellen Vergnügen anstanden, pfiffen laut, als die Mädchen ausstiegen und von den zwei Wachen ins Haus gedrängt wurden. Morales hob beide Arme und wehrte die Männer ab, die ihn bedrängten.

»Ja!« rief er. »Frischfleisch ist angekommen! Aber nicht für euch. In einer Woche könnt ihr daran knabbern. Die Fötzchen müssen erst eingestimmt werden. Und dann fünfzig Prozent Aufschlag!«

Er verschwand im Inneren des Bordells, warf sich in seinem Zimmer in einen breiten Sessel und trank erst einmal einen Brandy. Als es klopfte, rülpste er und rief: »Herein!«

Carmela blieb an der Tür stehen und stemmte die Fäuste in die Seiten. Es war die internationale Haltung einer wütenden Puffmutter.

»Was soll das?« schrie sie. Morales zuckte zusammen.

»Was?«

»Ist das hier ein Pfuff oder eine Kirche?«

»Das ist die dämlichste Frage, die ich bisher gehört habe.«

»Dann hebe deinen fetten Arsch und komm mit! Sieh dir das an! Die Mädchen weigern sich zu arbeiten. Die Neuen sitzen auf ihren Koffern und wollen überhaupt nicht.«

»Das gibt es doch nicht.« Morales wuchtete sich aus dem Sessel hoch. »Sind die verrückt geworden?!«

»So ähnlich. Keine will sich auf den Rücken legen, solange der Pfaffe hier ist.«

»Wer ist hier?«

»Pater Burgos.«

»Hier im Puff?!«

»Er sitzt hinter dem Eingang wie ein Erzengel. Die Mädchen weigern sich, und die Männer rücken nicht vor.«

Morales spürte, wie seine Knie weich wurden. Er trank sein Glas leer, rülpste wieder und streckte die Arme zur Seite, als müsse er Luft in seine Lunge pumpen.

»Was ... was fällt dem denn ein?« stotterte er.

»Das frag ihn mal selbst. Ich habe schon gefragt.«

»Und was hat er geantwortet?«

»Er hat mir ein Heiligenbildchen geschenkt. Franziskus, wie er mit den Vögeln spricht. Sehr sinnig!«

»Und sonst?«

»Sonst nichts. Reicht das nicht?«

»Wozu sind die Wachen da?« brüllte Morales. »Die Wachen!«

»Sie wagen den Pater nicht anzufassen. Er hat ihnen ein Kruzifix hingehalten, und sie haben sich bekreuzigt.«

»Sie bekreuzigen sich im Puff?! Wo sind wir hingeraten? Ich werde ihn wegblasen, diesen Pfaffen. Wegblasen. Jawohl! Ich werde allen zeigen, daß man mit Manuel Morales keine Späßchen treibt.«

Pater Burgos saß wirklich auf einem Stuhl in der Diele. Allein – die Männer, die eigentlich an der Reihe waren, hatten sich wieder nach draußen verdrückt und in die Schlange eingegliedert. In den Zimmertüren standen die Huren, einige fast nackt, die meisten hatten Handtücher um die braunen, matt glänzenden Körper geschlungen.

»Pater«, sagte Morales mit gezwungener Höflichkeit. »Jeder Mensch hat seinen Beruf. Der eine hobelt Holz, der andere führt Bücher, jener baut Häuser, dieser backt Brot. Hier holen fleißige Männer Gold aus den Schächten, und es gibt Mädchen, die diesen Männern Freude bereiten. Jeder hat im Leben seine Aufgabe. Auf allen ruht Gottes Auge. Warum wollen Sie irdische Freuden verhindern? Das Leben ist mistig genug.«

»Ich verhindere nichts.« Burgos faltete die Hände. »Ich sitze nur hier.«

»Das genügt, Pater.«

»Ich würde nicht hier sitzen, wenn man mir eine Unterkunft gegeben hätte. Aber man hat mir gesagt: Wir haben hier keinen Platz für Sie. Sie waren nicht vorgesehen. Hier sucht sich jeder selbst einen Platz zum Schlafen.« Burgos lächelte Morales an. »Ich habe ihn gefunden.«

»In einem Puff! Als Priester ...«

»Nur wer der Sünde nachgibt, ist ein Sünder. – Ich möchte nichts als ein Fleckchen, wo ich schlafen kann.«

»Aber doch nicht in einem Puff!« rief Morales verzweifelt.

»Ein müdes Haupt ist nicht wählerisch ...«

»Wenn Sie erlauben, Pater, suche ich einen Ausweg.«

»Suche ihn, mein Sohn.«

Morales verdrehte die Augen. An den Türen grinsten die Huren. Mein Sohn. Lächerlicher ging es nicht. Morales kam sich vor, als stünde er ohne Hosen vor seinen Mädchen.

»Man könnte es versuchen ...« sagte er schwer atmend.

»Was?«

»Vorübergehend ...«

»Ich bin schon dankbar für eine Nacht.«

»Ein Bett im Lazarett ...«

»Was?« Pater Burgos schnellte von seinem Stuhl hoch. »Ihr habt hier ein Lazarett?«

»Wir nennen es so.«

»Davon hat man mir in Davao nichts gesagt.«

»Weil es völlig unwichtig ist.« Morales zog seine dicke Unterlippe nach unten, um die Sinnlosigkeit dieses Unternehmens auszudrücken. »Wer geht hier schon zum Arzt?«

»Ihr habt einen Arzt in Diwata?«

»Einen Spinner! Hat eine lange Hütte bauen lassen, hat Betten hineingestellt, immer drei übereinander. Seitdem ist er damit beschäftigt, diese Betten zu verteidigen. Nicht, weil so viele Kranke vor der Tür stehen. Wer will schon krank sein und im Bett liegen ... wie viele Säcke gehen da verloren. Krankheit ist Luxus ... Er kämpft um die Betten, die man ihm klauen will.«

»Das heißt, es wäre ein Bett für mich vorhanden?«

»Das kommt auf die gegenwärtige Lage an. Gehen wir. Sprechen wir mit Doktor Falke.«

»Wie heißt er? Falke?«

»Ein Deutscher.«

»Wie kommt er denn nach Diwata?«

»Fragen Sie ihn selbst, Pater.« Morales wedelte mit den Händen. Die Mädchen verschwanden kichernd in ihren Zimmern. »Er war plötzlich da ... wie Sie, Pater.«

Burgos griff nach seinem Koffer und nickte Morales zu. »Gehen wir«, sagte er. »Das kleinste Licht gibt der Nacht einen sanften Glanz.«

Sie verließen das Bordell. Hinter sich hörte Burgos, wie die Wachen riefen:

»Nicht drängeln! Jeder kommt dran! In der Reihe bleiben!«

Burgos blickte zur Seite auf Morales, der keuchend neben ihm durch die vom Tropenregen schlammige Straße stampfte.

»Hier hat Gott noch viel Arbeit«, sagte er.

»Es ist die einzige Freude der Männer neben dem Saufen und Prügeln.« Morales wiegte den dicken Kopf hin und her. »Und ab und zu ein Mord. Unser normales Leben.«

Auf dem Weg zum Lazarett trafen sie auf die drei Brüder. Miguel, Carlos und Pedro hatten sich bei Ramos auf ihre eigene Art vorgestellt. Als sie erfuhren, daß ihnen kein Quartier bereitgestellt worden war, weil man sie für Digger gehalten hatte, die sich ihre Schlafstelle allein suchen mußten, hatte Pedro ohne große Worte ausgeholt und Ramos eine Ohrfeige verpaßt.

Ramos flog gegen die Wand und starrte den Schläger mit hervorquellenden Augen an, aber er wagte nicht, sich zu wehren. Belisa hielt Pedros Arm fest, als er wieder ausholte.

»Sollen wir auf der Straße schlafen?« brüllte Miguel.

»Es wird bestimmt Arbeiter geben, die euch eine Zeitlang aufnehmen, bis man für euch eine Hütte gebaut hat.« Ramos faßte sich an seine Wange. Sie schwoll an. »Oder ...«

»Was, oder?«

»Es gibt vielleicht freie Betten im Lazarett.«

»Wo?« fragte Belisa ungläubig. »Im Lazarett?«

»Es gibt hier eins.« Ramos stieß sich von der Wand ab. »Seit drei Jahren. Aber es wird kaum benutzt. Das einzige, was der Arzt tut, ist eine ambulante Behandlung. Desinfizieren. Verbinden. Meistens Messerstiche und Schußverletzungen.«

»Das sehe ich mir an!« sagte Miguel und strich über Belisas Haare. Eine Zärtlichkeit, die Ramos mit sprachlosem Erstaunen beobachtete. »Schwesterchen, bleib hier bei dem Idioten. Wir sind bald zurück. Und wenn er dir zu nahe kommt ... tritt ihn vor den Sack.«

Die Brüder trafen sich mit Morales und Pater Burgos auf der Straße, auf dem Weg zum Lazarett. Links und rechts des Hauptweges standen, eng aneinandergesetzt, die primitiven Hütten der Goldgräber, elende Behausungen, neben denen die Fäkaliengruben stanken, in denen sich die Exkremente sammelten. Ab und zu wurden sie geleert. Dann fuhr eine Art Kesselwagen durch die Stadt und pumpte die Gruben mit langen Schläuchen aus. Außerhalb der Stadt ließ man die Fäkalien dann in eine Felsschlucht laufen, wo sich bald ein See gebildet hatte. Ein Gestank, der die umliegende Gegend verpestete.

Auch einen Namen hatte dieser See bekommen. Die Digger nannten ihn Lago del mierda ... Scheißesee.

In Diwata erlangte der Scheißesee bald eine traurige Berühmtheit ... er wurde zum bevorzugten Mordinstrument. Bisher hatte man vierzehn Leichen herausgeholt, die in der stinkenden Brühe ertränkt worden waren.

»Dort ist das Lazarett!« sagte Morales und zeigte auf einen Hüttenkomplex. Es waren fünf aneinandergebaute Hütten, gedeckt mit Palmstroh und Zeltplanen, die Wände bestanden aus Holzschwarten oder Wellblech, aus Nylonbahnen und aufgeschichteten Felssteinen. Sie unterschieden sich in nichts von den anderen baufälligen und dreckigen Behausungen. Nur ein Detail lenkte die Aufmerksamkeit auf diesen gestalteten Abfallhaufen: eine Fahnenstange, an der die Fahne des Roten Kreuzes flatterte.

Pater Burgos blieb stehen und blickte zu dem Emblem hinauf.

»Es ist unglaublich«, sagte er leise, fast ergriffen. »Das Zeichen der Hoffnung und der Menschlichkeit. Hier, in der Hölle. Wie Gott zu uns Menschen sagt: Du bist nicht allein.«

»Abwarten!« Miguel starrte ebenfalls hinauf zu der Rote-Kreuz-Fahne. »Das sieht alles sehr nach Mist aus. Wenn der Arzt auch so ist, werden wir ihn an einen Nagel hängen! Hauptsache, wir bekommen alle ein Bett. Und morgen wird hier aufgeräumt.«

Dr. Peter Falke war fünf Jahre zuvor nach Manila gekommen.

Als zweiter Oberarzt einer Universitätsklinik hatte er wenig Möglichkeiten gesehen, in der Hierarchie der Kliniker aufzusteigen. Der Chefarzt saß fest auf seinem Stuhl, der erste Oberarzt war noch in einem Alter, das ein Nachrücken sehr unwahrscheinlich machte, und Bewerbungen an anderen Kliniken scheiterten am Überangebot von Ärzten, vor allem in der Chirurgie.

»Aufschlitzer haben wir genug«, hatte der Chef einmal voller

Sarkasmus zu Dr. Falke gesagt, als dieser darum gebeten hatte, ein gutes Wort bei drei Bewerbungen einzulegen. »Ich werde Sie natürlich darstellen, als seien Sie ein neuer Sauerbruch – aber junge Chirurgen sind heute froh, wenn sie am OP-Tisch eine Klammer halten dürfen.«

In dieser Situation hatte Dr. Falke ein Rundschreiben in die Hand bekommen. Es war vom ärztlichen Entwicklungsdienst verschickt worden, einer Organisation des Entwicklungsministeriums, das medizinisches Know-how in aufstrebende Staaten vermittelte. Dem Rundschreiben war eine List jener Länder der Dritten Welt beigefügt, die medizinische Hilfe nötig hatten.

An Afrika war Dr. Falke nicht interessiert, auch Südamerika reizte ihn nicht. Aber die Philippinen ... das war ein Ausflug in eine Welt, von der man in Europa nur wenig hörte und fast gar nichts wußte. Man kannte den Diktator Marcos, man wußte, daß auf der Insel Mindanao Rebellen und Nationalisten sich blutige Kämpfe mit den Regierungstruppen lieferten, man erinnerte sich auch an die amerikanische Besatzung im Zweiten Weltkrieg und die Schlacht um den Pazifik, aber genau betrachtet lagen die Philippinen weitab vom Interesse der satten westlichen Welt. Nur Touristen erzählten in der letzten Zeit von Manila und den Inseln ... nicht von ihren Naturschönheiten, sondern von den Frauen. Philippinas ... das waren die neuen Ziele der Sextouristen.

»Da kommste hin, blickst eine an, und schon fällt die Hose ...«, jubelte man in den Kegelclubs, die Thailand bereits abgegrast hatten. »Und jung sind sie! Jung!«

Die Philippinen. Sie suchten Ärzte für den Ausbau des staatlichen Gesundheitswesens. Verlangt wurden, neben guten Fachkenntnissen, vor allem Idealismus.

Damit war poetisch umschrieben, was einen Arzt auf den 7107 Inseln erwartete.

7107 Inseln ... eine zerrissene Welt für sich. Eine unbekannte Welt voller Geheimnisse. Und voller Elend. Voller

Menschen, die Hilfe brauchten, weil der Rest der Menschheit an ihnen vorbeiblickte.

Nach einem Gespräch im Bonner Ministerium war Dr. Falke eingestellt worden.

»Das werden Sie noch bereuen«, hatte der Chef der Klinik gesagt, als Falke ihm seinen Entschluß mitteilte. »So ein Abenteuer mag reizen, aber es kann Sie auch auffressen. Ich wünsche Ihnen jedenfalls viel Glück. Kommen Sie gesund zurück. Wie lange wollen Sie auf den Philippinen bleiben?«

»Ich habe einen Zweijahresvertrag unterschrieben.«

»Dann sehen wir uns also in zwei Jahren wieder?«

»Sie wollen mich wieder nehmen, Herr Professor?« Das hatte Dr. Falke von seinem sonst unnahbaren Chef nicht erwartet.

»Ich mag Sie. Sie können jederzeit wieder bei uns anfangen.«

Das war das höchste an Kompliment und Zuwendung, was Dr. Falke bisher von seinem Chef erfahren hatte.

Aber er war nicht zurückgekommen.

Ein Jahr lang hatte er im Zentralkrankenhaus von Manila gearbeitet. Im zweiten Jahr versetzte man ihn nach Mindanao. Nach Davao, der Stadt, die wuchs und wuchs und aufging wie ein Hefeteig. Ein Hongkong der Philippinen.

Und hier hatte Dr. Falke zum erstenmal eine Reportage über einen Berg gelesen, der Diwata hieß, im Dschungel von Davao del Norte lag, mitten in der Grünen Hölle. Von einem Berg, der in sich Goldadern verbarg, deren Wert gar nicht abzuschätzen war.

Die Fotos der Reportage waren erschütternd. Schächte, die ohne Sicherungen, ohne Abstützungen in den Berg getrieben wurden. Eine Goldgräberstadt, schlimmer als die Slums von Rio oder Callao. Zehntausende von Glücksritten, die sich rund um die Uhr in den Berg wühlten. Jeder in dem Wahn, einmal reich zu werden wie jener sagenhafte Digger, der einen Goldklumpen von fünfundsechzig Kilogramm gefunden und sich eine Villa gekauft hatte, der mit sieben schönen Mädchen zusammenlebte, der sich die Zähne herausreißen ließ, alle Zähne, und sie durch künstliche Zähne ersetzte … aus purem Gold.

Nur ein Tod wie der jenes Diggers war nicht wünschenswert – er war von Unbekannten mit Macheten zerstückelt worden.

Dr. Falke, dessen Vertrag mit der Regierung bald auslaufen sollte, erkundigte sich nach dem Diwata-Berg. Man sagte ihn, dieses Dschungelgebiet gehöre einem einzigen Mann, aber an den komme keiner heran. Er lebe in einer Festung am Meer … in einem Palast, bewacht von einer eigenen Kompanie Privatsoldaten.

Aber das Unwahrscheinliche geschah. Dr. Falke hatte Juan Perón Toledo angerufen und ihn wirklich an den Apparat bekommen. Die Unterhaltung wurde in englischer Sprache geführt. Toledo hatte sie in den vergangenen Jahren perfekt gelernt.

»Mein Sekretär sagt mir, Sie wollten mich sprechen«, begann Toledo. Seine Stimme klang freundlich und angenehm. »Es sei wichtig. Für wichtige Dinge habe ich immer ein Ohr. Aber wenn sich dann herausstellt, daß sie doch nicht wichtig sind, kann ich böse werden. Also, was ist wichtig?«

»Ich bin Arzt.«

»Danke. Kein Bedarf. Ich werde von den besten Ärzten des Landes betreut. Was noch?«

»Gibt es in Ihrer Goldstadt Diwata einen Arzt?«

»Nein. Warum?«

»Dachte ich mir. Kein Lazarett?«

»Was sollen wir damit?«

»Keine Sanitätsstation?«

»Dr. Falke, Sie reden von einer Welt, die Sie nicht kennen. Ein Arzt in Diwata ist wie zuviel Wasser in der Suppe.«

»In eine Suppe gehört Salz, sonst schmeckt sie nicht.«

Toledo legte nicht auf. Er legte nur den Kopf in den Nacken und lächelte.

»Sie gefallen mir, Dr, Falke. Ich möchte Sie kennenlernen. Kommen Sie morgen zu mir. Zum Dinner.«

Es wurde ein schicksalhafter Abend.

Nachdem Dr. Falke drei Sicherheitsschleusen passiert hatte, die letzte sogar unter einem Röntgenbogen, empfing ihn Toledo auf der Terrasse. Der Duft eines gebratenen Truthahns wehte ihm entgegen. In einem Korb stand eine Flasche Wein. Chateau Petrus. Einer der besten Weine der Welt.

Toledo musterte Dr. Falke einen Augenblick, bevor er ihm die Hand entgegenstreckte.

»So also sieht der Mann aus, der mir Salz in die Suppe streuen will«, sagte er leutselig. »Ich habe mich natürlich nach Ihnen erkundigt. Sie arbeiten im Staatlichen Krankenhaus als eine Art Entwicklungshelfer. Man spricht gut von Ihnen. Ich kenne den Klinikchef ... wir spielen zusammen Golf.«

»Wen kennen Sie nicht?« Dr. Falke nahm in dem mit weißer Seide bezogenen Sessel Platz. Das weiße Schloß, der riesige Park mit eigener Meeresküste beeindruckten ihn. Aber gleichzeitig sagte er sich, daß er so nie und nimmer leben wollte ... überall sah er die bewaffneten Bodyguards herumstehen. Welch ein Prunk ... und doch ein Gefängnis. Toledo konnte sich jeden Wunsch erfüllen ... aber keine zehn Schritte allein gehen.

»Ja, wen kenne ich nicht?« wiederholte Toledo. »Essen wir erst einmal, Dr. Falke. Ein lauwarmer Truthahn ist ein Greuel.«

Während des Essens erzählte Toledo von Diwata. Beim Nachtisch – Ananas, Mango, Guaven, Rambutanen und Rosenäpfel, in Rum eingelegt und mit Kokoseis überzogen – kam er auf das eigentliche Thema:

»Sie wollen mir die Idee verkaufen, in Diwata ein Lazarett einzurichten. Ist es so? Wie kommen Sie auf diese verrückte Idee?«

»Ich habe einen Bericht über Ihren Berg gelesen.«

»Alle diese Berichte sind – um mit Ihren Worten zu sprechen – Suppen ohne Salz. Die Wirklichkeit ist nicht zu schildern oder zu fotografieren.«

»Was ich gelesen und gesehen habe, genügt mir.« Dr. Falke putzte sich den Mund mit einer spitzenverzierten Serviette. »Auf die Gefahr hin, daß Sie mich rausschmeißen: Warum tun Sie so wenig?«

»Ich werfe Sie nicht raus, Doktor. Mir imponiert, daß Sie so frei reden. Um mich herum habe ich sonst nur Kriecher. Legen Sie los! Was werfen Sie mir vor?«

»Die sozialen und hygienischen Verhältnisse in Diwata. Dort leben Tausende von Menschen ...«

»Im Moment schätzungsweise etwas über zwanzigtausend. Und es werden immer mehr.«

»Und was tun Sie für diese Menschen?«

»Ich gebe ihnen Arbeit. Ich gebe ihnen die Chance, Geld zu verdienen. Was sie dann mit dem Geld machen, ist ihre Sache. Einige werden wohlhabend, ganz wenige sogar reich ... die meisten aber versaufen und verhuren ihre Pesos oder den Goldstaub, den sie noch aus dem Abfall waschen können.« Toledo schüttelte den Kopf, als Dr. Falke zur Rede ansetzte und winkte ab. »Ich weiß, was Sie jetzt denken. Warum herrschen in Diwata solche Zustände?«

»Genau das dachte ich.«

»Erstaunlich, wir haben die gleiche Wellenlänge.«

»Das möchte ich im Raum stehen lassen, Mr. Toledo.«

»Der deutsche Idealist! Ahnen Sie, was es heißt, zwanzigtausend Glücksritter, Entwurzelte, Namenlose, menschlichen Abfall also, in Schach zu halten?«

»Sie werfen alles in einen Topf! Nicht alle sind Abschaum, wie Sie ihn schildern.«

»Aber die meisten.« Toledo bot seine fabelhaften Zigarren an und blies ein paar Rauchkringel in die Luft. »Wie ich annehme, erwarten Sie von mir, daß ich in Diwata ein Lazarett gründe.«

»Der Gedanke fasziniert mich.«

»Und Sie wollen diese Aufgabe übernehmen. Richtig? Sie wollen dem Teufel Locken drehen und ihn maniküren. Ich bin nun mal ein Mensch, der keinen Peso ausgibt, ohne einen Gegenwert dafür zu bekommen. Was bekomme ich, wenn ich in Diwata ein Lazarett baue?«

»Das Gefühl, menschlich zu handeln.«

»Und Sie glauben, man wird es mir danken? Ich kenne die Menschen besser als Sie, glauben Sie mir.«

»Sie sollten es versuchen.«

»Angenommen, ich folge Ihrer Illusion. Ich baue ein Lazarett. Damit Sie Pillen verteilen, Zäpfchen in Ärsche stecken, Spritzen verabreichen können ... Dr. Falke, dafür gibt es keinen Bedarf. Die meisten Ausfälle haben wir durch Brüche oder Quetschungen, Messerstechereien und Schießereien, aber nicht durch Durchfall und Schnupfen.«

»Da bin ich genau richtig. Ich bin Chirurg.«

»Das ist eine Basis.« Toledo goß eigenhändig Wein nach. Die beiden Diener an den Terrassentüren wunderten sich. »Was brauchen Sie, Doktor?«

»Ich kann Ihnen eine Wunschliste schicken.«

»Tun Sie das. Und wann würden Sie anfangen?«

»In zwei Monaten.« Dr. Falke holte tief Atem. Er konnte noch gar nicht glauben, daß Toledo bereit war, den Plan näher kennenzulernen. »Heißt das, daß Sie ...«

»Wovon reden wir denn die ganze Zeit?« Toledo erhob sich. Auch Dr. Falke sprang auf. Die Unterhaltung war beendet. »Sie sollen Ihr verdammtes Lazarett bekommen. Und wenn Sie in einem halben Jahr nicht als Wrack aus dem Dschungel kriechen, haben Sie gewonnen. Behalten Sie das gut: Ich gebe Ihnen sechs Monate Zeit.«

»Ich werde durchhalten!« Dr. Falke schlug die Fäuste gegeneinander. »Mr. Toledo, ich werde durchhalten!«

»Warten wir es ab. Versalzen Sie unsere Suppe nicht. Auslöffeln müssen Sie sie ganz allein ...«

Das war vor drei Jahren gewesen.

Der Dschungel hatte Dr. Falke nicht besiegt. Auch nicht die mittlerweile dreißigtausend Männer. Aber der Doktor hatte sich in diesen Jahren gewandelt.

Er war kein Idealist mehr. Die Illusion von Menschlichkeit hatte er abgestreift. Die tägliche Wahrheit des Grauens hatte ihn verhärtet. Er lebte in seinem dreckigen, stinkenden Hüttenbau wie Tausende um ihn herum. Zusammen mit Ratten und Käfern. Riesenkakerlaken, die kein Mittel vertreiben konnte. Die Patienten stanken, als seien sie aus Kot geknetet, und mit welchen Beschwerden sie auch kamen, mit Schnittwunden oder Schußverletzungen, mit blaugeschlagenen Körpern oder geplatzten Schädeln – Dr. Falke goß erst einmal einige Eimer Wasser über sie. Auch wenn sie brüllten, hörte er nicht auf.

Aber er war ein guter Arzt. Er flickte die Wunden, er holte die Kugeln aus den Leibern, und er saß neben den Männern, wenn sie starben, und erlebte immer wieder, daß sie in der Stunde des Todes zu Kindern wurden.

Und er war ehrlich. Fragte einer mit einem Messerstich im Herzen: »Doktor, helfen Sie mir?« dann antwortete er: »Ich kann dir nicht mehr helfen.«

»Muß ich sterben?«

»Ja.«

»Ich will aber nicht sterben.«

»Dann hättest du nicht zum Diwata-Berg kommen dürfen.«

»Ich wollte reich werden.«

»Das wirst du jetzt. Du kommst in den Himmel.«

In diesen Momenten wußte er, daß ein Arzt auch ein Priester sein muß.

Dr. Falke war sehr erstaunt, als zunächst der fette Morales in den Raum kam, den Dr. Falke die »Aufnahme« nannte. Er staunte noch mehr, als die drei Brüder hereinpolterten und zuletzt Pater Burgos. Als einziger schüttelte er den Matsch von seinen Schuhen, als betrete er eine saubere Ordination.

»Ein Priester!« rief Dr. Falke. »Wirklich, ein Priester! Gibt es davon plötzlich einen Überschuß? Und wer sind Sie, meine Herren? Eine Kommission? Willkommen in der Klinik der Verdammten.«

Er sprach jetzt Cebuano, die Sprache von Mindanao.

»Wir brauchen Betten«, sagte Miguel knapp.

»Sind Sie krank?«

»Ein witziger Mensch.« Carlos schob sich vor. »Wir sind die drei Brüder von Belisa García.«

»Wer ist Belisa García?« fragte Dr. Falke verblüfft.

»Der neue Boß!« Morales hob wie bedauernd beide Hände.

»Wer?«

»Der neue Boß, du Klistieraffe!« schrie Carlos. »Jetzt kommt Ordnung in die Bude. Ab morgen wird hier alles anders.«

»Ich verstehe gar nichts.« Dr. Falke sah hinüber zu Pater Burgos. »Können Sie mir das erklären? Sie sehen so aus, als hätten Sie Ihren Verstand noch beisammen.«

»Herr Toledo hat die Leitung der Mine abgegeben und seine Schwägerin Belisa García damit beauftragt. Wir sind heute angekommen und suchen ein Quartier.« Pater Burgos verzog das Gesicht zu einem Lächeln. »Ich wollte im Bordell schlafen ... aber dort habe ich nur gestört und den Umsatz verringert. Herr Morales hatte dann die Idee mit Ihrem Lazarett. Hier sollen Betten frei sein.«

»Man hat Ihnen keine Zimmer zur Verfügung gestellt?«

»Wie Sie sehen, Doktor. Passiver Widerstand.«

»Haben Sie anderes erwartet?« Dr. Falke wies mit ausgestrecktem Arm zu einer Tür, die den Bettentrakt vom Untersuchungszimmer trennte. »Ich bin Dr. Falke.«

»Miguel García.«

»Carlos García.«

»Pedro García.«

»Federico Fernández Burgos.«

Dr. Falke blickte zum Eingang. »Und wo ist Belisa García?«

»Wir holen sie gleich bei Ramos ab.« Miguel riß die Tür auf. Er sah die Betten, drei übereinander, eiserne, verrostete Gestelle mit fleckigen Roßhaarmatratzen. Es stank nach Urin und getrocknetem Kot. Als Miguel die Tür geöffnet hatte, waren quiekend ein paar Ratten davongerannt. Morales seufzte. Er ahnte Komplikationen.

»Hier sollen wir schlafen?« brüllte Miguel.

»Ich wüßte kein besseres Quartier.« Dr. Falke hatte sich in drei Jahren Diwata abgewöhnt, Brüllen als Drohung hinzunehmen. »Ich warte seit einem Jahr auf neue Betten, auf neue Matratzen, auf einen Holzboden, auf Rattengift und auf jemanden, der mir hilft, den Dreck wegzuschaffen. Ich bekomme aus Davao keine Nachricht.«

»Das wird sich alles ändern!«

»Ihr Wort in Gottes Ohr. Geben Sie es an den da oben weiter. Was wollen Sie eigentlich hier, Pater?«

»Eine Kirche gründen.«

»Sie sind ja noch wahnsinniger als ich vor drei Jahren war! Eine Kirche! Hier?! Wollen Sie Geröllsäcke segnen?«

»Warum nicht? Wenn es hilft, die Seelen aufzuschließen.«

»Die Seelen. Hier schließt man Seelen auf, indem man die Leiber aufritzt. Mit Messern und Macheten.« Dr. Falke machte eine weit ausholende Handbewegung. »Aber bitte, bedienen Sie sich. Was uns hier noch fehlt, sind Komiker. Sie füllen eine Lücke aus, meine Herren.«

Eine Stunde später betrat Belisa García das Lazarett. Ihre drei Brüder hatten sie abgeholt. Am Straßenrand stand eine Mauer von Goldgräbern. In Windeseile hatte sich herumgesprochen, daß ein sexy Mädchen nach Diwata eingeflogen worden war. Aber nicht für den Puff. Nun rätselte man herum, warum sie an den Berg gekommen war. Mit drei wuchtigen Männern, die aussahen, als seien sie verhinderte Kannibalen. Als man den wieder im Bordell angekommenen Morales fragte, zuckte der nur mit den Schultern.

»Wartet es ab!« sagte er. »Wartet es nur ab! Da braut sich was zusammen.«

Dr. Falke traute seinen Augen nicht.

Die Person, die da vor ihm stand, war eine kindhafte Frau, klein, zartgliedrig, in Jeans, die eine Vierzehnjährige hätte tragen können, und nur das Baumwollhemd, das wegen der hohen Luftfeuchtigkeit an ihrem Körper klebte, modellierte die festen, runden Brüste unter dem Stoff.

»Sie sind Belisa García?« fragte Dr. Falke. In seiner Stimme lag blankes Erstaunen.

Belisa musterte ihn schnell. Sie konnte es nicht erklären, aber Unwillen stieg in ihr auf.

»Haben Sie was dagegen?« Das klang schnippisch. Es war eine Warnung: Sieh dich vor, Doktor. Unterschätze mich nicht.

»Als ich vorhin hörte, daß eine Frau die Leitung der Mine übernehmen würde, habe ich Sie mir anders vorgestellt.«

»Sie wußten nicht, daß ich komme?«

»Ich hatte keine Ahnung. Wer sollte mir etwas sagen? Und warum auch? Ich bin hier eine Art exotischer Pflanze. Ein seltenes Exemplar eines praktizierenden Humanisten, das keiner haben will. Das ist das Besondere meines hiesigen Wirkens: Von dreißigtausend Männern brauchen fünfunddreißigtausend einen Arzt. Viele sind doppelt krank. Aber keiner geht zum Arzt, es sei denn, er hat ein abgebrochenes Messer im Leib oder eine Kugel in irgendeinem Muskel.« Er zeigte auf die aneinandergebauten Hütten, die er den »Bettentrakt« nannte. »Sehen Sie sich an, wer da rumliegt. Neun Knochenbrüche, drei Stichverletzungen, fünf, denen ich eine Kugel herausoperiert habe, und zwei Saufbolde mit einer massiven Alkoholvergiftung. Alle anderen Krankheiten werden mit Schnaps behandelt. Mein Hauptumsatz konzentriert sich auf Kondome. Die habe ich hier eingeführt. Früher wurde freihändig geschossen. Die Folge: eine Menge Geschlechtskrankheiten. Dreimal wurden die Huren ausgewechselt und nach Davao zurückgeschickt, in die Kliniken. Als ich hier ankam, liefen Tausende mit tropfendem Rüssel herum. Das ist nun vorbei. Fast vorbei.« Dr. Falke sah in Belisas Gesicht, welche Wirkung seine Worte hinterließen: Ekel. »Wenigstens ein Erfolg.«

»Und trotzdem bleiben Sie hier? Warum?«

»Weil ich Arzt bin. Weil ich helfen kann. Wenn ich einem Niedergestochenen das Leben retten kann, bin ich zufrieden. Auch wenn die anderen sagen, es wäre besser, ihn krepieren zu lassen.«

»Das wird sich ändern!« ließ sich Carlos wieder vernehmen. Es war sein Standardsatz geworden: »Es wird sich alles ändern.«

»So habe ich auch gedacht.« Dr. Falke lächelte verzerrt. »Sehen Sie sich um. Das war einmal ein sauberes Krankenhaus. Baufällige, zusammengeflickte Hütten zwar, weil das Holz für Wände und Dächer sofort nach der Anlieferung geklaut wurde und neue Bauteile aus Davao nicht mehr geschickt wurden, aber innen standen saubere Betten, man lag auf sauberen Matratzen, es gab vier Duschen, einen Gipsraum, einen kleinen OP mit chirurgischer Grundausstattung, einen Tresor mit Medikamenten und Narkoseampullen. Das Pflegepersonal – so verrückt war ich damals, an Pflege zu denken –, holte ich mir von den Goldgräbern. Ältere Digger, die nicht mehr so viel Säcke schleppen konnten, daß sie davon leben konnten. Und drei Huren stellte ich als Schwestern ein, bezahlt wurden sie von den Kranken, denn aus Davao kam keinerlei Unterstützung für das Personal. Nur einmal im Monat kamen mit den Transporthubschraubern Medikamente, Verbandszeug und das allernötigste medizinische Gerät nach Diwata. Der medizinische Alkohol wurde gleich auf dem Flughafen geklaut. Natürlich auch Äther, Morphium und Narkoseampullen. Ich habe dann die Wunden mit Whisky gereinigt. Aber der Betrieb funktionierte. Bis vor zwei Jahren. Da gab es eine Gruppe von Abenteurern in der Mine, die eine Art Mafia gründeten. Sie kontrollierten die Kneipen, zwangen Morales, pro Hure täglich Schutzgeld abzuliefern, und unterstrichen ihre Forderung, indem sie zwei Mädchen die Brüste abschnitten. Man brachte die Mädchen zu mir, aber was sollte ich da noch tun? Plastische Chirurgie in der Hölle? Ja, und dann kamen die Kerle zu mir. Prügelten die Pfleger zu Krüppeln, vergewaltigten die Schwestern, pißten auf die Matratzen, räumten die Schränke aus, zerhackten den OP-Tisch und nahmen alle Decken und Stühle und Tische mit.«

»Und keiner hat sich darum gekümmert?« Belisas Stimme zitterte vor Erregung. »Keiner hat Ihnen geholfen?«

»Von da an war ich allein. Alle hatten Angst vor dieser Mafiabande. Aber dann gründete Avila eine Sicherheitstruppe. Zunächst zwanzig Burschen, die vor nichts Angst hatten. Ihre Vorbilder waren die Rebellen in den Bergen, die Organisation ›Flammender Pfad‹, die Sondereinheiten der Armee. Sie erklärten das Töten zum ehrbaren Handwerk. Wer einen Stall vom Mist säubert, verkündeten sie, darf nicht zimperlich sein. Kurzum: Die Mafiabande landete wieder bei mir, nicht als Plünderer, sondern als von Macheten zerhackte Körper. Ich habe versucht, sie zu retten ... sie starben alle. Aber geblieben ist das hier«, Dr. Falke umriß mit einer Handbewegung seine ganze Umgebung. »Ein Lazarett, das verfault. Und auch jetzt hilft mir keiner.«

»Das wird sich ändern«, sagte Carlos wieder. »Darum sind wir hier. Fangen wir gleich damit an. Kommt, Brüder.« Und zu Belisa gewandt: »In zwei Stunden liegst du in einem sauberen Bett, Schwesterchen? – Wer kocht hier überhaupt?«

»Auch ich.« Dr. Falke zeigte auf einen zweiflammigen Gaskocher in einer Ecke der »Ordination«. »Wer sonst?«

»Davon werden Sie entlastet, Doktor.« Pater Burgos gab Dr. Falke die Hand. »Die Küche übernehme ich.«

»Sie können kochen?« fragte Belisa zweifelnd.

»Ein Diener Gottes kann alles! Wenn er nicht weiterweiß, fragt er: Herr, Du kennst Dich in allem aus. Gib mir einen Rat.«

»Und das klappt?« fragte Miguel.

»Meistens. Für Spiegeleier, Nudeln und einen Bratfisch reicht es allemal.«

Die drei Brüder verließen das Lazarett und traten hinaus auf die Straße. Um das Lazarett hatten sich die Goldgräber versammelt, die gerade arbeitsfrei hatten. Es mochten an die fünfzig Mann sein, die dort herumstanden, neugierig, was wohl da drinnen beim Doktor passierte. Durch die Slums war die Nachricht geflogen, die kaum glaubhaft klang: Der neue Boß ist ein Mädchen. Das kann doch einfach nicht wahr sein.

»Da stehen sie!« sagte Carlos und ballte die dicken Boxerfäuste. »Wer sagt denn, daß es niemanden gibt, der dem Doktor hilft?! Man braucht doch bloß zuzugreifen. Brüder, wie viele brauchen wir?«

»Vorerst genügen sechs Mann zum Saubermachen«, rechnete Pedro vor. »Später sehen wir weiter.«

»Dann los!« Carlos trat an den ersten Mann heran, einen mittelgroßen Goldgräber mit Stiernacken und Bulldoggengesicht. »Komm mit!« sagte er.

»Wohin?!«

»Putzen.«

»Du Arsch!«

»Na na«, Carlos grinste breit. »Beleidige meinen Arsch nicht. Dein Hintern gefällt mir nicht, er ist dir ins Gesicht gerutscht. Aber sei nicht traurig ... man braucht es nur zurechtzukneten.«

Er gab dem Digger eine schallende Ohrfeige, die ihn von den Beinen hob und in die Menge schleuderte.

Das war wie ein Signal. Mit Gebrüll stürzten sich die Männer auf die drei Brüder. Und dann geschah das, was man in Bud-Spencer-Filmen immer mit Vergnügen gesehen hatte: Körper flogen durch die Luft, fielen übereinander her, wälzten sich auf dem lehmigen Boden, segelten über die Straße, krochen durch den Dreck, Gliedmaßen schlangen sich ineinander, Stöhnen, Keuchen und Schreie vermischten sich mit dem Klatschen der

Schläge. Die drei Brüder standen wie ein Fels in der Brandung von Menschenleibern, griffen ab und zu einen schlaffen Körper heraus und schleuderten ihn durch den Eingang ins Innere des Lazaretts. Dort lehnte Pater Burgos sie an die Wand, sagte: »Grüß Gott, mein Sohn!« und nahm den nächsten Körper in Empfang.

»Wie viele haben wir?« schrie von draußen Pedro García.

»Acht!« schrie Pater Burgos zurück.

»Das reicht. Aufhören, Brüder.«

Die drei kamen zurück ins Lazarett und schlossen die Tür. Infernalisches Gebrüll begleitete sie. Wüste Drohungen, von denen »Euch hacken wir den Kopf ab!« die freundlichste war.

»Sie meinen es ernst«, sagte Dr. Falke und blickte aus dem Fenster auf die tobende Menge. »Und keiner wird euch schützen.«

»Wir schützen uns selbst.«

»Vor einer Kugel aus dem Hinterhalt? Jeder von den Burschen hat Waffen genug. Ein Gewehr ist das mindeste.«

»Putzen wir zuerst Belisas Zimmer«, sagte Miguel unbeeindruckt. »Dann sehen wir weiter.«

Er beugte sich zu den halb Betäubten herab und zog sie an ihren Hemden oder Jacken hoch. Die Digger starrten ihn an. Mordgierige Blicke. Aber an Widerstand dachten sie nicht mehr.

»Ihr seid auserwählt«, sagte Miguel spöttisch, »eurem neuen Boß ein schönes Heim zu bereiten. Und dann werdet ihr dem Doktor helfen, das Lazarett zu putzen. Wenn ihr fleißig seid, will ich davon absehen, euch die Knochen zu brechen. Und nun an die Arbeit!«

Er verpaßte jedem der acht noch eine Ohrfeige, gewissermaßen als Ansporn, gab ihnen einen Tritt in den Hintern und jagte sie in den Bettentrakt. Carlos umarmte Belisa und lachte Dr. Falke an.

»So macht man das, Doktor!« sagte er. »Da kommt Schwung in die Bude.«

»Abwarten.« Dr. Falkes Miene drückte große Sorge aus. »Ich lebe hier seit drei Jahren. Ich glaube an keine Wunder mehr.«

»Dafür bin jetzt ich zuständig.« Pater Burgos sah sich suchend um. »Die Kirche hat nie aufgegeben, an Wunder zu glauben. – Doktor, wo haben Sie Ihre Speisekammer? Ich will mit dem Kochen anfangen.«

Von draußen drang Pfeifen und Johlen herein. Die Tür wurde aufgerissen, und Avila stürzte ins Lazarett. Zehn Männer seiner Sicherheitstruppe hatten die Hütten umstellt und hielten die Maschinenpistolen schußbereit vor der Brust.

»Seid ihr alle verrückt geworden?« schrie er außer sich. »Da draußen stehen ein paar Hundert Mann, die das Lazarett einreißen wollen. Was ist hier passiert?«

»Wir haben nur acht Freiwillige gesucht, die hier putzen wollen«, sagte Carlos und pustete auf seine angeschwollenen Fingerknöchel. »Es haben sich so viele gemeldet – wir mußten eine Auswahl treffen. Nun sind die anderen beleidigt.«

Avila holte tief Atem, aber er brüllte nicht los, sondern schluckte seine Wut hinunter. Er wandte sich an Belisa und bemühte sich, seiner Stimme einen ruhigen Klang zu geben. Es kostete ihn große Mühe.

»Dalagáng García«, sagte er. »Ihr erstes Auftreten in Diwata läßt keine Sympathie bei den Goldgräbern aufkommen.«

»Ich bin auch nicht gekommen, damit man mir Orchideen auf den Weg streut. Ich bin gekommen, um Gold aus dem Berg zu holen. Gold! Soviel Gold wie möglich. Wenn es sein muß, lasse ich das ganze Gebirge abtragen!« Ihre Stimme hob sich. Sie klang härter, so hart, wie man es diesen schmalen, zarten Lippen nie zugetraut hätte. Dr. Falke warf einen nachdenklichen Blick auf sie. Was geht in diesem Mädchen vor, dachte er. Äußerlich ein Kind, das man beschützen und streicheln möchte ... und dann, plötzlich, eine scharfe Klinge, die durch die Luft zischt und alle Sympathie zerschneidet.

»Hier wird rund um die Uhr gearbeitet«, sagte er. »Immer neue Schächte, immer tiefer hinein in den Berg. Und alles ohne Schutzmaßnahmen. Ohne Abstützungen. Erst vor zwei Wochen sind über sechzig Goldgräber verschüttet worden. Ramos ließ sie einmauern, ohne festzustellen, ob es noch Überlebende gab ...«

»Das wird sich alles ändern.« Carlos mit seinem Lieblingssatz.

»Was soll ich jetzt tun?« Avila zeigte nach draußen. »Die sind zu allem bereit.«

»Reinhalten!«

Avila starrte Miguel an. »Was heißt das?«

»Deine Leute haben doch Maschinenpistolen! Verdammt, sie sollen die Finger krümmen!«

»Ist das der neue Kurs?« Bitterkeit lag in Avilas Stimme. »Wenn Herr Toledo wüßte ...«

»Ich bin jetzt der Herr Toledo.« Belisa ging ans Fenster und schaute nach draußen. Dort ballten sich die Digger vor dem Lazarett zusammen und johlten noch immer. »Kommt raus!« schrien sie. »Kommt raus!« Und dann rhythmisch wie ein Sprechchor: »Raus! Raus! Raus!«

»Das sollen sie haben.« Belisa wandte sich zur Tür. Dr. Falke hielt sie am Ärmel fest.

»Bleiben Sie. Das ist doch Wahnsinn!«

»Lassen Sie mich los, Doktor.«

»Sie wissen anscheinend noch immer nicht, wo Sie sich hier befinden!«

»Loslassen, sage ich!«

Ihre Augen blitzten ihn an. Ihr Körper spannte sich wie ein Stahlseil. Fasziniert starrte Dr. Falke sie an, aber er nahm seine Hand nicht von ihrem Arm.

»Sie werden in einen Steinhagel geraten. Lassen Sie den Männern Zeit, sich zu beruhigen. Avila wird mit ihnen sprechen.«

»Nicht Avila ... *ich* will mit ihnen reden!« Sie schüttelte Dr.

Falkes Hand ab, und als er noch einmal greifen wollte, schlug sie ihm auf die Finger. Ein kurzer, trockener Schlag, wie ihn Dr. Falke einmal bei einem Kung-Fu-Kampf in Manila gesehen hatte. Ihm war es, als sei sein Arm plötzlich gelähmt. Hilfesuchend sah er hinüber zu den Brüdern.

»Verhindern Sie das!« rief er. »Avila, verdammt, tun Sie doch was!«

Zu spät. Belisa hatte bereits die Tür aufgerissen und trat hinaus auf die Straße. Das Pfeifen und Johlen wurde ohrenbetäubend, aber es flogen keine Steine.

Belisa hob die Hand. Eine brüllende Masse antwortete ihr ... und dann war es ganz plötzlich still.

»Männer!« sagte Belisa. Ihre Stimme, diese helle Stimme, war weithin hörbar. »Ihr seid doch Männer! Und ich bin eine Frau. Ein Mann beschützt die Frau. Ein Mann hilft ihr, das Leben angenehm zu machen. Ein Mann tut alles für eine Frau. Wollt ihr, daß ich in einem vollgeschissenen Bett schlafe? Daß mir der Dreck in der Nase stinkt? Ich lasse nur mein Zimmer säubern. Wer ist dagegen? Na? Wer dagegen ist, trete vor. Nur keine Scheu. Kommt her! Aber wer vortritt, ist kein Gentleman mehr. Ihr seid wilde Gesellen, ich weiß es ... aber einer Frau gegenüber seid ihr Gentlemen. Nun los, entscheidet euch ...«

»Die ist aus dem richtigen Holz geschnitzt!« sagte Pater Burgos und setzte einen großen Topf mit Wasser auf den Gaskocher. Er hatte kaum eine Wahl. Es gab Reis mit gebratenem getrockneten Rindfleisch. »Ein raffiniertes Energiebündel. Ich möchte den sehen, der jetzt einen Stein wirft.«

Pater Burgos behielt recht. Die Männer sahen zu Boden. Dann löste sich die Anspannung auf, die Digger tauchten in den Gassen zwischen den Hütten unter. Übrig blieben nur die zehn Männer der Schutztruppe. Sie sicherten ihre Maschinenpistolen und hängten sie sich um.

»Das ist noch nicht vorbei!« sagte Avila. »Das ist nur ein

Waffenstillstand. Im Augenblick sind sie verblüfft. Aber man wird darüber diskutieren, und dann geht's los. Ich kenne das. Stimmt es, Doktor?«

Dr. Falke hob ratlos die Schultern. »Ich weiß nicht«, sagte er. »Sie haben es zum erstenmal mit einer Frau zu tun, die nicht zum Bordell gehört. Auf jeden Fall war es mutig von Mrs. García. Sehr mutig. Ich gebe es zu: Ich hatte Angst.«

Aus dem Bettentrakt kamen jetzt die acht Digger nach vorn und drängten sich aneinander.

»Ein Zimmer ist fertig«, sagte einer von ihnen. »Sie können es benutzen.«

»Danke.« Belisa nickte ihnen zu. Die acht waren verblüfft und verunsichert. Man dankte ihnen. Das war etwas völlig Ungewohntes. »Ihr könnt gehen.«

Sie verließen das Lazarett. Nur der letzte blieb an der Tür stehen und drehte sich zu Carlos García um. Sein Gesicht war von Haß verzerrt.

»Wir sehen uns noch!« sagte er heiser.

»Sicherlich.« Carlos grinste ihn an. »Wir bleiben ja hier.«

»Theoretisch sind Sie schon tot!« Avila warf die Tür hinter dem Goldgräber zu. »Ein Vorschlag: Sie können morgen früh zurück nach Davao fliegen. Wir werden Sie sicher zur Maschine bringen.«

»Für diesen Vorschlag sollte ich Ihnen den Arsch aufreißen!« schrie Carlos. Miguel hielt ihn fest, um das zu verhindern.

»Ich schlage vor, wir benehmen uns wie zivilisierte Menschen.« Pater Burgos rührte den aufqellenden Reis um. »Was gibt's zu trinken?«

»Bier.« Dr. Falke ging zu einem Schrank und schloß ihn auf. Ein Kasten mit Bierflaschen kam zum Vorschein. »Es wird schwer sein.«

»Was?«

»Sich wie zivilisierte Menschen zu benehmen. Hier am Berg ist die Zivilisation verrottet und unter Müll begraben. Aber versuchen wir es, Pater, in Ihrer Bibel redet man doch von der Auferstehung der Toten.«

»Es ist auch Ihre Bibel, Doktor.«

»Ich habe zum letztenmal bei meiner Konfirmation hineingeblickt.«

»Um mit Carlos García zu sprechen: Das wird sich ändern. Wir werden eine Bibelstunde einführen. Können Sie singen, Doktor?«

»Für den Hausgebrauch.«

»Sehr gut. Sie werden beim Gottesdienst vorsingen ...«

Es wurde doch noch ein leidlich gemütlicher Abend, es gab keinerlei Krawall mehr, und die Gegend um das Lazarett war still. Das Essen war eine Katastrophe, aber Pater Burgos versprach, vom nächsten Tag an einzukaufen. Es gab in Diwata drei Läden, die man Magazine nannte. Sie wurden mit den Hubschraubern aus Davao beliefert. Frisches Gemüse, Obst, vor allem Bananen, lieferte der Dschungel. Rund um die Stadt hatte man den Urwald gerodet und Gemüsefelder, Kartoffeläcker und Bohnenkulturen angelegt. Wie alles in Diwata wurden auch diese Felder von der Sicherheitstruppe Avilas bewacht, nachdem die erste Ernte geplündert worden war und zwölf Tote gekostet hatte. Alles, was mit den Hubschraubern an den Berg kam, wurde mit einem Geleitzug versehen. Transporte von Bierkästen, Alkoholkisten und Salatölkanistern wurden immer wieder überfallen. Der Weg zu den sicheren Magazinen war wie ein Durchbrechen einer feindlichen Stellung.

Es war also durchaus nicht garantiert, daß Pater Burgos, ohne von Avilas Truppen beschützt zu werden, mit seinem Einkauf auch das Lazarett erreichte.

»Hier gibt es keine Moral, kein Gesetz!« sagte Avila zu Pater Burgos. »Hier gilt nur die eigene Faust. Das Überleben. Ich wundere mich immer wieder, daß sie sich nicht gegenseitig auffressen. Fleisch ist Fleisch ... und wer satt ist, ist im Himmel. Aber vielleicht kommt das auch noch.«

In der Nacht schlief Belisa in einem leidlich sauberen Bett. Sie hatte das untere Bett genommen. Über ihr schlief Miguel, im dritten Bett Pedro. Carlos hatte sich eine Matratze auf die Erde gelegt. So konnte Belisa beruhigt schlafen, umringt von ihren Brüdern. Einer hielt immer Wache. Alle zwei Stunden wechselten sie sich ab.

Dr. Falke und Pater Burgos saßen noch lange zusammen und rauchten jeder zwei Zigarren zu ihrem San-Miguel-Bier. Sie spürten, daß sich so etwas wie eine Freundschaft zwischen ihnen entwickelte. Das Zusammenstreben ähnlicher Schicksale.

»Was halten Sie von dieser Belisa?« fragte Dr. Falke.

»Sie ist ein zähes Luder.«

»Das aus dem Mund eines Priesters?«

»Es ist nicht überliefert, ob Christus fluchen konnte ... und das Wort Luder kann sogar eine Anerkennung sein. Belisa ist wie ein Elektrizitätswerk! Sie sprüht vor Energie.«

»Ich werde aus ihr nicht klug. Eine Kindfrau, die gegen dreißigtausend Verwilderte antritt.«

»Das ist ihre Stärke. Sie weckt Beschützerinstinkte. Auch bei diesen entwurzelten Burschen. Sie haben es doch vorhin erlebt. Jeden von uns hätten sie erschlagen, auch mich, den Priester ... aber bei ihr wurden sie zu Hunden, die den Schwanz einklemmen.« Pater Burgos sah dem Rauch seiner Zigarre nach. »Wir kennen sie erst seit ein paar Stunden. Und schon sind wir dabei, das Rätsel ihres Wesens zu lösen. Ich prophezeie Ihnen, Doktor: Wir werden noch viel zu rätseln haben.«

»Ich bedauere sie schon jetzt.«

»Aus welchem Grund?«

»Sie wird hier ihre Brüder begraben müssen.«

»Sind Sie da so sicher?«

»Ich habe drei Jahre Erfahrung im Umgang mit diesen Menschen. Der erste wird Carlos sein.«

»Möglich. Und keiner kann ihn schützen. Das meinen Sie doch.«

»Ja. Keiner kann ihn schützen. Für die acht Putzer ist es eine Sache der Ehre, ihn umzulegen. Ob Sie es glauben oder nicht, Pater ... diese Männer, die außerhalb von Sitte und Moral stehen, haben eine eigene Ehre! Das ist schwer verständlich, aber ich habe es oft erlebt. Eine Ehre unter einer verdammt dünnen Haut.«

»Was können wir tun? Nichts?«

»Genau das. Nichts. Es sei denn, die drei Brüder fliegen sofort zurück nach Davao. Wie Avila es vorgeschlagen hat.«

»Ohne Belisa? Nie! Für sie ist ihre Schwester eine Art Göttin. Sie lassen Belisa nie, nie allein zurück.«

»Ich weiß. Wir gehen heißen Zeiten entgegen. Ich verstehe nur Mr. Toledo nicht. Was hat er sich dabei gedacht, Belisa zu seiner Statthalterin zu ernennen? Man könnte das fast einen inszenierten Mord nennen. Ein Mädchen als Boß der Diwata-Mine. Ich finde dafür keine Erklärung ...«

Erst spät in der Nacht wälzten sich Dr. Falke und Pater Burgos in ihre Betten. Sie mußten dazu das Zimmer von Belisa García durchqueren.

Miguel hielt zu dieser Stunde Wache.

»Ist was?« fragte er leise.

»Nein.« Pater Burgos legte den Zeigefinger an die Lippen. »Wir sehnen uns nur nach horizontaler Lage ...«

Welch ein Slum.

Welch ein Dreck und Lärm.

Welch ein Gestank.

Welch eine Armee verzweifelter Kreaturen.

Welch ein Berg.

Welche Hölle auf Erden.

Im Schutze von zehn schwerbewaffneten Avila-Soldaten, hinter den Panzerscheiben eines umgebauten Geländewagens hockend, besichtigte Belisa García die zerstörte Welt, in der sie künftig leben würde.

Aus den Stollen quollen Tausende von Goldgräbern. Auf ihren schwitzenden, gebeugten Rücken schleppten sie die Säcke mit dem herausgebrochenen Gestein, sie ließen ihre Nummer bei den Kontrollen eintragen, schütteten die Felsstücke auf die Transportbänder, klemmten die leeren Säcke unter den Arm und schlurften zurück zu den Schächten. Hinein in den Berg, der durchlöchert war wie ein reifer Käse. Die Transportbänder schoben das Gestein zu den krachenden Mühlen, wo es zermalmt wurde, um dann in die Waschanlage geschwemmt zu werden. Dort rüttelten Siebe den Steinbrei durch und trennten die verschiedenen Korngrößen voneinander. Lattenroste und Jutebahnen fingen alle Gesteinsstücke auf, die größer als Erbsen waren. Die fein sortierten Körner blieben auf den Lattenrosten hängen, der feine Goldbrei sammelte sich in den Jutegeweben. Dieser »rohe« Goldsand wurde dann von den Wasch- und Sortiermaschinen weitergeleitet zu Anlagen, in denen die Amalgamierung vorgenommen wird: giftige, die Umwelt und die Menschen zerstörende Abscheidemaschinen, in denen Quecksilber das Gold aus dem Gestein zieht. Quecksilber wirkt auf Gold wie ein Magnet. Ein Element, das das Wunder vollbringt, eine enge Verbindung mit dem Gold einzugehen, aus der man das Edelmetall dann ohne Schwierigkeiten lösen kann. Zurück bleibt das reine Gold. In kleinen Körnern, in zusammengeklumpten Nuggets, als Goldstaub.

Die Ausbeute unsäglicher Qual im Inneren des Berges. Der Lohn für die Zerstörung des Leibes. Die Sehnsucht aller, die bei vierzig Grad Hitze in stinkenden und stickigen Stollen mit Preßlufthämmern den Fels aufbrechen.

Gold! Gold! Gold!

Kamerad, träumst du von einem eigenen Häuschen auf dem Land? Von geruhsamen Stunden in einem Schaukelstuhl? Vom Schwingen einer Hängematte im warmen Seewind? Träumst du davon, daß dieses verfluchte Leben doch noch einen Sinn hat?

Aber was tust du?

Du bekommst deine Pesos nach der Zahl der Säcke, die du ablieferst. Du bekommst, aus der privaten Wäschepfanne, ein paar Gramm Goldstaub. Reste des großen Kuchens. Krümel, die man dir gönnt. Und dann hast du ein paar Gramm zusammen, dein Herz hüpft vor Freude ... und dann gehst du in den Puff, legst das Beutelchen mit Goldstaub auf eine Waage, und die Hure sagt ganz kühl, wie eine gewiefte Händlerin: »Dafür darfst du einmal rein. Fürs Blasen reicht es nicht!«

Und vergessen ist der Traum vom Häuschen, vom Schaukelstuhl und von der Hängematte im Meereswind. Nach einer Viertelstunde – danach stößt dich die Hure vom Bett – stehst du wieder auf der Straße im Schlamm. Arm wie immer, und du ziehst dich um, steigst in die dreckigen Hosen und Hemden und stolperst wieder in den Berg. Hinein in den Schacht. Tiefer, immer tiefer.

Brich das Gestein auf. Schleppe deine Säcke nach oben. Jeder Sack ist Leben. Ist eine Flasche Bier. Ist ein Glas Rum. Ist ein Paket Nudeln. Ist ein Huhn. Oder ein Stück Schweinefleisch. Oder ein Fisch aus dem nahen Fluß, der durch das Quecksilber verseucht ist und dein Leben verkürzt.

Die Waschanlage rauscht. Die Siebe rütteln und donnern. Die Steinmahler quietschen. Dazwischen das Keuchen und Stöhnen der Sackschlepper, die Befehle der Vorarbeiter, das Fluchen und Brüllen. Kommst du jemals aus dieser verfluchten Welt heraus? Oder krepierst du, wie Hunderte vor dir, und wirst im Dschungel verscharrt? Ohne Kreuz, ohne Grabstein. Was soll denn auch auf ihm stehen? Du bist ein Namenloser.

Ramos, der neben Belisa García im Wagen saß, erklärte ihr die Einrichtungen der Mine. In einem zweiten Wagen folgten ihnen die drei Brüder in Begleitung von Avila. Pater Burgos war nicht mitgekommen. Er kaufte ein.

Es war ein Ereignis, das sich blitzschnell in Diwata herumsprach.

Durch die Stadt geht ein Priester spazieren. Er kauft bei

Gómez Gemüse und Kartoffeln, Nudeln und Brot, sogar ein Spanferkel hat er gekauft. Er hat einen Strick um das Schwein gebunden und trägt es herum wie einen Rucksack. Und Zettel verteilt er.

Nächsten Sonntag Heilige Messe vor dem Lazarett.

Die Kollekte ist für den Bau einer Kirche in Diwata bestimmt.

Kollekte? Das heißt Einsammeln von Spenden nach dem Gottesdienst.

Ist der verrückt geworden?

Wir sollen unsere Pesos für 'ne Kirche hergeben? Doch wen wundert das? Wer als Priester nach Diwata kommt, kann nur ein Verrückter sein.

Jungs, laßt den armen Irren in Ruhe ...

Nehmt ihm sein Spanferkelchen nicht ab. Er hat Narrenfreiheit.

Eine ganze Weile blickte Belisa García stumm auf den »Produktionsbereich«, wie Ramos die verrotteten Maschinen hochtrabend bezeichnete. Er schien ihre Gedanken zu erraten.

»Es ist in den letzten zwei Jahren kaum etwas in die Modernisierung der Anlagen investiert worden. Nur notwendige Reparaturen. Dafür haben wir jetzt aber drei Panzer, zwei Vierlingsflaks, drei Kanonen, hundert Panzerfäuste, zweihundert Minenwerfer, eine Raketenabschußrampe. Herr Toledo legt großen Wert darauf, eine eigene kleine Armee zu haben. Jetzt sind wir besser ausgerüstet als die Regierungstruppen. Wöchentlich finden militärische Übungen statt. Hier ist vieles verrostet ... nur die Waffen nicht.«

»Es wäre klüger, die Arbeitsbedingungen zu verbessern. Ich will mehr Gold sehen, keine exerzierenden Truppen.« Belisa zeigte nach draußen. »Diese Säckeschlepperei ist mörderisch.«

»Es ist die einzige Möglichkeit, einen gerechten Lohn zu errechnen.«

»Die staatlichen Minen rechnen nicht nach Säcken ab, sie zahlen Stundenlöhne.«

»Führen Sie das hier bloß nicht ein.« Ramos schlug wie entsetzt die Hände aneinander. »Bei diesen Burschen Stundenlöhne ... das ist wie eine Aufforderung zur Faulheit. Wer einen festen Lohn bekommt, macht so wenig wie möglich den Buckel krumm. Gerade die staatlichen Minen sind ein Beispiel dafür. Wir holen doppelt soviel Gold aus dem Berg wie die Staatlichen mit ihren modernen Maschinen. Bei festem Lohn gibt es keinen Ehrgeiz mehr. Aber wer nach Säcken bezahlt wird, der schleppt und schleppt und schleppt, bis er umfällt. Und unsere Privatarmee? Zweimal hat die Regierung versucht, unseren Berg zu stürmen und in Besitz zu nehmen. Zweimal haben wir die Truppen zurückgeschlagen. Jetzt erwartet Herr Toledo einen dritten Angriff. Mit Infanterie und Luftlandetruppen. – Hat er Ihnen das nicht gesagt?«

»Nein.«

»Dann wissen Sie es jetzt. Aber wir sind ausgerüstet.«

»Und wer befehligt unsere ›Armee‹?«

»Leonardo Avila.« Ramos machte eine Pause, um seinem nächsten Satz größere Wirkung zu verleihen. »Avila ist ehemaliger Major der Eliteeinheit von Manila. Er hat sich vor vier Jahren zu uns abgesetzt.«

»Warum?«

»Er hat den Liebhaber seiner Frau erschossen. Als er von einer Übung frühzeitig nach Hause kam, fand er die beiden im Bett. Er hat nur seine Ehre verteidigt, aber danach mußte er flüchten. Ohne Avila wäre das Chaos hier noch schlimmer. Er hält Ordnung, soweit das überhaupt möglich ist.«

»Ich möchte aussteigen«, sagte Belisa plötzlich.

Ramos sah sie an, als habe sie ihm an die Hose gegriffen. Er war entsetzt.

»Hier?«

»Wo sonst?«

»Hier bei den Rüttlern und der Amalgamierung? Das Quecksilber ist hochgiftig. Das Einatmen der Dämpfe ...«

»Steigen wir aus!« Ihre Stimme ließ keinen Widerspruch mehr zu. Sie stieß die Tür auf und sprang auf den glitschigen Boden. Ramos folgte ihr notgedrungen und hielt sie fest. »Was ist das da drüben?« fragte sie und zeigte auf einen Schuppen, vor dem eine Schlange verdreckter Männer wartete.

»Die Goldablieferungszentrale. Dort wird von Vorarbeiter Rogelio Sotto der Reinertrag gewogen und eingetragen.«

»Das sehe ich mir an.«

Sie kämpften sich über Geröll, durch Matsch und bläulich schimmernde, von Quecksilber verseuchte Pfützen bis zur Hütte vor und traten ein. Sotto saß hinter einem langen hölzernen Tisch und wog auf einer Pendelwaage gerade ein Säckchen mit Goldkörnern ab. Er blickte hoch, erhob sich aber nicht, wie es sich gehörte, wenn der Boß den Raum betrat. Hinter ihm, an der rohen Holzwand, waren Bilder aus Illustrierten und Sexmagazinen angenagelt. Nackte Mädchen in aufreizenden Stellungen.

Belisa García sah sich um. Sie nahm einige der Goldsäckchen in die Hand und ließ sie auf ihrer Handfläche tanzen. Sotto beobachtete sie mit zusammengezogenen Brauen.

»Wer trägt den Ertrag ein?« fragte sie.

»Ich.« Sotto erhob sich nun doch. Etwas in Belisas Stimme ließ ihn aufmerken.

»Du allein?«

»Ja. Ich allein.«

»Das heißt: Was du einträgst, muß man glauben.«

»So ist es.«

»Und wenn ein Säckchen mit Gold verschwindet?«

»Es verschwindet nichts. Nicht bei mir.« Sotto warf einen Blick hinüber zu Ramos. Schaff sie hier weg, hieß dieser Blick. Ich lasse mich doch nicht von einem Weib ausfragen! »Bisher hatte alles seine Ordnung ...«

»Bisher.« Belisa warf die Goldsäckchen zurück auf den langen Tisch. Die zwei Wachleute, die mit ihren Maschinenpistolen den Goldschatz und Sotto vor Überfällen beschützten, grinsten breit.

Bisher . . . das war wie ein Tritt in den Unterleib. Sotto mußte sich wehren.

»Es ist von Herrn Toledo nie eine Beschwerde gekommen«, sagte er. In seiner Stimme knirschte Wut. »Er war mit jeder Lieferung zufrieden. Jeden Tag wird das gewonnene Gold mit dem Hubschrauber nach Davao geflogen. Es bleibt keinen Tag länger in der Mine.«

»Und wieviel Gold fällt unter den Tisch in einen Privatsack?«

Sotto holte pfeifend Atem. Ramos stand hilflos hinter Belisa. Er konnte ihr ja nicht den Mund zuhalten.

»Ich soll Gold klauen?« sagte Sotto heiser. »Ich soll ein Dieb sein?«

»Habe ich das gesagt?« Welch ein Ton! Scharf wie eine Klinge.

»Ich habe es so verstanden.«

»Ich habe nur an Möglichkeiten gedacht. Die Versuchungen sind groß. Nur ein Mann, nur du, bestimmt, wieviel Gold jeden Tag nach Davao geflogen wird. Hast du keine Angst vor der Verantwortung? Natürlich hast du Angst. Ich werde sie dir nehmen.« Sie wandte sich zu Ramos um. »Ich werde mich selbst um die Goldabgabe kümmern.« Sie machte eine alles umfassende Armbewegung. »Ramos, hier werde ich wohnen!«

»Unmöglich.«

»Haben Sie vergessen: Das Wort unmöglich gibt es in meinem Sprachschatz nicht. Hier wird mein Bett stehen! Ich will unter meinen Arbeitern leben, mitten unter ihnen. Und zusammen mit dem Gold.« Sie zeigte auf die Waage und die Sammlung der Säckchen. »Ich werde noch das winzigste Goldkörnchen auflesen! Hier gehöre ich hin!«

»Sie werfen mich hinaus?« Sottos Hände verkrampften sich. Er wünschte sich, den Hals dieses Weibes mit seinen Fingern zudrücken zu können.

»Du bekommst eine andere Aufgabe.«

Sotto holte tief Luft, aber er verschluckte die Worte, die ihm auf der Zunge lagen. Mit gesenktem Kopf verließ er die Hütte. Ramos folgte ihm und legte den Arm um seine Schulter.

»Wer bringt sie um?« stammelte Sotto. »Wer bringt sie um? Wer bläst ihr diese Teufelsseele aus? Felipe, sie vernichtet uns. Dich auch! Uns alle. In dieses Weib hat der Satan geschissen! Man *muß* sie umbringen!«

»Sie ist erst einen Tag hier. Warten wir ab.«

»Dieser eine Tag genügt mir. Er vernichtet meine Zukunft. In zwei Jahren hätte ich es erreicht gehabt. Ein Haus auf Palawan und ein gutes Dollarkonto. Und was ist mit dir, Felipe? Du sammelst doch auch für deine Zukunft.«

»Es gibt andere Möglichkeiten der Umschichtung.«

»Auch die wird sie entdecken. Sie hat die Klugheit mit Löffeln gefressen. Nein, Felipe ... sie muß weg! So oder so!«

Belisa trat aus der Hütte. Sie ignorierte den haßerfüllten Blick Sottos und wies mit dem Daumen über ihre Schulter.

»Hier werde ich wohnen! Gehen wir. Ich habe genug gesehen.«

»Wollen Sie noch das Militärlager besichtigen, Mrs. García?« fragte Ramos beflissen.

»Nein. Ich will durch die Siedlungen gehen.«

»Das möchte ich nicht empfehlen. Nicht ohne einen Schutztrupp.«

»Ich will sehen, wie meine Arbeiter wohnen.«

»Dazu braucht man eiserne Nerven.«

»Die habe ich.« Sie warf Ramos einen Blick zu, den er wie einen Strick empfand. »Haben Sie das noch nicht bemerkt?«

Sie ging hinüber zu den wartenden Wagen. Die drei Brüder waren ausgestiegen. Neben Avila, der die Umgebung scharf musterte, warteten sie auf ihre Schwester. Sotto verschwand wieder in der Hütte zu seiner Goldwaage. Er knurrte dabei wie ein gereizter Hund.

»Ich möchte morgen alle Arbeiter sprechen, die gerade nicht im Berg sind«, sagte Belisa. Ramos blieb stehen. Jetzt drehte sie völlig durch.

»Das können zehntausend Mann sein.«

»Sie sollen sich auf dem Platz vor der Verwaltung sammeln.«

»Wollen Sie zehntausend Hände drücken?«

»Ich will zu ihnen sprechen. Ich will ihnen sagen, daß andere Zeiten kommen.«

»Versprechen Sie nicht zuviel. Einen Tag sind Sie hier. Das genügt nicht, um die wahren Verhältnisse zu kennen.«

»Es genügt, um zu wissen, was ich zu tun habe. Sie haben versagt, Ramos.«

»Mrs. García ...« Tiefe Röte stieg Ramos ins Gesicht. Sie wagt es, mir das zu sagen. Ins Gesicht zu schleudern wie einen nassen Lappen. Sie ist das größte Dreckstück von Weib, das je geboren wurde. Sotto hat recht: Man muß sie vernichten. Zerquetschen wie eine Wanze. Wie ein Insekt erschlagen. »Ich habe immer meine Pflicht getan. Herr Toledo hat mich sogar gelobt.«

»Mein Schwager ist ein gutmütiger Mensch. Die letzten beiden Jahre hat er Ihnen zuviel freie Hand gelassen. Ich sehe das als einen Fehler an. Er ist die Straße der Zufriedenheit entlanggefahren ... ich nehme eine andere Straße. Ich bin nie zufrieden. Verstehen wir uns, Ramos?«

»Schwer.«

»Sie werden es noch lernen. Ich habe immer gelernt, am meisten aus den Fehlern der anderen. Der beste Lehrmeister sind die Schwächen der Menschen. In ihnen erkennt man seine eigene Stärke. Und glauben Sie mir, Ramos: Ich bin stark genug, Diwata zu ertragen.«

Während die gepanzerten Wagen zurück zum Lazarett fuhren, wanderte Pater Burgos durch die stinkenden Gassen der Hüttenstadt. In schmalen Gräben, die man in die Erde gegraben hatte, floß die Brühe der Abwässer. Urin, Kot, Regenwasser,

Unrat aus den Slums. Dazwischen huschten die Ratten herum, fett, vollgefressen, ohne Scheu vor den Menschen. Man hatte sich aneinander gewöhnt. Holzstege über der »Kanalisation« führten zu den Eingängen der Behausungen. Es gab sogar Hütten mit Blumen an den Türen.

Wo Pater Burgos auftauchte, wurde er mit einem breiten Grinsen begrüßt. Er bot auch einen sehr komischen Anblick: Das Spanferkel auf dem Rücken, in den Händen große Beutel aus geflochtenen Lianen und Palmblättern, gefüllt mit Gemüse, Obst, Kartoffeln, Nudeln, Zwiebeln, Knoblauchknollen, Gewürzkräutern und Ziegenknochen für eine Suppe – wer mußte da nicht lachen. Pater Burgos hatte zuletzt zwei Brote gekauft und sie in einem Netz um seinen Hals gehängt. Da er beide Hände für seine Beutel brauchte, war es ihm unmöglich, die lange Soutane zu raffen... sie schleifte durch den knöchelhohen Dreck, der Morast spritzte gegen seine Beine.

Zwei Goldgräber, die vor ihrer Hütte saßen und rauchten, erhoben sich zögernd, als Pater Burgos vor ihnen stehenblieb.

»Wißt ihr, meine Brüder, was ein Lastesel ist?« fragte er.

Die Digger warfen sich einen schnellen Blick zu. »Ja!« antwortete der eine.

»Was bin ich?«

»Ein Pater ...«

»Aber ich sehe aus wie ein Lastesel. Wäre es nicht christliche Nächstenliebe, mir beim Tragen zu helfen?«

»Wir?«

»Rede ich mit dem Wind?«

»Wir haben arbeitsfrei.«

»Die rechte Voraussetzung, mir einige Lasten abzunehmen. Es ist ein gottgefälliges Werk.«

Die beiden Goldgräber, Kerle mit wilden, von Bärten überwucherten Gesichtern, verständigten sich wieder mit einem Blick. Sie rückten so nahe zusammen, als seien sie siamesische Zwillinge.

»Für Gott tun wir's nicht«, sagte der eine. »Gott hilft uns auch nicht.«

»Er ist zu feige, um nach Diwata zu kommen«, sagte der andere. »Pfaffe, verdrück dich!«

Pater Burgos stellte seine Taschen in den Dreck und befreite sich von dem Netz mit den Broten. Das Spanferkel behielt er auf dem Rücken.

»Ihr hattet eine Mutter?« fragte er.

»Dämliche Frage! Uns hat kein Huhn ausgebrütet.«

»Auch ein brütendes Huhn ist eine Mutter. – Erinnert ihr euch noch an eure Jugend?«

»Bloß nicht!« Der ältere der beiden Digger hob abwehrend die Hände. »Wir hatten immer Hunger.«

»Mein Vater ließ meine Mutter mit fünf Kindern sitzen. War plötzlich weg. Keiner weiß, wohin.«

»Und was haben eure Mütter getan?«

»Geschuftet!« schrie der Ältere. »Bis zum Umfallen.«

»Und gebetet, nicht wahr?«

»Scheiße!«

»Sicher. So ist es. Ein Scheißleben. Aber sie haben gebetet und waren ein paar Minuten glücklicher und in der Hand Gottes. Eure Mütter! Und was ist aus ihren Söhnen geworden? Desperados. Abfall! Haben eure Mütter dafür geschuftet?«

Die beiden Digger senkten die Köpfe. Was das Leben auch aus ihnen gemacht hatte, wenn sie an ihre Mütter dachten, fiel aller Haß auf diese Menschheit von ihnen ab. Sie wurden wieder zu Kindern, die die Stimme der Mutter hörten: »José, wo bist du? Hast du dir die Hände gewaschen?«

Mutter, sieh deine verdammten Söhne nicht an. Vergiß sie.

»Was soll der Quatsch?« fragte der Jüngere.

»Eure Mütter hätten mir geholfen, die Beutel zu tragen.«

»Sie ekelhafter Pfaffe!« Der Ältere griff nach zwei Taschen. »Geben Sie schon her. Und wenn Sie noch mal meine Mutter erwähnen, schlage ich Ihnen in die Schnauze!«

Auch das flog wie eine Rundfunknachricht durch Diwata: José und Hernandez haben dem Pater die Einkaufsbeutel zum Lazarett geschleppt.

»In den Hintern treten!« schrie einer in der Kneipe von Gómez, als man es herumerzählte. »Habt ihr gehört? Sonntag will der Himmelskomiker eine Messe lesen. Jungs, natürlich gehen wir hin! Und wenn er anfängt mit seinem ›Dominus vobiscum!‹ . . . die Schwänze raus und ihn anpissen! Das wird ein Gottesdienst: Tausend pissende Männer. Ein Volksfest wird das!«

Im Lazarett starrte Dr. Falke den Pater stumm vor Verblüffung an. Erst als Burgos alles auf den Tisch gepackt hatte und die beiden Goldgräber wie beschämt davonschlichen, fragte er:

»Wie haben Sie das denn fertiggekriegt?«

Pater Burgos lächelte weise. »Man muß die Seelen streicheln.«

»Haben die überhaupt eine Seele?«

»Das fragen Sie als Arzt?«

»Ich bin fast soweit wie der große Pathologe Virchow. Der hat einmal voller Ironie gesagt: ›Ich habe Tausende von Menschen seziert – eine Seele habe ich nie gefunden‹.«

»Das ist es ja, was hier fehlt: der Glaube an das Gute.«

»Wo soll der herkommen, wenn man vierzehn Stunden lang in den Schächten den Felsen zerhackt? Wenn man für ein Beutelchen Goldstaub ermordet wird? Wenn jeder darum kämpft, den nächsten Tag zu erleben? Hier schrumpft das Gute zusammen zu Schnaps und Huren.«

»Der Mensch ist in seinem Wesen gut.«

»Er ist eine Bestie! Die größte Bestie auf dieser bestialischen Welt.«

»Der Mensch ist Gottes Schöpfung.«

»Dann hat Gott an diesen Tag falsch gedrechselt. Er hätte das Urmodell wegwerfen sollen.« Er nahm einen dicken Apfel aus einem Beutel und biß hinein. »Ihr predigt immer, Gott habe den Menschen nach seinem Ebenbild geschaffen. Das muß ein schrecklicher Gott sein.«

»Warum sind Sie so verbittert, Doktor?«

»Drei Jahre Diwata lassen Sie zu Stein werden wie diesen verdammten Goldfelsen.«

»Und trotzdem sind Sie geblieben.«

»Weil man mich hier braucht.«

»Sie sagen es, Doktor.« Burgos lächelte milde. »Das eben ist die Seele ...«

Dr. Falke nagte an seinem Apfel, warf den Rest in einen Eimer neben dem Tisch und winkte ab.

»Sich mit einem Priester zu streiten, ist wie gegen Gummiwände zu rennen – es gibt keine Verletzungen.«

»Und darum hat die Kirche fast zweitausend Jahre überlebt.«

»Müssen Sie immer das letzte Wort haben?«

»Die letzte Station des Menschen ist Gott. Also ist Sein Wort der letzte Wegweiser zur Seligkeit.«

»Bedauernswert, wer daran glaubt. Was Sie da von sich geben – glauben Sie das wirklich selbst, Pater?«

»Ich glaube, daß wir heute abend ein knuspriges Spanferkel am Spieß essen und Gott dafür danken werden.«

Der Platz vor der Veranstaltungsbaracke war zu einem Meer von vielen tausend Köpfen geworden. Auch in den Gassen zwischen den Hütten ballten sich die Menschen und starrten auf das flache Gebäude. Die Luft war wie eine grollende Wolke, gesättigt von Tausenden Stimmen. Um die Verwaltung hatte Avila einen Teil seiner Truppe postiert. Maschinengewehre, Granatwerfer, vierzig Mann mit Schnellfeuergewehren der neuesten Modelle. Präzisionswaffen aus Israel ... keiner wußte, wie sie in den Dschungel von Diwata gekommen waren. Die Standardmaschinenpistolen der Rebellen in aller Welt, die russische Kalaschnikow, war für Major Avila veraltetes Gerät.

In den Fenstern des Bordells hingen die Huren, die meisten

mit bloßen Brüsten. Die stickige Hitze in den Zimmern, unter deren Decken nur ein Ventilator kreiste und die Luft durcheinanderwirbelte, war anders kaum zu ertragen.

Morales hatte den Puff geschlossen. »Jeder hört dem neuen Boß zu!« hatte er verkündet. »Was er zu sagen hat, geht uns alle an.«

Belisa wartete in Ramos' Büro auf den Schlag der vollen Stunde. Die drei Brüder hatten sie eingekreist, Ramos hatte zum wiederholten Male erklärt, er sähe dieser Rede mit Angst entgegen, Avila verkündete, daß er bei der geringsten Gefahr scharf schießen lassen würde, was eine Katastrophe wäre ... nur Dr. Falke und Pater Burgos standen abseits und rauchten eine Zigarre. Belisa wandte sich ihnen zu.

»Haben Sie auch Angst?« fragte sie.

»Es ist Ihr Wille und Ihr Leben, Mrs. García.« Dr. Falke warf einen Blick auf die Tausende von Köpfen. Gesichter wie bizarre Masken. »Sie lassen sich ja doch nicht abhalten.«

»Da haben Sie recht.«

»Warum wollen Sie dann meine Meinung hören?«

Belisa blickte auf ihre Armbanduhr. Die Stunde rundete sich. Avila versuchte einen letzten Kompromiß.

»Sie können auch von hier aus sprechen«, schlug er vor. »Ich habe ein zweites Mikrofon mit den Lautsprechern draußen verbunden.«

»Nein. Ich gehe hinaus. Ich bin nicht feige. Ich zeige mich. Und ich gehe allein.«

»Schwesterchen.« Miguel hielt sie am Arm fest. »Laß uns mitkommen.«

»Allein!«

»Wir haben Papa versprochen ...«

»Hört endlich auf, mich wie ein Kind zu behandeln! Miguel, laß mich los ... oder ich spucke dir ins Gesicht.«

Miguel ließ seine Hand fallen. Ein Mann, der angespuckt wird, kann in keinen Spiegel mehr blicken.

Die Männer um sie herum erstarrten, als Belisa die Tür aufstieß und hinaus ins Freie trat. Sie hatte enge, hellblaue Jeans angezogen, die in Reiterstiefeln steckten. Darüber trug sie einen weiten, zitronengelben Pullover mit kurzen Ärmeln. Das schwarze Haar war im Nacken zu einem Pferdeschwanz zusammengebunden. Ihre braune Haut mit dem olivfarbenen Schimmer glänzte in der Sonne.

Ein grelles Pfeifkonzert empfing sie. Es ging in rhythmisches Klatschen über, als Belisa auf die Ladefläche eines Wagens kletterte, auf dem vier große Lautsprecher montiert waren.

Und dann war es still bis auf das Atmen aus Tausenden Kehlen. Avilas Männer standen schußbereit im Hintergrund. In der Baracke lehnte Pater Burgos am Fenster.

»Das ist ein Wesen aus Stahl«, sagte er anerkennend. »Ich sehe so was zum ersten Mal . . .«

Belisa griff zum Mikrofon, räusperte sich und nickte zufrieden. Aus den vier Lautsprechern klang es wie Gewittergrollen. Jeder würde sie hören können, bis weit in die Slumgassen hinein. Ihre Stimme klang auf, hell und in die Köpfe dringend.

»Männer! Ich bin Belisa García. Juan Perón Toledo hat mich beauftragt, die Mine zu führen. Das ist eine große Ehre für mich und die Verpflichtung, sein Vertrauen zu rechtfertigen.

Ich hatte einen Tag lang Zeit, mich umzusehen . . . dieser eine Tag genügte mir, um zu wissen: Es wird sich vieles ändern.«

»Das hat sie von mir!« sagte am Fenster Carlos voller Stolz.

»Halt's Maul!« zischte ihn Pedro an.

Aus der Menge ertönte eine Stimme. »Was wir brauchen, ist mehr Sicherheit!« schrie der Mann.

»Und mehr Huren!« brüllte jemand.

Johlen und Gelächter fielen auf Belisa nieder. In den Fenstern der Bordells streckten die Huren ihre nackten Brüsten in die Luft. Ein wildes Händeklatschen belohnte diese Aktion.

Belisa wartete, bis sich der Lärm etwas gelegt hatte. Dann übertönte ihre Stimme die laute Unruhe.

»Ich habe die täglichen Ergebnisse gelesen«, sagte sie. »Was ist mit euch los? Da habt ihr einen Berg voll Gold, und was liefert ihr ab? Weniger Krümel, als hier die Mäuse scheißen! Ihr fordert mehr Sicherheit ... ihr sollt sie bekommen. Ihr wollt mehr Huren ... ich hole sie euch. Aber ihr sollt euch auf eins gefaßt machen: Ich will den Umsatz der Mine verdoppeln! In einem Jahr werden wir die doppelte Menge Gold fördern ... oder ich jage euch zum Teufel, wo ihr hingehört!«

»Jetzt geht's los!« Avila griff zu seinem Sprechfunkgerät. »Das lassen sich die Männer nicht gefallen.«

Aber wider Erwarten ergoß sich kein Menschenstrom über Belisa. Die Goldgräber verharrten auf ihren Plätzen, anscheinend überwältigt von dem, was sie gehört hatten. Statt des erwarteten Sturms wurde es noch stiller.

»Ihr denkt jetzt«, setzte Belisa ihre Rede fort, »daß ich hier leere Worte ausspucke. Irrt euch nicht! Es werden neue Maschinen kommen, die Technik wird modernisiert werden, es werden Steinbrecher eingesetzt und Transportbänder, die eure Säcke aus den Schächten schaffen ...«

»Sie verspricht, was sie nie einhalten kann!« sagte Ramos und strich sich nervös über das Gesicht. »Theoretisch ist alles möglich, in der Praxis wird sie ihr Fiasko erleben.«

Belisa sprach weiter. Die Goldgräber starrten zu ihr empor. Was sie da hörten, war kaum zu glauben. Erleichterung der Arbeit? Transportbänder in den Stollen? Wenn man das so sieht, kann man die Produktion verdoppeln. Da muß man ihr recht geben. Und wir werden mehr verdienen ... mehr Säcke, mehr Pesos. Das ist eine einfache Rechnung.

»Vieles muß hier besser werden«, tönte es über die Köpfe hinweg. »Auch medizinisch werdet ihr besser versorgt werden. Das Lazarett wird ausgebaut ...«

»Habe ich richtig gehört?« Dr. Falke bohrte den Zeigefinger in sein linkes Ohr. »Oder habe ich Ohrensausen?! Sie will das Lazarett ausbauen? Davon hat sie zu mir nichts gesagt.«

»Belisa ist immer gut für Überraschungen.« Pedros Augen glänzten. »Wenn unsere Schwester richtig loslegt ...«

»Wir werden neue Wasserleitungen bauen und eure Scheißrinnen in Rohre verlegen. Wir werden allen Dreck in die Schluchten pumpen. Ihr sollt leben wie zivilisierte Menschen ... aber ihr müßt auch dafür arbeiten, bis euch das Wasser im Hintern kocht.«

»Das ist der Ton, den sie verstehen!« Miguel breitete die Arme aus. »Ich möchte sie an mich drücken. Unsere Schwester ist die Größte.«

Tausende Augen starrten auf die Ladefläche des Wagens, starrten auf das Persönchen, dessen Energie auf sie übersprang.

Natürlich werden wir mehr arbeiten. Du kannst dich auf uns verlassen, Belisa García. Du bringst eine neue Zeit nach Diwata. Mehr Geld, mehr zu essen, mehr zu saufen, mehr Huren, mehr Sicherheit, mehr Säcke, mehr Leben ... wenn alles so wird, wie du es uns versprichst.

Und wenn es nicht so wird? Was dann, Jungs?

Dann holen wir sie aus ihrer Bude und vögeln sie zu Tode! Wir alle! Tausende! Das braucht man ihr nicht zu sagen. Das weiß sie. Belisa García, vergiß kein Wort von dem, was du jetzt sagst. *Wir* behalten deine Worte im Gedächtnis ...

»Zu uns ist auch ein Priester gekommen«, hörte man Belisas Stimme.

Dr. Falke stieß Pater Burgos in die Seite.

»Jetzt sind Sie dran, Pater.«

»Brauchen wir einen Pater in Diwata? Brauchen wir eine Kirche?«

»Das ist eine verdammt rhetorische Frage«, sagte Dr. Falke spöttisch.

»Ich weiß, ihr sagt nein!« Belisa blickte auf Hunderte Köpfe, die ihr beifällig zunickten. Ein Pfaffe! Was soll der hier? Uns von der unbefleckten Empfängnis erzählen? Das Märchen vom verlorenen Sohn? Weihrauch über Kotrinnen? »Ich sage ja!«

»Sie ist wirklich von einer außergewöhnlichen Besessenheit!«

Dr. Falke klopfte Pater Burgos auf den Rücken. Die drei Brüder sahen sich sprachlos an. Sie konnten den Gedankengängen ihrer Schwester nicht mehr folgen. Nur Ramos bemerkte trocken:

»Jetzt sät sie Unkraut ins Feld. Sie wird die Gemeinschaft spalten.«

»Welche Gemeinschaft?« fragte Dr. Falke ironisch.

»Die Gemeinschaft der Gottverdammer.«

Belisas Stimme übertönte wieder das aufkommende Gemurmel der Tausende.

»Ihr lebt hier in einer gottverlassenen Welt. Ihr habt genug zu tun, um euer Leben zu kämpfen. Gebete holen kein Gold aus dem Berg. Und wer hier stirbt, krepiert mit einem Fluch, nicht mit einem Vaterunser. Aber habt ihr nicht mal daran gedacht, Menschen wie andere Menschen zu sein? Zurückzukehren in eine Welt, die ohne Haß ist, eine Welt der Sonne, die euch wärmt und nicht den schwitzenden Körper verbrennt? Die Welt ist schön ... nicht hier in Diwata, aber da draußen, wohin ihr einmal wollt. Dafür schuftet ihr ja. Und wenn ihr das erreicht habt, werdet ihr euch umsehen und Gott wiederfinden.«

»Packen Sie ein, Pater.« Dr. Falke klopfte Burgos wieder auf den Rücken. »Die kann besser predigen als Sie. Sehen Sie nur, wie die Goldgräber sie anglotzen. Und kein Protest, kein Pfeifen, kein Zwischenruf: ›Wir wollen mehr Lohn und keine Bibel!‹ Das erreichen Sie mit Ihrem Weihrauchschwenken nicht.«

»Ich selbst werde jeden Sonntag beten!« tönte Belisas Stimme über die Hütten. »Ich habe es immer getan. Wer noch ein Herz in der Brust hat und keinen Stein, der soll zu mir kommen, und wir werden gemeinsam Gott bitten, die Hölle Diwata vom Grauen zu befreien. Ich werde ihm dabei helfen – das verspreche ich euch!«

»Amen.« Dr. Falke ging ins Zimmer zurück. »Dieses Mädchen ist wirklich das Raffinierteste, dem ich je begegnet bin. Sie verspricht noch mehr als ein Pfaffe. Der verspricht ein ziemlich obskures Paradies, ohne Garantie ... sie verspricht ein besseres Leben, an das man glauben kann.«

»Und das noch weiter entfernt liegt als das Paradies!« warf Ramos ein. »Hier kann es nur schlechter werden.«

»Darum sagt sie es ja. Das ist dieser doppelte Boden.« Dr. Falke ließ sich von Avila eine neue Zigarette geben. »Sie verspricht, alle glauben daran, schuften um so mehr, um das Ziel zu erreichen, der Goldertrag verdoppelt sich, wie sie es wünscht ... aber bis auf Kleinigkeiten wird sich nichts ändern. Es ist die typische Massenhysterie, von der jeder Diktator lebt. Mrs. García besitzt eine ungeheure Begabung zur Demagogie.«

»Bis man sie aufhängt.«

»Das glaube ich nicht. Bis dahin hat sie sich eine eigene Armee aufgebaut, hinter der sie sich versteckt.«

»Also Bruderkrieg am Diwata-Berg!« sagte Avila verbittert. »Ist das die neue Zeit?«

»Ihr seid nur gegen sie, weil sie so stark ist.« Pater Burgos beobachtete von seinem Fenster aus, wie die Menschenmasse sich verwandelte. Aus den von Sonnenglut, zermürbender Arbeit und Auszehrung gezeichneten Fratzen waren menschliche Gesichter geworden, deren Blicke hoffnungsvoll an Belisa García hingen. »Und weil sie eine Frau ist. Und weil sie wagt, was ihr nicht mal zu denken bereit seid.«

»Sie ist dabei, mit einem Sieb Wasser zu schöpfen.« Ramos schüttelte den Kopf. »Den Ertrag verdoppeln! Allein schon dieser Gedanke ist Wahnsinn!«

Belisas Stimme unterbrach ihn. Sie kam zum Ende ihrer Ansprache.

»Männer!« rief sie ins Mikrofon. Die vier Lautsprecher dröhnten weithin hörbar. »Wir müssen zusammenarbeiten. Ganz eng zusammen. Nicht nur jeder für sich, sondern jeder auch für den anderen. Der Mann neben dir ist nicht dein

Feind, er ist dein Freund. Er schuftet wie du, er leidet wie du, er sucht das Leben wie du. Ihr seid Brüder! Nur so schaffen wir es!«

»Sie hätte Politikerin werden sollen.« Dr. Falke sog an seiner Zigarette. Die drei Brüder strahlten vor Stolz. »Man redet das Volk besoffen und läßt es dann in der Gosse liegen.«

»Nicht diese Kerle da draußen.« Ramos blickte sehr finster vor sich hin. »Mrs. García hat ihnen heute einen Scheck gegeben, und den lösen sie einmal ein. Es wird ein ungedeckter Scheck sein.«

»Abwarten.« Dr. Falke warf die Zigaretten auf die Dielen und zertrat die Glut. »Sie wird es wie ein guter Politiker machen: Wenn es kritisch wird, tritt sie zurück.«

»Das wäre das totale Chaos!«

»Aber es ist dann genug Gold aus dem Berg gebrochen.«

Draußen kletterte Belisa von der Ladefläche des Lastwagens und kam in die Baracke zurück. Die Brüder empfingen sie mit Klatschen, drückten sie an sich, küßten sie ab, schrien »Fabelhaft! Denen hast du's gegeben! Wenn das Papa erlebt hätte!«, hoben sie hoch und trugen sie im Zimmer herum. Ramos streckte ihr die Hand entgegen, als die Brüder sie wieder auf den Boden setzten.

»Sie haben die Kerle überzeugt, Mrs. García«, sagte er. »Nun müssen Sie die Versprechungen erfüllen.«

»Wir werden den Umsatz verdoppeln – das verspreche ich.«

»Und Ihre angekündigten sozialen Reformen?«

»Schritt für Schritt.«

»Wann?«

»Ich habe nie eine Zeitangabe gemacht. Ich habe Pläne vorgestellt.«

»Sage ich es nicht: die geborene Politikerin!« Dr. Falke lachte kurz auf. »Bravo! Ich gratuliere.«

»Sie haben keinen Grund, spöttisch zu sein, Doktor.« Belisa baute sich vor Dr. Falke auf. Sie war zwei Köpfe kleiner als er, reichte bis an seinen Brustkorb, aber ihre Energie war wie eine Strahlung, die er auf seiner Haut spürte. »Bei Ihnen fange ich an. Ihr Elendslazarett wird abgerissen. Wir bauen ein festes Haus mit hygienischen Bedingungen. Und in das Lazarett wird eine Kirche integriert.«

»Danke«, sagte Pater Burgos schlicht. »Danke.«

»Ein richtiges Krankenhaus?« fragte Dr. Falke ungläubig. Der Gedanke war zu phantastisch.

»Ja.«

»Ahnen Sie, was das kostet?«

»Der Berg bezahlt es.«

»Herr Toledo zählt jeden Peso.«

»Herr Toledo bin jetzt ich! Mein Wort gilt hier!«

»Unbeschränkt?« Dr. Falke wiegte den Kopf.

»Unbeschränkt. Ja!«

»Sie vergessen die Zentralverwaltung in Davao. Dort regieren die Computer.«

»Die Zentralverwaltung hört auch auf mein Wort. Ich habe von Juan Perón Toledo eine Generalvollmacht. Genügt das nicht?«

Sie standen sich gegenüber wie zwei Kampfhähne, bevor sie sich aufeinander stürzen. Sie wußten nicht, warum – aber vom ersten Blick an mochten sie sich nicht.

»In Diwata ist es immer nur um Gold gegangen, nie um Menschlichkeit«, sagte Dr. Falke.

»Wer sagt, daß das anders wird?« Belisa warf den Kopf in den Nacken. Ihre schwarzen Augen blitzten Dr. Falke an. »Ich brauche ein gutes Lazarett, um die Arbeitskraft zu steigern. Ich kann keine Kranken und Lahmen gebrauchen, die den Arbeitsablauf behindern. Die Arbeit muß fließen. Verstehen wir uns?«

»Ich glaube ja.« Bitterkeit schwang in Dr. Falkes Worten mit. »Sie wollen das Prinzip sowjetischer Straflager einführen. Der Mensch als Maschine. Und ich soll die Maschinen reparieren.«

»Oder auf dem Schrottplatz abladen!« fiel Ramos ein.

»Und Sie glauben, Mrs. García, daß ich das mitmache?«

»Ja!« antwortete sie trotzig.

»Und warum sollte ich?«

»Weil Sie ein Idealist geblieben sind. So etwas knetet man zurecht wie Lehm und formt die Figur, die man haben will.«

»Sie machen mir Angst ...« sagte Dr. Falke leise.

»Das will ich auch. Angst ist ein Motor, der von allein läuft ...«

Draußen verteilte sich die Menge. Die meisten waren zufrieden mit dem, was sie gehört hatten. Die Huren verschwanden aus den Fenstern. Morales öffnete sein Bordell wieder. Sofort bildete sich eine Schlange von Wartenden. Wie hatte Belisa García, der neue Boß, gesagt? Es kommen auch mehr Huren nach Diwata. Es schienen bessere Zeiten anzubrechen.

Mehr Huren, mehr Umsatz im Puff. Mit dreißig Prozent war Juan Perón Toledo an jedem Stich beteiligt. In Diwata steckte Gold überall. In jeder Bierflasche. In jeder Schnapspulle. In jedem Nudelpaket. Alles, was in den Magazinen verkauft wurde, war aus Davao angeliefert worden. Von einem Großhandel, der Toledo gehörte. So kamen die Pesos, die er auszahlte, zu ihm zurück.

Die Stimmung in den Slums war gelöst und entspannt. In den Kneipen überwog die Fröhlichkeit.

Eine tolle Frau, diese kleine Belisa García.

Endlich werden wir nicht mehr Minensklaven sein. Wir sollen wie Menschen behandelt werden. Es soll uns allen besser gehen.

Jungs, tut der Dalagáng den Gefallen. Besuchen wir am Sonntag den Gottesdienst. Sie soll sehen, daß wir auf sie hoffen.

Es war ein Tag, an dem es in Diwata keine Messerstechereien gab. Keinen Toten. Nur Besoffene.

Die »Neue Zeit« begann damit, daß ein Bautrupp im Eilverfahren die bisherige Hütte abriß, in der Rogelio Sotto die Goldsackchen gewogen hatte, und an der gleichen Stelle eine genauso armselige Behausung errichtete. Nur bestand der Neubau diesmal aus Holzbrettern und einem Wellblechdach, einer dicken Bohlentür und einer elektrischen Lampe, die nackt von der Decke hing. Eine Fassung mit einer Hundert-Watt-Birne. In einer Ecke stand ein Bett aus dem Lazarett, als Kleiderschrank dienten Nägel in den Wänden, eine vergammelte Holztruhe, die immerhin ein funktionierendes Schloß besaß und die Ramos aus seinem Zimmer zur Verfügung gestellt hatte, nahm intimere Wäsche und die ganz persönlichen Gegenstände Belisas auf. Dazu gehörten ein Spiegel und eine Kosmetiktasche mit verschiedenen Make-ups, Lippenstiften und Pudern.

Und eine Bibel.

Enrique García hatte sie seiner Tochter mitgegeben. »Sie ist Kraft! hatte er ihr ans Herz gelegt. »Wenn du glaubst, es geht nicht mehr – hol dir neue Kraft aus den heiligen Worten. Lies die Geschichte von Hiob, und du weißt, wie glücklich du bist mit dem, was dir gegeben ist.«

Enrique García war ein tief religiöser Mensch. Sein Hiob-Leben bestand darin, drei Söhne zu haben, die aus der Art geschlagen waren. Die Mädchen machten ihn glücklich. Jessica, die Jüngste, war eine der reichsten Frauen des Landes geworden, und Belisa war auf dem Wege, es auch zu werden. So gesehen meinte es Gott gut mit ihm.

Belisa sah sich in ihrem neuen Haus um, setzte sich hinter den langen Tisch mit der Goldwaage und legte die Hände übereinander. Von draußen drang der Lärm der Steinzerkleinerer und der Rüttelsiebe fast ungedämpft bis zu ihr herein. Wenn sie aus der Tür trat, tauchte sie ein in die Masse der verdreckten, schwitzenden, stinkenden Digger, die, mit offenem Mund keuchend, die Säcke heranschleppten und ihre Nummer registrieren ließen. Ein Riesenwurm von Menschenleibern, der sich durch Geröll, Matsch, Pfützen und Müll heranwälzte. Ununterbrochen, Stunde um Stunde, schweißglänzende, steinmehlgepuderte Körper.

Ramos, der mit Belisa die neue Hütte betreten hatte, setzte sich auf die Kante des Tisches. Außer dem Stuhl, auf dem Belisa saß, gab es keine andere Sitzgelegenheit. Nur das Bett.

»Zufrieden?« fragte er.

Sie nickte mehrmals. »Ja. Sehr.«

»Meinen Sie das im Ernst?«

»Sie hören es doch.«

»Sie wollen wirklich hier wohnen?«

»Hier gehöre ich hin. Mitten unter meine Männer. Hier sehe ich alles. Hier nehme ich das Gold an. Ohne Schwund, wie es bisher so überzeugend hieß. Wenn man Käse schneidet oder Wurst, Reis abwiegt oder Obst verkauft, kann es Schwund geben. Nicht beim Gold. Das verdunstet oder verfault nicht.«

»Es geht mehr Gold verloren als Sie glauben.«

»Bisher. Jetzt bin ich hier!«

»Sie wissen nicht, mit welchen Tricks die Digger arbeiten.«

»Ich werde die Tricks lernen.« Sie erhob sich von ihrem Stuhl. Ein Gedanke war ihr gekommen. Sie ging zu der Truhe, schloß sie auf und holte die dicke Bibel heraus. Nachdem sie den Staub von den Buchdeckeln gepustet hatte, legte sie die Bibel auf den Tisch. Neben die Goldwaage. Ramos schob die Unterlippe vor. Er ahnte, was das bedeuten sollte.

»Glauben Sie, das hält die Kerle davon ab, Sie zu betrügen?« fragte er spöttisch.

»Es ist einen Versuch wert.«

»Bekommt jeder Sackträger von Ihnen einen Bibelspruch? Außer seiner Blechmarke mit der Nummer ein frommes Wort? Da kommen Sie zu spät. Seit zwei Tagen wandert Pater Burgos durch Diwata und verteilt Heiligenbildchen. Die heilige Barbara. Schutzpatronin der Bergleute. Der Pater ist ein Komiker.

Und nun legen Sie die Bibel neben die Goldwaage. Das ist zuviel Himmel!«

»Fangen wir an.« Belisa setzte sich hinter den Tisch, klappte das Wiegebuch auf und rückte die Gewichtssteine näher an die Waage. Vor der Hütte standen Avilas Männer. Zehn Schwerbewaffnete. Ein Schutzwall um den neuen Boß. »Die Ablieferer sollen kommen.«

Der erste Goldgräber mit einem Säckchen Gold, aus dem Quecksilberbrei herausgezogen, trat ein. Er legte die Ausbeute auf den Tisch und schielte hinüber zu Ramos, der in den Hintergrund getreten war. Belisa schüttete das Gold auf die Waage. Kleine Körner, größere Nuggets, Goldstaub wie feiner Sand. Aber sie legte noch kein Gewicht in die andere Waagschale.

»Bist du ein ehrlicher Mensch?« fragte sie.

Der Digger starrte sie verblüfft an. »Was heißt ehrlich?« fragte er zurück.

»Du betrügst mich nicht?«

»Ich würde das nie wagen, Dalagáng ...«

»Leg deine Hand auf die Bibel.«

»Ich bin ehrlich!«

»Leg die Hand drauf ... oder du bist ein Betrüger!«

Der Goldgräber zögerte. Er preßte die Hand auf die Bibel und zog sie sofort wieder zurück, als habe er sich verbrannt. Über Belisas Gesicht zog ein schiefes Lächeln.

»Jetzt hast du nicht mich betrogen, sondern Gott.« Sie begann, das Gold abzuwiegen, trug die Grammzahl in das Buch ein und schüttete die Ausbeute in das Säckchen zurück. Sie ließ es in einen Holzeimer fallen, der neben ihr auf der Erde stand. »Überlege dir, ob du so ein Leben weiterführen willst.«

»Ich habe ...«, stotterte der Goldgräber. Er sah hilfesuchend zu Ramos hinüber.

»Wenn du wiederkommst, bist du ehrlich.« Ihre Stimme klang so sanft und so gefährlich. »Betrügst du mich weiter, lasse ich dich erschießen. Geh!«

Fluchtartig verließ der Goldgräber die Hütte.

Es stellte sich heraus, daß keiner der Goldablieferer ohne Zögern seine Hand auf die Bibel legte. Ramos hatte es nicht anders erwartet. Wie gut, daß nicht nachzuprüfen war, wie Sotto die Bücher gefälscht hatte.

»Sie würden wirklich Betrüger erschießen lassen?« fragte er, als Belisa eine Pause einlegte.

»So weit wird es nicht kommen.«

»Es wäre auch unmöglich. Sie müßten dann schon mit Maschinengewehren schießen. Hier betrügt jeder.«

»Ich habe es nicht anders erwartet.« Belisa betrachtete die Goldsäckchen neben sich in dem Holzeimer. Fünfzig Prozent davon gehörten ihr. Fünfzig Prozent. Die Hälfte. Von allem, was der Berg hergibt, die Hälfte! Wieviel tausend Dollar sind das am Tag? Wieviel in der Woche. In einem Monat? In einem Jahr? Sie wandte sich wieder Ramos zu.

»Hier hat eine Faust und ein hartes Herz gefehlt«, sagte sie. »Sie haben versagt, Ramos. Ich werde noch mehr als das Doppelte herausholen!«

Erinnert man sich noch an Rafael? Rafael, den Schürfer, dessen Bruder man im Stollen 97 eingemauert hatte? Der in den Dschungel flüchten mußte, weil er gegen den Tod seines Bruders protestiert hatte?

Seit vier Wochen lebte er nun im Urwald. Er hatte sich im breiten Geäst eines mächtigen Baumes eine Baumhütte gebaut, wie es die Eingeborenen noch vor Jahrzehnten gewöhnt waren. Material gab der Wald genug her. Wenn Rafael die Leiter einzog, war dort oben im Baum der sicherste Platz der Welt. Niemand konnte ihn in dem dichten Blätterwerk sehen – es war allenfalls möglich, ihn mit Raketen abzuschießen oder mit Granaten, aber wer fuhr schon wegen eines einzelnen Mannes eine Kanone auf?

Die erste Woche verhielt er sich völlig lautlos. Fing mit

Schlingen und Erdfallen Kaninchen oder Beuteltiere, die er in einem Erdofen garte. Er wartete auf ein von Avila aufgestelltes Suchkommando, aber es kam kein Suchtrupp in den Dschungel.

In der dritten Woche hörte Rafael Stimmen am Fuß des Baumes. Er entsicherte sein Gewehr, vertraute aber seiner Tarnung. Nur eins hatte er nicht bedacht: die Spuren seines Erdofens zu beseitigen.

Scheiße, dachte er. Wenn sie die Kuhle entdecken, wird es gefährlich. Auch wenn Farne darüber liegen – ein Dschungelkämpfer sieht so was sofort.

Auf die kleine Lichtung traten sechs Männer hinaus. Sie hatten ihre Kalaschnikows umgehängt, trugen eine olivfarbene Uniform und weiche Segeltuchhüte. Als sie den Erdofen entdeckten, blieben sie ruckartig stehen und hoben ihre Maschinenpistolen schußbereit vor die Brust.

»Hier waren welche!« hörte Rafael eine Stimme. »Der Boden ist noch warm. Sie können noch nicht weit sein.«

Durch das Geäst sah Rafael, wie sich die Männer umsahen. Einer blickte nach oben und sprang dann hinter einen Baum.

»Deckung!« brüllte er. »Dort oben sind sie.«

Sofort war die Lichtung leer. Dafür wurde Rafael mit einem Kugelhagel überschüttet. Er lag auf dem Boden seines Baumhauses, in das die Geschosse einschlugen. Für einen Augenblick stellten die sechs Männer das Feuer ein, nachdem sie ihre Magazine leergeschossen hatten.

»Kommt runter!« hörte Rafael eine Stimme schreien. »Werft die Waffen weg.«

»Ich bin allein!« brüllte er zurück.

»Zeig dich!«

»Ich bin wirklich allein.«

»Komm runter.«

Rafael schob seine Leiter aus dem Baum und kletterte aus seinem Versteck. Während er Sprosse um Sprosse hinunterstieg, rechnete er damit, daß man ihm in den Rücken schoß. Aber er kam lebend auf dem Boden an, streckte die Arme hoch in die Luft und wartete. Wer die Männer auch waren, eines war sicher: Es waren keine von Avilas Truppe. Das beruhigte ihn.

»Wer bist du?« hörte er hinter sich aus dem Dschungel.

»Rafael Guintarra. Ich bin ein Goldgräber aus Diwata.«

»Und was machst du hier im Dschungel? Warum lebst du in einem Baumhaus?«

»Ich mußte flüchten!« Rafael stand noch immer mit hocherhobenen Armen auf der Lichtung. Er wußte: Sechs Kalaschnikows zielen auf meinen Rücken. Aber er wußte jetzt auch, wer die Uniformierten waren.

»Hast du jemanden umgebracht?« fragte die Stimme.

»Nein. Sie haben meinen Bruder umgebracht.«

»Und deshalb versteckst du dich im Dschungel?«

»Ich wollte es verhindern.« Er ließ vorsichtig die Arme sinken. Zentimeterweise. »Ich weiß, wer ihr seid. Ihr seid Rebellen.«

»Wir gehören zum ›Kommando Pfad der Gerechtigkeit‹.«

»Ihr kämpft gegen die Regierung.«

»Wir kämpfen gegen alles, was uns unsere Freiheit nimmt. Dreh dich um.«

Rafael gehorchte. Die sechs Rebellen kamen hinter den Bäumen hervor und umringten ihn. Der Anführer, ein breitschultriger Mann mit einem verfilzten Bart, der Ähnlichkeit mit dem jungen Fidel Castro hatte, tastete Rafael nach Waffen ab. Das Gewehr hatte Rafael im Baumhaus zurückgelassen.

»Gerechtigkeit!« sagte Rafael voll Bitternis. »Wo gibt es die? Ich habe noch keine gefunden. Ihr kämpft gegen die Regierung in Manila ... aber was vor euren Füßen geschieht, das seht ihr nicht.«

»Was sehen wir nicht?« fragte der Anführer grollend.

»Das Sklavenlager am Diwata-Berg. Jawohl, Sklaven! Über zwanzigtausend Männer, die sich zu Tode schuften für ein paar

Pesos. Die keine Rechte haben, denen kein Gesetz hilft, mit denen man machen kann, was einem gefällt. Wer sich wehrt, wird ausgestoßen. Das heißt, daß man ihn irgendwo am Berg mit gespaltenem Schädel findet oder mit einem Messer in der Brust. Darum solltet ihr euch kümmern.«

»Seid ihr nicht freiwillig in Diwata?«

»Freiwillig. Was heißt hier freiwillig? Wir wollen leben. Wir wollen essen und trinken ... ist das zuviel verlangt? Wißt ihr, was Hunger ist? Ihr nehmt euch einfach, was ihr braucht, und das nennt ihr Freiheit ... wir müssen, um zu leben, uns die Knochen brechen lassen. Freiwillig ...«

»Das reicht eigentlich, um dich zu erschießen.« Der Anführer verzog den Mund. Unter dem wilden Bart war nicht zu erkennen, ob er lächelte oder seinen Zorn ausdrückte. »Die Diwata-Mine. Wir haben gehört, daß ein neuer Verwalter angekommen ist.«

»Ramos ist weg?« Rafael schrie fast vor Freude. »Ein neuer Mann?«

»Eine Frau.«

»Eine Frau?« Rafael starrte den Bärtigen ungläubig an. »Als Verwalter? In Diwata? Eine Frau?!«

»Überall spricht man darüber. Wir konnten es zuerst auch nicht glauben. Aber es ist wahr. Wir haben zwei unserer Männer in die Mine geschmuggelt. Sie haben die Frau gesehen und gehört. Die Digger sind begeistert von ihr. Willst du nicht zurück nach Diwata?«

»Nein.«

»Warum nicht?«

»Ich habe einen Schwur getan. Ich muß Ramos töten.«

»Indem du dich auf einem Baum versteckst?!«

»Ich will, daß er mich vergißt. Verschüttete einmauern, ist in Diwata alltäglich. Das hat Ramos immer schon getan. Auch an den Stollen 97 wird er bald nicht mehr denken ... und dann werde ich eines Tages vor ihm stehen und ihm den Schädel mit der Machete spalten. Wird das ein Festtag sein!. Daran kann mich auch diese Frau nicht hindern. Ich habe es meinem Bruder geschworen.«

»Wir könnten dir helfen«, sagte der Anführer nachdenklich.

»Ihr mir helfen? Wie denn?«

»Wir könnten Ramos aus Diwata entführen und zu dir bringen.«

»Das würdet ihr tun?« Rafael hielt den Atem an. Welch ein Gedanke! Ramos hier vor ihm im Dschungel. Flehend, auf den Knien liegend, um sein Leben bettelnd. Vor Todesangst die Hosen vollgeschissen, denn Ramos war ein Feigling, der nur von Avilas Truppe gestützt wurde, die ihm seine Macht garantierte. Hier, auf der Lichtung, würde er weinen und jammern und ihm die Stiefel küssen wollen, aber Rafael würde die Machete schwingen und Ramos den Kopf abschlagen. Und er würde dabei schreien:

»Bruder. Mein Bruder – ich halte mein Versprechen!«

»Wer Menschen einmauert, hat kein Recht zu leben!« Der Anführer zeigte auf den mit Farnen und Zweigen abgedeckten Erdofen. »Heiz ihn wieder an. Wir haben eine wilde Ziege geschossen. Und wir haben Wein bei uns. Es ist unsere Aufgabe, Gerechtigkeit zu üben. Tod den Mächtigen. Tod den Sklavenhaltern. Tod den Unterdrückern.« Er klopfte Rafael freundschaftlich auf die Schultern. »Das gilt auch für diese Frau, die jetzt in Diwata regiert. Das Gold gehört nicht ihr allein. Es gehört dem Volk!«

Rafael nickte. Ihm gefiel, was der Bärtige sagte.

Er hatte die richtigen Freunde gefunden ...

Bevor Belisa ihre neue Behausung, die Hütte mit der Goldwaage, bezog, gab es eine heftige Auseinandersetzung mit ihren Brüdern.

»Und wo wohnen wir?« fragte Miguel. Er hatte die Hütte besichtigt, stand vor dem einzigen Bett und sah sich suchend um. »Dieser Stall ist zu klein. Hier passen keine vier Betten rein.«

»Ihr wohnt weiter im Lazarett!«

»Und du hier allein?«

»Ja.«

»Wir sollen dich allein lassen? Schwesterchen, du machst Witze. Wir lassen dich nicht allein.«

»Avila wird mich nachts bewachen lassen.«

»Avila! Dazu sind wir da!« Carlos wedelte mit seinen dicken Boxerhänden. »Wir haben Papa versprochen ...«

»Ich bin kein Kind mehr! Verdammt, ich sage das jetzt zum letztenmal!« Belisa schrie ihre Brüder an und setzte sich auf das Bett, als wolle sie damit ausdrücken: Hier kriegt mich keiner weg! Hier werde ich allein schlafen! Hier, neben meinem Gold.

»Wir werden uns nebenan eine Hütte bauen«, sagte Pedro. Er ließ sich von der Erregung nicht anstecken. »Das kannst du nicht verhindern.«

»Ich kann alles, wenn ich will.«

»Warum willst du uns wegschicken?« Miguels Stimme klang kläglich. Sein Gesicht erschlaffte, als würde er gleich zu weinen beginnen.

Bloß das nicht! Ein Bulle mit Tränen in den Augen. Ein weinender Fleischklotz. Belisa starrte an die Wand und drehte Miguel den Rücken zu.

»Machen wir es einfach!« hörte sie Carlos sagen. »Wir bauen unsere Hütte neben ihre. Und wer uns daran hindern will, den kann der Doktor nachher wieder zusammenflicken.«

»So ist es!« Miguel hieb mit der Faust auf den Tisch. Die Goldwaage klirrte. »Wir haben eine Verantwortung, Papa gegenüber.«

Belisa umgab sich mit Schweigen. Aber als die Brüder hinausgestampft waren und Avila in die Hütte kam, sagte sie zu ihm:

»Meine Brüder wollen nebenan eine eigene Hütte bauen ... helft ihnen dabei.«

»Daran haben wir schon gedacht.« Avila nickte zustimmend.

»Wieso hast du daran gedacht?«

»Wenn die Welt unterginge, würden Ihre Brüder Sie in die Mitte nehmen und zum Teufel fahren.«

»Danke.«

»Wofür?«

»Daß du mich zum Teufel wünschst. Aber den Gefallen tue ich euch nicht. Mein Leben ist jetzt der Diwata-Berg.«

Und dann kam der Sonntag.

Der Sonntag, den Pater Burgos mit einem langen Gebet begann, um Kraft zu schöpfen vor dem Ungewissen, das der Tag bringen würde.

Er hatte einige hundert Bildchen der heiligen Barbara verteilt und zur Messe eingeladen. Am frühen Morgen baute er vor dem Lazarett seinen Altar auf: ein Tisch, bedeckt mit einem Bettuch, darauf ein hölzernes Kruzifix, eine Silberdose mit Hostien, ein Weihrauchkessel aus Messing und eine zerfledderte Bibel, die mit Belisas Familienbibel nicht konkurrieren konnte.

Dr. Falke begutachtete den Altar und schüttelte den Kopf. Pater Burgos sah ihn giftig an. Er war sehr nervös.

»Was haben Sie?« zischte er. »Fehlt was?«

»Ja.«

»Was denn?«

»Kerzen! Ich kann mich nicht erinnern, jemals einen Gottesdienst ohne Kerzen erlebt zu haben. Haben Sie Kerzen?«

»Mehr als genug. Das ist das einzige, was wir im Überfluß haben. Weil hier dauernd der Strom ausfällt. Nur silberne Leuchter haben wir nicht. Wir kleben die Kerzen auf Teller.«

»Ich wäre Ihnen dankbar, wenn Sie den Worten auch Taten folgen ließen.«

»Das hätte ich auch ohne Ihre Aufforderung getan. Es ist meine erste Spende für die Kirche von Diwata.«

Pater Burgos hatte verkündet, daß die Heilige Messe um elf Uhr beginnen würde.

Gespannt saß er im Lazarett am Fenster und wartete, wie viele Neugierige kommen würden, denn daß sie aus Neugier kamen, nicht aus gläubigem Herzen, war ihm bewußt.

Belisa traf in Begleitung ihrer drei Brüder ein; sie hatten sie mit einem der gepanzerten Wagen abgeholt, die zur Ausrüstung von Toledos Privatarmee gehörten. Belisa musterte den Altar mit ernstem Gesicht, betrat dann das Lazarett und fauchte Dr. Falke an.

»Haben Sie nichts anderes als ein Bettlaken für den Tisch?«

»Eine Zeltplane. Aber ich dachte, ein weißes Tuch sieht feierlicher aus.«

»Ich werde eine schöne Altardecke sticken lassen.«

»Das wird den Pater freuen. Es fragt sich nur, ob er sie braucht. Das werden wir in einer halben Stunde sehen.«

Es sah so aus, als wäre eine Altardecke nicht nötig … eine Viertelstunde vor dem Beginn des Gottesdienstes war der Platz vor dem Lazarett noch menschenleer. Es schien, als würde der Platz gemieden, als mache jeder einen großen Bogen um ihn herum. Pater Burgos saß am Fenster, hatte den Kopf auf beide Fäuste gestützt und blickte verloren in die verlassene Gegend. Er war der einsamste Mensch. Miguel trat neben ihn und legte ihm die Hand auf die Schulter.

»Wir halten die Messe«, sagte er tröstend. »Und wenn es Scheiße regnet.«

»Das wäre noch ein Ereignis, über das man predigen könnte.« Burgos blickte seufzend auf seine Uhr. Noch zehn Minuten. »Zünden wir die Kerzen an.«

»Das übernehme ich.« Pedro fingerte in seiner Hosentasche nach seinem Feuerzeug und ging hinaus.

»Und den Weihrauch schwenke ich!« sagte Carlos.

»Wir können das, Pater.« Miguel zog sein Hemd etwas aus der Hose, es war schon jetzt durchgeschwitzt. Die Sonne warf Glut über die Hüttenstadt. »Wir waren als Kinder alle einmal Meßdiener.«

Kurz vor elf Uhr legte Pater Burgos seine Stola um und machte sich bereit, hinaus an seinen Altar zu treten. Der Platz war leer, nur drei Hunde schnupperten herum und schielten zu den brennenden Kerzen hinauf. Aber dann geschah das, was Burgos später einen Strahl des Heiligen Geistes nannte.

Von drei Seiten rückten sie heran. Drei geballte Kolonnen quollen aus den Gassen, marschierten wie nach einem unhörbaren Kommando auf das Lazarett zu, schlossen sich auf dem Platz zusammen, bildeten eine kompakte Masse von Leibern und schoben sich bis auf drei Meter an den Altar heran. Dort blieben sie stehen – Hunderte Menschen, die meisten sauber gewaschen, braun glänzende Körper in ärmellosen Unterhemden, eine wogende Masse von Köpfen, die ihre Blicke auf den Pater hefteten. Ein Trupp verdreckter Gestalten hatte sich am rechten Rand der Menschenmenge aufgebaut, mit Steinstaub überpudert, der durch den Schweiß als feste Schicht an ihren Körpern klebte.

Von den Stollen waren sie gekommen, für diese eine Stunde. Auch am Sonntag ging die Arbeit weiter, dröhnten die Preßlufthämmer, rüttelten die Waschsiebe. Jeder war sein eigener Herr, keiner sagte ihnen, wann sie arbeiten mußten. Es gab ja keinen Stundenlohn. Es gab nur Säcke. Ein Sonntag war ein Tag wie jeder andere. Das Gold schlief nicht. Das Gold wollte das Licht des Tages sehen. Das Gold war Leben.

Welch ein Luxus, für eine Stunde die Säcke zu vergessen.

Welch ein Opfer, auf diese Pesos zu verzichten.

Ein Opfer, das einen Millionär beschämen konnte.

Gerührt blickte Pater Burgos auf die schweigende Menge. Er sah, daß einige Männer sogar ein Kreuz in den Händen hielten. Ein selbstgebasteltes Kreuz aus einfachen Holzlatten. Zusammengehalten mit rostigen Nägeln.

»Ich danke euch!« sagte er. Das Zittern in seiner Stimme verriet, wie erschüttert er war. »Ihr seid gekommen, Gott wieder zu suchen. Ich bringe ihn euch. Lasset uns beten.«

Es war der schönste Gottesdienst, der wohl jemals gehalten wurde. Als Pater Burgos die Hostie zu Christi Leib und den Wein zu Christi Blut wandelte, kniete die Menge nieder in Staub und Dreck, senkten sich die Köpfe, dampfte der Schweiß aus den Körpern.

So plötzlich, wie die Menschen gekommen waren, so schnell leerte sich der Platz nach dem Amen. Miguel, der Meßdiener, wischte sich über die Augen, Carlos, der Weihrauchschwenker, löschte das Kraut. Pedro blies die Kerzen aus. Belisa stand noch mit gefalteten Händen an der Hauswand.

Dr. Falke trat an den Altar, wo Burgos die alte Bibel in einen Karton legte.

»Sie haben mich überzeugt, Pater«, sagte er.

»Sie mich auch, Doktor.«

»Das müssen Sie mir erklären.«

»Sie haben eine gute Stimme. Fast einen Heldentenor.«

»Das ist auch das einzig Heldische an mir. Ich habe in dieser Stunde etwas gelernt: Jeder Mensch besteht aus zwei Teilen. Er kann morden und gleichzeitig Gott loben.«

»Das haben Sie aber spät entdeckt, Doktor.« Burgos klemmte sein Kruzifix unter den Arm. »Wissen Sie nicht, daß Mafiosi zu den gläubigsten Menschen gehören? Sie stiften sogar Kirchen, bezahlt mit Prostitution, Rauschgift und Erpressung. Mit der Schöpfung des Menschen hat Gott auch das größte Rätsel erschaffen. Wir werden es nie lösen.«

Wie wahr.

An diesem Sonntag geschahen in Diwata drei Morde.

Pater Burgos eilte von Tatort zu Tatort, um die Toten zu segnen.

Es stimmte schon: Ein Sonntag war ein ganz normaler Tag.

Die Fähigkeit, schnelle Entschlüsse zu fassen, gehörte zu den herausragenden Eigenschaften Belisa Garcías. Sie war immer für Überraschungen gut.

So traute Morales seinen Augen nicht, als er Belisa im Bordell empfangen mußte. Sie kam in Begleitung ihrer drei Brüder, drängte sich an der Schlange der Aufgeladenen vorbei ins Haus und verursachte drinnen eine quietschende Unruhe. Die nackten Huren starrten sie fassungslos an. Morales stürzte auf Belisa zu und zog sie in seine Wohnung. Die drei Brüder grinsten breit. »Blendet dich der Titten Glanz – hole einfach raus den Schwanz!« brüllte Carlos. Miguel und Pedro drängten ihn in Morales' Zimmer.

»Was ... was kann ich für Sie tun?« stotterte Morales, als Belisa wortlos auf dem Sofa Platz nahm, auf dem Morales Neuzugänge testete. »Was führt Sie her?«

»Ich möchte mit den Mädchen sprechen.«

»Jetzt?«

»Warum nicht?«

»Es ist Hochbetrieb.«

»Schwesterchen, man nennt das Stoßzeit!« schrie Carlos fröhlich. »Ein guter Stoß zur rechten Zeit gehört zu der Gemütlichkeit.«

»Miguel, schaff ihn raus!« Belisa blitzte ihren Bruder an. »Ich kann dich auch wohin treten, wenn es dich beruhigt!«

Carlos knurrte wie ein Hund und ging in eine Ecke des Zimmers. Eine Erinnerung an die Kindheit, wenn der Vater schimpfte, mußte man sich in die Ecke stellen.

»Die Mädchen sollen kommen«, sagte Belisa. »Alle, die gerade frei sind.«

»Was haben Sie mit ihnen vor?« fragte Morales verunsichert.

»Nichts. Ich will sie nur etwas fragen.«

»Alle einundachtzig?«

»Vielleicht habe ich bei den ersten zehn schon Glück.«

Morales verzichtete auf weitere Fragen und verließ sein Zimmer. Belisa sah zu ihren Brüdern noch.

»Wenn die Mädchen kommen, verhaltet ihr euch anständig. Ihr seid keine Digger.«

»Aber Männer. Ich habe jetzt vier Wochen nicht ...«

»Halt's Maul!« Belisa schlug mit der Faust auf das Sofa. »Kommt es darauf an?«

»Jeder Mensch braucht ...«

»Glotzt mich nicht so dämlich an! *Ich* brauche keinen Mann!« Sie straffte sich, als Morales ins Zimmer zurückkam. Ihm folgte eine Hure mit dicken Brüsten, die in reiferem Alter als die anderen Mädchen war. Sie trug einen Bikini, der in den Nähten krachte. Carlos prustete durch die Lippen. Die ist griffig, hieß das. Mein Format.

»Das ist Carmela«, stellte Morales die Hure vor. »Sie hat die interne Aufsicht übernommen. Gewissermaßen eine Vorarbeiterin.«

Belisa hob die Augenbrauen. »Dich kenne ich doch?« sagte sie.

»Ich bin mit Ihnen aus Davao gekommen.« Carmela nickte. »Sie erinnern sich an mich? Sie wollten etwas fragen?«

»Kannst du sticken?«

»Ficken!« brüllte Carlos.

Carmela fuhr herum. »Dich habe ich in einer halben Stunde als Bettvorleger auf der Erde liegen!«

Belisa winkte Miguel und Pedro zu. »Stellt Carlos vor die Tür!« sagte sie hart. »Morales, hast du ein Zimmer, das man abschließen kann?«

»Die Gerätekammer.«

»Sehr gut. Sperrt Carlos da ein!«

»Ich schlage die Tür ein!« brüllte Carlos. »Ich reiße den ganzen Puff ein!« Er nahm die Haltung eines Boxers im Ring ein. »Wer mir zu nahe kommt ... Brüder, ich möchte euch nicht weh tun ...«

Carmela wartete, bis sich die Unruhe gelegt hatte. »Was ist nun?« fragte sie.

»Kannst du eine Tischdecke besticken? Mit Blumen, mit Kreuzen, mit einem Lamm, mit Symbolen?«

»Natürlich kann ich das. Wenn es mal ruhig war im Puff von Davao, haben wir alle gestrickt oder Servietten und Taschentücher bestickt. Die sind dann auf dem Markt verkauft worden. An Touristen. Als echte Volkskunst.« Sie lachte auf und warf Carlos einen unverschämten Blick zu. Der Boxer starrte auf ihre dicken Brüste. »Ich nehme an, daß fast alle meine Kolleginnen sticken können. Nur werden sie keine Zeit dazu haben. Einundachtzig Mädchen für zwanzigtausend Männer ... das macht jede kaputt. Wir brauchen hier mindestens zweihundert Huren! Mindestens! Da sollten Sie mit den Veränderungen anfangen.«

»Ich werde mir das überlegen, Carmela. Zunächst brauche ich Mädchen, die eine große Decke sticken. Eine Altardecke ...«

»Eine Altardecke?«

»Für die Kirche von Diwata.«

Über Carmelas Gesicht zog ein Leuchten. »Wir werden die schönste Decke sticken, die je auf einem Altar gelegen hat«, sagte sie geradezu feierlich. »Aber wir haben kein Garn.«

»Ich lasse es mit dem nächsten Transport aus Davao kommen. Auch den Stoff. Wie lange braucht ihr für diese Decke?«

»Wir werden sie zu mehreren Mädchen sticken. Wie lange?« Carmela hob fragend die Schultern. »Wer kann das jetzt schon sagen? Wer von uns hat schon Freizeit? Zuerst kommen die Männer dran.«

»Nein! Die Altardecke!«

»Und wer ersetzt den Verlust?«

»Welchen Verlust?«

»Kein Fick – keine Pesos. Wir leben davon. Auch wir haben Ziele. Die einen wollen zurück nach Davoa und eine Boutique aufmachen, andere träumen von einer Bar hier in Diwata. Einige wollen sogar nach Manila und dort ein eigenes Bordell eröffnen. Für die Touristen. Die haben jetzt die Philippinen entdeckt, nachdem sie halb Thailand durchgevögelt haben. Und an das Alter mußt du auch denken. Sie sehen: Jeder Peso, jedes Gramm Goldstaub ist unsere Zukunft.«

Belisa erhob sich von dem Sofa. Hier war eine Welt, in der sie sich erst einleben mußte. Ein besseres Leben als Ziel, erkämpft mit dem Einsatz des Unterleibs.

»Ich werde alle Mädchen, die an der Decke sticken, so bezahlen, als hätten sie in dieser Zeit die Männer bedient. Du kennst den Stundendurchschnitt.«

»Schwer zu berechnen.« Carmela wiegte ihren runden Kopf. Was hieß hier Durchschnitt? Die einen legten ein paar Gramm Goldstaub hin und durften einmal hüpfen, andere brachten Nuggets und bekamen eine Spezialbehandlung, die meisten aber, die nur mit Pesos zahlten, rammelten wie die Karnickel und flogen nach zehn Minuten wieder hinaus. Wie konnte man da eine Rechnung aufstellen? »Die Einnahmen wechseln.«

In diesem Augenblick zeigte sich, daß Belisa García praktischer dachte als andere Menschen. Sie lächelte Carmela an, aber ihre Stimme ließ keinen Widerspruch mehr zu.

»Rechnen wir den Erholungsnutzen hinzu«, sagte sie. »Wer stickt, schont seinen Unterleib. Das ist ein doppelter Effekt: Geld und Erholung. Ich glaube, das ist ein faires Angebot. Es könnte noch anders lauten: Ich befehle, die Decke zu sticken! Überleg es dir, Carmela.«

Morales begleitete Belisa und ihre Brüder wieder hinaus auf die Straße. Was er gehört hatte, war kaum zu glauben.

Eine Altardecke für eine Kirche in Diwata. Es war also doch kein Gerücht: Die neue Zeit begann mit Weihrauch. Etwas Verrückteres konnte es in Diwata nicht geben.

Pater Burgos saß im Lazarett am Bett eines Goldgräbers, dem man wegen eines heimlich zur Seite geschafften Goldklümpchens ein Messer in den Leib gerammt hatte. Wer der Täter war, wollte das Opfer nicht verraten. Er war unvorsichtig gewesen, es war seine eigene Schuld. Man redete nicht über geheime Funde – das konnte tödlich sein.

Paragraph eins des Gesetzes von Diwata.

Dr. Falke hatte den Niedergestochenen zusammengeflickt. Die Operation war gelungen, wie so viele Operationen in den letzten Jahren. Trotzdem hatte der Verletzte kaum eine Chance zu überleben. Eine Infektion würde vollenden, was das Messer nicht geschafft hatte. Wundfieber, Wundbrand, Verjauchung der Wunde ... seit Monaten gab es keine Antibiotika mehr im Lazarett. Was mit den Transporten aus Davao hereinkam, waren Pflaster, Binden, Äther, Morphium, Schmerztabletten und Kondome.

Zögernd trat Belisa an das Bett des Schwerverletzten. Er lag im Koma und röchelte heiser. Pater Burgos blickte hoch.

»Wie geht es ihm?« fragte Belisa.

»Beschissen«, antwortete Dr. Falke, der hinter ihr stand.

»Er wird nicht überleben?«

»Ich habe wenig Hoffnung. Es liegt in Gottes Hand«, sagte der Pater.

»Mir wäre lieber, Gottes Hand streute Penicillin über uns.« Dr. Falke legte die Hand auf die Stirn des Verletzten. Der Kopf glühte. »Haben Sie meine Notfall-Liste nach Davao weitergereicht?«

»Der Hubschrauber hat sie am gleichen Abend mitgenommen.«

»Das ist drei Tage her. Was ist gekommen? Nichts.«

»Ich werde mich darum kümmern.« Belisa beugte sich zu Pater Burgos hinunter und stützte sich auf ihre Knie. »Sie werden eine schöne gestickte Altardecke bekommen.«

»Vergelt's Gott. Von wem?«

»Einige Mädchen werden sie herstellen.«

»Eine Altardecke vom Puff?« Dr. Falke verschluckte ein brüllendes Lachen. »Ihr Kruzifix-Christus wird erröten, wenn Sie ihn auf die Decke stellen.«

»Sie kennen die Bibel nicht, Doktor.« Pater Burgos gab Belisa die Hand. »Maria Magdalena war eine Dirne, und Jesus nahm sie in seine Arme und segnete sie. Die Decke der Mädchen wird beweisen, daß Gott auch in der armseligsten Kammer wohnt. Ich danke Ihnen, Mrs. García.«

In der Nacht starb der Verletzte. Pater Burgos betete bei ihm, so wie er in den vergangenen Tagen auch bei den Ermordeten gebetet hatte, die man in den Schluchten und auf einem Maisfeld gefunden hatte.

Dr. Falke saß neben ihm auf einem Schemel, drückte dem Toten die Augen zu und sagte:

»Feierabend. Ziehen wir Bilanz. In zehn Tagen hatten wir fünf Tote. Wenn man zynisch denkt, könnte man zufrieden sagen: bei über zwanzigtausend Menschen, unter diesen Umständen, eine Erfolgsstatistik. In Städten dieser Größe, in Südamerika, in Asien, in Afrika, sogar in Europa eine bemerkenswert niedrige Quote. Nur vergessen wir dabei die Dunkelziffer.«

»Sie meinen, es sind mehr gestorben?« Pater Burgos deckte ein Handtuch über das Gesicht des Toten. »Wo sind sie?«

»Verschwunden. Einfach verschwunden. Hier gibt es keine Meldepflicht, keine Kartei, keine Lohnbuchhaltung. Hier zählen nur die Nummern auf den Blechmarken und auf den Säcken. Wenn einer stirbt, wird er verscharrt, und ein anderer übernimmt seine Nummer. Es sind genug Leute da, mit jedem Transport aus Davao kommt Nachschub. Und durch den Dschungel kommen sie auch. Über die Urwaldpfade von *Kapalong* her. Den Tagumfluß hinauf. Vierzehn Tage Marsch durch die Hölle, um in eine andere Hölle zu gelangen.«

»Aber der Nachbar sieht doch, daß die Hütte neben ihm plötzlich leer ist.«

»Sie wird sofort von den Neuen besetzt. Wer kümmert sich darum? Der Nachbar, wie Sie so zivilisiert sagen? Hier kümmert sich jeder nur um sich selbst.« Dr. Falke warf einen Blick auf den Toten. Er mußte noch heute weggeschafft und begraben werden. In dem feuchtheißen Klima quollen die Toten auf und zersetzten sich schnell. Sie zerflossen geradezu. Sie begannen zu gären. »Hat man Ihnen gesagt, daß gestern mit dem Helikopter Kinder angekommen sind?«

»Kinder?« Pater Burgos sprang von seinem Stuhl hoch. »Das ist nicht wahr!«

»Drei Vierzehn- und zwei Fünfzehnjährige. Aus den Slums von Davao. Morgen werden sie in der Reihe der Digger stehen, die Steine aus dem Berg brechen, die Säcke zur Sammelstelle schleppen. An den Quecksilberwannen die giftigen Dämpfe einatmen. Ein langsamer Tod, Pater. Grausam, schleichend ... und das Gehirn weicht auf, es kommt zu Lähmungen ... ein qualvolles Sterben. In zwei, drei Jahren wird es diese Kinder nicht mehr geben.«

»Weiß das Belisa García?«

»Ramos weiß es. Wenn er ihr nichts gesagt hat ...«

»Werden Sie das tun, Doktor?«

»Ich habe den Eindruck, daß ich bei ihr nicht sehr beliebt bin. Ich frage mich, warum. Bin ich zu grob?«

»Ihr Zynismus ist manchmal schwer zu ertragen.«

»Danke. Aber ich kann nicht anders. Ich bin als Idealist nach Diwata gekommen, aber die Wirklichkeit hat mich so lange in die Fresse geschlagen, bis ich begriff, daß es sinnlos ist, das Gute im Menschen zu suchen. Ich habe mich an die Morde, an die Schlechtigkeit gewöhnt. Ich tue meine Pflicht, mehr nicht. Dafür bin ich Arzt. Und ich kämpfe um jeden Patienten, so gut ich es kann. Sterben sie, bleibt mir nur ein Achselzucken übrig.«

Es war schon spät in der Nacht, als es an Dr. Falkes Tür klopfte. Ohne sein Herein abzuwarten, stürmte Belisa in das Zimmer. Dr. Falke lag auf seinem Bett und las in einem reichlich zerfledderten Buch. Er mußte es schon viele Male gelesen haben. Kant. Die Kritik der reinen Vernunft.

»Stimmt das?« rief Belisa. Sie lehnte sich gegen die zufallende Tür.

»Was es auch ist ... es stimmt!« Dr. Falke legte das Buch zur Seite. »Sie sind mutig. Kommen einfach herein. Wenn ich nun nackt gewesen wäre ...«

»Ihre Nacktheit wirft mich nicht um! *Ihre* nicht! – Es sind Kinder in die Mine gekommen?«

»Fragen Sie Ramos.«

»Ich frage Sie!«

»Pater Burgos hat es Ihnen erzählt?«

»Er weiß es von Ihnen.«

»Es stimmt. Fünf Kinder sind eingeflogen worden.«

»Wo sind sie?!«

»Sie stecken in einer Masse von zwanzigtausend Goldgräbern. Irgendwo. Untergetaucht in den Slums.«

»Ich will sie sehen.«

»Da müssen Sie sie erst suchen.«

»Das werde ich!« schrie sie.

»Und Sie glauben wirklich, daß Sie sie finden werden?«

»Ich werde alle Arbeiter auffordern, sie mir zu bringen.«

»Sie haben vielleicht heute schon ihr Blechschild mit der Nummer um den Hals. Damit gehören sie zum Heer der Verfluchten. Keiner wird sich darum kümmern.«

Belisas heftiger Atem war wie ein leises, hohes Pfeifen. »Ich werde Ramos zwingen, mir die Kinder zu bringen.«

»Er weiß auch nicht, wo sie geblieben sind. Woher soll er das wissen? Sie sind untergekrochen in dieser Stadt aus Müll, Dreck, Wellblech, Holzlatten, Palmstroh und Scheiße. Die einzige Möglichkeit, sie zu sehen, wird sein, wenn sie hier bei mir liegen und krepieren.«

»Ich hasse Sie!« Belisa riß die Tür auf und zitterte am ganzen Körper. Wirklich, sie zitterte. Es gab also doch etwas, das sie erschüttern konnte. »Ich hasse Sie!«

»Damit muß ich leben. Das ist das geringste Übel.«

Sie verließ das Zimmer, knallte die Tür hinter sich zu und schien hinüber zu Pater Burgos zu gehen. Der Doktor fuhr von seinem Bett hoch und lief ihr hinterher. Belisa stand im Vorraum und wühlte mit beiden Händen in ihren Haaren.

»Gott sei Dank, – Sie sind noch da.«

»Was wollen Sie?!«

»Sie sind allein gekommen? Wo sind Ihre Brüder?«

»Die liegen irgendwo besoffen herum.«

»Sie wollen allein zurück zu Ihrer Hütte? Allein in der Nacht?«

»Ich habe keine Angst.«

»Aber ich!« Dr. Falke ging ins Zimmer zurück und steckte sich eine Pistole in den Gürtel. »Ich begleite Sie.«

»Nein! Ich will das nicht!«

»Aber ich will es! Wie können Sie hier in der Nacht allein herumlaufen? Das wagt nicht mal ein hungriger Hund.«

»Alle wollen mich beschützen! Ich will keinen Schutz. Ich schütze mich selbst. Und Sie brauche ich schon gar nicht.«

»Gehen wir.« Dr. Falke öffnete die Außentür. Von irgendwoher, aus einer der vielen Kneipen, ertönten Musik und Geschrei. Ein paar Betrunkene schwankten über die Hauptstraße, erkannten Belisa und den Doktor und riefen ihnen unflätige Bemerkungen zu. Dr. Falke faßte Belisas Arm, aber sie schüttelte ihn wild ab, als habe er sie unsittlich berührt.

»Lassen Sie das!« zischte sie.

»Sie sind schon viermal gestolpert ...«

»Und wenn ich in den Dreck falle ... das ist meine Sache.«

Von da ab sprachen sie nicht mehr miteinander. Erst vor der Hütte sahen sie sich wieder an.

»Zufrieden?« fragte sie.

»Beruhigt.« Dr. Falke schüttelte den Kopf. Neben Belisas Hütte standen zwei von Avilas Männern. Die von Avila angeordnete Bewachung. »Warum haben diese beiden Trottel Sie nicht zum Lazarett begleitet? Wozu sind sie denn eingesetzt?«

»Ich habe ihnen befohlen hierzubleiben.«

»Und sie haben gehorcht?«

»Mein Befehl gilt, sonst Nichts.« Sie warf ihre Haare zurück. »Das sollten Sie sich merken. *Hier befehle ich!*«

»Ich habe es vernommen.« Dr. Falke machte eine leichte Verbeugung. »Schlafen Sie gut, Mylady.«

Sie stutzte, ihre Augen glitzerten, ihr kleiner Körper spannte sich wieder wie ein Stahlseil. Wie bei einem Tier, das auf Beute lauert.

»Sie fliegen morgen zurück nach Davao«, sagte sie leise. Aber der Ton war messerscharf.

»Ich denke nicht daran!« Dr. Falke lächelte etwas verzerrt. Sie war zu weit gegangen, es würde einen Kampf geben. »Ist das ein Befehl?!«

»Ein Auftrag.«

»Verkneifen Sie sich die Höflichkeit. Sie wollen mich loswerden ...«

»Verdammt! Sie werden nie erleben, daß ich mich bei Ihnen bedanke.« Sie ging zur Tür und blieb noch einmal stehen. »Sie sollen in Davao alles kaufen, was Sie für Ihr Lazarett brauchen ...«

Den ganzen nächsten Tag ließ sich Belisa nicht im Lazarett blicken. Eingekreist von ihren drei Brüdern, umgeben von zehn Männern der Sicherheitstruppe, einer waffenstarrenden Eskorte, stapfte sie durch die Gassen, balancierte über die Bretter, die als Stege über die Abwässerkanäle gelegt waren, Brücken über Kotbrei, Urin, Schmutzwasser, Abfällen und toten Ratten. Pedro, der neben ihr ging, notierte in einem Schreibblock, was seine Schwester diktierte.

»Rohre für die Kanalisation. Wasserpumpen. Rohre für Wasserleitungen. Bau von Kläranlagen. Desinfektionsmittel. Zwei Straßenwalzen. Neue Elektromotoren. Erneuerung der Transformatoren.«

Pedro saß seine Schwester verständnislos an. »Das willst du alles anschaffen?«

»Kluges Brüderchen.«

»Wovon denn?«

»Mit Gold.«

»Ich denke, du willst den Gewinn verdoppeln. Statt dessen gibst du das Doppelte aus.«

»Hast du in der Bank nicht aufgepaßt? Was hast du gehört über das Wirtschaftsleben? Erst investieren, dann verdienen. Je besser die Arbeitsbedingungen, desto größer der Gewinn.«

»So hat unser Schwager aber nicht gedacht.«

»Juan Perón dachte anders. Er glaubte, die Mine sei ein Selbstläufer. Das war sie auch, bis zu einer gewissen Grenze. Ich will diese Grenze überschreiten. Mit mehr Technik ... und mehr Kontrolle.«

»Du bist einmalig, Schwesterchen.« Pedro küßte sie beim Gehen auf die Stirn.

»Ich kann nur rechnen.« Sie blieb vor einem Stall aus Holzlatten stehen, den ein Goldgräber an seine Hütte angebaut hatte. Drei dicke Schweine grunzten Belisa an. »Schreib, Pedro: Aufbau einer Schweinezucht. Bau einer Hühnerfarm.«

»Wir sind eine Goldmine, keine Hazienda, Belisa ...«

»Wir werden alles sein! Ich will unabhängig werden. Ich will allein bestimmen und mir keine Preise diktieren lassen. Die Lieferanten in Davao werden sich wundern.«

»Du wirst dir Feinde machen.«

»An seinen Feinden wächst man.«

Das war ein Satz, der zu Belisas Leitsatz wurde.

Am Morgen hatte man den Toten aus dem Lazarett geschafft. Zwei Männer Avilas hatten ihn in einer Zeltplane weggetragen. Aber seit Pater Burgos in Diwata war, begrub man die Toten nicht irgendwo im Dschungel, in Felsspalten, man warf sie nicht mehr einfach in den »Scheißesee«. Der Pater hatte einen Friedhof eingerichtet. Am Rande der Hüttenstadt, in einem grünen Tal des Bergmassivs. Auf steinigem Boden, den man nur einen halben Meter tief graben konnte, dann kam blanker Fels. Aber es genügte. Man legte die Leichen in die Kuhlen, häufte Steine darüber und verschmierte die Fugen mit Lehm. Ein fester Grabhügel für die Ewigkeit. Steine gab es genug.

Am Abend wartete Dr. Falke am Hubschrauber auf den Flug nach Davao. Er konnte noch nicht begreifen, daß Belisa ihn in die Hauptstadt fliegen ließ, um dort für sein Lazarett einzukaufen. Es war seit drei Jahren das erstemal, daß er Diwata verlassen konnte.

Aber es erwartete ihn noch eine Überraschung.

Kurz vor dem Abflug, Dr. Falke und der Pilot saßen schon in der Maschine, raste einer der gepanzerten Jeeps auf den kleinen Landeplatz. Belisa sprang heraus, begleitet von Carlos, und rannte auf den Helikopter zu. In der Hand schleppte sie einen prall gefüllten Ledersack: die Goldausbeute des Tages. Früher hatte meist der Vorarbeiter Sotto das Gold nach Davao gebracht, manchmal auch Ramos selbst. Es war ein Gesetz von Toledo: Jeden Abend wird das Gold ausgeflogen. Es bleibt keine vierundzwanzig Stunden in Diwata.

Der Pilot öffnete die Tür, Belisa kletterte in die Maschine und setzte sich neben Dr. Falke. Sie winkte Carlos hinunter und sagte befehlend:

»Fliegen Sie los! Wir sind komplett.«

Die Motoren brüllten auf. Vom Wind der Rotorblätter wurde Carlos fast umgerissen. Belisa warf den Goldsack hinter sich auf die Gepäckablage. Dr. Falke wollte ihr dabei helfen, es war ein schwerer Sack, aber sie stieß seine Hand beiseite.

»Verzeihung«, sagte er. »Ich vergaß: Sie hassen Höflichkeit.«

Sie blitzte ihn an, sah zur Seite aus dem Fenster und starrte auf die Slums, die jetzt unter ihr auftauchten.

Die Hütten. Die Mine. Die Schächte. Tausende Gestalten, die auf gekrümmten Rücken Säcke schleppten. Ein Ameisenheer. Ein fließender Strom aus Leibern.

Dr. Falke lehnte sich zurück.

»Das ist ein Anblick, der Ihr Herz höher schlagen läßt!« sagte
er.

»Es jubelt!« fauchte sie zurück.

»Darf man fragen, wieviel der Sack hinter uns wert ist?«

»Ungefähr achtzigtausend Dollar.«

»Das sind im Monat zwei Millionen vierhunderttausend
Dollar. Im Jahr achtundzwanzig Millionen achthunderttau-
send Dollar.«

»Sie sind ein schneller Rechner. Ich auch.«

»Mit diesen Zahlen können Sie zufrieden sein.«

»Ich bin nicht zufrieden. Ich bin nie zufrieden. Es müßte doppelt so viel sein.«

»Das ist Ihr Ziel. Ich weiß.«

»Sie irren, Doktor! Mein Ziel ist größer ... viel größer!«
Sie sah ihn kurz an. Unter ihnen breitete sich der Urwald aus.
Undurchdringlich. Ein grünes Meer wogender Baumwipfel.
Dazwischen glitzernde, schmale Bänder. Flußläufe, auf denen
noch kein Mensch gefahren war. Unberührtes Land. Aber wie
lange noch? Von allen Seiten fraß sich die Zerstörung voran.
Man nannte das Erschließung.

»Macht Reichtum glücklich?« fragte Dr. Falke.

»Wollen Sie philosophieren? Ich möchte reich sein. Sehr
reich. In einem Palast wohnen ...«

»Gebaut aus den Knochen Ihrer Goldsklaven.«

»Warum werfen Sie mir das vor? Warum greifen Sie mich
an? Ist Kapitalismus nicht immer an Arbeiterknochen gegründet? Die Großindustrie, ihre Aktionäre ... wer schaufelt ihnen
das Geld in die Taschen? Millionen von Arbeitern, die für sie
schuften. Die große graue Masse des Volkes. Gesichtslose Wesen in den Augen der Kassierer. Figuren, mit denen man spielen
kann, die man hin und her schiebt, die man entläßt, wenn der
Jahresbericht nicht glänzt, wenn die Aktien sinken, wenn gespart werden muß. Aber wer muß sparen? Die Gesichtslosen,
die man auf die Straße setzt. Die wegrationalisiert werden, um

die Aktienkurse in die Höhe zu treiben. Starren Sie mich nicht so an, Doktor. Das habe ich bei der Bank gelernt. Die Banken regieren die Welt, nicht die schlappen Politiker.«

»Sie reden wie eine glühende Kommunistin ... und schwimmen im Geld. Auf diesem Polster läßt sich gut räkeln.«

»Sie begreifen gar nichts, Doktor.« Belisa riß sich von dem faszinierenden Anblick des Dschungels los. »Ich will unabhängig sein! Unabhängig von den Banken. Von allen Regierungen. Von allen politischen Ideologien. Ich will keinen fragen, ob ich etwas darf ... ich tue es einfach! Und ich garantiere meinen Leuten sichere Arbeit und einen guten Verdienst. Einen krisenfesten Arbeitsplatz.«

»Den sie nur mit gebrochenen Knochen oder als quecksilbervergiftete Tote verlassen können!«

»Keiner zwingt sie, bei mir zu arbeiten.« Sie warf einen spöttischen Blick auf Dr. Falke und lehnte sich weit zurück. Sie war angeschnallt. Der Sicherheitsgurt drückte ihre Brüste zur Seite. Sie trug keinen Büstenhalter, unter dem Baumwollhemd war sie nackt. Dr. Falke riß sich von diesem Anblick los und starrte hinunter auf das grüne Urwaldmeer. »Auch Sie zwingt keiner.«

»Und wenn ich jetzt in Davao bleibe?«

»Das tun Sie nicht. Es würde mich enttäuschen. Jetzt, wo Sie ein ordentliches Hospital bauen können.«

»Ich glaube noch nicht daran.«

»Mein Wort gilt! Sie beleidigen mich schon wieder.«

»Ich begreife nicht, warum Sie plötzlich humanitär denken in einer von Ihnen geleiteten Welt, in der es keinerlei Moral gibt.«

»Ich stehe erst am Anfang. Aber warum rede ich überhaupt mit Ihnen darüber?!«

»Weil Sie einen Rat suchen?«

»Nicht von Ihnen!« Sie warf den Kopf herum und drehte ihm den Nacken zu. »Von niemandem! Wenn ich Fragen habe, frage ich mich selbst ...«

Die Zentralverwaltung der Diwata-Mine war in einem Hochhaus mitten in Davao untergebracht. Im zehnten Stock. Es war einer der Hochbauten, die überall aus der Erde schossen, nachdem eine Art Wirtschaftswunder auch Mindanao und damit Davao erreicht hatte. Mit 900 000 Einwohnern die zweitgrößte Stadt der Philippinen, entwickelte es sich rasend schnell zu einem Industriemittelpunkt und einer Wirtschaftszone. Vergleichbar mit Shenchen, der Musterstadt drüben in China, dem Konkurrenten von Hongkong.

Toledo hatte in dem Hochhaus eine ganze Etage gemietet, aber nur drei Zimmer davon waren belegt. In ihnen saßen ein Geologe, ein kaufmännischer Direktor und ein Goldverkäufer, der Verbindung zu den Großhändlern hatte und den jeweils aktuellen Preis pro Unze aushandelte. Und alle, davon war Belisa García überzeugt, betrogen Juan Perón Toledo.

Ihr Erscheinen löste Verwirrung aus.

Es begann damit, daß sie ohne anzuklopfen im Büro des kaufmännischen Direktors erschien.

»Was tun Sie gerade?« fragte sie barsch.

Eine überflüssige Frage. Der Direktor, so ließ er sich nennen, saß hinter einem leeren Schreibtisch in einem bequemen Ledersessel, rauchte eine Zigarre, hatte ein Glas mit Whisky vor sich zu stehen und hörte im Radio Popmusik. Er beugte sich vor, als Belisa hereinplatzte, und hielt es nicht für nötig aufzustehen.

»Wer sind denn Sie?« bellte er. »Wie kommen Sie herein?«

»Ich sehe, Sie haben nichts zu tun. Sie warten auf das Gold aus Diwata. Es steht draußen im Vorraum.«

»Sie haben es gebracht? Wieso Sie? Seit zehn Tagen kommt immer ein anderer. Wo ist Sotto?«

»Er hat andere Aufgaben übernommen.«

»Die neue Minenleitung! Krempelt wohl alles um, was?«

»Total!«

»Verrückt! Wie konnte Toledo eine Frau einsetzen! Nur weil

sie seine Schwägerin ist.« Endlich erhob er sich. »Eine Frau ...«
wiederholte er geringschätzig.

»Kennen Sie Belisa García?«

»Nein. Ich habe nur eine schriftliche Mitteilung von Herrn
Toledo bekommen. Und dann habe ich aus Diwata gehört, was
da alles los ist.«

»Sie sind Julio Barongis ...«

»Direktor Barongis ...«

»Ein Arsch sind Sie!«

Barongis straffte sich. »Du fliegst gleich raus!« schrie er. »Du
miese Hure!«

»Ich bin Belisa García.«

Die Wirkung war wie erwartet. Barongis erstarrte auf dem
Weg zu Belisa. Er hatte vorgehabt, ihr ins Gesicht zu schlagen.

»Das ... Verzeihung ...« stotterte er. »Das konnte keiner ahnen. Sie sind ...«

»Wer ich bin, wissen Sie jetzt. Und ich weiß, was Sie sind:
überflüssig! Verlassen Sie das Büro, so, wie Sie sind. Nichts nehmen Sie mit. Alle Unterlagen der letzten drei Jahre werde ich
von vereidigten Buchprüfern durchsehen lassen.«

»Ich habe mir nichts vorzuwerfen.« Barongis wich zu sei-
nem Schreibtisch zurück. »Ich habe immer im Sinne von Herrn
Toledo gearbeitet. Er war sehr zufrieden mit mir. Ich habe die
Unkosten so niedrig wie möglich gehalten.«

»Das habe ich erlebt. Sie haben die Listen von Dr. Falke
einfach ignoriert. Ich habe Fertigteile für neue Häuser bestellt.
Nichts ist gekommen. Nicht einmal eine Antwort.«

Barongis lehnte sich an die Schreibtischkante. Diese plötzlichen Wunschlisten! Zum Lachen – mehr nicht. Sie waren dort
gelandet, wo sie hingehörten: im Papierkorb.

»Es waren Forderungen, die vom Kaufmännischen her uner-
füllbar sind ...«

Eine vergebliche Flucht. Belisa sah ihn mit einem Blick an,
der seinen Atem beschleunigte.

»Medikamente sind kaufmännisch nicht tragbar?« Sie klappte einen Schnellhefter auf und warf ihn an Barongis vorbei auf den Tisch. »Lesen Sie, was ich will! Los, lesen Sie!«

Barongis griff nach der Akte, beugte sich über die Listen und überflog sie kurz. Der Überblick genügt ihm.

Wahnsinn!

Er warf den Schnellhefter zurück auf den Tisch.

»Das wollen Sie alles haben?« fragte er gedehnt.

»Ja. Das ist meine Liste. Dr. Falke hat eine eigene.«

»Ich kann das nicht verantworten.«

»Das sollen Sie auch nicht.« Belisas Stimme bekam wieder die helle Schärfe, bei der jedes Wort wie ein Stich wirkte.

»Ich werde Herrn Toledo darüber entscheiden lassen.«

»Sie begreifen schwer, Julio! *Ich* entscheide hier! Juan Perón Toledo hat die gesamte Verantwortung in meine Hände gelegt. Sie haben nichts mehr zu verantworten. Das übernehme ich. Und nun verlassen Sie das Büro. Sofort. Und falls Sie betrogen haben sollten, flüchten Sie auf den Mond!«

»Ich werde mich dagegen wehren.« Barongis' Gesicht schwoll rot an. An den Schläfen traten die Adern durch die Haut. »Mit allen Mitteln wehren!«

»Gegen mich?« Ein spöttisches Lächeln überzog Belisas schmales Gesicht. Ein Lächeln, das verführte, weil keiner wußte, wie gefährlich es war. »Ich bin unbesiegbar.«

»Kein Mensch lebt ewig.«

»Das war deutlich.« Belisa zeigte auf die Tür. »Verschwinden Sie in irgendeinem Rattenloch!«

Barongis verließ das Zimmer. Er stürmte hinaus wie ein gereizter Stier. Im Vorraum traf er auf Dr. Falke, der neben dem Goldsack stand und ihn bewachte.

»Wer sind Sie?« brüllte Barongis. »Natürlich, ich konnte es mir denken. Der Arzt. So verrückt wie dieses Weib! Soll ich die Universitätsklinik nach Diwata verlegen lassen? Was rede ich noch? Ist doch alles sinnlos!«

Er stürmte aus dem Büro. Belisa kam in den Vorraum, ihr Lächeln war geblieben, aber es war gefroren.

»Jetzt zu Emilio Talagak. Der wichtigste Mann. Er nimmt den täglichen Goldtransport an und schließt ihn in den Banktresor ein. Und er verkauft das Gold. Er handelt den Preis aus. Wieviel Prozent er einsteckt und mit Barongis teilt, weiß niemand. Aber er tut es – hier betrügt jeder den anderen. Meinen Schwager hat das alles nicht interessiert, er scheffelte genug Millionen. Wenn ein paar tausend Dollar verschwanden, das merkte er gar nicht. Von jedem Tisch fallen Krümel. Aber ich, ich werde diese Krümel aufsammeln!«

»Und in die eigene Tasche stecken.«

»Haben Sie anderes erwartet? Ich bin jetzt der Chef.«

»Die Gold-Lady . . .«

»Noch nicht. Die bin ich erst, wenn ich durch meinen Palast gehe.«

»Manchmal träumen Sie wie ein Kind.«

»Aber ich arbeite auch dafür.«

Dr. Falke hob den Sack vom Parkettboden auf und ging Belisa nach, die zielsicher zum letzten Büro am Ende des Ganges lief. Sie kam an leeren Zimmern vorbei und fragte sich, warum Juan Perón so viele Räume gemietet hatte, wenn er sie gar nicht brauchte.

Emilio Talagak, ein Mischling mit chinesischem Blut von seiner Großmutter her, galt als der Experte für Goldverkäufe in Davao. Die Großhändler schmierten ihn, stellten falsche Rechnungen aus, drückten den Goldpreis, bezahlten aber mehr, verhandelten unter Mitwirkung ausgesucht hübscher Mädchen, die Emilio dann später im Bett genoß, und so lief das Geschäft seit Jahren reibungslos und zu aller Zufriedenheit.

Auch Talagak zuckte hoch, als Belisa ohne Anklopfen ins Zimmer trat. Aber er war schneller im Denken als Barongis. Er sah den Ledersack, er sah Dr. Falke und ein kleines Mädchen, das sich vor ihm aufbaute.

»Ich freue mich, Sie zu sehen, Mrs. García«, sagte er und machte eine Verbeugung. Etwas Unterwürfigkeit konnte nie schaden. »Ich habe immer auf den Tag gehofft, an dem ich Sie ...«

»Reden Sie keinen Blödsinn, Emilio. Ich bin gekommen, um Ihre Bücher zu kontrollieren.« Sie wunderte sich, daß Talagak keine Miene verzog. Wie sicher fühlte er sich? Verdammt sicher. Er jonglierte mit ihrem Gold – aber wer konnte ihm das nachweisen? »Barongis habe ich bereits rausgeschmissen!«

»Das Leben ist eine Achterbahn – jetzt ist er gerade unten.«

»Und Sie sind oben? Sie hole ich auch gleich herunter.« Sie zeigte auf den Ledersack, den Dr. Falke über den Boden schob. Er war verblüfft, daß sie das ihm überließ. Sie wollte doch seine Hilfe nicht ... die Inkonsequenz der Frauen. »Ich bringe Ihnen Gold im Wert von achtzigtausend Dollar.«

»Das kommt auf den Tagespreis an, Mrs. García.«

»Achtzigtausend Dollar, und keinen Cent weniger!«

»Der Tagespreis ...« wiederholte Talagak geduldig.

»Den Preis bestimme ich!« Das klang wie ein Befehl. Talagak konnte sich ein mokantes Lächeln nicht verkneifen. Der Goldhandel war ein mimosenhaftes Geschäft. Da wurde nicht befohlen, da wurde gefeilscht.

»Ich muß es ausrechnen«, wich er aus. »Nur das genaue Gewicht ist die Grundlage. Wir haben hier elektronische Waagen, die ein Hundertstel Gramm anzeigen.«

»Wir reden morgen darüber.« Belisa schluckte die aufkommende Wut hinunter. Überall Betrug. Wieviel Gramm Gold Unterschied lagen zwischen der einfachen Waage in Diwata und Talagaks Präzisionswaage? Wer steckte die Differenz ein? »Morgen früh rechnen wir ab.« Das klang doppeldeutig. Daß sie Talagak nicht vor die Tür setzte, wunderte Dr. Falke.

Belisa streckte die Hand aus. Talagak sah sie fragend an. Sie zeigte auf den schweren Tresor an der hinteren Wand des Zimmers.

»Sind dort die Verkaufsbelege drin?«

»Ja. Es ist alles auf Computerdisketten.«

»Den Schlüssel.«

»Ich verstehe nicht, Mrs. García.«

»Geben Sie mir den Schlüssel zum Tresor. Ich möchte nicht, daß plötzlich Unterlagen verschwunden sind.« Sie schnippte mit den Fingern. »Los! Den Schlüssel.«

Talagak griff in seine Hosentasche und warf die Schlüssel auf den Schreibtisch. Hier, hieß das. Hol sie dir. Eine Flegelei. Dr. Falke schob sich an Belisa vorbei.

Er blieb vor Talagak stehen und zeigte auf das Schlüsselbund. Talagak zog den Kopf zwischen die Schultern, seine Augen bekamen einen gefährlichen Schimmer. Wer bist du, hieß dieser Blick. Der Bettgenosse dieser verrückten Schlampe, die das Glück hat, daß ihre Schwester auf dem großen Toledo reitet? Das alles ist ein Spuk, der schnell verschwinden wird.

Dr. Falke schnippte mit den Fingern. »Die Schlüssel«, sagte er ruhig.

Talagak rührte sich nicht. Nur ein Grinsen zog über seine Mundwinkel. Er warf einen schnellen Blick auf Belisa. Sie verfolgte gespannt das Geschehen.

»Die Schlüssel!« wiederholte Dr. Falke.

»Sie liegen direkt vor Ihrer Nase, sehen Sie das nicht?« antwortete Talagak frech.

»Leider können sie nicht laufen.«

»Nein, das können sie nicht.«

»Und deshalb geben Sie die Schlüssel Mrs. García in die Hand.«

»Ich ...«

Zur Vollendung des Satzes kam Talagak nicht mehr. Ein schneller, kräftiger Tritt traf sein Schienbein. Er knickte ein, verlor den Halt und fuchtelte mit den Armen in der Luft. Dr. Falke stieß ihn zurück. Mit schmerzverzerrtem Gesicht lehnte sich Talagak gegen die Schreibtischkante. Aber er griff, nachdem er Atem geholt hatte, hinter sich, nahm die Schlüssel und reichte sie Belisa hin. Sein Blick verkündete Mordlust.

Belisa nahm die Schlüssel, drehte sich um und verließ das Zimmer. Draußen blieb sie vor dem Lift stehen und wartete, daß Dr. Falke den Knopf drückte.

»Sie können ja richtig brutal sein«, sagte sie leichthin.

»Es war nur eine Erziehungsmaßnahme.«

»Glauben Sie nicht, daß ich danke zu Ihnen sage.«

»Das habe ich irgendwo schon mal gehört.«

»Sie werden es immer wieder hören.«

»Ich werde mich daran gewöhnen.«

Unten, vor dem Hochhaus, legte Belisa den Kopf in den Nacken und blickte die in der Sonne blitzende Fassade hinauf. »Ich möchte wissen«, sagte sie nachdenklich, »warum Juan Perón eine ganze Etage mietet, wenn er sie gar nicht braucht. Welche Verschwendung! Da genügen doch drei Zimmer.«

»Er wird seine Gründe haben.«

Dr. Falke kam der Wahrheit sehr nahe ... niemand wußte, daß auch dieses neue Hochhaus ein kleiner Teil des Toledo-Imperiums war.

Sie blickten noch immer die Fassade hinauf, als ein Mann in Livrée zu ihnen trat und ehrfürchtig seine Mütze zog. Belisa musterte ihn erstaunt.

»Ja?« fragte sie hart. »Was wollen Sie?«

»Ich sollte Sie vom Flugplatz abholen. Herr Ramos hatte angerufen. Aber Sie hatten schon ein Taxi genommen. Ich bin der Fahrer von Mr. Toledo. Wohin darf ich Sie jetzt bringen?«

»Sie sind zu spät gekommen!«

»Der Anruf kam zu spät.« Der Chauffeur machte ein klägliches Gesicht. »Es ist nicht meine Schuld. Ich bin immer pünktlich. Wohin soll ich ...«

Belisa wandte sich zu Dr. Falke. »Haben Sie schon mal in einem Fünf-Sterne-Hotel gewohnt?« fragte sie plötzlich. »In einem Luxushotel?«

»Ich habe mich nie danach gedrängt oder eine Gelegenheit dazu gesucht.«

»Sie kennen keine Suite?«

»Woher? Ich würde für ein Bett pro Nacht niemals ein Monatsgehalt bezahlen.«

»Ich lade Sie ein.«

»In ein Luxushotel? In eine Suite?«

»Ja. In das beste Hotel von Davao. In das Davao Insular Hotel. Absoluter Luxus.«

Dr. Falke blickte an sich herunter und musterte dann Belisa. Sie trugen zwar saubere Kleidung, aber Jeans, Pullover und derbe Schuhe paßten sicherlich nicht in das Insular Hotel.

»Man wird uns gar nicht durch die Tür lassen«, sagte er zweifelnd. Belisas Lächeln irritierte ihn.

»Sie können ja den Portier vor das Schienbein treten.«

»Wenn es hilft ...«

»Juan Perón hat die Penthouse-Suite des Hotels gekauft«, sagte sie und lachte über Dr. Falkes dummes Gesicht. »Toledo empfängt nie Besucher in seinem weißen Palast. Übernachten läßt er dort überhaupt keinen. Er hat die Suite als Gästezimmer gekauft. Sein Haus betritt niemand.«

»Irrtum! Ich war dort.«

»Im Palast?«

»Wir haben auf der Säulenterrasse gegessen und getrunken.«

»Das ist gelogen!«

»Soll ich Ihnen Details aus dem Haus schildern?«

Belisa starrte Dr. Falke noch immer ungläubig an. »Juan Perón hat Sie in seinen Palast geholt? Wissen Sie, was für eine Ehre das ist?«

»Jetzt erst ahne ich es.« Dr. Falke schüttelte den Kopf. »Warum wollen Sie in diesem Insular Hotel wohnen? Ihr Vater hat doch ein Haus in Davao ...«

»Den laden wir morgen ein.« Sie wandte ihm den Rücken zu und blickte auf den am Straßenrand wartenden Cadillac. Der

Chauffeur stand daneben, noch immer die Mütze gezogen und an die Brust gepreßt. Über die Schulter sagte sie: »Ich will Ihnen nur mal eine solche Suite zeigen.«

»Wenn man uns an der Rezeption überhaupt den Schlüssel gibt.«

»Ich habe eine elektrische Chipkarte bei mir. Einen elektronischen Schlüssel. Und zum Penthouse fährt ein eigener Lift.«

Das Davao Insular Hotel lag etwas außerhalb der Stadt, abseits von dem staubigen und lärmenden Verkehr, der sich in den letzten Jahren rasant entwickelt hatte. Es war einer jener großzügigen Hotelbauten mit weiter Eingangshalle, Restaurants, Bars und verschwenderischen Parkanlagen mit Swimmingpool, Tennisplätzen und einem Golfplatz. Luxus pur, wie man ihn sich in Europa gar nicht vorstellen konnte.

Als der Cadillac vor dem Marmoreingang bremste, stürzte der Portier herbei. Sein Gesicht, als er Dr. Falke und Belisa in ihrer Urwaldkluft aussteigen sah, reizte Belisa zum Lachen.

»Man wird uns gleich rausschmeißen!« sagte Dr. Falke hinter ihr.

»Man wird mir die Hand küssen! Passen Sie auf!«

Zunächst schien es, als würde Dr. Falke recht behalten. Sie hatten kaum das Hotel betreten, als der zufällig in der weiten Halle anwesende Direktor mit versteinerter Miene auf sie zuging. Er stellte sich ihnen in den Weg.

»Kann ich Ihnen helfen?« fragte er abweisend.

»Nein.« Belisa warf einen Blick zu dem in einer Ecke der Halle installierten kleinen Lift. Im Gegensatz zu den geräumigen anderen Aufzügen sah er wie die Tür zu einem Nebenraum aus. »Ich kenne den Weg.«

»Wohin?«

»Das geht Sie einen Dreck an!«

»Erlauben Sie mal!« Der Direktor erstarrte. »Ich ...« Und dann schwieg er abrupt, als Belisa die kleine Chipkarte zeigte, trat zur Seite und schluckte mehrmals.

»Ich bin Belisa García«, sagte sie beinahe freundlich. »Meine Schwester ist die Frau von Mr. Toledo. Genügt das?«

»Ich wußte nicht ...« stotterte der Direktor.

»Nun wissen Sie es! Und jetzt gehen Sie aus dem Weg, oder ich boxe Ihnen in die Leber. Das habe ich von meinem Bruder gelernt.«

Ungehindert erreichten sie den Privatlift und fuhren hinauf in das Penthouse.

»Das war aber nicht höflich!« sagte Dr. Falke während der Fahrt.

»Ich will nicht höflich sein. Nie! Merken Sie sich das.«

Der Lift hielt in einem großen Vorraum mit Marmorwänden und Spiegeln. Die Suite hatte die Größe eines ganzen Bungalows, sie bestand aus einem riesigen Wohnsalon mit komplett eingerichteter Bar, vier Schlafzimmern, vier Marmorbädern und einem eigenen Pool, an den ein Wintergarten mit einer Fülle blühender Pflanzen grenzte. Eine Einrichtung solchen Stils hatte Dr. Falke bisher nur in amerikanischen Filmen gesehen ... vor vier Jahren, als er das letztemal in einem Kino gewesen war.

Langsam ging er von Zimmer zu Zimmer, als wandere er durch ein Märchenland. Belisa hockte auf einer Couch, die mit goldener Seide bezogen war.

»Gefällt es Ihnen?« fragte sie. Dr. Falke blieb vor ihr stehen.

»Und dafür müssen über zwanzigtausend Sklaven schuften. Vierzehn Stunden am Tag«, sagte er.

»Es werden bald noch mehr sein.« Sie lehnte sich weit in die Polster zurück. Es war eine provozierende Haltung. Dr. Falke übersah sie. »Ich werde in drei Schichten graben lassen. Rund um die Uhr! Stillstand ist Verlust ... ich hasse Verluste, wenn sie von Bequemlichkeit herrühren.« Plötzlich wechselte sie das Thema und zog die Beine an. »Haben Sie Hunger?«

»Wenn Sie so direkt fragen: Ja.«

»Mögen Sie Spanferkel oder Garnelen und saftige Steaks?«

»Um diese Zeit?« Dr. Falke blickte auf seine Armbanduhr. »Es ist fast Mitternacht.«

»Im Sarung Banggi bekommen wir immer was.«

»Sarung Banggi?«

»Ein Luxuslokal.«

»Schon wieder Luxus?! Warum?«

»Fragen Sie nicht soviel.« Sie rutschte auf der Couch nach vorn. »Übermorgen esse ich wieder glitschige Nudeln, trockene Hühner und fettes Schweinefleisch. Mögen Sie Garnelen?«

»Ich weiß gar nicht mehr, wie sie schmecken.«

»Dann werden wir uns den Bauch damit vollschlagen. Kommen Sie, Doktor.«

Erst gegen drei Uhr morgens kehrten sie in das Penthouse zurück. Dr. Falke kam sich so übersättigt vor, als habe man das Essen mit einem Stampfer in ihn hineingestopft. Sie hatten *Gambas al Ajillo* gegessen. Ausgelöste rohe Garnelen in Olivenöl, Pfeffer, Salz, Paprika und viel Knoblauch. Im Anschluß daran hatte Belisa noch *Lechon Kawali* bestellt, Schweinebeinchen, knusprig gebraten mit grünen Papayas, Essig, Zucker und frischem Ingwer. Dazu hatten sie Bier getrunken und einen roten Wein, der aus Australien importiert worden war.

Dr. Falke ließ sich in einen der tiefen Seidensessel fallen und schielte hinüber zur Bar. »Jetzt zur Verdauung einen dreifachen Wodka!« sagte er. »Wir haben gefressen wie ausgehungerte Tiger. Wir werden einen krachenden Durchfall bekommen.«

»Hier gibt es vier Klos. Reicht das?« Belisa hockte sich wieder mit angezogenen Beinen auf die Couch. Sie sah in dieser Haltung so jung und zierlich aus wie ein Schulmädchen. Ein Anblick, der jeden täuschte. Dr. Falke wußte das jetzt.

»Morgen kaufen wir ein«, sagte sie.

»Was und wo?«

»Ihre Medikamente. Und wir besuchen ein Fertighauswerk. Und dann sehen wir uns die Computerbuchungen an. Ich will wissen, um wieviel Dollar man uns betrogen hat.«

»Ich verstehe nichts von Computern.«

»Aber ich. Das habe ich bei der Bank gelernt. Mir macht keiner etwas vor.«

»Mit anderen Worten: Sie fangen an, sich Feinde zu machen.«

»Ich mache Ordnung!« Sie legte beide Hände vor den Mund und verdeckte ein Gähnen. »Gehen wir ins Bett?«

»Die zur Zeit beste Idee! Wo schlafe ich?«

»Suchen Sie sich ein Schlafzimmer aus.« Sie rutschte von der Couch. »Sind Sie ein Langschläfer?«

»Nein. Ich brauche wenig Schlaf.«

»Aber ich. Wecken Sie mich um elf?«

»Um elf. Ich klopfe an die Tür.«

Ohne ein weiteres Wort verließ Belisa den riesigen Salon, drückte eine Tür auf und verschwand in einem anderen Zimmer. Dr. Falke nahm an, daß es das große, himmelblaue Schlafzimmer war, in dem unter einem Brokatbaldachin ein vergoldetes Bett stand. Er hatte es bei seinem Rundgang bewundert. Er selbst wählte das Zimmer auf der anderen Seite, ein etwas kleineres, mit einer chinesischen Seidentapete, auf der sich bunte Vögel auf blühenden Zweigen wiegten. Durch eine breite Milchglastür kam man in den mit weißlackierten Rattanmöbeln ausgestatteten Vorraum des Pools.

Dr. Falke zog sich aus und legte sich nackt auf das breite Bett. Trotz seiner Müdigkeit hinderte ihn eine innere Spannung am Einschlafen. Unruhe durchdrang ihn. Er starrte an die Decke mit den chinesischen Glasmalereien und wartete.

Worauf? Wartete er, daß sich die Tür öffnete und Belisa zu ihm kam? Auf ein Ereignis, das sein ganzes Leben ändern würde? Auf das Unmögliche? Er lauschte auf jedes Geräusch, meinte, im Salon Schritte zu hören, stierte auf die Tür und hielt den Atem an, wenn es irgendwo knackte. Das ist doch alles Wahnsinn, dachte er dabei. Kompletter Wahnsinn! Was bildest du dir bloß ein? Wer bist du denn? Ein armer Arzt in einer Hölle mit zwanzigtausend Goldgräbern und einem Berg voller Gold. Du bist doch ein Nichts!

Irgendwann schlief er ein. Als er aufwachte und im Bett hochschreckte, zeigte seine Uhr fast halb zwölf. Er sprang aus dem Bett, griff im Badezimmer nach einem weißen Bademantel und wollte hinüber zu Belisas Zimmer rennen, als er vom Pool her ein Plantschen hörte. Er drehte sich um und stürmte in das Schwimmbad.

Belisa schwamm mit ruhigen, kräftigen Zügen ihre Bahn durchs Wasser. Sie trug einen knappen hellgrünen Bikini. Dr. Falke sah, daß sie schöne, kleine, feste Brüste hatte, schmale Hüften und für ihre Größe lange Beine. Ihr Haar hatte sie hinten zusammengebunden und mit einem grünen Band umwickelt. Als sie Dr. Falke sah, schwamm sie an den Beckenrand und lachte zu ihm hoch.

»Guten Morgen, Sie Langschläfer!« rief sie.

»Verzeihung. Ich habe wirklich verschlafen.« Er sah sich um. Es gab nur einen Eingang zum Pool ... durch sein Schlafzimmer. Das machte ihn plötzlich verlegen. »Wie sind Sie in den Pool gekommen?«

»Durch Ihr Zimmer. Sie schliefen so fest ...«

»Ich ... ich lag nackt auf dem Bett ...«

»Mag sein. Ich habe mich nicht dafür interessiert. Schwimmen Sie auch?«

»Gern.«

»Dann kommen Sie ...«

»Ich habe keine Badehose bei mir.«

»Nun reden Sie keinen Unsinn. Wer nackt schläft, kann auch nackt schwimmen! Kommen Sie ins Wasser!«

Dr. Falke zögerte. Dann warf er seinen Bademantel ab und sprang in das Becken. Belisa schwamm ihm voraus. Ihr kleiner runder Hintern hob sich ab und zu über die Wasseroberfläche. Sie wartete am Beckenrand, bis Dr. Falke neben ihr ankam.

»Mit wie vielen Kranken rechnen Sie?« fragte sie.

Die Nüchternheit dieser Frage überraschte ihn.

»Wie soll ich das sagen? Bei zwanzigtausend Menschen, wenn sie nicht wie bisher ihre Krankheiten selbst behandeln ...«

»Kommen Sie mit hundert Betten aus?«

»Wie bitte?« Dr. Falke bohrte sich den Zeigefinger ins Ohr, als habe er sich verhört. »Was sagten Sie da?«

»Hundert Betten.«

»Das ist utopisch!«

»Warum?«

»Das ist ja fast Krankenhausformat.«

»Es soll ja auch ein Krankenhaus werden.«

»Und warum tun Sie das?«

»Um die Arbeitskraft zu steigern und noch mehr Gold zu schürfen! Ich kann keine Kranken gebrauchen.« Ihre Stimme war hart und hell wie der Klang von Stahl auf Stahl. »Es geht mir nur um die Steigerung der Leistung, nicht um menschenfreundliche Spielereien!«

»Das habe ich auch nicht erwartet. Trotzdem staune ich.«

»Sie werden noch viel Gelegenheit haben zu staunen.« Sie stieß sich vom Beckenrand ab und schwamm zurück. Dr. Falke folgte ihr, überholte sie mit kräftigen Kraulschlägen und sah an ihrem Gesichtsausdruck, wie wütend sie war, von ihm beim Schwimmen besiegt worden zu sein. »Sie sind kein Gentleman«, sagte sie, als sie schwer atmend neben ihm stand.

»Ich hatte bisher keine Gelegenheit, mich darum zu bemühen.«

»Sie hätten mich beim Schwimmen gewinnen lassen sollen.«

»Warum?«

»Ich will immer die Erste sein. Immer!«

»Ich werde es mir merken.« Dr. Falke stieg aus dem Pool und schlang das Handtuch um seine Hüften. Als er die Hand ausstreckte, um Belisa aus dem Wasser zu helfen, schlug sie sie ihm weg. Er hob resignierend die Schultern und schlüpfte in seinen Bademantel. Belisa kletterte aus dem Becken und stand tropfend vor ihm. Sie hatte kein Badetuch mitgenommen.

»Und nun?« fragte sie aggressiv.

»Schütteln Sie das Wasser ab wie ein Hund.«

»Sie könnten mir Ihr Handtuch zur Verfügung stellen ...«

»Mein Handtuch? Aber nicht doch, Lady ... da habe ich gerade meinen nackten Unterkörper eingerollt. Sie wollen doch nicht ...«

»Geben Sie her!« Sie schrie ihn an, griff unter seinen Bademantel und riß ihm das Handtuch von den Hüften. Sie schlang es sich um die Schulter, raffte es über den kleinen, runden Brüsten zusammen und ging an ihm vorbei in sein Schlafzimmer. Er folgte ihr, bewunderte ihre schlanken Beine und die schmalen Hüften, ihren wiegenden Gang und die Lautlosigkeit ihrer Bewegungen. Eine Raubkatze konnte nicht faszinierender sein. An der Tür blieb sie stehen und drehte sich um.

»In zehn Minuten frühstücken wir«, sagte sie fast befehlend.

»Ich muß mich noch rasieren, sonst vergeht den anderen Gästen der Appetit.«

»Wir haben keine Gäste. Das Frühstück ist bereits im Salon serviert.«

»Ein Luxushotel ...«

»Sie können frühstücken, wie Sie wollen.«

»Auch nackt?« Dr. Falke zeigte auf seinen Bademantel.

»Auch das! Sie können mir das Frühstück nicht verderben.«

Sie ging hinaus, lautlos, als berühre sie kaum den Boden. Dr. Falke schüttelte den Kopf, kratzte sich am Haaransatz, überlegte, ob er wirklich nackt zum Frühstück im Salon erscheinen sollte – aus reinem Protest –, aber dann beschloß er, sich doch anzuziehen. Er rasierte sich, kämmte sorgfältig sein Haar, entdeckte auf der Marmorplatte des Badezimmers vier verschiedene Parfüms und Eau de Toilettes, besprühte sich mit einem Duft, dessen Basisnoten Limone und Ambra waren, und schüttelte wieder den Kopf, als er sich noch einmal im Spiegel betrachtete.

»Arschloch!« sagte er und zeigte seinem Spiegelbild einen Vogel. »Laß dich nicht zum Idioten machen!«

Im Salon wartete Belisa bereits am Tisch. Er war üppig gedeckt mit frischem Obst, Spiegeleiern mit Schinken, Fruchtsäften, Baguettebrötchen, Hörnchen, frischen Maisbrotschnitten, verschiedenen Konfitüren, Honig, Schinken- und Wurstsorten, die dadurch auffielen, daß sie unnatürlich kräftig gefärbt waren. Dazu standen zwei Kannen, natürlich aus Silber, auf dem Tisch: Kaffee und Tee. Und in der Mitte, in einer schlanken Kristallvase, zwei rote Rosen.

Dr. Falke setzte sich. Dabei zeigte er auf die Rosen.

»Wie das Frühstück eines Paares auf Hochzeitsreise ...« sagte er.

»Das ist der übliche Service.« Belisa hob schnuppernd die Nase. »Was riecht hier so? Stinken Sie?«

»Es ist ein Parfüm ...«

»Schrecklich!«

»Ich dachte, ein Gentleman, der mit einer Lady frühstückt ...«

»Seien Sie nicht albern!« Sie blickte auf den Tisch. »Kaffee oder Tee?«

»Kaffee!«

Sie wollte zur Kanne greifen, aber er war wieder einmal schneller und nahm ihr das Einschenken ab.

»Sie auch?«

»Nein! Tee!«

»Konnte ich mir denken. Es muß ja einen Gegensatz geben.« Er griff zur Teekanne und goß ihr die Tasse voll. Sie bedankte sich nicht – ich sage nie danke! –, goß sich ein Glas Orangensaft ein und nippte daran. Dann nahm sie ein Croissant und brach es in der Mitte durch. Das Gebäck war mit einer Schokoladencreme gefüllt. Dr. Falke kümmerte sich um sein Spiegelei mit Schinken.

Eine Weile aßen sie schweigend, wobei es Belisa vermied, Dr. Falke anzusehen. Plötzlich sagte sie, als könne sie das Schweigen nicht mehr ertragen:

»Wo sehen Sie den Schwerpunkt Ihrer Arbeit?«

Verblüfft ließ Dr. Falke Messer und Gabel sinken. »Wie soll ich das verstehen?« fragte er zurück.

»Haben Sie als Arzt kein Spezialgebiet?«

»In Diwata nicht. Da kümmere ich mich um alles. In Deutschland würde man sagen: Allgemeinmedizin.«

»Und wenn Sie nicht in Diwata wären?«

»Chirurgie.«

»Bäuche aufschneiden ...«

»Nicht nur Bäuche. Alles, was man mit Hand und Mut reparieren kann am menschlichen Körper.«

»Das neue Krankenhaus soll also speziell eine chirurgische Klinik sein?«

»Um Himmels willen – nein! In Diwata gibt es alle Krankheiten der Welt. Nur hat sie bisher keiner behandelt, weil es keine Therapiemöglichkeiten gab. Sie können mit Aspirin kein Pleuraemphysem heilen.«

»Ein was?«

»Wenn ich es Ihnen erkläre, verstehen Sie es doch nicht.« Er winkte ab. »In Diwata hat es bisher genug Tote gegeben, die nicht hätten sterben müssen, wenn ich die nötigen Medikamente oder Instrumente gehabt hätte.«

»Und warum hat mein Schwager Ihnen diese Dinge nicht gegeben?«

»Ich habe laufend Listen eingereicht. Dringend! Und nie eine Antwort bekommen.«

»Ramos!«

»Ich vermute auch, daß er die Listen gar nicht weitergegeben hat. Aber ihm ist nichts zu beweisen. Und irgendwann resigniert man und sagt: Junge, du bist krank, man könnte dich heilen, aber du wirst krepieren.«

»Und so geht Arbeitskraft verloren!« sagte Belisa nüchtern.

»Ich denke da nur an die Menschen.«

»Die für mich ein Arbeitspotential darstellen.« Sie legte die Serviette auf ihren Teller. »Fahren wir?«

»Wohin?«

»Zu der Fertighausfabrik. Und dann zum Medizingroßhandel. Heute abend fliegen wir dann zurück nach Diwata. Nein! Morgen abend. Erst muß ich in der Verwaltung aufräumen. Die Computerbuchungen durchsehen. Emilio Talagak in den Hintern treten und diesen widerlichen Julio Barongis, der sich Direktor nennt, zum Teufel jagen.«

»Und haben Sie Ersatz?«

»Für Barongis ja. Mich!«

»Sie können nicht alles allein machen.«

»Ich kann mehr, als ihr alle denkt! Und ich werde mir vertrauenswürdige Leute suchen.«

»Gibt es die überhaupt?«

»Sind Sie kein vertrauenswürdiger Mann?«

»Ich weiß es nicht.«

»Sie würden sich nie korrumpieren lassen.«

»Danke! Aber sind Sie da so sicher?«

»Womit könnte man Sie locken?«

Dr. Falke verkniff sich die Antwort. Er hob nur die Schultern, und selbst das helle Lachen Belisas lockte ihn nicht aus der Reserve. Er wußte, daß er unterliegen würde.

In der Hotelhalle sah man sie nicht mehr scheel an. Es hatte sich herumgesprochen, daß das Penthouse von der Schwester der Frau des großen Toledo bewohnt wurde. Ihre Kleidung ... nun ja, Reiche hatten oft unerklärliche Macken. Der betreßte Portier vor dem Hotel grüßte, als Belisa und Dr. Falke auf die Straße traten. Am Straßenrand wartete der große Cadillac mit dem uniformierten Chauffeur. Unterwürfig zog er seine Mütze. Auch auf der rebellischen Insel Mindanao gab es noch die traditionelle Hierarchie: Herren und Diener.

Die Fertighausfabrik lag etwas außerhalb von Davao, in der Kleinstadt Roxas an der Staatsstraße 78 nach General Santos City. Einige Musterhäuser waren aufgestellt, aber sie wirkten mehr wie Baracken, nicht wie Wohnhäuser. Es war auch nicht das Ziel der Fabrik, schmucke Häuser zu bauen, sondern Unterkünfte für die Menschenmassen, die seit einigen Jahren nach Davao strömten, vor allem aus dem armen Hinterland und dem gebirgigen Dschungel. Davao war zur Traumstadt geworden. Um die Entstehung von Slums zu verhindern, baute man deshalb einfache Häuser aus Fertigteilen, die aber doch über dem Niveau von Baracken lagen. Isolierte Preßholzplatten waren das Grundelement, die Dacheindeckung bestand aus leicht gewellten kunststoffbeschichteten Platten. Auch Fenster und Türen waren mit Kunststoff überzogen und galten als verrottungsfest. Auch sollten sie immun gegen Termiten und anderes Tropengetier sein. So stand es wenigstens in den Prospekten, die die Fabrik an ihre Kunden schickte.

Ein junger Verkäufer führte die beiden Besucher unlustig auf dem Gelände herum und zeigte ihnen die verschiedenen Haustypen. Es waren nicht mehr als vier Modelle, die sich nur in der Größe unterschieden, sonst aber identisch waren. Mit besonderem Nachdruck wies der Verkäufer auf die sanitäre Ausstattung hin. Sie bestand zwar aus billigem Material, mußte aber auf einen Slumbewohner wie teurer Luxus wirken. Ein Spülklosett … die Frage war nur, wohin die Fäkalien fließen sollten, wenn es keine Kanalisation gab. Aber die Lösung eines solchen Problems ist nicht Aufgabe eines Fertighausherstellers.

Belisa inspizierte die Musterhäuser sehr genau und sah dann Dr. Falke an.

»Ich glaube, das Haus Nummer vier käme in Frage«, sagte sie. »Es enthält vier Wohnungen zu je drei Zimmern. Wenn man die Zwischenwände herausbricht, hat man einen großen Saal, in den vierundzwanzig Betten hineingehen. Was meinen Sie, Doktor?«

»Zu umständlich.« Dr. Falke schüttelte den Kopf.« Wozu Wohnungen umfunktionieren? Es wäre einfacher, nur die Außenwände des Hauses zu bestellen und innen nach eigenen Plänen auszubauen. Zwei Krankensäle, eine Dusch-, Wasch- und Toilettenzeile, ein Stationszimmer, von dem aus man die Betten überblicken kann. Das wäre auch billiger. Aber es wäre nur ein Bettentrakt. Es fehlen ...«

»Immer der Reihe nach. Ich weiß, was fehlt. Ein Arztzimmer, zwei Behandlungsräume, ein Operationssaal, Zimmer für das Pflegepersonal, eine einbruchsichere Apotheke, eine Notaufnahme ...«

»Es wird sich immer um Notfälle handeln ...« Dr. Falkes Stimme wurde spöttisch. Was Belisa da aufzählte, war der reine Irrsinn. »Es fehlen dann noch die Röntgenstation, eine Isolierstation, eine Intensivstation, eine Sterilisationsanlage für Betten und Instrumente, eine Küche mit Magazin ...«

»Und zwei Bläser!« fiel ihm Belisa ins Wort.

»Bläser? Wozu?«

»Die den Kranken Zucker in den Hintern blasen!« Belisa funkelte ihn an. »Sie nehmen mich nicht ernst!«

»Wie kann ich das? Was Sie da eben alles aufzählten ...«

»Es ist Ihr großer Fehler, daß Sie mich immer noch unterschätzen.« Sie wandte sich dem jungen Verkäufer zu, der gelangweilt auf einem Kaugummi kaute. »Bringen Sie uns zu Ihrem Boß! Zum obersten! Es geht um Sonderkonstruktionen von sieben Häusern.«

»Sieben Häuser ...« Dr. Falke atmete ein paarmal tief durch. »Sie wollen ...«

»Sie werden nach Ihren Wünschen ausgebaut und dann zu einem Krankenhausblock zusammengesetzt. Gut so? Einverstanden? Sagen Sie nichts ... es ist doch nur Dummheit! Gehen wir ...«

Dr. Falke holte noch einmal tief Atem. Dann sagte er:

»Ich bewundere Sie, Lady ...«

»Nicht nötig! Ich weiß, wer ich bin!«

Es wurde ein aufregender Tag.

Vom Mittag bis zum Abend sah Belisa alle Computerbuchungen, Aufträge, Verkäufe, Bankkonten und Ausgabebelege durch. Talagak saß neben ihr, er zeigte keinerlei Angst. Er wußte, daß seine Buchführung stimmte. Was man nicht in den Computer gegeben hatte, konnte man auch nicht abrufen. Die Goldmenge, das Gewicht, der Verkauf waren nicht zu kontrollieren – das alles hatte Talagak bisher allein bestimmt, ohne Zeugen. Man mußte ihm einfach glauben.

Am Ende der Überprüfung lehnte sich Belisa zurück und erfrischte sich mit einem Glas Guavensaft, in den sie ein wenig weißen Rum mischte.

»Es stimmt alles«, sagte sie ruhig. »Nur etwas fehlt.«

»Was?« fragte Talagak verwundert.

»Mindestens zehn Prozent, die Sie für sich abgezweigt haben. Und die Differenz zwischen dem eingetragenen Verkaufserlös und der wirklichen Summe, die der Händler bezahlt hat.«

»Das ist eine Unterstellung.« Talagak sprang empört auf. »Sie können nicht beweisen, daß ich ...«

»Natürlich kann ich es nicht beweisen. Aber ich setze es voraus! Jeder betrügt jeden ... das ist die Moral des Erfolges. Sorgen Sie für Ordnung bei den Aufkäufern – ich will sie nächste Woche alle sehen. Hier in diesem Raum!« Sie sah Talagak mit halb geschlossenen Lidern an. »Noch Fragen?«

»Nein, Mrs. García.« Talagak verzichtete auf weitere Diskussionen. Ihm war bewußt, daß er eine Woche lang zu tun haben würde, alle Aufkäufer auf Lügen einzuschwören. Was dann folgte – wer wußte das schon? Nur eines war sicher: Die guten Zeiten waren vorbei. Das Auftauchen der Gold-Lady änderte alles. Und wie bei Ramos in Diwata setzte sich jetzt auch bei Talagak ein Gedanke fest: Man müßte sie umbringen!

So etwas mußte doch möglich sein. Im Dschungel gab es hundert Möglichkeiten. Schnell, lautlos, spurlos.

Wirklich – dieses Weib mußte man töten!

Das konnte doch nicht so schwer sein …

Am Abend erschien Belisas Vater im Penthouse.

Der alte García hatte sich in einen neuen Anzug geworfen, hatte Belisas Lieblingskuchen, einen Hefekranz mit Honig- und Rosinenfüllung, mitgebracht und fühlte sich in der luxuriösen Umgebung sichtlich unwohl.

Er saß auf dem Rand eines Seidensessels, nippte an einem Rum-Cocktail und redete kaum. Was sollte er auch sagen, außer: Du siehst gut aus, Belisa. Wie geht es deinen Brüdern? Ja, Jessica hat eine Karte geschrieben und läßt alle grüßen. Sie ist in St. Tropez. Das muß in Frankreich sein. Es geht ihr gut. – Das war alles. Das Leben floß dahin wie immer. Man konnte zufrieden sein.

Als Belisa auf die Toilette verschwand, wandte er sich schnell an Dr. Falke.

»Sie sind Arzt?« fragte er hastig.

»Ja.« Dr. Falke nickte. »In Diwata.«

»Stimmt es, daß es die Hölle ist?«

»Das ist Ansichtssache. Man kann auch in der Hölle leben, wenn man sich der Hölle anpaßt.«

»Ist Belisa unglücklich?«

»Ich glaube nicht. Im Gegenteil – sie blüht auf. Der Höllendunst ist für sie wie ein Lebenselixier.«

»Merkwürdig.«

»Das finde ich auch.«

»Und Sie passen auf Belisa auf?«

»So gut ich es kann.«

»Bitte passen Sie auf mein Töchterchen auf. Bitte …« Der alte García hob flehend die Hände. »Gott wird Ihnen danken.«

»Darauf möchte ich nicht warten.« Dr. Falke beugte sich zu dem alten Mann vor. »Aber ich verspreche Ihnen: Ich werde mich um Belisa kümmern …«

Er verstummte, als Belisa in den Salon zurückkam. »Was hat Papa zu Ihnen gesagt?« fragte sie.

»Er hat gefragt, warum ich in Diwata arbeite.«

»Und Ihre Antwort?«

»Die übliche: weil ich Arzt bin.«

»Fällt Ihnen nichts anderes ein? Immer der große Helfer sein?!« Sie setzte sich dem alten García gegenüber auf die Couch und schlug die Beine unter. Ihre Lieblingssitzhaltung. »Hast du einen Wunsch, Papa?«

»Ich wünsche mir, daß du mit Diwata die richtige Wahl getroffen hast. Daß du nichts bereust.«

»Ich bereue nie etwas, Papa.« Ihr Lachen klang ein bißchen gequält. »In einem Jahr habe ich den Umsatz verdoppelt.«

»Das ist gut.«

»Das ist mörderisch!« fiel Dr. Falke ein. Belisa warf ihm einen flammenden Blick zu: Bring keine Unruhe in die Seele meines Vaters! Erfolg erfreut ihn.

»Ich möchte einmal nach Diwata kommen«, sagte der Alte. »Ich möchte sehen, wie du da lebst.«

»Gut, Papa. Ich werde dir Fotos mitbringen.«

»Man hört so viel Böses von Diwata ...«

»Alles nur dumme Reden, Papa. Das sind die Faulen, die nach Davao zurückkommen. Sie hetzen nur ...«

»Ist es so, Doktor?« Der Alte sah Dr. Falke an. »Nur Unwahrheiten?«

»Wenn Ihre Tochter das sagt, müssen Sie es glauben.« Dr. Falke hielt Belisas Blick stand. »Sie haßt doch Lügen ...«

Am Abend waren sie wieder allein. Ein Taxi, nicht der Cadillac, hatte den alten García nach Hause gebracht. Er war zufrieden davongefahren. Seinem Töchterchen ging es gut, und der Doktor paßte auf sie auf. Das war eine große Beruhigung.

Dr. Falke stand an dem großen Panoramafenster und blickte in die lichte Nacht, als Belisa hinter ihn trat und ihm die Hand auf die Schulter legte.

»Gehen wir tanzen?« fragte sie.

Er fuhr herum, als habe sie ihn in den Nacken gestochen. Erschrocken zuckte sie zurück.

»Ist das Ihr Ernst?« fragte er.

»Ich sage nie etwas Dummes.«

»Ich soll tanzen? Mit Ihnen?«

»Ich tanze gern. Soll ich mir einen fremden Mann suchen, der mich herumschwenkt, wo ich doch Sie bei mir habe?« Sie neigte den Kopf etwas zur Seite und sah Dr. Falke neugierig an. »Wann haben Sie zum letztenmal getanzt?«

»In grauer Vorzeit. Vielleicht im Zeitalter der Saurier.«

»Tanzen Sie auch so?«

»Ich fürchte – ja.«

»Es gibt hier im Hotel eine große Tanzbar.« Sie drehte sich einmal um sich selbst, es sah grazil aus, wie ein Schweben. »Ich hätte Lust, jetzt zu tanzen.«

»Mit mir ... das wäre Körperverletzung.«

»Sie unterschätzen sich ... das ist doch sonst nicht Ihre Art.«

»Es ist eine Warnung.«

»Aber Sie waren mal ein guter Tänzer, nicht wahr? Ich sehe es Ihnen an. Versuchen wir es? Jetzt? Hier? Die Wohnung hat auch eine Stereoanlage. Quadrophonie ...«

»Eben Luxus ...«

Sie ging zu einem Einbauschrank, öffnete ihn und legte damit eine Radioanlage frei, wie sie Dr. Falke noch nie gesehen hatte. Ein Gewirr von Knöpfen, Schaltern, Digitalanzeigen, Lautsprechern, Leuchtbändern, CD-Stapeln, Platten, Videokassetten. Belisa blickte über die Schulter zu Dr. Falke hinüber.

»Was soll es sein? Walzer, Tango, Foxtrott, Boogie, Slowfox – was können Sie am besten?«

»Sitzen bleiben.«

»Dann nehmen wir einen Fox.« Sie schob eine CD in den Spieler und wirbelte bei den ersten Tönen herum. Dr. Falke stand steif neben der Couch. Das ist doch alles nicht wahr, dachte er. Ich habe zuviel Rum getrunken. Der alte García hat ihn einfach weggeschluckt – bei mir wirkt er jetzt.

Aber dann war sie bei ihm, schlang die Arme um ihn und sagte in sein erstarrtes Gesicht hinein:

»Nun los! Erinnern Sie sich. Sie sind zehn Jahre jünger. Oder fünfzehn.«

»Da war ich Zweiter Oberarzt in Tübingen.«

»Und hatten eine Geliebte ...«

»Eine gute Freundin ...«

»Denken Sie jetzt, ich wäre die gute Freundin.«

»Ich ... ich werde mir Mühe geben.« Er zog sie an sich, so fest, daß er ihre Brüste spürte, den Druck ihrer Hüften und die Geschmeidigkeit ihres schlanken, mädchenhaften Körpers.

Und dann tanzte er, und zu seiner eigenen Verwunderung gelang es ihm ganz gut, er blieb im Rhythmus, setzte fehlerlos die Schritte, trat ihr nicht auf die Füße und führte sie korrekt, nur der Körperkontakt war etwas zu eng. Er spürte jeden Muskel in ihr, jede Reibung, jeden Druck, jedes Gleiten, die Hingabe eines Körpers, der Rhythmus, Melodie und personifizierter Klang geworden war. Dabei hatte sie ihren Kopf auf seine Schulter gelegt, und ohne ihr Gesicht zu sehen, wußte er, daß sie beim Tanzen die Augen geschlossen hielt.

Jetzt könnte ich sie küssen, durchfuhr es ihn. Wie würde sie reagieren? Soll ich es tun? Und dann? Was soll daraus werden? Was denkt sie jetzt, gerade jetzt, wo sie in meinen Armen durch dieses wahnsinnige Penthouse schwebt? Vorbei an vier Schlafzimmern ... soll ich in eines von ihnen hineintanzen? Will sie das? Hat sich ihr Herz doch nicht in einen Goldklumpen verwandelt? Spürt sie ihr warmes Blut, das Sehnsüchte nährt?

Er blieb stehen. Sie hob den Kopf von seiner Schulter und sah ihn verwundert an.

»Krampf in den Beinen?« fragte sie.

Das hätte ihn warnen müssen. Statt dessen zog er sie wieder an sich, umfaßte dann ihren Kopf und küßte sie auf die Lippen.

Er hätte genauso gut einen Tiger auf die Nase schlagen können, so wild zuckte sie zurück, fauchte wie ein verletztes Tier, holte weit aus und schlug Dr. Falke voll ins Gesicht. Es war ein so fester Schlag, daß er zurücktaumelte. Ihr Gesicht war zu einer Fratze verzerrt.

»Jetzt müßte ich Sie töten, Sie Verrückter!« zischte sie.

»Tun Sie es.« Dr. Falke blickte entsetzt in ihr verzerrtes Gesicht. Welch eine Wandlung! Da stand kein anschmiegsames Mädchen mehr vor ihm, sondern ein wildes Tier. Und er wartete darauf, daß dieses Tier ihn ansprang und zerfleischte. »Ich habe es verdient. Ich habe mich geirrt.«

»Geirrt?!« fauchte sie ihn an.

»Ich habe geglaubt, Sie seien eine Frau ...«

»Die man nach einem Tanz aufs Bett werfen kann!« Sie ging zur Stereoanlage und schaltete sie aus. Die plötzliche Stille war quälend und gefährlich. »Sie sind nicht anders als alle Männer: Ein geiler Fleischhaufen! Aber was kann man erwarten, wenn einer an die Huren von Diwata gewöhnt ist!« Sie schoß auf ihn zu und baute sich geduckt vor ihm auf. Ein Tiger, sprungbereit. »Bin ich eine Hure?«

»Ich habe nie ...«

Sie unterbrach ihn und ballte dabei die Fäuste.

»Sie haben mich geküßt! Einfach geküßt!«

»Da haben Sie schon den Unterschied. Ich habe noch nie eine Hure geküßt. Huren küßt man nicht. Die wollen das auch gar nicht. Küssen ist Liebe ... Ficken ist Beruf.« Langsam gewann Dr. Falke seine innere Festigkeit wieder. »Genügt die Erklärung?«

»Nein! Sie haben mich geküßt. Sie lieben mich also?«

»Diese Frage möchte ich nicht beantworten.«

»Ich wußte nicht, daß Sie ein Feigling sind!«

»Ich bin Realist. Wunsch und Wirklichkeit passen selten zueinander.«

»Es ist ein Vorteil, wenn Sie das einsehen und in sich einbrennen.« Sie ging zur Bar, goß sich einen Kaffeelikör ein und trank das Glas mit einem Schluck leer. »Sie sind Arzt in Diwata, weiter nichts. Arzt in meinem Goldbergwerk. Ich bin Ihre Chefin, Sie sind ein Angestellter wie alle anderen auch. Nichts Besonderes! Gar nichts Besonderes. Prägen Sie sich das ein, Dr. Falke!«

»Ich werde es nie mehr vergessen.« Er machte eine kleine Verbeugung. »Ich bitte um Entschuldigung, Mylady. Und nun ans Werk: Sie wollten mich doch töten.«

»Später. Ich brauche Sie noch.«

»Ich lebe also ab jetzt auf Zeit?«

»Sehen Sie es so.«

»Ich bewundere Sie ...«

Sie duckte sich wieder wie zum Sprung. »Wieso?«

»Sie haben Ihre weibliche Inkonsequenz bewahrt.«

Sie sah ihn an, als überlege sie, ob sie ihn wieder ohrfeigen sollte, doch dann wandte sie sich brüsk ab und ging zu Ihrem Schlafzimmer. An der Tür aber drehte sie sich um.

»Lassen Sie sich rechtzeitig wecken!« sagte sie hart. »Ich will, wenn ich morgen früh schwimmen möchte, nicht an Ihrem nackten Körper vorbeigehen ... einmal genügt mir. So schön ist er nicht ...«

Dr. Falke wartete, bis sich die Tür hinter Belisa geschlossen hatte. Dann ging er an die Bar und goß sich einen weißen Rum ein, den er mit Orangensaft mischte. Belisas letzte Bemerkung versöhnte ihn. Ganz gleichgültig bin ich ihr nicht, dachte er. Sie hat meinen nackten Körper genau angesehen. Da ist sie wieder Frau geworden, der lebende Goldklumpen. Das ist eine Beruhigung für die Zukunft.

Er ging in sein Schlafzimmer, zog sich aus und legte sich nackt auf das Bett. Er hatte sich vorgenommen, sich nicht wecken zu lassen.

Sie sollte an ihm vorbeigehen. An seinem nackten Körper. Und wieder eine Frau sein, und sei's auch nur für ein paar Minuten.

Der nächste Morgen glich dem vergangenen: nackt im Pool schwimmen, Frühstück im Salon, Telefonate mit Barongis und Talagak, ein Anruf beim Pharmaziegroßhandel.

»Welchen Hubschrauber sollen wir für den Rückflug nehmen?« fragte Belisa nach diesem Gespräch.

»Das ist doch Ihre Entscheidung.«

»Es hängt davon ab, wieviel Sie einkaufen.«

»Ich kann meine ganze Liste ...« Dr. Falke hatte noch immer Zweifel. »Alles?«

»Alles, was Sie brauchen.«

»Das sind einige Kisten.«

»Dann nehmen wir den großen Transporthubschrauber.«

»Und wie wollen Sie das alles bezahlen? Sie haben kein Geld bei sich.«

»Ich lasse die Rechnung an Barongis schicken. Es wird seine letzte Amtshandlung sein. Ab nächster Woche habe ich allein Vollmacht über alle Konten der Minengesellschaft. Ich besitze eine Generalvollmacht von Juan Perón Toledo.«

»Er muß ein ungeheures Vertrauen zu Ihnen haben.«

»Ich werde ihn nicht enttäuschen. Und wer mich enttäuscht, wird in seinem Leben nie mehr ruhig schlafen können.« Sie warf den Kopf in den Nacken und zog die Augenbrauen zusammen. »Das gilt auch für Sie, Dr. Falke!«

»So habe ich es auch verstanden.«

Sie verließen das Penthouse und drückten den Schalter für den privaten Lift. Belisa blähte die Nasenflügel und schüttelte den Kopf.

»Sie haben ein anderes Parfüm benutzt«, sagte sie.

»Das gestrige stank, sagten Sie.«

»Dieses stinkt auch. Sie sollten gar keins benutzen. Sie sind kein Parfüm-Typ.«

»Ich dachte, der Dschungelgeruch in meiner Kleidung ...«

»Er paßt besser zu Ihnen. Bleiben Sie dabei.«

Die Lifttür glitt lautlos auf. Sie stiegen ein, fuhren nach unten, verließen das Hotel, und wieder wartete der Cadillac mit dem Chauffeur am Straßenrand. Dr. Falke blieb erstaunt stehen.

»Woher weiß er, daß wir jetzt fahren wollen?« fragte er.

»Er wartet immer.«

»Seit wann?«

»Immer. Tag und Nacht. Der Wagen ist der gleiche, nur die Fahrer wechseln sich ab.«

»Das heißt: Rund um die Uhr steht der Wagen hier?«

»Solange, wie ein Gast von Toledo hier wohnt. Eine freundliche Geste, nicht wahr?«

»Das Spiel eines Feudalherrn.«

»Warum nennen Sie es nicht Gastfreundschaft? Oder sind Sie Kommunist?«

»Manchmal könnte man es werden.«

»Wo bleibt Ihr Realitätssinn? Sie leben doch auch von diesem Feudalherrn!« Sie winkte energisch ab, als Dr. Falke antworten wollte. »Kaufen Sie Ihre Medikamente und halten Sie den Mund!«

Sie ging zu dem Cadillac, ließ sich vom Chauffeur die Tür öffnen, stieg ein und wartete, bis Dr. Falke neben ihr saß. Sie nannte die Adresse des pharmazeutischen Großhandels, lehnte sich dann tief in die ledernen Polster zurück und blickte auf die Straße und die Menschenmassen, die sich über die Bürgersteige wälzten. Davao platzte aus allen Nähten. Schon jetzt nannte man es das Hongkong von Mindanao. Nur Hongkongs Reichtum fehlte noch; die 900 000 Einwohner von Davao waren eine Armee der Armen, der Hoffenden, der Suchenden, befehligt von einer dünnen Schicht von Kapitalisten, ausländischen Investoren – vor allem Chinesen – und Glücksrittern, die zum Teil wahnwitzige Ideen in die Stadt pumpten. Neue Geschäftsviertel entstanden, Märkte und Containerstationen im Hafen, ein Wirtschaftswunder, das die Menschen aus dem armen Hinterland anlockte.

»In zwei Jahren ist Davao eine Millionenstadt«, sagte Belisa. Stolz klang in ihrer Stimme. »Wenn man erst alles aus der Erde holt, was Mindanao in seinem Innern verbirgt, wenn der Abbau aller Bodenschätze straff organisiert wird, kann aus Mindanao ein zweites Hongkong werden. Ein riesiges Hongkong! Es müßten nur wache Köpfe in Manila regieren. Kapital ins Land holen. Den Segen dieser Insel erschließen. Mit einem modernen Management. Die Philippinen haben mehr zu bieten als Dschungel und Fische. Sie sind ein reiches Land – man braucht nur hundert Dollar auszusäen, um tausend Dollar zu ernten. Aber das haben bisher nur wenige entdeckt. Im Jahr 2000 werden die Philippinen ein anderes Land sein als heute. Was die Chinesen können, das können wir auch. Was wir brauchen, sind Entdecker.«

»Wie Toledo, der den Goldberg Diwata entdeckt hat.« Dr. Falke zeigte durch das Fenster des Cadillac auf die Menschenmassen. »Für Ihr Wirtschaftswunder bleibt wenig Zeit. Da draußen laufen lebende Bomben herum. Sie wollen satt werden, sie wollen menschenwürdig schlafen, sie wollen arbeiten, und wenn das alles nicht klappt ... Haben Sie keine Angst? Ihr Diwata ... was machen Sie, wenn diese Zwanzigtausend, diese Goldsklaven, diese Rechtlosen sich zusammenschließen und alles kurz und klein schlagen?«

»Warum sollten sie das tun?«

»Um gerecht behandelt zu werden.«

»Ändert sich etwas, wenn man die Kuh, die Milch gibt, schlachtet, um ein paar Tage von ihrem Fleisch zu leben? Was kommt dann? Keine Milch, kein Käse, kein Fleisch. Das Nichts. Man hat sich und seine Welt zerstört, und niemand schenkt einem eine neue. Warum sollten meine Arbeiter die Mine zerstören, wenn sie hinterher gar nichts mehr haben? Und außerdem: Ich habe Avila.«

»Ihre Privatarmee.«

»Panzer, Maschinengewehre, Kanonen, Raketen, Hubschrauber, die auch Bomben werfen können, hervorragend ausgebildete Nahkämpfer ...«

»Sie würden schießen lassen?!«

»Sofort!« Sie lehnte sich wieder in das Polster zurück. »Die ersten hundert Toten werden den Tausenden zeigen, daß es sinnlos ist zu rebellieren. Jeder will doch leben, keiner will für den anderen sterben. Und die vom Diwata-Berg schon gar nicht. Wovor soll ich also Angst haben?«

»Ihr neues Konzept.« Dr. Falke mußte wider Willen anerkennen, daß Belisa die Philosophie des Machtstrebens genau kannte und in die Tat umzusetzen versuchte. »Verdoppelung der Ausbeute. Drei Schichten rund um die Uhr. Schuften bis zum Umfallen. Und was bieten Sie dafür?«

»Sie!« sagte sie. Es war wie ein Peitschenschlag.

»Mich?«

»Ein neues, funktionsfähiges Krankenhaus. Beste ärztliche Versorgung, sogar mit priesterlichem Beistand. Wenn das kein Aushängeschild der Humanität ist ...«

»Belisa García – man sollte Sie hassen.«

»Tun Sie es.« Sie lachte hell, so hell, als habe sie einen fabelhaften Witz gehört. »Ich glaube, so kommen wir am besten miteinander aus.«

Der Wagen bremste. Sie waren am Ziel. Der pharmazeutische Großhandel. Ein neues Gebäude im amerikanischen Stil – viel Beton, viel Glas.

Belisa steuerte sofort auf die Portiersloge zu, in der ein Eingeborener saß, in einem Magazin las und dabei in der Nase bohrte. Er blickte nicht hoch, als Belisa an die Scheibe klopfte.

»Sehen Sie sich das an!« sagte sie, als Dr. Falke neben ihr stand. »Das ist es, was ich meine: Wir müssen lernen, stets wach zu sein. Wir müssen ansprechbar sein. Wir müssen miteinander reden können. Und hier sitzt diese Mißgeburt und kümmert sich um gar nichts. Was wäre seine Pflicht, wozu hat man ihn eingestellt? Damit er jeden Besucher freundlich empfängt. Damit er ihm weiterhilft zu dem Menschen, den er sprechen will. Aber nein – er liest und bohrt in der Nase. Aber er kennt Belisa García noch nicht.«

Sie zog einen ihrer Schuhe aus, drehte ihn um, holte weit aus und knallte den Absatz gegen die Scheibe. Sie zerplatzte in tausend Splitter, von denen ein Teil auf den hochschnellenden Portier spritzte.

»Sind Sie verrückt?!« brüllte der Mann und schoß mit geballten Fäusten aus seiner Kabine. »Das wird teuer ...«

»Halt das Maul, du Wurm!« schrie Belisa zurück. »Ich will den Direktor sprechen!«

»Die Polizei wird dich abholen!« Der Portier starrte zu Dr. Falke hinüber. In Gegenwart eines Mannes wagte er nun doch nicht, eine Frau zu schlagen. »Die Polizei!«

»Vorher trete ich dir die Eier platt! Aus dem Weg! Wo ist der Direktor?«

»Sie tut es wirklich!« sagte Dr. Falke und stellte sich vor Belisa, mehr, um sie zu schützen als den Portier. »Darin hat sie Übung. Welche Zimmernummer?«

»Zimmer vierzehn. Erster Stock.« Der Eingeborene starrte auf die zerplatzte Scheibe. »Aber ich hole doch die Polizei!«

Nummer vierzehn war ein Vorzimmer. Das Büro der Sekretärin. Sie schrak hoch, als Belisa die Tür aufriß und schrie:

»Wo ist der Direktor?!«

»Sind ... sind Sie angemeldet?« fragte das Mädchen und bekam ängstliche Augen. Es war ein indianischer Mischling und stammte sicherlich aus dem Hochland von Mindanao.

»Ich brauche keine Anmeldung! Ich komme, wann ich will.« Belisa riß die Tür an der Seitenwand auf und hatte damit das Zimmer des Chefs geöffnet. Er saß hinter seinem Schreibtisch, ein graumelierter, stämmiger, in einen weißen Leinenanzug gekleideter Herr, der sehr gebildet aussah, und blätterte in einer Liste. Bei Belisas stürmischem Auftritt legte er beide Hände auf die Blätter, als wolle man sie ihm wegnehmen.

»Bevor Sie fragen«, sagte Belisa laut, »erkläre ich alles: Ich bin Belisa García, die Schwägerin von Juan Perón Toledo. Meine Schwester ist seine Frau. Ich leite seit einiger Zeit sein Unternehmen.«

»Sie?« fragte der Direktor mit deutlichem Zweifel in der Stimme. »Sie? Das soll ich glauben?«

»Genügt die Generalvollmacht?« Sie holte aus der Jeanstasche ein zerknittertes Papier hervor und warf es auf den Schreibtisch. Der Direktor entfaltete das Schreiben mit spitzen Fingern, las es und faltete es wieder zusammen. »Überzeugt?«

»Es bleibt mir wohl nichts weiter übrig. Mein Name ist Francisco Carpenito.« Man sah ihm an, daß das Gespräch seinen Sinn für Ästhetik beleidigte. »Sie wünschen?«

»Das hier ist Dr. Peter Falke. Arzt und Leiter des Krankenhauses von Diwata. Er will eine Bestellung aufgeben.«

»Dafür ist unsere Verkaufsabteilung zuständig.«

»Ich behaupte, Sie sind dafür zuständig. Warum? Weil ich es so sehe. Dr. Falke hat eine lange Liste mitgebracht, und ich möchte, daß Sie diese Liste durchlesen.«

»Ich sagte schon«, Carpenito holte tief Luft, »dazu ist meine Verkaufsabteilung der richtige Ansprechpartner. Ich wüßte gar nicht, ob alles lieferbar ist, was Dr. Falke bestellen möchte.«

»Sie wissen es nicht? Sie sind Direktor dieser Firma und wissen es nicht? Wozu sind Sie eigentlich da? Wofür bekommen Sie Ihr Geld?«

Carpenito schnellte von seinem Schreibtischsessel hoch und lief rot an. »Was erlauben Sie sich?« schrie er. »Verlassen Sie sofort mein Büro!«

Belisa beeindruckte der Wutausbruch keineswegs; sie schien sich sogar darüber zu amüsieren. »Wem gehört die Firma?« fragte sie.

»Es ist eine Aktiengesellschaft!«

»Sehr gut. Ich werde Herrn Toldeo bitten, die Aktienmehrheit aufzukaufen ... und dann fliegen Sie!«

Sie verließ den Raum und bedeutete Dr. Falke, ihr zu folgen. Mit offenem Mund, sprachlos, starrte Carpenito ihr nach. Auf dem Flur holte Dr. Falke Belisa ein.

»Was Sie da eben gesagt haben, ist doch nur ein Bluff!«

»Stimmt.«

»Und warum tun Sie das?«

»Um Angst zu verbreiten. Angst ist der beste Partner bei Verhandlungen – das müssen Sie noch lernen. Ich habe es bei der Bank gelernt. Wem das Wasser bis zum Hals steht, der atmet gern durch einen Strohhalm.« Sie lachte, während sie zu den Verkaufsräumen gingen. »Wenn Sie alles bestellt haben, sehen wir diesen Carpenito wieder. Er wird wie umgewandelt sein.«

Es dauerte drei Stunden, bis Dr. Falke gemeinsam mit drei Verkäufern seine Liste abgearbeitet hatte. Wie erwartet war die Hälfte der Medikamente nicht vorrätig und mußte erst aus der internationalen Apotheke in Manila besorgt werden. Die Verkaufsleiter konnten immer wieder nur eine Entschuldigung vorbringen, die glaubhaft war: So etwas hat hier in Davao noch niemand verlangt. Nur bei den chirurgischen und einigen anderen Instrumenten gab es kaum Schwierigkeiten – da hatte das neue Krankenhaus der Stadt Pionierarbeit geleistet. Immerhin kamen sieben große Kisten zusammen ... für Dr. Falke geradezu ein Traum, von dem er bisher geglaubt hatte, daß er nie Wirklichkeit werden könne.

Direktor Carpenito war sofort bereit, Belisa García und Dr. Falke zu empfangen, als sie drei Stunden später wieder im Vorzimmer standen. Ohne Einleitung brachte Belisa ihr Anliegen vor.

»Wir haben bei Ihnen für fünfzehntausend Dollar Medikamente und Instrumente gekauft«, sagte sie. »Dr. Falke hat außerdem aus dem Katalog das Modell eines Krankenbettes ausgesucht, das Sie besorgen sollen. Es handelt sich zunächst um fünfzig Betten zum Katalogpreis von 1100 Dollar pro Stück. Es sind die besten und modernsten Betten.«

»Bei diesem Preis gewiß.« Carpenito machte ein glückliches Gesicht. Eine solche Bestellung kam nicht jeden Tag herein.

»Lieferbar in drei Monaten.«

»Wenn der Verkauf das zusichert . . .«

»Wir sollten über den Preis sprechen. Katalogpreise interessieren mich nicht. Unsere Bestellung lautet Medikamente und Instrumente für fünfzehntausend Dollar. Betten für fünfundfünfzigtausend Dollar.«

»Ich bedanke mich für diesen Auftrag, Mrs. García.«

»Mit Ihrem Dank kann ich nichts anfangen. Ich zahle sechsundfünfzigtausend Dollar.«

»Das sind zwanzig Prozent Nachlaß.« Carpenito war ein schneller und guter Rechner. »Wo denken Sie hin?! Das ist unmöglich! Vierzehntausend Dollar Skonto! Wo gibt es das?«

»Bei mir! Ich zahle für den gesamten Auftrag sechsundfünfzigtausend Dollar und keinen Cent mehr! Überlegen Sie: Das ist die erste Bestellung. Es werden weitere kommen!«

»Trotzdem . . . zwanzig Prozent . . .«

»Doktor, gehen wir!« Belisa drehte sich zu Dr. Falke um. »Der Auftrag wird gestrichen. Wir werden morgen nach Manila fliegen und dort einkaufen.«

»Wir könnten über fünfzehn Prozent reden!« warf Carpenito ein.

»Sie vergessen, daß bei Ihnen keinerlei Transportkosten anfallen. Den Transport übernimmt die Minengesellschaft.«

»Das wurde bisher nicht erwähnt . . .«

»Nun wissen Sie es.«

»Unter diesen Umständen . . .« Carpenito seufzte tief auf und blickte an die Decke, als wollte er die Heiligen zu Hilfe rufen. »Einverstanden. Und wie zahlen Sie?«

»Von Bank zu Bank bei Lieferung. Fünfzigtausend Dollar.«

Carpenito zuckte zusammen. »Sie sagten eben . . .«

»Sechstausend Dollar wird ein Bote in bar zu Ihnen bringen . . .«

»Korrekt.« Carpenito kam hinter seinen Schreibtisch hervor, ergriff Belisas Hand und küßte sie. »Es ist mir eine Ehre, in Ihnen eine gute Kundin zu haben. Ich stehe Ihnen immer zu Diensten.«

Als sie wieder im Cadillac saßen und durch die Stadt fuhren, mußte Dr. Falke seine Frage loswerden.

»Sie haben doch eben den Direktor bestochen?« sagte er.

»Nein. Das war nur eine kleine Aufmerksamkeit.« Belisa lächelte vor sich hin.

»Auf Kosten seiner Firma.«

»Wer weiß das?«

»Das ist doch Korruption!«

»Es ist ein Generalschlüssel, der alle Türen öffnet. Mein Gott, sind Sie ahnungslos! Leben Sie nur für Ihre Krankheiten? Carpenito wird die sechstausend Dollar annehmen. Damit habe ich ihn in der Hand. Und da er bei jedem Auftrag verdient, wird er mir jeden Finger küssen, den ich ihm hinhalte.«

»Und genauso verschlingen Sie mich!«

»Sie wissen es doch! Ich benutze Sie, um die Arbeitskraft meiner Leute zu erhalten. Das ganze Krankenhaus wird mich vielleicht die Einnahmen eines Monats kosten. Nein, nicht mal das. Ich werde mehr Geld aus dem Berg holen. Und wenn's ein Monat ist, verteilt auf mehrere Raten ... der Nutzen reicht für Jahre! Für Jahrzehnte! Eine Investition mit dauerhafter Rendite!«

»Sie könnten sich verrechnen, Lady ...« sagte Dr. Falke und lehnte sich in den Ledersitz zurück.

»Unmöglich. Das Krankenhaus wird gebaut. Vielleicht der einzige feste Bau in Diwata.«

»Aber ich könnte Ihre Hölle verlassen.«

Ihr Kopf ruckte herum. Ihre großen, schwarzen Augen flimmerten. Er sah, wie sich ihre Muskeln spannten. Wieder die Raubkatze vor dem Sprung.

»Reden Sie kein dummes Zeug!« sagte sie scharf.

»Da liegt der Fehler Ihrer Rechnung.«

»Sie werden Diwata nie verlassen!«

»Sind Sie da so sicher?«

»Ja!«

»Und woher nehmen Sie diese Sicherheit?«

»Sie haben es selbst einmal gesagt: Sie sind Arzt. Sie lassen Ihre Kranken nicht im Stich. Sie können gar nicht weggehen, wenn hundert Betten von Kranken belegt sind.«

»Es gibt auch andere Ärzte. Viele suchen eine Arbeit.«

»Wer will schon nach Diwata kommen? Das können nur heillose Idealisten sein wie Sie. Und die kann man mit der Lupe suchen. Nein!« Sie schüttelte den Kopf. Und plötzlich lächelte sie sogar. »Sie gehen nicht weg! Sie nicht! Sie haben etwas Heiliges an sich – Sie können leiden. Sie sind eine kleine Christusfigur: Das Leid der Menschen ist mein Schicksal. Nein, ich habe keine Angst, daß Sie weggehen. Sie gehören nach Diwata und sonst nirgendwohin . . .«

Zu Mittag aßen sie chinesische Spezialitäten im Davao Majestic Restaurant in der Bonifacio Street, tranken dazu einen leichten australischen Weißwein und kehrten zum Penthouse zurück. Belisa drückte sich wieder in die Ecke der seidenen Couch.

»Wir haben in diesen zwei Tagen viel erreicht«, sagte sie. »Denken wir noch mal nach. Was haben wir vergessen? Fehlt etwas? Haben Sie noch Wünsche, Doktor?«

»Viele . . .«

»Einen können Sie streichen. Für alle Zeiten.«

»Welchen?«

»Ich werde nie Ihre Geliebte.«

»Das habe ich begriffen. Obgleich man nie nie sagen sollte . . .«

»Zwischen uns – doch!«

»Ich weiß, ich bin nur ein armer Sklavenarzt . . .«

»Das ist es nicht.« Sie lehnte sich weit zurück. Provozierend.

Die Bluse spannte über ihren kleinen Brüsten. Die engen Jeans zeichneten die Formen ihrer Hüften, Schenkel und Waden nach. »Wir sind uns zu ähnlich.«

»Das bezweifle ich.« Dr. Falke ging zur Bar und mixte einen schwachen Cocktail aus weißem Rum, Orangensaft und einem Spritzer Angostura. Sie nahm das Glas, prostete ihm zu und lächelte unergründlich. »Sie denken nur an Geld. Sie wollen Macht. Sie wollen regieren. Sie wollen zwanzigtausend, dreißigtausend Männer zu Ameisen machen, die Tag und Nacht für Sie schuften. Die sich in einen Berg wühlen, in ungesicherten Stollen, ohne jeden Schutz, die Gold für Sie herausbrechen und nach Säcken bezahlt werden. Was sollte ich da mit Ihnen gemeinsam haben?«

»Die Kraft, den eigenen Willen durchzusetzen. Wir sind ebenbürtig. Wir werden immer und immer wieder aufeinanderprallen. Wir werden aufeinander einschlagen, aber es wird keinen Sieger geben. Wir könnten nie zusammenleben ...«

»So soll es sein.« Dr. Falke hob ihr sein Glas entgegen. »Begraben wir das Thema, ein für allemal! Nur sollten Sie nicht so dasitzen.«

»Wie sitze ich denn?«

»Provozierend.«

»Regt Sie das auf?«

»Nicht mehr.« Dr. Falke hob wie bedauernd die Schultern. »Für mich sind Sie jetzt ein Neutrum. Ein Wesen, das nur wie eine Frau aussieht.«

Sie biß die Zähne zusammen, ihre Lippen wurden zu einem schmalen Strich. Sie setzte sich gerade hin, mit zusammengepreßten Beinen, wie ein getadeltes Kind. Mit Schwung warf sie ihr Cocktailglas gegen die Wand. Das Zerschellen klang wie ein heller Aufschrei.

»Ich sollte Sie hassen«, sagte sie gepreßt. »Verdammt, ich will versuchen, Sie zu hassen! Nur so können wir miteinander auskommen ...«

Am Abend flogen sie nach Diwata zurück.

Die Kisten der pharmazeutischen Großhandlung waren pünktlich am Flugfeld angekommen. Sogar ein Probebett der bestellten Modellserie war mitgeliefert worden, obwohl Dr. Falke das gar nicht verlangt hatte.

»Das ist Kundendienst!« Belisa lachte laut, als sie Dr. Falkes erstauntes Gesicht sah. »Glauben Sie nun, daß eine offene Hand immer nützlich ist?«

Der große Transporthubschrauber hatte aber nicht nur die Einkäufe geladen. Auch zehn Mädchen saßen bereits auf den schäbigen, mit Segeltuch bespannten Sitzen. Ihre ganze Habe lag in Säcken oder Pappkartons auf ihren Schößen oder zu ihren Füßen. Der Pilot grinste Belisa an, bevor sie etwas fragen konnte.

»Nachschub für den Puff«, sagte er.

»Wer hat den bestellt?«

»Direktor Ramos.«

»Und woher kommen die Mädchen?«

»Wie immer. Von einer Agentur. Sie liefert seit jeher für Diwata.«

»So was nennt man Menschenhandel«, sagte Dr. Falke. »Man hat den Mädchen bestimmt nicht erzählt, daß sie als Huren arbeiten müssen.«

»Das werden sie heute abend noch erfahren, wenn Morales sie in Empfang nimmt.«

»Dann können sie nicht mehr zurück.«

»Sie wollen Geld verdienen.« Belisa sah Dr. Falke spöttisch an. »Ein schöner Körper ist ein Kapital – warum sollen sie es nicht einsetzen? Wirklich, Sie verstehen nichts von Wirtschaft. Gewinn setzt Investition voraus. Ob mit Dollars oder mit dem Unterleib, das bleibt sich gleich. Die Zinsen sind wichtig.«

Sie stieg nach vorn in den Hubschrauber. Dr. Falke setzte sich zu den kichernden Mädchen. Sie waren nicht älter als zwanzig Jahre und ahnten nicht, wohin sie flogen. Man hatte ihnen versprochen, daß eine gute Arbeit auf sie wartete. Arbeit und sicherer, guter Lohn.

»Ihr könnt noch aussteigen«, sagte Dr. Falke zu ihnen. »In zehn Minuten ist es zu spät. Dann fängt für euch ein anderes Leben an.«

»Das wollen wir ja«, rief ein Mädchen aus der Mitte.

»In einem Bordell?«

Lachen antwortete ihm. Sie glaubten ihm nicht. Typisch Mann ... denkt nur an das eine! Will uns Angst machen, will den großen Beschützer spielen. Wir sollen Kellnerinnen werden, das hat man uns gesagt. Und Küchenhilfen. Und Putzmädchen im Haushalt. Und dort, die Maria, wird Kindermädchen in einer Familie. Mann, laß uns in Ruhe mit deinem Bordell ...

Die Tür klappte zu. Die Motoren heulten auf. Die Rotorflügel drehten sich. Langsam hob der Hubschrauber vom Boden ab und stieg senkrecht in den Abendhimmel. Über Davao lag der rotgoldene Schein der sinkenden Sonne.

»Zu spät!« sagte Dr. Falke in den Motorenlärm hinein. »Ich bin Dr. Falke. Mädchen, ihr werdet bald mit mir zu tun haben ...«

Auf dem Flugfeld von Diwata warteten bereits zwei Lastwagen, zwei Jeeps, zwei Limousinen, die Brüder García, Pater Burgos und Sicherheitschef Avila.

Die ersten, die auf den Hubschrauber losstürmten, als die Rotorflügel keinen Staub mehr aufwirbelten, waren die drei Brüder. Sie hoben Belisa aus dem Flugzeug und trugen sie ein paar Meter weg von der Maschine. Avila kam auf Dr. Falke zu, als dieser auf der Erde stand.

»Gut, daß Sie endlich gekommen sind«, sagte er. »Hier ist der Teufel los!«

»Schon nach zwei Tagen?«

»Die García-Brüder scheinen nur eine einzige Gehirnzelle zu haben, und die befiehlt: Prügeln!«

»Aus welchem Grund?«

»Wenn man das wüßte! Sie ziehen durch die Stadt, greifen sich irgendeinen Mann heraus, verprügeln ihn und sagen: ›Das war nur eine Warnung. Merk dir eins: Hier bestimmen wir!‹ So etwas spricht sich natürlich sofort herum. Das geht jeden an. Dementsprechend explosiv ist die Stimmung. Ich habe meine Truppe in Alarmbereitschaft versetzt. Sie ahnen nicht, was drei Mann in zwei Tagen alles anstellen können. Sie können die Arbeit von Jahren kaputtmachen.«

»Ich werde mit Mrs. García reden.« Dr. Falke ließ Avila stehen und ging auf Pater Burgos zu, der sich den aussteigenden Mädchen zugewandt hatte. »Erwarten Sie nicht, daß das Nonnen sind«, sagte er spöttisch.

»Und auch keine Krankenschwestern ...«

»Verdammt.« Dr. Falke faßte den Pater an beiden Armen. »Ich könnte Sie umarmen! Auf den Gedanken bin ich nicht gekommen. Sie haben recht: Es sind Krankenschwestern. Sie werden Krankenschwestern sein. Ich werde sie ausbilden.«

»Weiß das unser Boß?«

»Ich werde mit Belisa reden.«

»Und Sie glauben, das wird ein Erfolg?«

»Ja.«

»So sicher?«

»Ich bekomme ein Krankenhaus. Ein richtiges Krankenhaus. Voll eingerichtet. Und ich kann mir für das Krankenhaus wünschen, was ich will und was ich brauche. Und ich brauche zehn Krankenschwestern.«

»Wenn Sie das hinkriegen, bete ich zwei Rosenkränze für Sie.« Pater Burgos wandte sich wieder den etwas schüchtern herumstehenden Mädchen zu. »Ihr folgt dem Doktor«, sagte er so laut, daß es auch Avila hörte. »Und mir. Ich bleibe bei euch. Habt keine Angst – ihr seid in Sicherheit.«

Dr. Falke ging wieder zu Avila hinüber. Belisa saß schon in einer der Limousinen mit Panzerglasscheiben und wartete.

»In der Maschine sind sieben Kisten mit Medikamenten und ein Krankenbett. Sorgen Sie dafür, daß alles vollständig bei mir ankommt. Bewachen Sie alles, als seien es Atombomben.«

Avila nickte und winkte seinen Soldaten zu. Sie übernahmen das Ausladen. Die Mädchen kletterten zusammen mit Pater Burgos in einen der Lastwagen. Belisa trommelte ungeduldig mit den Fingern gegen die Scheibe der geöffneten Autotür.

»Wo bleiben Sie?« rief sie dem Doktor zu.

»Fahren Sie voraus. Ich fahre mit den Mädchen.«

Er trat an die offene Tür und beugte sich zu Belisa hinunter. Auf ihrem Gesicht lag ein hämisches Grinsen.

»Mit den Mädchen? Aha! Welche gefällt Ihnen denn? Ist jetzt doch der sexuelle Notstand ausgebrochen?«

»Sie überschätzen mich. Aber ich muß mich ja um meine Krankenschwestern kümmern.«

»Um wen?« Ihre Stimme wurde einen Ton höher.

»Um meine zehn neuen Krankenschwestern.«

»Sind Sie verrückt?!«

»Das war es, was ich vergessen hatte, als Sie mich fragten, ob noch etwas fehle. Das Krankenhauspersonal. Wie kann man Kranke pflegen ohne Pfleger? Was nutzt ein Krankenbett, wenn sich keiner darum kümmert? Zehn Schwestern, das mag für den Anfang genügen. Ich habe sie jetzt ...«

»Dr. Falke ...«

»Lady, ich habe Ihr Wort, daß ich mir das Krankenhaus einrichten kann, wie es nötig ist.«

»Ich hasse Sie!«

Sie schlug die Tür zu, hätte dabei beinahe seine Hand eingeklemmt und stieß dem vor ihr sitzenden Fahrer die Faust in die Schulter. »Fahr!« schrie sie. »Fahr! Schlaf nicht.«

Mit quietschenden Reifen schoß der schwere Wagen davon. In einem Jeep folgten ihm die drei Brüder. Dafür ratterte ein uralter Lastwagen mit offener Ladefläche auf das Rollfeld. Hinter dem Steuer saß Bordellvater Morales, neben ihm ein Arbeiter.

Der Wagen hielt vor dem Hubschrauber, Morales stieg aus und sah sich verwundert um. Dr. Falke kam auf ihn zu.

»Vermissen Sie was?« fragte er.

»Rätselhaft. Ich erwarte neue Mitarbeiterinnen.« Morales blickte in den leeren Frachtraum der Maschine. »Ich verstehe das nicht.«

»Sie warten auf zehn neue Huren?«

»Man hatte mir versprochen ...«

»Es wurde umdisponiert, Morales.« Dr. Falke zeigte auf den Lastwagen, auf dem die Mädchen neben Burgos standen. »Ich habe zehn Krankenschwestern mitgenommen.«

»Kranken ...« Morales riß die Augen auf. »Wieso Kranken ...«

»... schwestern. Ich brauche sie für mein neues Lazarett.«

»Ich brauche sie für meine Kunden!«

»Was ist wichtiger? Krankenpflege oder Ficken?«

»Beides ist wichtig! Im Puff werden Aggressionen abgebaut. Auch das ist Krankenpflege.« Morales blähte sich auf. Sein dicker Körper wurde noch runder. »Ich werde darauf bestehen, daß die zehn Mädchen zu mir kommen. Ich habe die Zusage von Herrn Ramos.«

»Morales, Sie leben noch im Gestern. Ich habe die Zusage von Mrs. García. Wessen Wort gilt hier?«

Morales ließ die Luft ab, drehte sich um, kletterte in den alten Lastwagen und ratterte davon.

»Alles Scheiße!« sagte er zu dem neben ihm sitzenden Arbeiter. »Scheiße! Dieses verdammte Weib sollte man wie eine Taube einfangen und ihr den Hals umdrehen!«

Es gab nur ein Problem, das Dr. Falke einige Sorge bereitete: Wie bringt man zehn hübsche, junge Mädchen vor Tausenden sexhungrigen Männern in Sicherheit? Vor Männern, die außer vom Saufen und vom Glücksspiel nur von Frauen träumen, wenn sie in ihre elenden Behausungen zurückgekehrt sind nach einem Tag mit Säckeschleppen und schwerster Arbeit im Berg, im Dunst der Quecksilberwaschanlagen, im ewigen Dröhnen der Zertrümmerungs- und Sortiermaschinen. Im Bordell waren die Mädchen sicher ... da wurden sie von Avilas Truppe bewacht. Da standen Tag und Nacht schwerbewaffnete Soldaten der Privatarmee um das Gebäude, die als zusätzlichen Lohn für diese Bewachung zweimal pro Woche unentgeltlich vögeln durften. Ein begehrter Dienst, der unter der Sicherheitstruppe sogar ausgelost wurde. Sie nannten das »Ficklotterie«, jeden Samstag bei Dienstwechsel ein großes Ereignis.

Nun aber waren zehn neue Mädchen in den Krankenbaracken untergebracht, hatten die gesäuberten Etagenbetten bezogen und saßen wie verängstigte Hühner herum. Zwar hatte man drei Türen zugenagelt, so daß man nur noch über den Haupteingang ins Lazarett gelangte, aber die Fenster konnte man nicht mit Brettern verrammeln. Nach kürzester Zeit würde die Luft im Innern unerträglich werden ... die Glut der Sonne auf dem Wellblechdach versengte auch den Atem. Und Gitter vor den Fenstern ... man brauchte Zeit, um sie herzustellen. Zeit, in der viel geschehen konnte.

Zunächst erklärte Dr. Falke den verschreckten Mädchen, warum in Diwata alles anders war, als man ihnen in Davao bei der Agentur erzählt hatte. Das Ergebnis war ein großes Weinen und Klagen, bis Dr. Falke sie beruhigen konnte.

»Darum seid ihr jetzt Krankenschwestern«, sagte er. »Im Krankenhaus seid ihr sicher. In ein paar Monaten sieht hier alles anders aus. Da gibt es feste Häuser, ordentliche Betten, ihr habt eure sauberen Zimmer mit Toiletten und Duschen. Bis dahin werdet ihr lernen, was ihr als Krankenschwestern zu tun habt. Ihr werdet besser leben als alle anderen in Diwata, nur eins werdet ihr nicht können: zurückkehren nach Davao. Von hier gibt es nur zwei Wege nach Hause: mit dem Hubschrauber oder drei Wochen Marsch durch den Dschungel. Den würde keine von euch überleben. Das ist nun euer Leben.«

Spät am Abend erschien Avila im Lazarett. Er brachte vier Mann mit Maschinenpistolen und Handgranaten mit. Sie blieben draußen auf dem Platz. Pater Burgos, der neben dem Fenster am Herd stand, ein Gulasch schmorte und zufällig hinausblickte, drehte sich zu Dr. Falke um.

»Besuch«, sagte er. »Oberst Avila mit Begleitkommando. Ein intelligenter Mensch, – er scheint unser Problem erkannt zu haben.«

Burgos' Vermutung war richtig. Avila kam sofort zur Sache, als er am Tisch von Dr. Falke Platz nahm. Nebenan im Bettenraum saßen die Mädchen auf ihren verrotteten Liegen und wagten nicht sich hinzulegen. Nach dem Weinen lähmte sie jetzt die Angst.

»Sie brauchen Schutz«, sagte Avila. »Daß zehn junge Mädchen angekommen sind, ist wie ein Buschfeuer durch die Stadt gerast. Dafür hat schon Morales gesorgt. ›Der Doktor hat uns zehn Huren geklaut!‹ verkündet er überall. Das kommt bei den Männern an. ... es regt sie mehr auf, als wenn man ihnen die Säcke falsch berechnet. Frauen sind hier kostbarer als Schnaps.« Avila warf einen Blick auf die geschlossene Tür des Raumes, in dem die Mädchen untergebracht waren. »Die holen die Mädchen mit Gewalt hier raus.«

»Daran habe ich auch schon gedacht. Wenn ihr sogar die Bierkästen mit Maschinengewehren beschützen müßt ...« Pater Burgos rührte in seinem Gulasch. »Essen Sie mit uns, Avila? Original ungarisches Rezept ... mit viel Paprika.«

»Ich habe vier Mann mitgebracht.« Avila schien das Gefühl zu haben, sich entschuldigen zu müssen. »Nicht viel, aber immerhin abschreckend. Niemand setzt für einen Fick sein Leben aufs Spiel. Und meine Jungs schießen sofort. Das weiß hier jeder. Übrigens«, er kratzte sich den Haaransatz, »Mrs. García hat mir befohlen, die Mädchen hinüber ins Bordell zu bringen.«

»Und warum tun Sie es nicht?« rief Dr. Falke erregt.

»Weil Sie, Doktor, Widerstand leisten.« Avila grinste schief.

»Das wenigstens werde ich melden. Sie widersetzen sich. Ist es nicht so?«

»Genau so.«

»Und ich habe keinen Befehl, gegen Sie vorzugehen.«

»Avila, warum tun Sie das?«

»Man mag über mich sagen, was man will ... ich war, bin und bleibe Soldat. Ich bin Offizier. Ich habe mir, auch wenn ich hier eine Hölle beschütze, in einem Winkel meines Herzens ein Körnchen Ehre bewahrt. Ich bin ein Rechtloser geworden, ein Ausgestoßener, ein Outlaw ... fragen Sie nicht, warum! Das Leben hat so viele Seiten – ich bin auf die dunkle Seite geraten.« Er hob schnuppernd die Nase und blickte zu Pater Burgos hinüber. »Wann ist Ihr Gulasch fertig?«

»In zehn Minuten. Dazu gibt es Polenta.«

Avila wandte sich wieder Dr. Falke zu. »Wir sind uns also einig«, sagte er, »Sie haben Widerstand geleistet.«

»So ist es! Ich habe Sie bedroht.«

»Womit?«

»Mit einer Pistole. Kaliber neun Millimeter. Eine Smith & Wesson. Genügt das?«

»Vollkommen.« Avila sah zu, wie Pater Burgos das Essen servierte. Es duftete köstlich und schmeckte wie in einem erstklassigen Restaurant. Nein, noch besser! Avila aß zwei Teller leer, als habe er eine Woche lang hungern müssen. Erst dann lehnte er sich satt zurück und nahm das Gespräch wieder auf.

»Was werden Sie tun, wenn Mrs. García selbst Sie auffordert, die Mädchen herauszugeben?« fragte er Dr. Falke.

»Nichts anderes: mich weigern.«

»Und wenn Sie gezwungen werden?«

»Mich kann keiner zwingen.« Dr. Falke öffnete eine Zigarrenkiste, die er in Davao gekauft hatte, und bot die hellbraunen Zigarren an. Philippinische Zigarren sind eine Köstlichkeit, eine echte Konkurrenz für die kubanischen. Er biß die Spitze seiner Zigarre ab und reichte Feuer herum. »Oder glauben Sie,

sie würde mich wegen zehn Mädchen töten lassen? Denn nur über meine Leiche käme man an sie heran.«

»Sie ist zu allem fähig!« sagte Avila und senkte dabei die Stimme. »Ich weiß nicht, was sie ist ... sie hat den Körper einer Frau, aber der ist wie ein Kostüm. Was steckt dahinter? Es kann unmöglich eine Frau sein.«

Avila blieb bis weit nach Mitternacht. Draußen ermahnte er noch einmal seine Wachen ... die Dienstfreien schliefen in einem Holzverschlag neben dem Lazarett auf zwei alten Matratzen, die Waffen eng an die Körper gepreßt.

Es war eine ruhige Nacht. Natürlich hatte sich herumgesprochen, daß die Mädchen unter dem Schutz von Toledos Privatarmee standen. Ein paar Neugierige strichen in sicherem Abstand um das Haus herum, wie geile Hunde, die der Geruch von läufigen Hündinnen anlockt. Als sie die beiden Wachen sahen, verschwanden sie schnell wieder in der Dunkelheit.

Den ganzen Vormittag des nächsten Tages waren Dr. Falke und Pater Burgos damit beschäftigt, die Kisten mit den Medikamenten und den Instrumenten auszupacken und zu sortieren. Die zehn Mädchen halfen ihnen dabei, und zwei von ihnen bewiesen sogar gewisse handwerkliche Fertigkeiten. Aus Latten zimmerten sie Regale, in die man die Arzneien nach Gruppen einordnen konnte.

Immer wieder schüttelte Pater Burgos den Kopf, wenn Dr. Falke eine neue Kiste aufstemmte.

»Wie haben Sie das bloß fertiggebracht?« fragte er fassungslos. »Das hat ja ein Vermögen gekostet!«

»Mit den bestellten Betten alles in allem sechsundfünfzigtausend Dollar. Was die Fertighäuser kosten, weiß ich nicht.«

»Hätten Sie Belisa García das zugetraut?«

»Ja ... jetzt, wo ich weiß, warum sie das Geld investiert. Um die Arbeitskraft zu vermehren. Kranke und Verletzte sind nutzlos – das hat sie deutlich gesagt. Sie will die menschliche Kraft ausbeuten bis zum totalen Zusammenbruch.«

»Und Sie helfen ihr dabei!«

»Ich helfe den Menschen, die hier langsam zerstört werden. Das ist das einzige, was ich tun kann. Im Gegensatz zu Ihnen – Sie können nur beten.«

»Irrtum! Gott gibt den Seelen Kraft. Und wessen Seele stark ist, dessen Körper ist auch stark. Denken Sie an die Märtyrer, die in der Arena den Löwen betend gegenüberstanden und singend in den Tod gingen.«

»Mit Priestern zu streiten ist sinnlos.« Dr. Falke winkte ab. »Machen wir uns an die Arbeit, das Musterbett aufzubauen.«

Das war gar nicht so einfach.

Das Spezialbett war in Einzelteilen geliefert worden, ein Gewirr von Rahmen, Gestängen, Federn, hydraulischen Zylindern, elektrischen Kontakten und schwenkbaren Gelenken. Zwar war eine Montageanleitung beigelegt, aber nachdem Dr. Falke sie durchgelesen hatte, verstand er noch weniger als zuvor. Produktbeschreibungen waren anscheinend dazu da, das Rätseldenken zu trainieren.

»Fangen wir ganz logisch an«, sagte Dr. Falke, als auch Pater Burgos hilflos vor den Einzelteilen stand. »Die Grundlage eines Bettes ist der Rahmen. Auf ihm baut sich die ganze Technik auf. Wenn es uns gelingt, zumindest einen Mechanismus in Gang zu bringen, haben wir gewonnen. Es ist ein nach oben und unten schwenkbares Hebebett mit liftbarem Kopfteil, das aus der Horizontalen in verschiedene Schieflagen gebracht werden kann. Und das alles automatisch durch einen Druck auf die Fernbedienung. Das modernste Bett auf dem Markt. Alles klar?«

Pater Burgos nickte. »Wenn Gott in sechs Tagen die Welt erschaffen hat«, sagte er und blickte an die Decke, »dann wird es uns wohl gelingen, in einem Tag ein Bett zu montieren.«

Sie brauchten genau dreieinhalb Stunden, um das Krankenbett funktionsfähig zusammenzusetzen. Pater Burgos probierte es als erster aus ... er legte sich auf die bandscheibengerechte Matratze und drückte auf eine Taste der Fernbedienung.

Das Kopfteil surrte nach oben.

Taste zwei: Das Kopfteil senkte sich.

Taste drei: Das ganze Bett hob sich.

Taste vier: Das Bett schwenkte aus der Horizontalen nach vorn in eine Schräglage.

»Es klappt!« rief Burgos enthusiastisch. »Es klappt! Wir haben unsere Dummheit besiegt! Es ist phantastisch, was man heute alles konstruieren kann.«

»Phantastisch ist, daß wir davon fünfzig Stück geliefert bekommen. Nach Diwata!«

»Das ist nicht phantastisch – das ist unbegreiflich.« Pater Burgos stellte das Bett wieder waagerecht und sprang hinunter. »Und es wird Ärger geben.«

»Ärger? Wieso?«

»Sie kennen doch die Kerle, die in diesen Betten liegen werden. Sehen Sie sich doch die alten Betten an. Bepißt, vollgeschissen, überall Löcher reingebrannt ...«

»Das wird es nicht mehr geben.«

»Haben Sie es bisher verhindern können?«

»Ich war hier völlig allein. Ab und zu half mir ein ehemaliger Sanitäter. Abends, wenn er aus dem Berg kam und noch Kraft dazu hatte. Ich gab ihm dafür eine Flasche Whisky. Ramos weigerte sich, ihn für die Hilfe im Krankenhaus zu bezahlen. Das wird jetzt alles anders sein.«

»Durch Ihre Mädchen?«

»Auch.«

»Und Sie glauben, daß Belisa García sie dafür bezahlt?«

»Sie wird nicht Tausende Dollars investieren, damit in einem Jahr alles wieder zerstört ist. Alles, was sie tut, rechnet sie vorher aus.«

Als hätte sie gespürt, daß man von ihr sprach, erschien Belisa wenig später im Lazarett. Natürlich in Begleitung ihrer drei Brüder.

»Da sind sie ja!« brüllte Carlos und zeigte auf die Mädchen, die die Medikamente aus den Kisten herausholten und in die Regale sortierten. »Jungs, da springt einem die Hose auf!« Er griff in eine Kiste, erwischte ein chromblitzendes Instrument und hielt es Dr. Falke entgegen. »Was macht man denn damit?«

»Leg es hin! Das ist gefährlich für dich!« sagte Dr. Falke ruhig.

»Gefährlich? Das Ding? Was soll daran gefährlich sein?«

»Für dich ganz besonders ... damit schneidet man Schwänze ab ...«

Carlos ließ ein Brummen hören, warf das Instrument – es war ein Wundspreizer – gegen die Wand und ging auf Dr. Falke los. Doch bevor seine Boxerfäuste zuschlagen konnten, rief ihn Belisa zurück. Die anderen Brüder grinsten breit.

»Laß das, Carlos! Geh hinaus!«

»Schwesterchen ...«

»Raus!«

Carlos senkte den Kopf, warf Dr. Falke einen letzten vernichtenden Blick zu und verließ gehorsam das Lazarett. Belisa ging zu dem neuen Bett hinüber und setzte sich darauf. Sie wippte auf der Matratze auf und nieder und ließ die Beine baumeln. Die Mädchen drängten sich verängstigt in einer Ecke des Zimmers zusammen.

»Sie haben Avila bedroht?« fragte sie den Doktor.

»Er wollte in meinen Krankenhausbetrieb eingreifen.«

»Wo ist hier ein Krankenhaus?« Sie drehte den Kopf hin und her. »Ich sehe keins.«

»Wir fangen bescheiden an. Sie sitzen bereits auf einem Klinikbett.«

»Und für ein Bett brauchen Sie zehn Krankenschwestern ...«

»Ein gutes Krankenhaus lebt von einem gut ausgebildeten Personal. Sie sehen«, Dr. Falke zeigte auf die Mädchen, »sie lernen bereits die Medikamente kennen. Bis die Fertighäuser montiert sind, werden sie in der Krankenpflege voll ausgebildet sein. Das kommt Ihren Plänen entgegen: schnelle Wiederherstellung der Arbeitskraft. Übrigens, Pater Burgos möchte auch einen Wunsch loswerden.«

»Und der wäre?«

»Ich möchte eine Kirche bauen.« Burgos trat zwei Schritte vor. »Ein Körper besteht nicht nur aus Muskeln ... in ihm wohnt auch eine Seele.«

»Bei diesen Höllenhunden, die hier arbeiten?!«

»Jedes Lebewesen ist Gottes Geschöpf.«

»Ihr seid alle verrückt.« Sie sprang vom Bett hinunter, winkte ihren Brüdern und ging zur Tür. Dort drehte sie sich um und sagte: »Ich habe eine Doppelbaracke bestellt ... die können Sie als Kirche ausbauen ...«

Zu keiner Antwort fähig, starrte Pater Burgos ihr nach, als sie die Tür hinter sich zuwarf. Erst, als er draußen den Motor des abfahrenden Jeeps hörte, sagte er fassungslos:

»Nun verstehe ich gar nichts mehr. Begreifen Sie das, Doktor?«

»Ja.« Dr. Falke nickte. »So ist sie eben. Versuchen wir nicht, sie zu verstehen. Es wird uns nie gelingen ...«

Rafael hatte sich den Rebellen angeschlossen.

Er lebte mit einer Gruppe von zweiunddreißig Männern im undurchdringlichen Dschungel nordöstlich von Diwata, er war in ihre Gemeinschaft aufgenommen worden, hatte einen Plan der Goldgräberstadt gezeichnet und alle Plätze eingetragen, auf die sich ein Überfall lohnte: Kneipen, Magazine, Küchen, Bäckereien, Werkstätten, Lebensmittelgeschäfte, Scheunen, die landwirtschaftlichen Betreibe, aber auch das Lager der Privatarmee, die Garagen, die Bunker, die Hubschrauberhangars, die Kanonenunterstände und die Munitionslager. Sein Haß auf diesen Goldberg war so groß, daß er sich anbot, den Terrortrupp zu den Stellen zu führen, an denen man dem Minenbetrieb am ärgsten schaden konnte.

Der Komandant der Truppe, ein breitschultriger, bärtiger

Mann, der aussah wie ein Bruder Fidel Castros, und sein Stellvertreter, der eher Ähnlichkeit mit Che Guevara hatte, saßen
lange über den Plänen und dachten nach.

»Es muß schnell gehen!« sagte der Kommandant, der sich
auch als Comandante anreden ließ. »Ein Überraschungsschlag.
An mehreren Stellen gleichzeitig. Das Munitionslager, die
Waschanlage, das Zentralmagazin und das Golddepot. Gegen
Avilas Truppe haben wir keine Chance ... auf unserer Seite
ist nur das Überraschungsmoment. Wir werden in das Lager
einsickern, das fällt bei zwanzigtausend Mann gar nicht auf.
Und dann, zu einer bestimmten Zeit, schlagen wir gemeinsam
zu. Schnell ... um dann sofort wieder unterzutauchen. Das
wichtigste Ziel ist, Waffen und Konserven aus dem Magazin
zu besorgen. Dann die Zerstörung der Mineneinrichtungen!
Denkt bei allem immer daran: Nieder mit dem Kapitalismus!
Tod den Sklaventreibern.«

»Dann sollten wir bei Ramos anfangen!« sagte Rafael. »Er
hat meinen Bruder lebend einmauern lassen ...«

»Wir werden ihn nicht verschonen. Wo wohnt er?«

»Hier, Comandante.« Rafael zeigte auf einen Punkt seiner
Zeichnung. »Es ist das einzige feste Haus aus Steinen und Beton.«

Es war eine wilde Bande, der sich Rafael angeschlossen
hatte. Sie wurde von allen gejagt ... von den Regierungstruppen, von der Polizei, von anderen Rebellen, von eingeborenen
Stämmen und von Bürgerwehren, die sich in den Dörfern und
kleinen Städten im Innern Mindanaos gebildet hatten. Zwar
war die Parole: »Nieder mit dem Kapitalismus! Nieder mit
der korrupten Regierung! Freiheit für das Volk!« überall verbreitet, aber eine Truppe wie die, bei der Rafael jetzt lebte,
war allen verhaßt. Solche Rebellen galten als Verbrecher, als
Räuber und Mörder, die sich den Mantel politischen Fort-
schritts umgehängt hatten. Und so lebten sie auch. Sie raubten
und mordeten und zogen sich dann in den undurchdringlichen

Dschungel zurück, wo niemand sie finden oder überraschen konnte.

Zunächst schickte der Comandante zwei seiner besten Männer nach Diwata. Rafael führte sie bis zur Gemüsefarm. Ein Lastwagen nahm sie mit in die Slums, im guten Glauben, sie wären Landarbeiter.

Zwei Tage später kehrten sie in das Dschungellager zurück.

»Es wird schwer sein«, berichteten sie dem Comandante. »Man kommt unauffällig in die Stadt. Da ist man einer unter vielen. Aber alle wichtigen Plätze sind schwer bewacht. Überall stehen Avilas Soldaten herum. Tag und Nacht. Wir müßten ein paar Hundert sein, um da etwas zu erreichen.«

»Irrtum.« Der Comandante beugte sich wieder über den Plan. »Gerade da ist der einzelne am gefährlichsten. Hundert fallen auf . . . einer nicht! Der Einzelkämpfer ist immer im Vorteil – das kennen wir doch! Er kommt, handelt und ist weg, ehe die anderen überhaupt etwas unternehmen können. Ein Einzelkämpfer ist unsichtbar. Und er handelt lautlos.«

Es war eine dunkle Neumondnacht, als Rafael vier Rebellen in die Stadt führte. Sie trugen Sprengladungen in einem Gürtel um den Leib, hatten Kalaschnikows, einen Sack mit MP-Magazinen und breite Macheten bei sich. Mit den Macheten konnte man lautlos töten . . . ein Schlag ins Genick, und der Kopf flog von der Schulter. Es blieb nicht einmal Zeit für einen Schrei.

Die erste Sprengung jagte das Zentralmagazin in die Luft. Kurz darauf zerriß die Explosion einer geballten Ladung Dynamit die Sortiermaschinen. Die Alarmsirenen heulten auf.

Die Goldgräber stürzten aus den Kneipen, im Bordell entstand eine Panik. Kreischend flüchteten die Dirnen, zum Teil nackt, ins Freie. Vom Militärlager aus rasten Avilas Truppen in die Stadt. Im Lazarett stürzten Dr. Falke und Pater Burgos aus den Betten . . . nicht weit von ihnen flog ein abgestellter Lastwagen in die Luft.

In dem Chaos, das durch die Explosionen entstand, tauchten die Rebellen unter. Kein Versteck war sicherer als die Masse der durcheinanderwimmelnden Menschen.

Als es keine weiteren Explosionen gab, ballten sich die Menschen um die zerstörten Einrichtungen zusammen. Avila hatte unterdessen die Stadt abgeriegelt, eine aussichtslose Maßnahme, denn es gab Hunderte von Möglichkeiten, die Slums zu verlassen.

Gegen Morgen betrat Avila das Lazarett. Er sah sehr ernst aus.

»Kommen Sie mit, Doktor«, sagte er. »Helfen können Sie nicht mehr... aber Sie sollten sich das ansehen.«

In einem Jeep fuhren Avila, Dr. Falke und Pater Burgos die Hauptstraße hinunter zur Verwaltung. Vor dem Gebäude stauten sich die Menschen, Avilas Soldaten versperrten den Eingang, das Gemurmel von Hunderten Stimmen erfüllte die Luft. Im Flur trafen sie auf Belisa und ihre Brüder. Sie sah sehr blaß aus und spreizte immer wieder nervös die Hände.

»Was sagen Sie dazu?« Sie rannte Dr. Falke entgegen, als wolle sie bei ihm Schutz suchen.

»Ich weiß ja noch gar nichts...« Dr. Falke wandte sich an Avila. »Was ist passiert?«

»Kommen Sie mit.«

Sie betraten ein Zimmer am Ende des Ganges. Es war das Schlafzimmer von Ramos, das Dr. Falke von vielen Besuchen kannte. Schon als Avila die Tür öffnete, ahnte Dr. Falke, was er sehen würde. Eine riesige Blutlache bedeckte den Dielenboden.

Ramos lag vor seinem Bett. Genauer gesagt: einzelne Stücke von ihm schwammen im Blut. Man hatte ihm nicht nur den Kopf abgehackt, auch seinen Körper hatte man zerteilt. Arme, Beine, der Rumpf bildeten einen Fleischhügel. Avila lehnte sich an den Türrahmen. Dr. Falkes Entsetzen verwunderte ihn.

»Macheten«, erklärte er. »Man hat Ramos mit Macheten zerhackt. Ich kenne das von den Dschungelkämpfen.«

»Mein Gott!« Dr. Falke warf noch einen Blick auf die Reste von Felipe Ramos und verließ dann schnell das blutverschmierte Zimmer. »Wer tut so etwas?«

»Ramos hatte viele Feinde in Diwata. Aber das hier war ein Anschlag auf die Mine. Das Magazin ist gesprengt, die Sortieranlage zerstört, die Quecksilberwäscherei schwer beschädigt. Für mindestens zwei Wochen fällt die Produktion aus. Dahinter steckt eine radikale Gruppe von Fanatikern, die noch immer auf Mindanao herumspuken. Sie kämpfen gegen alles und gegen jeden. Und sie sind wie Gespenster – sie tauchen plötzlich auf, und wenig später sind sie spurlos verschwunden. Der Dschungel saugt sie auf und preßt sie wieder raus. Der Dschungel ist wie ein riesiger Schwamm. Aber wir wissen jetzt, daß sich um uns herum eine Gruppe dieser Fanatiker versteckt.« Avilas Gesicht wurde maskenhaft starr. »Das war der erste Angriff. Es werden weitere folgen. Doktor, Sie werden in Zukunft viel Arbeit bekommen.«

»Wenn alle so aussehen wie Ramos – kaum!« Dr. Falke flüchtete sich in Sarkasmus. »Und wie können wir uns davor schützen?«

»Vor Sabotageakten, vor Einzelkämpfern ... so gut wie gar nicht! Aber es würde helfen, wenn wir einen von ihnen in die Finger bekämen.«

»Und dann?«

»Dann würden wir ihn zur Warnung ausstellen.« Avila sagte das in ganz ruhigem Ton. »Wir würden ihn bei lebendigem Leibe enthäuten, an einen Ast hängen und dort verfaulen lassen. Das war eine Spezialität verschiedener Eingeborenenstämme. Sehr wirkungsvoll.« Er schwieg einen Moment, weil Pater Burgos in das blutbesudelte Zimmer trat, vor Ramos' Überresten niederkniete und betete. »Mich wundert, daß die Priester so ein dickes Fell haben«, sagte er dann. »Wenn diese mordenden Fanatiker in die Stadt kommen, gehen sie in die Kirche und knien vor dem Altar nieder. Sie bekreuzigen sich

... und Gott erschlägt sie nicht. Ich kann an diesen Gott nicht mehr glauben.«

»Das hätte ich von Ihnen auch nicht erwartet.«

Am Eingang traf Dr. Falke wieder auf Belisa und ihre Brüder. Sie lief ihm sofort entgegen, was die drei Brüder mit einem hundeähnlichen Knurren begleiteten.

»Ist das nicht furchtbar?« rief sie. Ihre Stimme zitterte.

»Sie wollten Ramos doch sowieso entlassen«, antwortete Dr. Falke.

»Aber doch nicht umbringen!« schrie sie ihn an.

»Sie haben seine Einzelteile gesehen?«

»Natürlich.«

»Und sind nicht in Ohnmacht gefallen?«

»Warum?« Sie begriff Dr. Falkes Provokation, stemmte die Hände in die Hüften und zog den Kopf zwischen die Schultern. »Ein zerhackter Mensch? Um mich schwach zu sehen, muß schon mehr geschehen. Viel mehr! Das sollten Sie sich endlich merken, Dr. Falke ...«

3

Das alles lag zwei Jahre zurück.

Seither hatte sich in Diwata vieles geändert, ganz so, wie es Belisa García nach ihrer Ankunft am Goldberg verkündet hatte.

Das Krankenhaus war nach langen Streitigkeiten mit der Fertighausfirma und immer wieder verzögerten Lieferterminen endlich fertiggestellt worden. Es bestand aus sieben ineinandergeschobenen, einstöckigen Fertighäusern, deren Innenausbau Dr. Falke, unterstützt von einer Gruppe von Handwerkern, selbst übernommen hatte. Unter den Goldgräbern, Glücksrittern und Namenlosen waren alle Berufe vertreten, vom Maurer bis zum Elektriker, sogar zwei Fachstatiker hatten sich gemeldet, als auf der Baustelle ein großes Schild aufgestellt worden war: »Wir suchen Bauhandwerker aller Gewerbe. Pro Stunde wird ein Doppelsack berechnet.« Der Ansturm war ungeheuer. Über zweitausend Männer hatten auf dem Platz gestanden und sich um die freien Stellen beworben.

Dr. Falke konnte sich die besten Handwerker aussuchen. Die beiden Statiker wurden zu Bauleitern ernannt. Als handele es sich um einen exklusiven Bau in der Stadt, legten sie detaillierte Pläne vor, wie die Innengestaltung am sinnvollsten zu konstruieren sei. Sogar Kellerräume wurden entworfen, in denen hinter dicken Betonmauern die Apotheke mit den wertvollen Medikamenten einbruchssicher gelagert werden konnte.

Der Bau war zügig durchgezogen worden und dauerte doch

länger als vorgesehen. Das lag nicht an den Handwerkern, sondern an der Fertighausfirma in Davao: Es kamen zwar die Wände an, die Dächer, die Fenster, Türen und Dielen, auch alle Installationen waren in die Fertigteile eingebaut, aber dann fehlten drei Klobecken, zehn Wasserhähne, zwölf Schalter, die Anschlußrohre für die Sanitärausstattung, eine Menge von Einzelteilen, was die Fertigstellung immer wieder verzögerte. Ein paarmal flog Belisa nach Davao und drückte den Kaufpreis wegen nachgewiesener Mängel weiter herunter; die Folge war, daß die Nachlieferungen noch länger auf sich warten ließen.

Bei ihrem letzten Besuch nahm sie Carlos und Miguel mit. Die beiden Brüder beendeten die Verhandlungen auf ihre spezielle Art: Der Verkaufschef wurde in das Krankenhaus von Davao eingeliefert, das Büro in eine Ruine verwandelt, zu Hilfe geeilte Angestellte lagen nach klassischen K.o-Schlägen auf dem Boden.

Aber die nächsten Lieferungen trafen pünktlich in Diwata ein.

So entstand in einer Bauzeit von einem halben Jahr ein Krankenhaus, das von allen bewundert wurde. Es enthielt einen Trakt mit fünfzig Betten, einen OP-Raum, eine Wachstation, drei Isolierzimmer, zwei Behandlungsräume, drei Schwesternzimmer, eine Zentralküche, eine Sterilisationszelle, ein Labor, eine Apotheke, die Privatzimmer von Dr. Falke und Pater Burgos, eine Notfallstation mit angeschlossenem Gipsraum und eine Art Gefängniszelle. Diese war dringend notwendig: Die meisten Patienten bekam Dr. Falke aus den Kneipen geliefert, zusammengeschlagen, mit Messerstichen, Würgemalen oder schweren Trittverletzungen, und ab und zu war einer dabei, der volltrunken herumtobte, um sich schlug oder Dr. Falke sogar angriff. Einen solchen Kranken steckte Carlos sofort in die Zelle, hieb ihm mit der Faust auf den Kopf und warf den Ohnmächtigen auf das Eisenbett. »Das ist die beste Narkose, Doktor!« sagte er dann jedesmal. »Sie spart Geld.«

Die drei Brüder hatten neue Aufgaben übernommen. Ihr Personenschutz für das geliebte Schwesterchen war nicht mehr nötig. Avilas Soldaten waren ständig um sie. Bei jedem Schritt außerhalb ihrer Hütte wurde sie von mindestens drei Männern mit Kalaschnikows begleitet. Keiner kam an sie heran ... und wenn sie ausfuhr, saß sie in einem der gepanzerten Wagen, sicherer als der Präsident der Philippinen. Avila hatte es ihr vorgeführt ... aus nächster Nähe hatte er eine Garbe aus seiner Mpi auf das Fenster gefeuert. Die Scheibe splitterte zwar, aber die Geschosse heulten als Querschläger durch die Gegend, als seien sie auf Stahl getroffen.

Carlos, der Boxer, wurde zum Assistenten von Dr. Falke ernannt. Seinen Arbeitsplatz im Krankenhaus betrachtete er als Trainingsquartier. Wurde ein Messerstecher eingeliefert, erhielt er erst einmal ein paar Ohrfeigen, sofern er nicht gerade lebensgefährlich verletzt war. »Das ist dafür, daß du dem Doktor Mühe machst!« schrie Carlos dabei den Verwundeten an. »Wir flicken dich wieder zusammen ... aber an die Zeit bei mir wirst du noch lange denken!«

Das sprach sich natürlich schnell herum. Und da die meisten Betten mit Unfallverletzten oder im Zweikampf Verwundeten belegt waren, wurden wirklich nur diejenigen Opfer eingeliefert, denen man zu Hause in den Hütten nicht mehr helfen konnte.

Die Betten.

Als die fünfzig bestellten Spezialmodelle zur Auslieferung bereitstanden, holten die beiden Transporthubschrauber der Mine sie in Davao ab. Sie flogen viermal hin und her, aber sie nahmen nicht nur die Betten mit, sondern auch neue Glückssucher und Nachschub für Morales' Bordell. Das nämlich war das zweite große Entwicklungsprojekt, je mehr Goldgräber nach Diwata kamen. Jetzt, nach zwei Jahren, war auch das Bordell durch Fertigbauten erweitert worden und hatte drei Nebenstellen bekommen, verteilt über die ganze Goldgräberstadt. Morales hatte so viel zu tun, daß er zwanzig Pfund abnahm und über Schmerzen in den Gelenken klagte. Als er deswegen Dr. Falke aufsuchte, sagte dieser:

»Du bist auch nie zufrieden. Erst zu wenig Huren, jetzt zu viele. Wie viele sind es denn?«

»In allen vier Häusern zweihundertachtunddreißig. Sprechen Sie bitte mit der Gold-Lady, Doktor.«

»Worüber?«

Man hatte sich darauf geeinigt, Belisa nicht mehr Mrs. García oder Boß zu nennen, sondern sie als die Gold-Lady zu bezeichnen. Es war ein Ehrenname ... die ganze Ehrfurcht der sonst so wilden Männer lag in diesem Wort. Gold, das war ihrer aller Leben, das war ihre höllische Welt geworden, das waren der Berg, die Schächte, die Säcke, der Lohn, die Kneipen, das Saufen, das Glücksspiel, die Träume vom Reichtum, der tägliche Kampf ums Überleben in den stinkenden Hütten im Giftatem des Dschungels und der Quecksilberwaschanlagen an den Fäkaliengräben neben den Wegen – denn es gab noch immer keine Kanalisation, und noch immer fuhren die Jauchetransporter zu den Sammelbecken und pumpten alles in den abseits gelegenen Scheißesee. Und die kleine, zierliche Frau, diese gebündelte Energie in einem Mädchenkörper, war die Herrin über dies alles ... die Gold-Lady eben.

»Was soll ich ihr sagen?« fragte Dr. Falke den stöhnenden Morales noch einmal.

»Ich brauche drei Hausverwalter«, antwortete Morales. »Ich habe mit meinem Zentralpuff genug zu tun. Aber woher nehmen?«

»Nimm Carmela. Sie ist am längsten hier. Hat die meiste Erfahrung mit den Kerlen. Und sie kann sich durchsetzen.«

»Eine gute Idee.« Morales' Gesicht glänzte. »So mache ich es. Ich wußte, daß Sie mir helfen können, Doktor.«

Er rannte hinaus zu seinem Jeep. Von seinen Gelenkschmerzen war keine Rede mehr.

Das Montieren der fünfzig Betten war kein Problem mehr. Die beiden Statiker fügten die Teile zusammen, als hätten sie nie etwas anderes getan. Innerhalb von zwei Tagen waren die Krankenzimmer möbliert. Die zehn Krankenschwestern – in sauberen weißen Kitteln, die Dr. Falke für sie hatte kommen lassen – übernahmen ihre Stationen. Dr. Falke hatte sie in den vergangenen Monaten gründlich ausgebildet. Nicht nur theoretisch, sondern auch praktisch. Da immer wieder Verletzte im Lazarett abgeliefert wurden, lernten die Mädchen schnell, Verbände zu wechseln, Wunden zu versorgen und vor allem Spritzen zu setzen, natürlich nur intramuskulär, aber auch das war oft ein Abenteuer. Männer, die mit ihren bulligen Körpern Zentnersäcke voller Goldgestein aus dem Berg schleppten, verdrehten beim Anblick der Spritze die Augen und versanken in starrkrampfartige Zustände. Den Einstich begleiteten sie mit erbarmungswürdigem Grunzen; selbst Messerhelden mit tiefen Wunden wurden beim Anblick einer Spritze schwach.

Als das Krankenhaus funktionsfähig war, kam Belisa zur Besichtigung. Ihr ältester Bruder Miguel, der Schmied, begleitete sie ... er hatte sich in seine neue Tätigkeit gut eingelebt: Anstelle des toten Ramos war er nun der »Bürgermeister« von Diwata. Er hatte zwar von Verwaltung keine Ahnung, dafür aber war er unbestechlich. Mit Avilas Hilfe hatte er eine Polizeitruppe aufgebaut, die er »Stadt-Miliz« nannte und die rücksichtslos überall dort zuschlug, wo nach Miguels Ansicht die Ordnung gestört wurde. Das war vor allem in den vielen neu entstandenen Kneipen und Spielsalons, in denen jeden Abend Schlägereien den Einsatz der »Miliz« notwendig machten.

In den vergangenen zwei Jahren waren in Diwata zwei neue Betriebe gegründet worden: ein Sägewerk, das Bretter, Latten und Balken herstellte und zwei Horizontalgatter in Betrieb hielt. Holzfällerkolonnen fraßen sich nun in den Dschungel hinein, rodeten rings um Diwata die Urwälder, legten Sümpfe trocken und machten Felder für den Anbau von Mais, Getreide, Gemüse und Bananen urbar. Auch dort mußte Avila seine Soldaten einsetzen ... die erste Ernte wäre sonst vollständig von den Diwatern gestohlen worden.

Der zweite Betrieb war eine Schnapsbrennerei. Es war eine Idee von Belisa gewesen. Eines Tages hatte sie gesagt:

»Wenn ich sehe, wieviel Geld ausgegeben wird, um Rum, Whisky, Gin und Brandy in Davao oder *Sandi Diwalwal* zu kaufen ... es wäre doch ein gutes Geschäft, Rum und Brandy selbst herzustellen. Und auch Palmwein und Reiswein ... wir haben doch alle Grundstoffe um uns herum!«

Und so erschienen eines Tages vier Experten in Diwata, unterdrückten ihr Entsetzen über das, was sie sahen, und unterbreiteten Vorschläge zur Errichtung einer Brennerei. Vor allem der Lambanog war leicht herzustellen ... Lambanog, der höllische Schnaps aus gebranntem Palmwein. Wer nicht an ihn gewöhnt war und sich damit betrank, verlor für mindestens zwei Tage jede Orientierung. Außerdem konnte man Schnaps aus Mais und Getreide brennen und den Alkohol mit chemischen Mitteln vermischen, so daß er nach Whisky oder Gin schmeckte. Rum zu destillieren, war ebenfalls kein Problem – die Zuckerrohrmelasse konnte man in großen Fässern billig nach Diwata transportieren.

»So machen wir es!« hatte Belisa bestimmt. »Ich will in allem so selbständig wie möglich sein. Ich soll verdienen, nicht die anderen.«

Seit einem Jahr nun ratterten die Sägegatter, und im Norden Diwatas stank die Luft nach Alkohol. »Bürgermeister« Miguel García ordnete an, daß die Kneipen ihren Alkohol nur noch aus der stadteigenen Brennerei beziehen durften. Um diesen Erlaß zu unterstreichen und heimliches Zuwiderhandeln zu unterbinden, setzte Miguel seine Miliztrupps in Bewegung: Sie zogen von Kneipe zu Kneipe, räumten die Regale aus, zerschlugen die Flaschen auf der Straße, ohrfeigten die Wirte und sagten:

»Wenn du noch eine Flasche fremder Hersteller verkaufst, pissen wir dir hinein, und dann trinkst du sie aus!«

Von da ab wurde nur noch Alkohol der Diwata-Brennerei ausgeschenkt.

Belisa besuchte also mit »Bürgermeister« Miguel das fertiggestellte Krankenhaus und ließ sich von Dr. Falke herumführen. Sie war über zwei Monate lang nicht mehr bei Dr. Falke gewesen, sie hatte so getan, als gäbe es ihn gar nicht. Wenn er sie sprechen wollte, geriet er stets an Miguel, der seine Wünsche an Belisa weitergab und ihm später ihre Entscheidungen mitteilte. Dr. Falke hatte keine Erklärung für dieses Verhalten. Andererseits war er selbst so stur, sie nicht in ihrer Hütte zu besuchen, wo sie Tag um Tag das gewonnene Gold einsammelte, abwog, registrierte, in Säckchen verpackte und den Verkaufspreis kalkulierte. Umkreist von Avilas Sicherheitssoldaten war die »Zentrale«, wie man die mit Holztafeln umgebaute Hütte bald nannte, wie eine Festung, in der Belisa so primitiv wie bisher hauste ... auf kahlem Boden, mit einem eisernen Bett, mit an Nägeln hängenden Kleidern, mit einem Tisch und zwei Stühlen. An der Wand hing ein großes Foto ihres Vaters. Nur einen Luxus gönnte sie sich: In einem winzigen Anbau waren ein Waschbecken, ein Klosett und eine Dusche installiert.

»Warum lebt sie so?« hatte Dr. Falke Pater Burgos einmal gefragt. »Ich begreife das nicht.«

»Sie nennt es bürgernah. Bei den Arbeitern kommt das an.«

»Und in Davao logiert sie wie ein indischer Maharadschah in einem luxuriösen Penthouse.«

»Davao ist nicht Diwata.«

»Das ist doch nichts als Schmierentheater!«

»Die ganze Welt ist mehr oder weniger ein Theater. Jeder spielt eine Rolle, ob er will oder nicht.«

»Sie auch?«

»Ich spiele die Rolle eines Priesters, der in einer irdischen Hölle ein paar Seelen retten will.«

»Und was bin ich?«

»Eine Art Harlekin.«

»Danke.« Dr. Falke verzog sein Gesicht. »Und wieso?«

»Sie haben – spielen wir mal ein klassisches Stück – Ihre Kolumbine gefunden, aber Ihre Liebe ist aussichtslos. So spielen Sie automatisch den traurigen Harlekin.«

»Sie irren, Pater!« Dr. Falke bemühte sich, dem Blick des Priesters standzuhalten. »Ich bin nicht in Belisa García verliebt.«

»Lügen gehören in jedes Theaterstück.« Burgos lächelte und winkte ab, als Dr. Falke protestieren wollte. »Ich sehe doch Ihre Unruhe, weil sich die Lady so lange nicht blicken läßt. Auch das gehört zu ihrem Spiel: Sie kocht Sie weich, in Ihrem eigenen Saft. Sie zeigt Ihnen, wie unentbehrlich sie für Sie ist.«

»Unsinn!«

Nun war sie also gekommen, ging durch das Krankenhaus und sagte kein Wort. Erst als sie in die große Baracke kam, die Pater Burgos als Kirche eingerichtet hatte, blieb sie stehen.

Die Kirche war ein Glanzstück des Neubaus geworden: Die vier Fenster waren mit Scherenschnitten aus Buntpapier verziert, die vier Stationen im Leben Christi darstellten ... von der Bergpredigt bis zur Auferstehung. Der Mittelpunkt der Kirche jedoch waren das Kreuz an der Rückwand und der mit einer bunten, kunstvoll bestickten Decke überzogene Altar.

Das riesige, fast die ganze Höhe des Raumes einnehmende Kreuz war aus zwei roten Mahagonibalken gezimmert, die von einem Baum stammten, den man im Urwald gefällt hatte. An dem Kreuz hing, fast lebensgroß, der Körper Jesus', eine grobe, aber deshalb um so erschütterndere Schnitzerei. Vor allem das Gesicht ließ den Betrachter erschauern: ein offener Mund, aufgerissen zu einem stummen Schrei. Der ganze untragbare Schmerz eines Menschen, nicht eines Gottes ... der Schmerz, der in jedem schrie, der vor diesem Gekreuzigten stand. Der Schmerz von Diwata.

»Wer hat das geschnitzt?« fragte Belisa. Ihre Stimme war leise.

»Zwei Goldgräber. Nachts, wenn sie sich vom Säckeschleppen ausgeruht hatten.« Pater Burgos trat neben Belisa. »Vorher hatten sie nur Pfeifen für ihre Kameraden geschnitzt.«

»Und die Altardecke?«

»Eine Arbeit von vier Huren.«

Miguel grunzte wie nach einem guten Witz, aber Belisa fuhr zu ihm herum. Ihre Augen sprühten wilden Zorn.

»Halt den Mund!« schrie sie ihn an. »Du bist in einer Kirche!« Und wieder zu Burgos gewandt: »Kommen hier noch Bänke hinein?«

»Nein.«

»Warum nicht?«

»Sonntags wird die Kirche so voll sein, daß man nur noch stehen kann. Dicht bei dicht. Es wird sogar unmöglich sein, beim Segen niederzuknien. Sie sollten einmal einen Gottesdienst besuchen.«

»Ich bete jeden Tag.«

Sie sprach diesen unglaublichen Satz aus wie einen Befehl. Schroff wandte sie sich um und verließ die Kirche. Erst im Vorraum des Krankenhauses sah sie Dr. Falke mit einem harten, unpersönlichen Blick an.

»Es ist ein schönes Haus geworden«, sagte sie. »Gratuliere.«

»Leider kann ich mich bei Ihnen nicht bedanken ... Sie wollen ja keinen Dank.«

»Es freut mich, daß Sie das gelernt haben. Wann werden Sie den Betrieb aufnehmen?«

»Nach der Einweihung.«

»Sie wollen eine Feier veranstalten?!«

Das klang wieder wie ein Peitschenschlag. Pater Burgos gab die Antwort.

»Ich werde das Haus segnen. Das meint Dr. Falke mit Einweihung. Das Wort sagt es schon: Weihe ...«

»Ich brauche keinen Sprachunterricht!« Belisa nickte Miguel zu. »Ich habe gesehen, daß es an Bettwäsche fehlt. Laß sie mit der nächsten Lieferung kommen.«

Ohne Gruß verließ sie das Krankenhaus. Pater Burgos und Dr. Falke starrten ihr vom Eingang aus nach, als sie in den gepanzerten Wagen stieg und wegfuhr.

»Sie betet jeden Tag«, sagte Pater Burgos leise, als stünden sie noch in der Kirche. »Glauben Sie das?«

»Ja.« Dr. Falke nickte. »Das traue ich ihr zu.«

»Leben in ihr denn zwei verschiedene Wesen?«

»Diese Frage stelle ich mir nicht mehr.« Dr. Falke drehte sich zum Eingang seines Krankenhauses um. »Sie ist *ein* Wesen, aber das begreifen wir nicht.«

Die Weihe wurde zu einem Ereignis, von dem man noch lange sprach, wenn man an der Fertighauskirche des Diwata-Berges vorbeiging.

Pater Burgos hatte natürlich einen Sonntag gewählt und zu einer Prozession aufgerufen, zur Ehre der Mutter Gottes, denn die Kirche sollte Santa Maria von Diwata heißen, ein Ort der Liebe und Gnade, der Hoffnung und der Stärkung. Sie sollte Tag und Nacht offenstehen für alle, die in ihrer seelischen Not zu Gott flüchten wollten.

»Sie glauben, daß wirklich jemand an der Prozession teilnimmt?« fragte Dr. Falke zweifelnd. »Die Blöße wird sich keiner geben. Gott! Hier in der Hölle?! Wenn man hier von Gott redet, klingt es wie ein Fluch. Pater, Sie sind doch nun lange genug hier, um diese Bande von dreißigtausend Gesetzlosen zu kennen.«

»Und Sie haben wie ich auch erlebt, daß zu Gottesdiensten immer Hunderte kamen, obwohl sie bisher im Freien stehen mußten.«

»Aus Neugier, Pater. Um sich zu amüsieren. Ein Sonntagsvergnügen … die einen gehen ins Kino, andere saufen sich voll, oder sie stehen Schlange vor den Puffs, und einige hören sich an, was Sie predigen. Die Geschmäcker sind eben verschieden.«

»Und die, die bei Dunkelheit zu mir schleichen und ihr Herz ausschütten, ihre Seele bloßlegen, in langen, langen Gesprächen?«

»Ausnahmen. Wie viele sind es denn?«

»Und wenn es nur einer ist, Doktor! Über diesen einen freut sich Gott ... und ich mich auch! Und wenn bei der Prozession auch nur einer zur Kirchweihe zieht ... es macht mich glücklich.« Pater Burgos konnte sich ein Lächeln nicht verkneifen. »Übrigens werden alle vierhundertsieben Huren im Prozessionszug sein – das hat mir Carmela versprochen.«

»Die weißen Jungfrauen!« Dr. Falke lächelte spöttisch. »Das müßte man filmen! Diese massive Unschuld ...«

»Spotten Sie nicht, Doktor. Auch Maria Magdalena war eine Hure ... und Jesus' Lieblingsjüngerin. Aber warten wir es ab. Am Sonntag wissen wir mehr.«

Am Samstag abend – es war fast schon Nacht – erschienen sechs Goldgräber, holten das riesige, schwere Mahagoni-Kruzifix aus der Kirche ab und schleppten es weg. Pater Burgos hinderte sie nicht daran, hielt sie nicht auf, fragte nicht einmal ... er sah ihnen nach, als sie in der Dunkelheit verschwanden, gebeugt unter der Last des schweren Kreuzes. Dr. Falke, vom Lärm der derben Stiefel aufgeweckt, erschien im Trainingsanzug im Kirchenanbau.

»Was ist los?« fragte er.

»Sie haben das Kruzifix geholt.«

»Wer?«

»Sechs wüste Gesellen. Wortlos.«

»Das sagen Sie so ruhig?! Wo sind Avilas Wachen? Warum schlagen Sie keinen Alarm?«

»Wozu? Wer ein Kreuz klaut, *solch* ein Kreuz, verbindet damit eine Absicht. Und auf die bin ich gespannt.«

»Und wenn sie es kurz und klein hacken?«

»Christus ist am Kreuz gestorben ... es hätte sich also nichts geändert.«

Dr. Falke wollte etwas erwidern, zuckte dann aber nur mit den Schultern, wandte sich ab und ging in sein Zimmer zurück. Das fängt ja sehr verheißungsvoll an, dachte er. Machen wir uns für morgen auf alles mögliche gefaßt. Man sollte den ganzen Platz um Krankenhaus und Kirche von Avilas Truppen absperren lassen.

In dieser Nacht schlief Dr. Falke sehr unruhig, stand am Sonntag schon beim Morgengrauen auf und erlebte so, wie eine Gruppe von ungefähr vierzig Huren die Kirche, den Vorplatz, die Fensterhöhlen und den Eingang mit Blumen, Blütenblättern und Palmenzweigen schmückten.

»Guten Morgen!« rief Carmela fröhlich. »Guten Morgen, Herr Doktor. Sind wir zu laut? Haben wir Sie geweckt?«

»Ihr schmückt die Kirche ... aber das Kreuz haben sie heute nacht gestohlen.«

»Idioten! Alles Idioten! Als ob es darauf ankäme!« Carmela stieß ein gutturales Lachen aus. »Wir kommen auch ohne Kreuz aus. Wir werden dann eben alle ein kleines Kreuz tragen. Zwei Zweige übereinander. Herr Doktor, es wird eine schöne Feier werden.«

Dr. Falke ging ins Haus zurück. Ich werde tief durchatmen, wenn dieser Tag vorbei ist, dachte er. Diwata wird sich in zwei Gruppen aufspalten, und es wird einen Kampf um die Vorherrschaft geben. Ich werde genug zu tun bekommen, die Verletzten wieder zusammenzuflicken. Warum auch muß Burgos diese Prozession veranstalten? Die Kirchentür aufmachen und Schluß ... das genügt völlig. Wer kommen will, soll kommen. Aber diese Prozession ist eine Provokation. Man kann ein wildes Tier nicht durch Streicheln zur Sanftmut erziehen ... und hier haben wir dreißigtausend wilde Tiere in menschlichen Körpern.

Um zehn Uhr morgens sollte die Weihe beginnen. Um acht

Uhr bereits marschierte Avilas Sicherheitstruppe auf und bildete einen Ring um den großen Platz. Dr. Falke atmete auf. Er sah die Maschinengewehre, die Granatwerfer, die Handgranatenkisten und die Maschinenpistolen. Das beruhigte und beunruhigte ihn zugleich ... ein Blutbad war vorprogrammiert. Es war Wahnsinn, die Weihe zu zelebrieren. Das mußte nun auch Pater Burgos einsehen.

Als Dr. Falke die Sakristei betrat, traf er Burgos schon in vollem Ornat an. Die um den Hals liegende, farbenfroh bestickte Stola war ebenfalls ein Werk der Huren. Eine kunstvolle Handarbeit, die mehr für ein Volksfest gedacht war als für eine heilige Handlung am Altar.

»Avilas Truppen marschieren auf!« rief Dr. Falke erregt. »Muß das sein?!«

»Fragen Sie Avila.«

»Ich meine: Muß diese Kirchenweihe sein?«

»Eine ungeweihte Kirche ist keine Wohnung Gottes.«

»Das ist doch alles nur Theater! Machen Sie die Kirchentür auf – das genügt doch. Mit Weihrauch und Weihwasser können Sie auch allein hantieren – wozu diese öffentliche Provokation?!«

Pater Burgos füllte gerade ein silbernes Kästchen mit Hostien; er unterbrach diese Arbeit und blickte Dr. Falke lange und stumm an. Der Doktor spürte so etwas wie Beklommenheit in sich aufsteigen.

»Religion war immer Kampf um den Menschen«, sagte Burgos endlich. »Warum soll es in Diwata anders sein? Haben Sie Angst, Doktor?«

»Ja! Verdammt, ja! Und außerdem muß ich die Kerle dann zusammenflicken.«

»Warten wir es ab!« wiederholte sich Pater Burgos. »Die Frühschicht ist im Berg, die Nachtschicht schläft, und wer jetzt frei hat, sitzt in der Kneipe. Wie ich schon sagte: Wenn nur *einer* zur Kirche pilgert, bin ich fröhlich und lobe den Herrn.«

Um zehn Uhr – Dr. Falke stand mit Pater Burgos am Eingang der Kirche, der mit Blumen umkränzt war, eingerahmt von blühenden Girlanden – erscholl in der Ferne plötzlich ein vielstimmiger Gesang. Avilas Soldaten nahmen die Waffen schußbereit in die Hände. Eine ungeheure Spannung lag über diesem Teil der Stadt, der jetzt nur von Avilas Schutztruppe bevölkert war. Vom Berg her dröhnten ab und zu die Sprengungen, mit denen man den Fels aufriß, um neue Schächte zu graben und neue Goldadern freizulegen. Es war jedesmal, als schreie der Berg auf, als reiße man Fetzen aus seinem Leib.

Der Gesang näherte sich. Es kam vom Areal der Waschanlage her, wo Platz genug war, um viele Menschen zu versammeln. Und dann sahen sie die ersten Pilger: Ein Mann trug eine Fahne, die vor vier Jahren von einem Goldgräber entworfene Fahne der Kolonie Diwata – ein bizarrer Berg unter einer goldenen Tropensonne –, und ihm folgten vierhundertsieben Huren in Sechserreihen, angeführt von dem dicken Manuel Morales und der Oberhure Carmela. Sie trugen alle selbstgenähte, bunte Festtagskleider, waren geschminkt und frisiert und sahen so appetitlich aus, daß selbst Avilas Männer mit der Zunge schnalzten. Als die Hurenformation um die Straßenecke schwenkte und die Kirche sah, ertönte ein jubelnder Gesang. Vierhundertsieben Frauenstimmen lobten die Mutter Gottes.

»Ungeheuerlich!« sagte Dr. Falke überwältigt. »Das dürfte so einmalig sein wie dieses ganze Diwata.« Dann verstummte er.

An der Ecke erschien das große, schwere, massige Kruzifix aus Mahagoni. Der Christus am Kreuz, der aussah wie einer jener Gesetzlosen, die gerade aus dem Schacht des Goldberges gekommen waren.

Getragen wurde das schwere Kreuz von einem Riesen von Mann, einem bulligen Kerl mit breitem finsterem Gesicht, das obendrein von einer aufgequollenen Narbe über der Stirn entstellt war. Den Schaft des Kreuzes hatte der Mann in einen ledernen Köcher gesteckt, der an breiten Riemen um seinen Nacken hing. Mit sicheren Schritten und ohne zu wanken schleppte der bullige Kerl das Kruzifix vor sich her ... und sang sogar dabei.

»Was sagen Sie nun?« fragte Pater Burgos ergriffen.

»Ich gratuliere zu diesem Gläubigen.« Dr. Falke vermied es, Burgos jetzt anzusehen. »Es ist Jean-Jacques, ein vierfacher Mörder ...«

»Sie kennen ihn?«

»Die sorgfältig genähte Narbe auf seiner Stirn ist mein Werk. Jemand hatte versucht, ihm mit einem Beil den Schädel zu spalten. Daß er überlebt hat, verdankt er mir.«

»Und jetzt trägt er das Kreuz. Doktor, Sie haben einen guten Menschen aus ihm gemacht.«

»Irrtum! Die vier Morde geschahen nach dem Beilhieb! Und selbst jetzt, wo er das Kreuz schleppt, glaube ich nicht, daß er die Morde bereut.« Dr. Falke zog das Kinn an. »In Diwata wohnt ein besonderer Menschenschlag.«

Dann schwieg er wieder. Was er jetzt sah, mußte er erst begreifen und verarbeiten.

Hinter dem Kreuz ging Belisa García, eingerahmt von ihren drei Brüdern. Auch sie sangen, und man erkannte Andacht in ihren Mienen. Ihnen folgte ein Heer von Goldgräbern, in Sonntagsanzügen, soweit man die schäbigen Sachen, die sie trugen, so nennen konnte. Es war deutlich zu sehen, daß sie gebadet und ihre am wenigsten schmutzige Kleidung angezogen hatten. Auch diese Männer begannen zu singen, als sie auf den Platz zogen und die Kirche sahen. Plötzlich war alles nur Gesang: die Hütten und Zelte, die offenen Abwasserkanäle, die steinigen oder lehmglitschigen Wege, dieser ganze verrottete Slum, der der Morgensonne entgegenstank, diese Anhäufung primitivsten Lebens und im Dreck erstickter Sehnsüchte ... alles nur Gesang, der die Hitze bezwang und das Elend zudeckte.

Santa Maria von Diwata, sei bei uns ...

Der Gottesdienst und die Weihe der Kirche dauerten zwei Stunden. Es wurde viel gesungen und gebetet, um Gnade gefleht und um Vergebung, und Pater Burgos sprach allen aus dem Herzen, als er am Schluß seiner Predigt sagte:

»Auch wenn wir alle Verfluchte sind, so sind wir doch Geschöpfe Gottes. Wir sind beladen mit Sünden, und es werden von Tag zu Tag mehr. Aber einmal, früher oder später, ist dieses Leben überwunden, und wir stehen nackt vor dem Herrn und lassen die Hülle, in der wir steckten, hinter uns verrotten. Wir kehren zurück in die Ewigkeit, um zu sühnen, was unsere Hüllen auf Erden verbrochen haben. Und dann wird der Herr sagen: Du warst auf Erden ein Mistkerl, aber jetzt hast du Zeit, dich im Quell der Demut reinzuwaschen. Ihr wart Menschen – jetzt seid ihr wieder Gottes Kinder ...«

Dann folgte die Kommunion. Und da zeigte sich, daß Pater Burgos viel zu wenig Hostien zur Verfügung hatte, um allen die Heilige Speisung zu geben. Eine lange Schlange wild aussehender Männer stand noch vor ihm, als sein Hostienkästchen längst leer war. Und Burgos wußte: Wenn er die Kommunion jetzt abbrach, würde man nicht zögern, aus der schönen neuen Kirche Kleinholz zu machen. Über die Schulter hinweg sagte er zu Dr. Falke, der hinter ihm stand:

»Ich habe keine Hostien mehr! Ich brauche Brot, dringend. Ich werde es vor aller Augen segnen, dann erkennen sie es als geweihte Hostie an. Brot ...«

»Wo soll ich so schnell Brot hernehmen?« flüsterte Dr. Falke zurück.

»Aus der Spitalküche ...«

»Das wird erst morgen früh geliefert. Ich selbst habe nur noch ein halbes Brot. Das reicht doch nicht ...«

Pater Burgos seufzte tief auf und ließ seinen Blick über die wartende Menschenschlange schweifen, die nach einer geweihten Hostie verlangte. »Gott, verzeih mir«, sagte er leise. »Es soll nicht wieder vorkommen, aber jetzt muß es sein. Der Glaube allein macht es, nicht das Materielle.«

Er trat an den provisorischen Altar, hob den Weihwasserkessel hoch und zeigte ihn den Gläubigen. »Meine Lieben«, rief er dabei. »Auch wenn uns die Hostien ausgegangen sind – niemand soll darben und nicht teilhaben an der heiligen Kommunion. Seht, ich tauche meinen Daumen in das geweihte Wasser, und er verwandelt sich in das Fleisch des Herrn. Ein Symbol, das durch die Weihe gesegnet ist. Tretet heran und empfangt die Gnade Gottes.«

Er stellte das Weihwassergefäß ab, tauchte noch einmal seinen Daumen hinein, ließ den ersten Gläubigen herantreten, steckte ihm den Daumen zwischen die Lippen und ließ ihn kurz daran saugen. Gleichzeitig segnete er ihn mit der linken Hand.

»Der nächste«, sagte er dann.

Und so ging es weiter: ein demütiger Mensch mit gesenktem Haupt, die Lippen geöffnet, Daumen ins Weihwasser, ein kurzes Lecken, der Segen. Der nächste. Mund auf, geweihter Daumen hinein, ein frommer Spruch. Der nächste … Es mochten ungefähr dreihundert Goldgräber sein, die sich vor Pater Burgos verneigten und an seinem Daumen leckten. Um ihn nicht anschwellen zu lassen, wechselte er von links nach rechts und von rechts nach links, und Dr. Falke sagte mit tiefem Ernst: »Kühlen Sie die Daumen nachher in Whisky, das hilft!« Burgos antwortete nicht, er knirschte nur mit den Zähnen.

Die letzte Gläubige, die an ihn herantrat, war Belisa García. Ihre drei Brüder hatten noch eine Hostie abbekommen – sie aber hatte bewußt gewartet, bis alle Gläubigen versorgt waren. Mit weit offenen Augen starrte sie zuerst Pater Burgos und dann seinen von Weihwasser nassen, ausgestreckten Daumen an.

»Sie glauben doch nicht, daß ich das tue?« sagte sie leise. Ihre Stimme zischte dabei.

»Niemand zwingt Sie ... aber Tausende Augen sehen zu Ihnen hin. Was werden die Leute denken? Die ›Lady‹ verweigert die Kommunion ...«

»Was sie denken, ist mir egal!«

»Es wird Rückwirkungen auf die Disziplin haben. Ihr Image wird leiden. Das ist gefährlich. Sie wissen: Hier genügt ein Funke, und alles explodiert. Man wartet ja geradezu auf eine Schwäche von Ihnen. Alle starren zu uns her ...«

Belisa schloß die Augen, legte ihre Lippen für eine Sekunde um den feuchten Daumen und empfing den Segen.

»Das vergesse ich Ihnen nie!« sagte sie gepreßt, drehte sich brüsk um und lief zu ihren Brüdern.

»Das war eine Meisterleistung!« hörte Pater Burgos Dr. Falke hinter sich sagen. »Ich gebe zu: Von der Kirche kann man noch etwas lernen. Aber vergessen Sie eines nicht: Sie haben jetzt eine unversöhnliche Feindin. Ich bin gespannt, wann und wie der Gegenschlag kommt.«

Das Abendmahl mit dem in Weihwasser getauchten Daumen sprach sich in Diwata blitzartig herum. Jeder sprach darüber, viele nannten Pater Burgos einen Teufelskerl, der es sogar fertiggebracht hatte, die Gold-Lady an seinem Daumen lutschen zu lassen, und in »Pedros Ranch«, einem Schwulenlokal – davon gab es jetzt fünf in Diwata, denn der Zustand, daß vierhundertsieben Huren für dreißigtausend Männer sorgen mußten, war ein echter Notstand – rief Ronaldo, ein stadtbekannter Schwuler, unter dem Gejohle der anderen Gäste:

»He! Da mache ich mit! Der Pater soll mich als Meßdiener nehmen ... ich stelle meinen Schwanz zur Verfügung!«

An diesem Sonntag gab es sieben Tote. Eine Messerstecherei. Aber das hatte mit der Weihe der Kirche nichts zu tun ... es war ein normaler Sonntagsdurchschnitt in Diwata.

Antonio Pérez war ein stiller, unauffälliger Mann, immer höflich und hilfsbereit, und das schon von Berufs wegen, denn er hatte in Diwata eine Werkstatt gegründet, die alles reparierte, von der Schuhsohle bis zum Benzinaggregat, vom Transistorradio bis zum Laufband der Sägerei. Es gab nichts, was er nicht wieder in Ordnung bringen konnte; das machte ihn bei allen beliebt, zumal er als Bezahlung auch Geldscheine und nicht nur Goldstaub oder Goldkörner annahm. Er hauste in einer Hütte aus Schalholz und Wellblech, hatte seine Abwasserleitung bis zum Hauptgraben verrohrt und sich für teures Geld aus Davao ein richtiges Klosett kommen lassen. Dieses Klosett vermietete er ... fünfundzwanzig Centavo für die einmalige Benutzung, aber es läpperte sich zusammen. Jeder freute sich darauf, statt in ein Erdloch oder in einen Plastikeimer einmal in ein ordentliches Porzellanbecken zu scheißen und es sich bei dieser Handlung richtig gemütlich zu machen. Das war fünfundzwanzig Centavo wert! Bald wurde das Klosett eine der Haupteinnahmequellen von Antonio Pérez ... er überlegte sich, ob er nicht noch zwei Becken bestellen sollte, was sich auch positiv auf die Geselligkeit auswirken konnte. »Treffen wir uns bei Antonio zum Scheißen?« würde es dann heißen. Ein entspannender Plausch unter Männern.

Dr. Falke hatte Antonio Pérez vor einem Jahr kennengelernt, als dieser gerade nach Diwata gekommen war. Er erschien wegen eines Schlangenbisses im Notlazarett, der zum Glück nicht giftig war, aber höllisch brannte. Bei der Behandlung wunderte sich Dr. Falke über die weiße Haut des Patienten.

»Du bist kein Philippino?« fragte er.

»Nein.«

»Woher kommst du?«

»Die Welt ist groß.« Eine ausweichende Antwort, die jede weitere Frage ausschloß. Dr. Falke ließ es dabei. Anonymität gehörte zum Lebensrecht in Diwata. Er sah Antonio Pérez erst wieder, als das Krankenhaus montiert wurde. Da war er einer der Arbeiter, die die Fertighauswände aneinanderfügten. Antonio, wie gesagt, konnte alles.

»Ich beobachte Sie schon eine Zeitlang, Antonio«, sagte Dr. Falke zu ihm. Auf das übliche Duzen verzichtete er; irgendwie hatte er das Gefühl, daß dieser Pérez nicht zu dem menschlichen Müll gehörte, der sich in Diwata angesammelt hatte.

»Wenn Sie nichts Besseres zu tun haben ...« blockte Antonio sofort ab. Er saß neben einem Stapel Fertigteile – bereits verglasten Fenstern –, löffelte eine Gemüsesuppe mit Maiseinlage und kaute an einem Kanten Brot. Dabei blickte er an Dr. Falke vorbei, als stände der gar nicht vor ihm.

»Ich suche einen tüchtigen Verwalter für mein Krankenhaus«, sagte Dr. Falke unbeirrt. »Hätten Sie Lust, das zu machen?«

»Nein.«

»Warum nicht?«

»Ich bin gerne selbständig. Frei. Will über mich selbst bestimmen. Ich eigne mich nicht zum Knecht.«

»Die Stellung eines Verwalters ...«

»Ich hätte immer einen Chef über mir. Sie. Das kann ich nicht ertragen. Ich bin mein eigener Chef.«

»Indem Sie Klobecken von Scheiße säubern ...«

»In zwei Monaten habe ich sechs Becken! Dann werde ich eine Duschanlage installieren, als dritten Schritt ein Schwimmbad ... wenn hier schon alles im Dreck versinkt, will ich eine Oase schaffen. Daß bisher noch keiner auf den Gedanken gekommen ist ...«

»Hier geht es nur um Gold.«

»Diwata ist eine richtige Stadt geworden. Aus der kann man was machen, wenn man die nötige Energie hat. Ich habe sie, Doktor. Ich brauche mich nicht in den Berg zu wühlen und tonnenweise Gestein herauszuschaffen ... der Berg kommt zu mir! Sehen Sie sich an: Wer sind Sie? Ein Arzt! Sie haben Schulen besucht, Sie haben jahrelang studiert, eine Reihe von Examen gemacht, ihren Dr. med. erworben ... und was ist daraus geworden? Sie leben in einem höllischen Dschungel, unter dreißigtausend Menschen, die entwurzelt sind, fern jeder Moral, rechtlos, Sklaven des Wahns, einmal reich zu werden, arme Menschen, die nur den Kampf ums Überleben kennen und nicht zögern, des Überlebens willen andere umzubringen. Glücksritter, Träumer, Betrüger, vom Leben Ausgekotzte, Mörder ... Ihre Patienten! War das Ihr Ziel, als Sie Medizin studierten?«

»Ich hatte das Ziel zu helfen. Wo? Überall, wo Kranke mich brauchen. Auch im höllischen Dschungel, wie Sie es nennen.«

»Der große Idealist!«

»Der Realist, Antonio Pérez. Denken Sie an Ihren Schlangenbiß. Ohne mich würden Sie vielleicht nicht mehr leben.«

»Stimmt! Da erinnern Sie mich an etwas. Was bekommen Sie?«

»Wofür?«

»Für die Behandlung. Die Lebensrettung.«

»Nichts. Die Krankenversorgung in Diwata ist kostenlos. Das ist die neueste soziale Errungenschaft, die Mrs. García eingeführt hat.«

»Und Sie bekommen ein mieses Gehalt ...«

»Ich bin dem Chefarzt des Hospitals von Davao gleichgestellt. Auch das ist eine freiwillige Leistung der Gold-Lady. Aber ich brauche das Geld gar nicht. Ich habe alles, was ich benötige. Und wenn ich es nicht habe, besorgen es mir meine Patienten in kürzester Zeit. Was will ich mehr? Ich habe keine Probleme ... aber Sie haben welche.«

»Wie meinen Sie das?« Pérez löffelte den Rest seiner Suppe aus dem Blechnapf. Hinterher leckte er den Löffel sorgfältig ab, so wie es die meisten Goldgräber taten. Nur nichts Eßbares verschwenden. Bei ihm jedoch wirkte es deplaziert. Dr. Falke schüttelte den Kopf.

»Sie nennen sich Antonio Pérez, aber Sie sind es nicht. Wer sind Sie wirklich?«

»Gefällt Ihnen der Name Pérez nicht?«

»Von mir aus können Sie Mickymaus heißen ...«

»Na also.«

»... aber Sie gehören nicht in diese Diwata-Welt!«

»Ich bin hier, betreibe ein entwicklungsfähiges öffentliches Scheißhaus, also gehöre ich auch hierher! Keine weiteren Fragen!«

»Ich hätte viele.«

»Schade um die Zeit.« Pérez erhob sich von dem Fensterstapel und steckte seine Eßschüssel in einen Brotbeutel. Segeltuch mit Tarnaufdruck. Militärausrüstung. »Ich muß weiterarbeiten. Stören Sie mich nicht. Ihr Krankenhaus soll doch schnell fertig werden. Was stand denn früher hier?«

»Sie hätten erleben sollen, wie es hier noch vor drei Jahren ausgesehen hat.«

»Ich kann es mir denken. Mir genügt, was ich jetzt sehe.«

»Für uns ist die Entwicklung wie ein Wunder. Und dieses Wunder vollbringt die Gold-Lady. Jeden Tag! Neue Maschinen, eine eigene Landwirtschaft, neue Straßen, Kanalisation, moderne Zerkleinerungs- und Waschanlagen für die Goldgewinnung, Baumaterial ... und alles wird auf dem Luftweg herangeschafft! Die einzige Straße durch den Dschungel, die nach Davao oder Tagum führt, ist lebensgefährlich und wird von Guerillas kontrolliert, die alles überfallen, ausrauben und töten, was sich über diese Straße bewegt. Ab und zu säubert Avila mit seiner Truppe die Gegend, aber es nutzt wenig – die Rebellen werden immer rechtzeitig gewarnt und tauchen in der Grünen Hölle unter. Ab und zu erwischt man einen.«

»Und dann?«

»Avila läßt sie laufen ... mit abgeschnittenen Ohren, Nasen, Fingern, Hoden oder Schwänzen. Als Warnung. Aber auch das nutzt wenig. Die Verstümmelten werden später von den eigenen Kameraden umgebracht. So sieht es hier aus, Pérez. Noch einmal: Was wollen Sie hier?«

»Leben! Nur leben. Nichts als leben.«

»Jemand bedroht Sie? Sie werden verfolgt? Sie sind auf der

Flucht? Sie wollen sich hier in der Hölle von Diwata verstecken? Ist es so?«

»Ich gebe Ihnen jetzt auf alle Ihre Fragen eine letzte, endgültige Antwort: Lecken Sie mich am Arsch!«

Pérez drehte sich weg und ging hinüber zu den anderen Arbeitern, die gerade eine Wand einpaßten. Dr. Falke blickte ihm nachdenklich hinterher. Wer war dieser Mann? Er war untergetaucht, wo ihn keiner suchen würde. Wo ihn niemand fragte. Wo er ein Niemand war unter Tausenden Namenlosen. Welch ein Schicksal schleppte er mit sich herum?

Dr. Falke nahm sich vor, sich mehr um Antonio Pérez zu kümmern.

Es war so sicher wie das Amen nach einem Gebet, daß Belisa García das Abendmahl zur Weihe der Kirche nie verzeihen würde. Pater Burgos erlebte es jeden Sonntag: Zwar kam die Gold-Lady zum Beten, aber nie zur Messe, sondern entweder frühmorgens oder am Abend nach Einbruch der Dunkelheit. Sie saß dann allein in der ersten Bank vor dem Altar, auf der nur die Familie García sitzen durfte, betete stumm vor dem riesigen Mahagoni-Kruzifix und tauchte die Hand in das Weihwasserbecken, um sich selbst mit dem Wasser zu besprühen.

Pater Burgos ließ sie in Ruhe; er beobachtete sie heimlich aus dem Beichtstuhl heraus und sprach aus seinem Versteck den Segen über sie. Nach vier Sonntagen wandte er sich an Dr. Falke.

»Wie kann man die Lady versöhnen?« fragte er.

»Überhaupt nicht.« Dr. Falke sah Burgos eindringlich an. »Machen Sie bloß keinen Versuch in dieser Richtung. Bleiben Sie in Deckung. Warten Sie, bis sie von sich aus kommt.«

»Glauben Sie, daß sie das tun wird?«

»Sie wird einen harmlosen Grund finden, wieder mit Ihnen zu sprechen.«

»Aber das kann lange dauern, nicht wahr?«

»Was bedeutet hier Zeit, Pater?« Dr. Falke hob die Schultern. »Hier in der Grünen Hölle steht die Zeit still. Wichtig ist nur, daß man den nächsten Tag erlebt.«

»Und wenn Sie mit der Lady reden?«

»Ich werde mich hüten!« Dr. Falke warf abwehrend die Arme hoch. »Mich mag sie – ich weiß nicht, warum – überhaupt nicht leiden. Aber sie braucht mich. Nur darum bin ich hier geduldet.«

Kurz nach diesem Gespräch bestellte Miguel, der Bürgermeister, Dr. Falke in die Verwaltung. Belisas ältester Bruder hatte Diwata gut im Griff, soweit das überhaupt möglich war. Aber ohne seine beiden Brüder wäre das eine unlösbare Aufgabe gewesen ... der »Kleine«, Pedro, kontrollierte die Finanzen, und der Boxer Carlos sorgte für Ruhe und Ordnung. Seine »Diwata-Miliz« knüppelte alles nieder, was nach Carlos' Ansicht die Ordnung störte. Diese Truppe hatte keine Waffen – die besaßen nur die Soldaten von Avila –, aber sie verfügten über Baseballschläger, dicke Knüppel, Eisenstangen und Kettenstränge und hinterließen damit nachhaltige Wirkung. Fast die Hälfte der im Krankenhaus versorgten Fälle bestand aus Opfern dieser Polizeitruppe. Zu Anfang gab es Gegenaktionen der Verprügelten, und Carlos hatte in seiner Ordnungsmannschaft neun Tote zu beklagen, aber dieser Widerstand schlief schnell ein, nachdem Carlos verkündet hatte, daß er vor einer Massenhinrichtung nicht zurückschrecken würde.

Im Bürgermeisterzimmer wartete schon Belisa, als Dr. Falke eintrat. Das verhieß nichts Gutes. Dr. Falke machte sich innerlich kampfbereit. Worum ging es hier? Er sah keine Angriffspunkte.

Miguel beugte sich über ein Blatt Papier. Auch das prädestinierte ihn zum Bürgermeister: Er konnte schreiben und lesen. Mit seinem dicken Zeigefinger tippte er auf das Papier.

»Da will einer ein Schwimmbad bauen!« sagte er. Es klang, als wolle er einen schmutzigen Witz erzählen. »Bei uns ... ein

Schwimmbad! Ein öffentliches Schwimmbad. Er beantragt eine Baulizenz dafür. Ein Irrer! Und er beruft sich auch noch auf Sie! Sie sollen die verrückte Idee für gut halten.« »Ich habe nur gesagt: Man sollte sich das überlegen.«

»Sie haben also von den Plänen gewußt?« Belisas Stimme. Hart und schneidend. Dr. Falke wandte sich zu ihr.

»Ja.«

»Und haben geschwiegen!«

»Ist der Gedanke, ein Schwimmbad für die Allgemeinheit zu bauen, ein Vergehen? Ist jetzt schon eine Idee meldepflichtig?!«

»Ja!«

»Das muß man mir erklären. Ich bin anscheinend zu dumm, das zu verstehen.«

»Ein öffentliches Schwimmbad zu bauen, wäre eine soziale Aufgabe der Gemeinde. Nur hat keiner daran gedacht. Aber diese Idee des Antonio Pérez wäre ein Anstoß gewesen, wenn ich davon erfahren hätte.«

»Ich konnte kaum annehmen, daß Sie sich dafür interessieren würden.«

»Mich interessiert alles, was in Diwata passiert!« Jetzt war ihre helle Stimme fast schon ein Schreien. »Wer hat Ihr Krankenhaus gebaut? Wer die Kirche? Wer wird die Stadt kanalisieren? Wer wird aus den Slums feste Häuser machen? Wer modernisiert die gesamte Technik?«

»Und wer sorgt für Nachschub bei den Huren?« fiel Miguel ein. Ein stechender Blick seiner Schwester ließ ihn sofort wieder verstummen.

»Aber die Idee für ein öffentliches Bad wird unterschlagen!« schrie Belisa.

»Wollen Sie denn eins bauen?« fragte Dr. Falke überrumpelt.

»Ich werde mich mit dem Plan beschäftigen.« Belisa hatte sich etwas beruhigt. »Wer ist dieser Antonio Pérez?«

»Ein Anonymer wie Tausende in Diwata.«

»Sie wissen nicht, woher er kommt?«

»Wird hier danach gefragt?«

»Wo hat er das Geld her, solche Pläne zu realisieren? Er kann doch nur unser Gold gestohlen haben!«

»Irrtum!« Es tat Dr. Falke gut, jetzt weiterzusprechen. »Sein Kapital ist zusammengeschissen ...«

»Was ist es?« rief Belisa, die schon wieder wütend wurde.

»Er hat ein Loch in Ihrem sozialen Netz entdeckt und es geflickt. Haben Sie noch nicht davon gehört? Erstaunlich, wo Sie doch sonst alles wissen. Pérez hat die erste öffentliche Bedürfnisanstalt von Diwata gegründet. Einmal scheißen – fünfundzwanzig Centavo. Und er hat eisern gespart. Jetzt ist sogar eine Bank in Davao bereit, ihm einen Kredit für das Schwimmbad zu geben.«

»Und das alles wissen Sie und verschweigen es mir! Ist das der Dank für das Krankenhaus?!«

»Sie haben immer gesagt: Ich will keinen Dank. Daran halte ich mich ... gehorsam ...«

Belisa gab keine Antwort mehr, aber sie ging zum Tisch, nahm das Papier und zerriß den Antrag von Antonio Pérez. Dann stampfte sie aus dem Zimmer und warf krachend die Tür zu.

Miguel zuckte mit den Schultern und schob resignierend die Unterlippe vor.

»Da kann man nichts machen«, stellte er fest. »Das mit dem privaten Scheißhaus hat ihr den Rest gegeben. Bei ihr wird alles zu Geld, nur an Scheiße hat sie nicht gedacht. Das regt sie auf.«

»Und was wird nun?«

»Ich nehme an ... das Schwimmbad bauen wir.«

»Und Pérez betrügt ihr um seine Idee und seinen Verdienst.«

»Wir werden ihn als Verwalter einstellen.« Miguel – ganz Bürgermeister – setzte sich hinter seinen Schreibtisch. »Er wird darauf eingehen. Vergessen wir nicht, daß wir jeden aus Diwata verjagen können. Hier gilt nur unser Wort.«

»Über Leben und Tod.«

»Sie sagen es, Doktor. Auch über den Tod! Das wird Antonio Pérez schnell begreifen ...«

Die Tür flog wieder auf. Belisa kam in das Zimmer zurück. »Wir fliegen übermorgen nach Manila«, sagte sie in einem Ton, der einem Befehl gleichkam.

»Welch ein Entschluß!« Miguel rieb sich die Hände. »Da wollte ich schon immer hin.«

»Nicht du! Dr. Falke begleitet mich.«

»Belisa, Schwesterchen ...« stotterte Miguel, von Enttäuschung geradezu überwältigt.

»Dr. Falke!« Sie sah den Arzt mit ihren blitzenden, fast schwarzen Augen an. »Wir bleiben drei, vier Tage. Richten Sie sich darauf ein.«

»Was soll ich in Manila?«

»Sie kennen doch Manila.«

»Ja.«

»Ich nicht. Sie werden mich herumführen.«

»Ich fürchte, daß ich nicht die richtige Begleitung bin.«

»Das bestimme ich!«

»Ich werde hier im Krankenhaus gebraucht, nicht in einem Luxushotel in Manila. Ich nehme an, Sie wollen wieder in einem Palast wohnen.«

»Ich habe als Kind und junges Mädchen immer davon geträumt, in einem seidenbezogenen Sessel zu sitzen und von uniformierten Kellnern bedient zu werden. Jetzt kann ich mir meine Träume erfüllen, wann und wo ich will. Und das ist übermorgen in Manila. Was ist das beste Hotel der Stadt, Dr. Falke?«

»Es gibt da mehrere.«

»Das allerbeste.«

»Jedes Hotel hat seinen eigenen Charakter. Das Mandarin Oriental ist anders als das Manila Peninsula, und das Shangri-La-Hotel anders als das Century Park Sheraton. Und das elegante Manila-Hotel, ein Juwel Südostasiens ...«

»Da buchen Sie!«

»Da kostet eine Suite dreihundertfünfzig US-Dollar.«

»Das ist alles?«

»Es gibt auch ein Penthouse. Pro Nacht zweitausend US-Dollar.«

»Das nehme ich.«

»Das wären bei vier Nächten achttausend Dollar. Nur fürs Schlafen.«

»Ist es Ihr Geld oder mein Geld?« Dr. Falke blickte kurz zu Miguel hinüber. Der machte ihm Zeichen und rollte mit den Augen. Sei still, sollte das heißen. Sei bloß still, Doktor. Nach diesen vier Tagen haust sie wieder in ihrer rattenverseuchten Bretterbude neben der Waschanlage. Ich habe es aufgegeben, mir Gedanken darüber zu machen, was in diesem Weibsbild, das meine Schwester ist, vor sich geht. Da kennt sich keiner aus. Das muß man hinnehmen wie ein Naturereignis.

»Und was wollen Sie in Manila?« fragte Dr. Falke. »Soll ich Karten besorgen? Für die Oper, für ein Konzert, für Pferderennen, für ein Spielcasino, für ein Volksfest?«

»Ich will Geld verdienen.« Belisa wandte sich wieder der Tür zu. »Viel Geld. Und dazu brauche ich Manila und das Penthouse des Manila-Hotels. Kennen Sie mich noch immer nicht, Dr. Falke? Ich investiere, um Mauern aufzubrechen. Jeder Dollar, den ich hinauswerfe, soll zehnfach zurückkommen. Das ist auch mit Ihrem Krankenhaus so. Sie machen darin die Leute schneller gesund, und um so eher können sie wieder Gold für mich schürfen. Man muß ein Leben berechnen können. Alles läßt sich in Zahlen ausdrücken, und dabei zeigt sich, daß die meisten Menschen ihr Leben, die Möglichkeiten ihres Lebens, verschenken. Welch ein Luxus! Jeder Mensch kann mehr aus sich machen, als er ist, aber die Zufriedenheit mit dem Erreichten hemmt ihn. Ich bin nie zufrieden!« Sie riß die Tür auf und blickte noch einmal zurück. »Sorgen Sie dafür, daß ich in Manila nicht allzu unzufrieden bin.«

Miguel wartete, bis Belisa den Raum verlassen hatte, dann sagte er mit echtem Bedauern:

»Jetzt beneide ich Sie nicht mehr um die Manila-Reise. Das werden vier harte Tage für Sie. Belisa will Geld verdienen. Viel Geld. In Manila. Wie denn? Da liegt das Geld auch nicht auf der Straße. Aber irgend etwas hat sie ausgebrütet, und wehe dem, der damit zu tun hat.«

Dr. Falke bestellte das Penthouse im Manila-Hotel, die Flugtickets besorgte Belisas Bruder Pedro, der Verwalter. Als Dr. Falke ins Krankenhaus zurückkehrte, wartete schon Pater Burgos auf ihn.

»Haben Sie mit der Lady sprechen können?« fragte er hoffnungsvoll.

»Ja. Aber nicht über Sie! Ich muß sie nach Manila begleiten. Vier Tage lang. Als eine Art akademischer Schuhputzer.«

»Und das lassen Sie sich gefallen?« fragte Burgos entgeistert.

»In diesem Falle ... nur aus Neugier. Ich bin gespannt, was sie in Manila anstellen will. Sie muß einen ganz verrückten Plan haben.«

»In welcher Richtung?«

»Das weiß ich eben nicht. Aber es muß eine Menge Geld dranhängen. Sie denkt nur an Geld. Ich habe mir vorhin einen Vortrag anhören müssen: Wir sind alle zu dumm und zu bequem und zu zufrieden, um reich zu werden. Das sagt jemand, für den dreißigtausend Elende schuften, Tag und Nacht Gold aus den Felsen brechen.«

»Skrupellosigkeit ist ihre Philosophie.«

»Ein Rat von Ihnen als Priester: Muß man eine solche Person hassen?«

»Das fragen Sie mich? Sie lieben sie doch ...«

»Pater, dafür müßte ich Sie ohrfeigen!«

»Aber das ändert nichts an der Wahrheit. Die Liebe mag einseitig sein – um so tragischer für Sie! Aber Sie lieben dieses Aas. Das sieht ein Blinder.«

»So kann auch nur ein Blinder denken!« Dr. Falke versuchte, das Thema zu wechseln. Burgos sprach aus, was er selbst mit aller Energie verdrängte, was er selbst als Wahnsinn ansah. Er wehrte sich gegen dieses Gefühl, das ihn jedesmal überfiel, wenn er Belisa gegenüberstand ... von Mal zu Mal stärker, je mehr er sich dagegen sträubte. Nun sprach es Burgos in aller Deutlichkeit aus, und ihm blieb kein Ausweg als die Flucht ins Leugnen. »Soll ich Ihnen etwas aus Manila mitbringen?« lenkte er ab.

»Ich weiß nicht, ob Sie das können ...« Burgos sah Dr. Falke zweifelnd an.

»Wenn Sie nicht gerade etwas Unmögliches verlangen ...«

»Ich träume von einem Altarbild. Einem Triptychon ...«

»Das ist alles?« Spott schwang in Dr. Falkes Stimme. »Ich will sehen, ob es in Manila einen Riemenschneider zu kaufen gibt. Oder tut es auch ein Leonardo da Vinci?«

»Ein dreiteiliges Bild von Kreuzigung, Auferstehung und Himmelfahrt.«

»Warum wollen Sie es kaufen? Unter unseren dreißigtausend Goldgräbern sind bestimmt begabte Maler. Denken Sie an Ihr grandioses Kruzifix.«

»Dann bringen Sie Ölfarben und Pinsel mit.«

»Ich werde daran denken.«

Am Abend besuchte Dr. Falke den Toilettenunternehmer Antonio Pérez. Der wußte bereits von der Ablehnung durch die Lady; Miguel hatte es ihm ausrichten lassen. Pérez winkte sofort ab, als Dr. Falke in seine Werkstatt kam. Neben der Scheune wurde bereits weitergebaut ... die Klosettzellen Nummer vier bis sieben. Das Geschäft florierte.

»Sagen Sie nichts, Doktor!« rief Pérez erregt. »Ich bin unterrichtet. Das Luder hat meinen Antrag einfach zerrissen. Jetzt baut sie selbst das Schwimmbad.«

»Aber Sie sollen der Verwalter werden.«

»Darauf pfeife ich!« Pérez spitzte die Lippen, als wolle er tatsächlich pfeifen. »Ich will mein eigener Herr sein.«

»In Diwata?! Welche Utopie! Hier gibt es nur einen Herrn: Die Gold- Lady. Ihr gehört alles ... sogar Ihr Leben ...«

»Mein Leben? Wieso?«

»Versuchen Sie nie, Widerstand zu leisten. Dann geraten Sie nämlich in das Blickfeld von Carlos García ... und dann wird das Atmen schwer. Antonio, Sie wissen doch mittlerweile auch, was hier ein Leben wert ist! Nicht einmal vermissen wird man Sie, nicht einmal ein Grab wird es geben, es sei denn, Sie betrachten den Kloakensee in der Schlucht als würdige Ruhestätte. Also: Vergessen Sie das Schwimmbad ... und lehnen Sie den Verwalterposten nicht ab. Außerdem ... die Ablehnung hat auch mit mir zu tun.«

»Mit Ihnen?« Pérez starrte Dr. Falke verständnislos an. »Waren Sie etwa dagegen?«

»Im Gegenteil, ich war dafür! Das ist es ja. Wäre ich dagegen gewesen, hätten Sie vielleicht die Genehmigung bekommen. Es war dumm von mir, ich gebe es zu. Ich hätte es wissen müssen.«

»Leben Sie im Kriegszustand mit dieser verdammten Lady?«

»Ich weiß nicht, wie man es nennen soll.« Dr. Falke schüttelte den Kopf. »Es gibt kein Wort dafür. Keinen Begriff. Ich stehe da wie ein nasser Hund ... aber dann baut sie mir ein Krankenhaus, voll mit den modernsten Geräten. – Pérez, wer sind Sie?«

»Das geht Sie nichts an, Doktor.«

»Sie sollten mit mir sprechen, ehe es zu spät ist.«

»Es ist nie zu spät.«

»In Diwata sollten Sie anders denken.« Dr. Falke nickte ihm zu. »Die meisten, die hier im Berg nach Gold suchen, glauben an eine Zukunft ... dabei ist hier die Endstation. Auch für Sie. Überlegen Sie sich das ...«

Draußen, vor Pérez' Werkstatt und Hütte, empfing ihn wieder der Gestank der offenen Kloakenkanäle, der süßliche, faulige, kotige Geruch, der wie eine Wolke über der Stadt lag. Er hörte das Kreischen und Krachen der Steinzerkleinerungsmaschinen, er sah die Kolonnen der Sackträger zu den Sammelstellen ziehen, eine endlose Schlange halbnackter, schwitzender, ausgemergelter, knochiger, lederhäutiger Körper, gebeugt unter der Last der gebrochenen Steine, in denen das Gold stecken sollte. Das verfluchte Gold. Das geliebte Gold. Das bißchen Überleben in Rattenhütten, Kneipen und Hurenarmen.

Diwata ... der goldene Höllenberg.

Pünktlich um sechs Uhr in der Früh rollte das »Chefflugzeug«, ein Lear-Jet, über die Flugpiste und hob dann steil ab zum Flug nach Manila. Der Chefpilot, ein erfahrener, grauhaariger Dschungelflieger, den Juan Perón Toledo von der staatlichen Fluggesellschaft abgeworben hatte und der ein Direktorengehalt empfing, war mit dem Start zufrieden. Es war gar nicht so einfach, aus dem engen Hohlweg herauszukommen, und noch schwieriger, auf ihm zu landen, auch wenn die Piste eben war, lang genug und der Tropenregen immer schnell abfloß. Es gehörte großes fliegerisches Können dazu. Domingo, der Chefpilot, konnte nur den Kopf schütteln, wenn er in den Zeitungen las, wie gefährlich der Anflug auf Hongkong war und daß dazu eine Spezialausbildung nötig war. »Die sollten mal hier fliegen«, sagte er verächtlich. »Da würden sie sich in die Hosen machen, die Herren Flugkapitäne.«

Toledo hatte volles Vertrauen zu ihm, und das teilte er jetzt mit Belisa, die Domingo für ein Pilotengenie hielt. Sie saß hinter ihm in einem breiten, weichen Sessel, natürlich angeschnallt. Dr. Falke saß neben ihr und blickte aus dem Fenster auf die vorbeisausenden, zum Greifen nahen Felsformationen. Er flog zum erstenmal in diesem Jet und fühlte sich unbehaglich.

»So still?« fragte Belisa plötzlich. Dr. Falke zuckte zusammen und riß sich von dem bedrohlichen Anblick los.

»Was wollen Sie hören?« fragte er zurück.

»Sie sind ein miserabler Unterhalter ...«

»Zugegeben – ich halte nicht viel von dummer Konversation.«

»Sagen Sie einfach, was Sie denken.«

»Nichts.«

»Das habe ich erwartet.« Giftig klang das. Eine rhetorische Ohrfeige. »Ist in Manila alles vorbereitet?«

»Wie Sie es befohlen haben.«

Das war die Revancheohrfeige. Belisa zog den Kopf zwischen die Schultern.

»Fassen Sie meine Bitten als Befehle auf?« sagte sie in hartem Ton.

»Ich muß mich wundern . . .«

»Worüber?«

»Ich höre zum erstenmal von einer Bitte.«

Sie schwieg ein paar Augenblicke, als habe es ihr die Sprache verschlagen. Sie suchte nach einer passenden Antwort. Dann sagte sie:

»Sie kommen sich wohl wie etwas ganz Besonderes vor?«

»Ich bin ein verrückter Dschungelarzt . . . ist das was Besonderes? Für einen normalen Menschen vielleicht, ja, sicherlich . . . aber wir leben ja nicht wie normale Menschen.«

»Ich schon!«

»Darüber könnte man nun diskutieren.«

»Das könnte man, da haben Sie recht. Was mißfällt Ihnen an meinem Leben?«

»O Himmel! Es steht mir nicht zu, darüber zu urteilen. Ich möchte nicht, daß Ihr Bruder Carlos mir das Gesicht auf den Rücken dreht. Das hat er mit anderen bereits viermal getan.«

»Das ist nicht wahr!« Belisa zuckte in ihrem Sessel zusammen. »Das ist eine Lüge.«

»Ich habe die Totenscheine ausgestellt.«

»Und wieder haben Sie geschwiegen. Immer Schweigen, Schweigen . . . Warum sagen Sie mir nichts?!«

»Hätten Sie Ihren Bruder bestraft?«

»Natürlich.«

»Wie denn? Indem Sie ihn von Avila hätten hinrichten lassen?«

»So etwas können auch nur Sie sagen, Sie Idiot! Ich hätte Carlos nach Davao verbannt. Und wenn er wirklich vier Männer getötet hat, dann muß er einen Grund gehabt haben.«

»Man tötet nicht, aus welchem Grund auch immer.«

»Carlos ist jähzornig, das wissen Sie. Wenn es ihn packt, kann ihn keiner mehr zurückhalten. Das ist eine Krankheit. Jähzorn.«

»So kann man es auch hindrehen.«

»Gerade Sie als Arzt können doch keinen verurteilen, nur weil er krank ist.«

»Aber Unheilbare sollte man isolieren. Unheilbar Geisteskranke.«

»Sie nennen Carlos einen Verrückten?«

»Nicht ich. Sie haben gesagt, er sei krank. Ich bin um keine Diagnose gebeten worden.«

»Aber ich stelle Ihnen jetzt eine Diagnose!« sagte Belisa. Dabei atmete sie schwer.« Sie sind der arroganteste Kerl auf dieser Welt. Ich hasse Sie – und das ist mein größtes Vergnügen.«

Dr. Falke antwortete darauf: »Es freut mich, daß ich Ihnen so viel Lustbarkeit bereiten kann.«

»Es hält sich in Grenzen. Und Ihr Zynismus ist zum Kotzen.« Ihre schwarzen Augen blitzten ihn an. »Was verschweigen Sie mir noch alles?«

»Was wollen Sie hören?«

»Alles, was hinter meinem Rücken geschieht.«

»Um das alles zu schildern ... dazu ist ein Leben zu kurz.«

»Soviel?«

»Noch mehr.« Dr. Falke blickte durch das ovale Fenster. Urwald, wohin man sah – Urwald. Eine geschlossene grüne Decke, die die Erde verhüllte. Die geschlängelten Muster darin waren die Flüsse, silbern schimmernd in der Sonne. Wälder, die noch nie eines Menschen Fuß betreten hatte. Oder doch? Wer wußte, welche unentdeckten Volksstämme da unten noch im Urzustand lebten? Welche Tiere, die Jahrmillionen überlebt hatten? Welche Pflanzen, deren Blüten, Säfte oder Wurzeln bisher unheilbare Krankheiten besiegen konnten? Wie viele Geheimnisse verbarg diese Erde? Welch ein Abenteuer, zu leben ... das alles zu erleben.

»Was wollen Sie eigentlich in Manila?« fragte Dr. Falke plötzlich.

»Dumme Frage.«

»Wieso?«

»Dollars schaufeln, was sonst! Und ich will den Rohgoldpreis bestimmen.«

Dr. Falke starrte Belisa ungläubig an. »Das ist doch ein Witz!«

»Wenn es um Geld geht, scherze ich nie.«

»Madame ... die Goldpreise bestimmen nicht Sie, die werden auf den großen Börsen ausgehandelt, in New York zum Beispiel.«

»Nennen Sie mich nicht Madame«, zischte sie wütend. »Ich hasse dieses Wort! Ich erlaube Ihnen, mich Belisa zu nennen.«

»Wieso plötzlich diese Ehre?« Dr. Falke war ehrlich verblüfft. Er konnte diesen Antrag mit dem bisherigen Verhalten Belisas nicht in Einklang bringen.

»Ehre! Bilden Sie sich bloß nichts ein. Ich kann dieses Madame nicht hören, wenn *Sie* es aussprechen. Es klingt, als wenn Sie mit einer Puffmutter sprechen.« Sie stieß ihm den Ellenbogen in die Seite und lehnte sich dann in das Lederpolster zurück. »Wieviel von dem, was in Diwata passiert, weiß ich nicht?«

»Neunzig Prozent ...«

»Was heißt das?«

»Überlegen Sie mal.«

»Heißt das, daß ich so gut wie gar nichts weiß?«

»Genau. Aus dem Goldgräber-Camp Diwata ist eine Stadt

mit über dreißigtausend Einwohnern geworden. Nach hiesigen Maßstäben eine Großstadt ... eine Urwaldgroßstadt von dreißigtausend Abenteurern, Gesetzlosen, Rechtlosen, Entwurzelten, Glücksrittern, Verbrechern, Träumern und Schuften, von Abschaum und ewig Hoffenden. Eine Stadt ohne die geringste Würde. Die Abwässer fließen in offenen Gräben an den Hütten vorbei, eine von Felsen gebildete natürliche Talsperre ist zu einem See geworden ... einem See voller Fäkalien. Die Straßen sind Schlammpfade, über die man Bretter oder Holzknüppel gelegt hat. Und dann der Berg, ein von Hunderten Stollen durchlöcherter Steinklotz, der von Goldadern durchzogen ist, die man mit Preßlufthämmern aufsprengt – dieser verfluchte Berg, der die Menschen verrückt macht, weil sie glauben, ein bißchen Reichtum aus ihm herauszuholen, ein lebenswertes Leben zwischen Suff und Puff, denn jenseits dieses Urwaldes ist kein Platz mehr für einen, der einmal ausgestoßen wurde oder sich selbst von seinem alten Leben verabschiedet hat. Dreißigtausend Schicksale, Belisa ... und was wissen Sie davon? Sechzigtausend Hände, die sich durch diesen Berg wühlen und Sie zur Millionärin machen. Deren Boß Sie sind, die Sie regieren mit einer Privatarmee und die für Sie nichts weiter sind als der Dreck, den sie aus den Berg schaufeln.«

Belisa schwieg, aber dann sagte sie: »Sie haben Mut, Doktor.«

»Wahrheit wird erst durch Mut nützlich.«

»Ich bin also eine Blutsaugerin?«

»Sagen wir: Sie sind Unternehmerin.«

»O Gott ... jetzt werden Sie zum Kommunisten! Ist Ihnen noch nicht aufgefallen, was in den vergangenen Jahren alles geschehen ist? Ich habe Wasserleitungen legen lassen, neue, bessere Maschinen bestellt, ich habe Ihr Krankenhaus gebaut, schöner und moderner als in jeder philippinischen Stadt, ich habe eine Kirche errichtet, ich habe, soweit das möglich ist, soziale Einrichtungen möglich gemacht ...«

»Inwiefern?«

»Krankenhaus, Medikamente, Arztkosten, Pflege, das landwirtschaftliche Gut, die Schnapsbrennerei, die Gewächshäuser, die Straße nach Davao, die neuen festen Hütten ...«

»Die Puffs.«

»Auch die!«

»Deren Einnahmen in Ihre Kasse fließen.« Dr. Falke winkte ab. »Lassen wir das, Belisa. Zugegeben, es ist viel in diesen zwei Jahren geschehen. Und wenn Sie die Straßen mit Gold pflastern lassen und aus den Leitungen parfümiertes Wasser fließt, es bleibt dabei, daß hier eine ganze Stadt von Ausgestoßenen existiert, die sich keine Zügel anlegen lassen. Sie und ich – das wollte ich damit sagen – wissen nicht mal zehn Prozent von dem, was in Diwata wirklich passiert.«

»Sie wissen mehr als ich. Sie als Arzt. Zu Ihnen kommen die Leute nicht nur wegen eines Trippers.«

»So ist es.«

»Und das werfe ich Ihnen vor: Sie sagen mir nichts.«

»Ein Arzt ist wie ein Priester, eine Art Beichtvater. Dieses Vertrauen darf nicht verletzt werden.«

»Trotzdem! Ich will mehr wissen.«

»Sie werden sich wundern.« Dr. Falke blickte wieder hinaus. Unter ihnen lag jetzt das Meer, tiefblau, getupft mit kleinen, unbewohnten Inseln, an deren Küsten die Wellen schäumten.

Welch ein Frieden! Wieviel Schönheit!

Und wieviel Tod.

Dieses Meer gehörte den Haien.

Es gibt Hotels, deren Namen zum Inbegriff von Luxus und Exklusivität geworden sind.

»Das »Peninsula« in Hongkong mit seiner grandiosen »Fünf-Uhr-Tee«-Halle, das »Mandarin« in Bangkok mit seinen gläsernen Terrassen zum Heiligen Fluß. Das »Oberoi« auf Bali, mit seinen in seinem riesigen tropischen Park liegenden kleinen

Villen, von denen jede einen eigenen Swimmingpool besitzt. Das »Raffles« in Singapur, in dem der berühmte Singapur-Sling-Cocktail erfunden wurde. Und das »Manila-Hotel«, in dem einer der größten deutschen Schauspieler, der beste Mephisto aller Zeiten, Gustaf Gründgens, auf dem nassen Marmorboden des Badezimmers ausgeglitten, mit dem Kopf auf den Badewannenrand geschlagen war und sich das Genick gebrochen hatte.

Der für Reservierungen zuständige Direktor runzelte die Stirn, als Belisa und Dr. Falke die Hotelhalle betraten und auf den prunkvollen Tresen zusteuerten. Sein prüfender Blick fiel auf Belisas Jeans und Dr. Falkes ungebügelten Anzug ... zwei Gäste, die kaum zu den anderen Gästen paßten. Er setzte eine hochmütige Miene auf, als Belisa sagte:

»Es ist reserviert. Belisa García Toledo.«

»Einen Augenblick.« Der Direktor blätterte in einem Journal, nickte und starrte die Ankömmlinge dann unsicher an. »Suite 112?« fragte er. »Stimmt das?«

»Ich habe bestellen lassen: eine der besten Suiten.«

»Zwei Schlafzimmer, Salon und Bar, Eßzimmer, Whirlpool ...« Der Direktor räusperte sich. »Bei dieser Reservierung dürfen wir um eine Anzahlung bitten.«

»Ist das bei Ihnen üblich?« fragte Dr. Falke. Ihm war, als könne er die Gedanken des Direktors lesen.

»Ha ... Äh ...« Ein verlegenes Stottern. »Es ist nur ...«

»Er denkt, wir können nicht bezahlen!« nahm ihm Belisa die Antwort ab. »Weil ich kein Chanel-Kleid trage und Sie keinen Cerruti-Anzug. Wenn jetzt Carlos bei uns wäre, flöge er bereits durch die Luft. Hören Sie mal zu, Sie Weichei ...«

»Ich muß doch sehr bitten, Madame ...«

»Jetzt sagt der auch Madame!« Belisa hieb mit ihrer kleinen Faust auf die Tresenplatte. »Kennen Sie Landro Liborio?«

Der Direktor wurde ein wenig blaß im Gesicht. »Natürlich ...«

»Er ist unser Freund.« Sie zeigte auf das Telefon. »Rufen Sie ihn an! Oder soll ich es tun? Ich garantiere Ihnen: Mister Liborio wird dann niemals mehr einen Gast in Ihr Hotel schicken.«

»Ich bitte um Verzeihung.« Der Direktor schnippte mit den Fingern, ein Boy raste heran. »Nummer 112. Ich wünsche Ihnen einen angenehmen Aufenthalt bei uns.«

»Wer ist Landro Liborio?« fragte Dr. Falke, als sie die Suite bezogen hatten. Ein ungeheurer Luxus umgab sie, aber er war nicht vergleichbar mit dem in Toledos Penthouse-Suite in Davao. So etwas gab es nicht noch einmal.

»Liborio? Er kontrolliert den gesamten Goldhandel der Philippinen. Bei Gold läuft nichts ohne ihn. Er diktiert den Preis.«

»Abhängig von den Börsenkursen.«

»Sie mit Ihrer Börse! Keine Ahnung haben Sie! Liborio beeinflußt die Kurse!«

»Und den wollen Sie aufs Kreuz legen?«

»Wie das klingt! Ich will mit ihm verhandeln.« Belisa war dabei, einen ihrer Koffer auszupacken. Unterwäsche flog durch die Luft auf das breite Bett. Slips, Spitzen-BHs, Höschen, Hemdchen, ein hauchdünnes Nachthemd ...

»Beeindruckend!« sagte Dr. Falke. »Wenn man bedenkt, daß wir aus dem wildesten Urwald kommen. Wollen Sie damit Mr. Liborio von Ihren Ansichten überzeugen?«

»Reizt es Sie, Doktor?« Sie stellte sich provozierend neben das Bett und schob die linke Hüfte nach vorn. »Stellen Sie sich vor, wie ich in diesem Hauch von Stoff aussehe?«

»Nein!« Es klang geradezu grob und beleidigend. »Wozu?«

Sie sah ihn stumm an, verzog dann die Lippen zu einem Grinsen, drehte sich brüsk weg und ging hinüber zum Badezimmer. Es war ein Badesaal ... eine riesige Wanne, eine ebenso imposante Dusche, zwei Marmorwaschbecken, eine Sonnenbank, verspiegelte Wände, aus einer heruntergezogenen Decke floß indirektes Licht, und mitten in diesem Saal stand der Whirlpool, umgeben von einer Marmorbank.

»Ich bade jetzt«, rief sie über die Schulter ins Schlafzimmer. Sie drehte den Wasserhahn auf. »Wollen Sie auch mit in den Pool? Er ist groß genug.«

Du Luder, dachte er. Du verfluchtes Luder. Aber ich komme. Ich kneife nicht. Du wartest doch nur darauf, mir ins Gesicht zu schlagen, wenn ich die Hand nach dir ausstrecke. Diesen Triumph wirst du nie erleben!

»Danke!« rief er zurück. »Ich nehme die Einladung an.«

Er ging in sein Schlafzimmer, zog sich aus, streifte die Badehose über und ging hinüber zum Bad. Belisa saß auf der Marmorbank, sie trug einen so knappen Bikini, daß man sich fragte, wozu die Stoffetzen überhaupt nötig waren. Wie in Davao biß Dr. Falke die Zähne zusammen.

Sie ist so schön! Sie hat den Körper einer Elfe. Sie ist so schön, daß es beim Atmen in der Lunge brennt.

Er setzte sich neben sie. Das warme Wasser sprudelte in den Pool. Sie hatte schon Parfüm in das Becken geschüttet; es duftete stark nach geheimnisvollen tropischen Blüten. Sie beugte sich vor und griff nach dem Telefon.

»Bitte eine Verbindung zu Mr. Landro Liborio«, sagte sie der Zentrale. »Und lassen Sie sich nicht abwimmeln. Sagen Sie, Belisa García sei am Telefon.«

Dies schien wirklich zu helfen. Liborio war schnell am Apparat.

»Ja, was höre ich! Sie sind schon in Manila?! Im Hotel? Wie geht es Ihnen?«

»Sehr gut.«

»Das hört man gern. Wie geht es meinem alten Freund Juan Perón?«

»Blendend. Er lebt seit vier Monaten an der Côte d' Azur und verwöhnt seine Frau. Er will sich dort sogar ein Haus kaufen.«

»Ein glücklicher Mensch.« Liborio räusperte sich. »Sie haben vorgeschlagen, daß wir uns treffen, Mrs. García?«

»Deshalb bin ich nach Manila gekommen. Ja.«

»Es wird mir eine große Freude sein. Man erzählt so viel von Ihnen, der Nachfolgerin Ihres genialen Schwagers. Von vielen Seiten höre ich Ihren Namen. Belisa García, die Gold-Lady.«

»Ein dummes Wort.«

»Sie wollten mich sprechen.« Liborios Ton wurde förmlicher. Geschäftsmäßig. »Worum geht es?«

»Um Gold.«

»Da gibt es doch keine Fragen.«

»Bisher. Aber die Welt verändert sich stetig. Heute ist oft schon gestern, und man hat es noch gar nicht gemerkt. Und dann überrascht einen das Morgen. Mein genialer Schwager – wie Sie ihn nennen – ist von vorgestern ... das will ich korrigieren. Verstehen Sie, was ich meine?«

»Nicht ganz.«

»Deshalb müssen wir zusammenkommen. Morgen! Welchen Termin schlagen Sie vor?«

Liborio schien über Belisas Worte nachzugrübeln. Noch ahnte er nicht, daß ein kleines, zartes, dreiundzwanzig Jahre altes Mädchen ihn angreifen würde.

»Ich schlage vor: nicht in meinem Büro. Darf ich Juan Peróns Schwägerin einladen? Zu einem ganz besonderen Abendessen?«

»Einverstanden.«

»Wir treffen uns in Wang Zhijians Restaurant. Auf dem chinesischen Friedhof.«

»Wo?« Belisa glaubte, nicht richtig gehört zu haben.

Liborio lachte. »Es stimmt!« rief er vergnügt. »Auf dem chinesischen Friedhof. Wang Zhijian betreibt in dem Totenhaus seiner Vorfahren ein Luxusrestaurant. So etwas gibt es nur in Manila. Sie werden staunen.«

»Dessen bin ich gewiß.« Belisa sah Dr. Falke an. Über einen kleinen Lautsprecher am Apparat hörte er mit. »Um wieviel Uhr?«

»Ist Ihnen zwanzig Uhr zu spät?«

»Aber nein. Übrigens, ich komme nicht allein.« Dr. Falke hob protestierend beide Hände, aber Belisa sprach unbeirrt weiter. »Ich bin in Begleitung.«

»Natürlich.« Liborio lachte verständnisvoll.

»Es ist nur der Arzt des Krankenhauses von Diwata.« Dr. Falke grinste, glitt in den Whirlpool und streckte sich darin aus.

Nur zu, dachte er. Wenn's dir Spaß macht. Mich verleitest du zu keiner Äußerung. Ich werde dir keine Gelegenheit geben, mich ausrasten zu sehen.

»Sie brauchen einen Arzt?« hörte er Liborio besorgt fragen. »Wir haben die besten Spezialisten hier in Manila.«

»Er ist nicht mein Arzt, er ist nur für die Arbeiter zuständig.«

Sie wechselten noch ein paar belanglose Sätze, dann legte Belisa auf. Sie glitt in den Whirlpool, dehnte sich, und ihre Zehen preßten sich gegen Dr. Falkes Oberschenkel. Er tat, als merke er es gar nicht. Sie wälzte sich in dem vielstrahligen Sprudel. Das warme Wasser schloß sich um ihren Körper und massierte ihn. Ihre Haut genoß es wie ein Bad in perlendem Sekt.

So lagen sie ein paar Minuten im sprudelnden Wasser, dann drehte Belisa die Düsen wieder zu. Sie zog die Knie an und stützte das Kinn darauf. In dieser Haltung wirkte sie wie ein halbwüchsiges Mädchen.

»Was brauchen Sie?« fragte sie plötzlich.

Dr. Falke zuckte zusammen. Er war in die Betrachtung ihrer Oberschenkel vertieft.

»Was ich brauche?« wiederholte er. »Wie soll ich das verstehen?«

»Reißen Sie sich los vom Anblick meines Körpers...« Es klang ausgesprochen hämisch. »Was können wir in Manila für das Krankenhaus kaufen? Was fehlt Ihnen?«

»Alles.«

»Nun reden Sie keinen Blödsinn! Ich habe Ihnen schon ein Musterhospital hingestellt.«

»Ich brauche dringend ein Ultraschallgerät.«

»Wozu?«

»Um in die Körper hineinzusehen. Zur genaueren Diagnose.«

»Und was kostet so ein Gerät?«

»Das kann teuer werden ... je nach Leistung.«

»Wir reden also von Luxus?«

»Wenn man es so betrachtet, ist selbst eine Blutdruckmanschette Luxus. Meinem Großvater genügte es noch, den Puls zu fühlen. Und zum Abhorchen hatte er ein hölzernes Hörrohr mit einem Trichter. Das reichte damals aus.«

»Sehen Sie! Da waren die Ärzte noch Könner. Heute sind sie ohne Elektronik hilflos.«

»Haben Sie nicht eben zu Liborio gesagt: Heute ist oft schon gestern, und man hat es noch gar nicht gemerkt?« Er machte eine wohlüberlegte Pause. »Und plötzlich denken Sie an vorgestern, Belisa?«

Sie sah sich mit ihren eigenen Worten geschlagen, zum wiederholten Male schon, stieg aus dem Pool und schüttelte sich wie ein nasser Hund.

»Man muß Sie einfach hassen!« sagte sie, stieß einen Fuß ins Wasser und ließ eine Welle über Dr. Falkes Gesicht schwappen. »Es bleibt einem gar nichts anderes übrig.«

Sie verließ das Bad, ging in ihr Schlafzimmer und frottierte sich ab. Ihr jetzt völlig nackter Körper glänzte unter dem gleißenden Licht der Kristallüster. Aus den Augenwinkeln sah sie, daß Dr. Falke an ihrer offenen Tür vorbei in sein Zimmer ging.

Er stutzte kurz, war dann aber verschwunden. Diese eine Sekunde des Zögerns hatte ihm genügt, um seine innere Stimme zu hören:

Sie ist schön. Sie ist wunderschön. Ihre Haut ist blaßbraun wie Milchkaffee.

Sie ist ein Traum.

Für dich ein Alptraum ...

In Diwata landeten drei Transportmaschinen der Minengesellschaft und brachten Nachschub.

Neue Waffen. Zwei neue Bergwerksingenieure. Neun Huren. Ersatzteile für eine Quecksilber-Goldscheide. Zweitausend Gebetbücher. Verbandszeug. Und David Tortosa.

Er hatte in Davao dem Piloten hundert Dollar in die Hand gedrückt und gesagt:

»Nimm mich mit zum Berg.«

»Was willst du denn da?« Der erfahrene Flieger hatte Tortosa kritisch gemustert und fand ihn völlig ungeeignet zum Schürfen. »Du bist doch keiner, der da hingehört.«

»Meinst du?«

»Ja.«

»Weil ich nicht aussehe wie einer, der sich gern an seinem Messer festhält und Bäuche aufschlitzt!?« Tortosa hatte dem Piloten auf die Stiefelspitzen gespuckt und die Hand ausgestreckt. »Gib mir die hundert Dollar wieder. Ich komme auch ohne dich nach Diwata.«

Hundert Dollar sind hundert Dollar – wer sie einmal auf der Handfläche spürt, gibt sie nicht gern wieder her. Tortosa durfte sich im Transportflugzeug zwischen die Kisten klemmen und fuhr nach der Ankunft in Diwata mit einem der Lastwagen zum Berg. Manuel Morales hatte auf dem Rollfeld die neuen Huren in Empfang genommen und zu ihnen gesagt:

»Nur neun? Ich brauche zehnmal soviel! Schläft eure Agentur?«

»Keine will in den Urwald.« Eine der Huren, eine langmähnige Mestizin, sah sich um. »Hier soll die Endstation sein.«

»Ihr werdet euch wundern! Unsere Puffs sind die modernsten von ganz Mindanao. Duschen, Bäder, ordentliche Toiletten, ärztliche Pflege, absolut hygienische Arbeitsbedingungen, eine Schutztruppe, die für Ruhe und Ordnung sorgt, Supermärkte, Bars, Kinos, Spielsalons, jeden Sonntag Gottesdienst, eine Kirche, in der ihr beichten könnt ...«

Gekicher. Die neun Huren wurden fröhlich. »Genau das brauchen wir«, sagte die Langmähnige spöttisch. »Sollen wir sonntags im Puff singen: Jesu, geh voran . . .?«

Morales überlegte, ob er dem Weibsstück ins Gesicht schlagen oder sie vor die Brust stoßen sollte; er entschloß sich, nur zu sagen: »Du kommst heute abend zu mir!«

»Kannst du Fettkloß überhaupt noch?«

Morales schlug nun doch zu, gab ihr obendrein einen Tritt, als sie zu einem der Lastwagen lief, und nahm sich vor, ein besonderes Auge auf sie zu haben.

Tortosa beobachtete das alles, kletterte in den Lastwagen, der das neue Material für Krankenhaus und Kirche geladen hatte – auch die Kartons mit den zweitausend Bibeln – und ließ sich in die Höllenstadt Diwata karren. Als sie auf der Urwaldstraße in den Dschungel vordrangen und dem Berg näher kamen, der aus dem wogenden grünen Blättermeer auftauchte, als sie die Farmen erreichten, die Schnapsfabrik, das Militärlager von Toledos Privatarmee, die ersten neuen Hütten – denn Diwata wuchs und wuchs um den Berg herum – als sie den ersten schwitzenden, von Lehm und Steinmehl überzogenen Kolonnen begegneten und dann eintauchten in diese stinkende Stadt, wußte Tortosa, daß es unmöglich war, Diwata zu beschreiben.

Er war erstaunt, als der Wagen auf dem Hauptplatz vor einem langgestreckten, sauberen Gebäude hielt, das sogar ein kleiner Kirchturm krönte. Bei der Ankunft des Wagens stürzten vier junge Mädchen und zwei Männer aus dem Gebäude, alle in weißer Krankenhauskleidung. Schwestern und Pfleger . . . und das am verfluchtesten Ort der Welt.

Tortosa kletterte vom Wagen und wurde sofort von einem der Pfleger beschimpft.

»Ihr kommt spät!« rief er. »Wo hängt ihr denn rum?!«

»Der Pilot!« Tortosa hob bedauernd die Schultern. »Er mußte dringend scheißen und kehrte noch mal um. In der Maschine gibt es keine Toilette.«

»Leck mich am Arsch!«

»Danke … keinen Appetit …«

Tortosa zögerte, dann betrat er das Krankenhaus und prallte auf Pater Burgos, den es zu seinen zweitausend neuen Gebetbüchern zog.

»Wohin, mein Sohn?« fragte er.

»Ich bin hier neu, Väterchen …«

»Das sehe und höre ich. Bist du krank?«

»Nein. Wieso?«

»Weil du gerade im Hospital stehst.«

»Ich wollte den Arzt sprechen.«

»Warum, wenn du nicht krank bist?«

»Eine Gegenfrage, Hochwürden: Darf man eine Kirche nur betreten, wenn man beten will?«

»Natürlich nicht. Die Kirche ist immer offen.« Pater Burgos sah sich den Fremden genauer an. Das ist kein Glücksritter, stellte er fest. Den hat die Menschheit nicht ausgestoßen, für den ist Diwata nicht die letzte Station. Er hat einen anderen Grund, eine Höllenfahrt anzutreten. »Gott empfängt jeden … ein Krankenhaus aber nimmt nur Kranke auf. Das ist der Unterschied.«

»Wo kann man hier wohnen?«

»Im Grand-Hotel ›Zum wilden Papagei‹. Fließendes Wasser, von den Wänden, rund um die Uhr Service, von den Ratten … Mann, was glauben Sie, wo Sie gelandet sind?«

»Fragen wir anders: Wo kann ich hier schlafen?«

»Sehen Sie zu, daß jemand Sie aufnimmt! Ansonsten: auf einem Holzstapel, in irgendeiner Ecke … bis Sie sich selbst ein Dach über den Kopf gebaut haben.« Pater Burgos öffnete eine Tür. Tortosa betrat das Besuchszimmer des Priesters. Ein großes, holzgeschnitztes Kreuz beherrschte den Raum. Burgos deutete auf einen Stuhl. Nehmen Sie Platz.«

»Danke.« Tortosa setzte sich. Pater Burgos lehnte sich an die Wand.

»Ich erwarte von Ihnen keine Beichte«, sagte er. »Trotzdem: Woher kommen Sie?«

»Aus der Gosse.«

»Auch gut. Und wie soll ich Sie ansprechen? Mr. Gosse?«

»Ich heiße David Tortosa.«

»Was wollen Sie hier?«

»Geld verdienen.«

»Belügen Sie keinen Priester ... das ist stillos. Sie sind kein Gestrauchelter, der in die Anonymität flüchtet. Was also treibt Sie nach Diwata?«

»Es gibt also keine Unterkunft, die man mieten kann?« wich Tortosa aus. »Nun gut, Gottes Haus ist für jeden da. Kommet ihr Gebrechlichen, auf daß es euch besser gehe. Der Herr ist euer Schutz ... Ich bin im Augenblick sehr gebrechlich und werde mir zum Schlafen eine Ecke in der Kirche suchen. Der Herr wird mich beschützen.«

»Und ich, sein Hirte, werde Sie in den Hintern treten!« Pater Burgos sagte es leichthin, als wünsche er seinem Besucher einen guten Tag. »Vielleicht kommen wir uns dann näher.«

»Bestimmt.« Tortosas Stimme war in Wohlwollen gebettet. »Nur ein Mann Ihres Kalibers kann hier als Priester bestehen. Ist der Arzt genauso?«

»Anders.«

»Wie soll ich das verstehen?«

»Dr. Falke ist Teil dieses Urwaldes geworden.«

»Dr. Falke?«

»Ein Deutscher.«

»O je! Ich ahne schon: ein humanistischer Idealist ...«

»Jetzt haben Sie sich verraten, Tortosa.« Pater Burgos grinste breit. »Dieser Satz entlarvt Sie. Ihr Trip nach Diwata hat einen speziellen Grund. Nein, nein, ich will es jetzt gar nicht wissen. Sie werden es mir einmal sagen ... früher oder später. Ihre Verkleidung als Goldgräber ... äußerlich ganz gut, aber wenn Sie den Mund aufmachen ... Tortosa, ich warne Sie. Hier ist wirklich eine Filiale der Hölle. Sie sollten mir gegenüber ehrlich sein, zu Ihrem eigenen Schutz.«

»Ich brauche keinen Schutz. Ich weiß mich zu wehren. Und im übrigen: Sie würden nie verstehen, warum ich hier bin. Als Priester halten Sie die Moral hoch – ich aber bin gezwungen, das Wort Moral nicht mehr zu kennen.«

»›Nicht mehr‹ – das klingt nach einem Auftrag.«

»Denken Sie, was Sie wollen.« Tortosa erhob sich von seinem Stuhl. »Ich werde also auf einer Ihrer Kirchenbänke übernachten.«

»Das sehe ich nicht so.«

»Darf ein Priester einen Hilfesuchenden aus der Kirche werfen?«

»Sie brauchen keine Hilfe.«

»Doch.« Tortosa faltete die Hände. »Ich bitte Unseren Herrn um Hilfe.«

»Heuchler. Ich habe viel erlebt, aber ...«

»Zu Ihrer Beruhigung: Nur für eine Nacht. Morgen verschwinde ich in dieser Satansstadt. Zufrieden?«

»Nein.«

»Ihr Pfaffen seid aber auch nie zufrieden. Was kann ich Ihnen noch bieten?«

»Als was wollen Sie hier arbeiten? Als Steinbrecher im Berg, am Mahlwerk, in der Quecksilberscheide, im Rodungskommando im Urwald, auf der Plantage ...?«

»Wo man mich braucht.«

»Dann ist es am besten, Sie wenden sich zuerst an die Zentrale.«

»So etwas gibt es hier auch?« Tortosa lachte auf. »Selbst in der Hölle regiert die Bürokratie.«

»Richtig. Auch das Chaos muß verwaltet werden. Ihr Ansprechpartner wird Pedro García sein.«

»Wie das klingt: Ansprechpartner!«

»Ja. Es hat sich einiges geändert. Vor drei Jahren sah es hier noch anders aus. Da hieß es: Töte, um zu leben. Der Stärkere hatte immer recht. Und die Stärksten waren der Ingenieur Ramos, der Sicherheitschef Avila und Rogelio Sotto, der Vorarbeiter der Schürfer. Avila und Sotto sind noch da, aber Ramos hat seine Herrschsucht mit dem Leben bezahlt. Die neue Leitung beutet die Leute zwar immer noch aus, aber sie ist menschlicher, so merkwürdig das klingt.«

»Stimmt es, was man sich draußen erzählt?« fragte Tortosa.

»Was?«

»Daß der Boß hier eine Frau sein soll?«

»Es stimmt. Belisa García.«

»Mit ihr sollte ich mal sprechen.«

»Da müssen Sie erst an ihren drei Brüdern vorbei, und das gelingt keinem! Die Gold-Lady wird bewacht, als sei sie selbst aus purem Gold.«

»Sie muß eine außergewöhnliche Frau sein ... wie man hört ...«

»Sie ist ein Rätsel.« Pater Burgos fragte sich, warum er dem Fremden das alles erzählte. Irgendwie hatte Tortosa in ihm den Verdacht geweckt, daß sein Erscheinen in Diwata einen anderen Grund hatte, als Gold aus dem Berg zu brechen. Je länger er mit ihm sprach, desto drängender wurde die Frage: Was will dieser Mann hier?

»Rätsel?« wiederholte Tortosa.

»Sie baut ein Krankenhaus, eine Kirche, neue, feste Wohnhäuser, legt Plantagen an, organisiert eine anständige Versorgung der Stadt, befestigt Straßen und läßt Abwasserkanäle graben ... gleichzeitig aber verlängert sie die Arbeitszeit, treibt die Männer bis zur völligen Erschöpfung in den verfluchten Berg, erhöht die Tagesnorm und senkt den Lohn pro Sack. Wem das nicht paßt, kann gehen – sagt sie. Aber keiner geht. Das weiß sie. Sie ist die absolute Herrscherin.«

»Ich muß sie kennenlernen«, sagte Tortosa leichthin.

»Es könnte Ihr Ende sein.«

»Spekulieren wir nicht über die Zukunft ... bleiben wir bei der Gegenwart. Erlauben Sie mir, Pfaffe, eine Nacht in Ihrer Kirche zu schlafen?«

»Ich bin Pater Burgos.«

»Angenehm.« Tortosa machte eine leichte, spöttische Verbeugung. »Also, Pater, darf ich?«

»Sie können bei mir schlafen. Ich habe im Sprechzimmer noch ein Bett stehen.«

»Danke.« Tortosa grinste. »Das nennt man christliche Nächstenliebe. Und so etwas in der Hölle ...«

Der Frühstückstisch im Eßzimmer der Suite war schon gedeckt, als Dr. Falke, geduscht und frisch rasiert, aus seinem luxuriösen Schlafraum kam. Belisa saß in einem Sessel am Fenster, eingehüllt in einen seidenen Morgenmantel mit roten Drachenmotiven. Chinesische Seide, dachte er. Und in Diwata lebt sie in einer Hütte, durch die die Ratten huschen. Wer kann diese Frau begreifen?

Sie hatte die Beine dekorativ übereinandergeschlagen, der Seidenmantel klaffte etwas auseinander, und man sah einen Teil ihres linken Oberschenkels. Dr. Falke vermutete, daß sie unter der Seide nichts weiter trug.

Er ignorierte diese Aufmachung und setzte sich an den gedeckten Tisch. Belisa blätterte in der Morgenzeitung, die mit dem Frühstück serviert worden war.

»Ich habe mit meinem Schwager telefoniert«, sagte sie plötzlich.

»Juan Perón Toledo ist in Davao?«

»Nein. In Frankreich. An der Côte d'Azur. Dort ist jetzt Nacht, ich habe ihn aus dem Bett geklingelt. Meiner Schwester Jessica geht es blendend. Sie wollen in Frankreich bleiben. Juan hat eine wundervolle Villa an der Küste entdeckt, in Cap Ferrat, die will er kaufen und dort das Nichtstun pflegen. Er will von dem ganzen Dreck in Diwata nichts mehr sehen.«

»Glücklich, wer sich so etwas leisten kann.«

»Das ist Ihre einzige Reaktion?«

»Was erwarten Sie? Soll ich jetzt die französische National-hymne singen?«

»So eine dumme Antwort paßt zu Ihnen. Wenn Juan Perón sich von allem zurückzieht, bin ich allein der Chef!«

»Das sind Sie doch sowieso. Was ändert sich denn?«

»Ich werde meinem Schwager fünfundsiebzig Prozent der Mine abkaufen. Diwata wird mir gehören!«

»Na und?«

»Na und ... na und ...« Sie äffte ihn nach. »Toledo hat Sie eingestellt, nicht ich!«

»Heißt das, daß Sie mir kündigen? Wollen Sie hier in Manila Ersatz für mich suchen?«

Dr. Falke sprach ganz ruhig. Er wußte, daß sie ihn wieder demütigen wollte, weil seine Stärke in seinem Selbstbewußtsein lag. Das wollte sie erschüttern. Sie, nur sie, durfte die Stärkste sein.

Belisa kam an den Tisch, setzte sich und ließ im Ausschnitt ihres Seidenmantels den Ansatz ihrer festen kleinen Brüste se-hen. Sie griff nach einem Croissant und brach es auseinander. Dr. Falke schenkte Kaffee und Tee ein.

»Sie entlassen? Aber nein.« Belisa biß in das Gebäck. »Nur die Situation ist anders. Bisher lebten Sie vom Wohlwollen mei-nes Schwagers ... jetzt sollten Sie umdenken.«

»Und was muß ich tun, um Ihr gnädiges Wohlwollen zu er-reichen?«

»Sie sollen mich nicht behandeln wie ein großes Baby!« Plötzlich schrie sie mit heller, zitternder Stimme. »Ich bin kein Mädchen, das man in Watte packen muß!«

»Das waren Sie nie!«

»Dann behandeln Sie mich auch als Frau!«

Dr. Falke war für einen Augenblick überrumpelt. Er fühlte sich in eine Ecke gedrängt, aus der es keine Fluchtmöglichkeit gab. Um Zeit zu gewinnen, trank er einen Schluck Kaffee, schnitt ein Brötchen auf, bestrich es mit Butter, biß hinein und ließ es zwischen den Zähnen splittern. Belisa beobachtete ihn und zerbröselte dabei ihr Croissant. »Ich versuche, hinter den Sinn Ihrer Worte zu kommen«, sagte er endlich.

»Spreche ich chinesisch?«

»Das würde ich vielleicht besser verstehen.«

»Sie nehmen mich nicht für voll!«

»Aber ja! Sie sind der Boß!«

»Boß! Boß! In China gab es Kaiser, die waren vier Jahre alt, und Millionen lagen vor ihnen im Staub, weil sie eben die Kaiser waren. Das wirkliche Leben floß draußen an ihnen vorbei. Wie an mir in Diwata!«

»Ich staune! Gerade Sie, Belisa, leben doch mitten im Dreck, bei Ihren Diggern ...«

»Und trotzdem weiß ich nur wenig von dem, was am Diwata-Berg geschieht.«

»Interessiert es Sie, wo, wann und warum sich die Kerle die Schädel einschlagen? Ob Avila Männer erschießt oder im Scheißsee ertränken läßt, weil sie im Berg geschürfte Nuggets heimlich in die eigene Tasche steckten? Ob Ihre Brüder Kerle zu Krüppeln schlagen, die in der Schnapsfabrik eine Flasche in der Hose versteckten? Interessiert Sie das wirklich?«

»Ja!« Sie schlug mit beiden Fäusten auf den Tisch. »Ja! Ja! Ich will Ordnung in die Stadt bringen! Wie kann ich Ordnung schaffen, wenn ich von nichts weiß?!«

»Wissen heißt hier Kampf!«

»Ich will kämpfen!«

»Auch gegen Ihre eigenen Brüder?«

Belisa schwieg einen Augenblick. Ihre schmalen, zarten Finger zerbröselten das Croissant fast zu Mehl. Ihre Hände zuckten nervös, als führe sie einen Kampf mit sich selbst.

»Wenn es sein muß ...« sagte sie leise, als reichte für diese Worte ihr Atem nicht mehr.

»Und Sie glauben wirklich, Ihre Brüder befolgen Ihre Anordnungen?«

»Es werden Befehle sein!« rief sie laut. »Befehle! Ich allein werde befehlen!«

»Das tun Sie doch bereits seit über zwei Jahren.« Dr. Falke goß ihr Tee nach. »Wer zweifelt das denn an? Sie haben es immer wieder verkündet, immer wieder praktiziert, wie oft haben wir darüber diskutiert ...«

»Gestritten«, verbesserte sie ihn. »Gestritten!«

»Spüren Sie plötzlich Minderwertigkeitskomplexe? Dreißigtausend Männer schuften für Sie, schürfen Gold für Sie, durchlöchern einen ganzen Berg, damit Sie Geld scheffeln können. Sie haben mehr als einmal zu mir gesagt: Ich will reich sein. Dafür tue ich alles. Sie haben es erreicht. Sie sind die Gold-Lady. Jeder in Diwata nennt Sie so – Sie haben keinen anderen Namen mehr.«

»Und was bin ich für Sie?‹

Ja, was bist du für mich, dachte Dr. Falke. Wie soll ich das erklären, wie kann ich es erklären? Wie kann man eine Dummheit logisch formulieren? Denn Dummheit ist es, eine geradezu wahnsinnige Dummheit, die ich im verborgenen pflege wie eine seltene Orchidee. Verdammt noch mal, ich liebe dich. Das ist das Verrückteste, was in dieser Hölle möglich ist. Ich liebe dich. Ich muß ein krankes Hirn und zerrüttete Nerven haben, um so für dich zu empfinden. Habe ich denn nicht erlebt, welchen Satan du anbetest? Du hast zugelassen, daß ich nackt mit dir geschwommen bin, als sei es selbstverständlich, deinen sinnlichen Körper zu bewundern. Du hast mit mir getanzt, als wolltest du deinen Leib in mich hineinpressen, und dann habe ich dich geküßt, und du hast dich in ein wildes Tier verwandelt, auf mich eingeschlagen und geschrien, daß nur mein Tod diese Entehrung sühnen könne. Ein Leben auf Zeit hast du mir angedroht, ein Leben in deiner Gnade, jederzeit auslöschbar, wann immer du es wolltest ... aber immer, wenn ich mit dir allein bin, stellst du vor mir deine Schönheit und Sinnlichkeit aus. Warum? Was soll ich jetzt antworten auf die provozierende Frage: Was bist du für mich?

»Welche Antwort erwarten Sie?« wich Dr. Falke aus.

»Eine ehrliche.«

»Sie sind eine bezaubernde Frau.«

»Ist das alles?«

»Nun ja ... wie schon gesagt: der Boß.«

»Ich hasse dieses Wort. Das wissen Sie!«

»Wie wollen Sie denn gesehen werden? Erklären Sie es mir ...«

»Ich suche Vertrauen. In Diwata mißtraut jeder jedem. Wenn du einem die Hand gibst, weißt du nicht, ob er sie dir gleich zerquetscht. Warum kann man nicht miteinander sprechen, warum muß man einander immer gleich umbringen?«

»Was verlangen Sie von Menschen, deren einziges Lebensziel es ist, mit allen Tricks, mit aller Brutalität, mit aller Verzweiflung zu überleben? Diwata ist ein Ort der nackten Seelen. Ein Sammelbecken der Urangst: Lebe ich morgen noch? Gönnt man mir das Atmen, oder bin ich überflüssig auf dieser Welt? Wenn man so nackt ist, wird sogar Vertrauen zur Mordwaffe.«

Jetzt erst schien Belisa zu bemerken, daß ihr chinesischer Seidenmantel über den Brüsten auseinanderklaffte. Sie zog ihn mit einem Ruck zusammen. »Ich habe das Gefühl«, sagte sie, »daß Sie mir gegenüber nicht ehrlich sind, Doktor.«

Wie wahr, o wie wahr! Wenn ich dir sage, was ich empfinde ...

»In den zwei Jahren, die Sie nun in Diwata sind, habe ich Sie noch nie belogen. Nennen Sie mir einen Anlaß, der ...«

Sie hob beide Arme und winkte ab. Wieder klaffte ihr Seidenmantel auseinander. »Warum sagen Sie nicht ehrlich: Du bist keine Frau, du bist eine Goldmaschine ...«

»Ich würde mir nie erlauben, Sie zu duzen.«

»Lassen Sie diese Sprüche. Ja, ich bin eine Goldmaschine.

Und ich will Ihnen auch erklären, warum. Ich bin nicht in einem Marmorpalast geboren worden.«

»Ist das der Gipfel des Glücks?«

»Haben Sie nie den Wunsch gehabt, aus diesem Dreck herauszukommen?«

»Sie vergessen: Ich bin freiwillig nach Diwata gegangen.«

»Weil Sie draußen etwas ausgefressen haben, nicht wahr? Weil man Sie sucht?! Weil Sie untertauchen mußten – ist es so? Und nun leben Sie unter den anderen Entwurzelten mit der Lüge, es geschähe alles aus Humanität. Der selbstlose Arzt, der nur helfen will! Der Samariter mit dem Heiligenschein! Was wollen Sie vergessen?«

»Vielleicht den Ehrgeiz vieler meiner Klinikkollegen in Deutschland, durch Arschkriecherei Professor zu werden und in der Hierarchie der Götter in Weiß aufzusteigen. Ich werde nicht in einem mit Millionen subventionierten Klinikum gebraucht, sondern in Diwata, wo der Mensch zu einem Stück Dreck geworden ist.«

»Also doch ein Heiliger.«

»Ein Helfer ... das fängt auch mit H an.«

Sie raffte den Seidenmantel wieder zusammen, nahm ein Croissant, biß hinein, legte den Kopf in den Nacken und blickte an die hölzerne Kassettendecke.

»Nun sind wir also in Manila. Wir werden nicht so bald wieder in die Hauptstadt kommen. Was wünschen Sie sich für das Krankenhaus?«

Dr. Falke stellte die Tasse zurück, aus der er gerade getrunken hatte.

»Wie soll ich die Frage verstehen?«

»Wir haben den ganzen Tag Zeit. Was unternehmen wir?«

»Ich nehme an, Sie werden einige Modesalons besuchen.«

»Dummheit! Was soll ich in Diwata mit Modellkleidern? Was fehlt im Krankenhaus?«

»Du lieber Gott ...«

»Der kauft Ihnen nichts!«

»An Geräten fehlt eine ganze Menge. Aber darüber zu reden, ist müßig.«

»Zählen Sie auf.«

»Ich brauche: Ein EKG- und ein Ultraschall-Gerät. Für eine exakte Diagnose sind sie heute unentbehrlich.«

»Was kostet so etwas?«

»Keine Ahnung. Auf jeden Fall eine Menge Geld.«

»Und weiter?«

»Es fehlen Katheter, Blutanalyse-Computer, ein Sortiment verschiedener Infusionen, Infusionsnadeln, Spritzen und Kanülen jeder Größe, Schienen jeglicher Art ... und von einem wollen wir gar nicht erst reden.«

»Warum nicht?«

»Weil es im Bereich der Illusion liegt.«

»Was ist es?«

»Ein Röntgenapparat. Mit Bildschirm.«

»Herzverpflanzungen wollen Sie nicht vornehmen?«

»Ich wußte, daß Sie so spöttisch reagieren würden. Vergessen wir das alles. Aber Sie wollten es ja hören.«

Zwei Stunden später wußte Dr. Falke nicht mehr, wer Belisa García war. Auf eine Nachfrage in der Telefonzentrale des Hotels hin brachte ein Page eine Liste von Firmen, die medizinische Geräte verkauften. Der Name der größten Firma war unterstrichen worden.

»Da fangen wir an«, sagte sie.

»Belisa.« Dr. Falke war sich sicher, daß diese Besuche völlig sinnlos waren. »Ich habe Ihnen gesagt, daß zigtausend Dollar nötig sind ...«

»Sind es meine Dollars oder Ihre?«

Was dann folgte, war eine Wiederholung des Krankenbettenkaufs in Davao und der Einrichtung des neuen Krankenhauses. Nur handelte es sich diesmal um Summen, die selbst Dr. Falke nicht erwartet hatte. Aber Belisa García schien dies nicht zu erschüttern. Sie sagte bloß zu dem Verkaufsdirektor, den sie als Gesprächspartner verlangt hatte:

»Ich habe nicht vor, Ihre ganze Firma zu kaufen.«

»Was der Herr Doktor ausgesucht hat, sind die neuesten Modelle. Japanische Konstruktionen bester Qualität. Amerikanische oder gar deutsche Fabrikate sind noch teurer. Unsere Geräte sind konkurrenzlos. Nehmen wir den Ultraschallcomputer. Er erlaubt Einblicke, die man bisher nicht kannte. Es erschließen sich ganz neue Diagnosemöglichkeiten ...«

Belisa sah Dr. Falke an. »Ist das wahr?« fragte sie.

»Ja. Ich bin – ich gestehe es – von den Möglichkeiten überwältigt. Sehen Sie sich diese Computerfotos an. Hier: eine Galle. Deutlich zu sehen eine kleine Ansammlung von Gallengrieß. Und hier: ein Gallenblasenhydrops. Das hier: eine Niere, eine Nephrokalzinose. Dieses Bild ist dramatisch: eine hereditäre idiopathische Nephronophtisis bei einem zirka neunjährigen Kind.«

»Hören Sie auf!« Belisa winkte energisch ab. »Ein EKG brauchen Sie mir nicht zu erklären. Das kenne ich.« Sie wandte sich an den Verkaufsdirektor. »Wann können Sie liefern?«

»Wohin?«

»Nach Davao. Mindanao.«

»In etwa vier Wochen.«

»Sofort!«

»Nur gegen Vorkasse.«

»Sehen wir aus wie Halsabschneider?!«

»Pardon. Verstehen Sie mich. Ich kenne Sie nicht, Sie kommen zu uns, bestellen für fünfundvierzigtausend Dollar Apparate, sofort lieferbar ... und dann noch Mindanao ...«

»Wo nur Gesetzlose und Rebellen leben ...« ergänzte Dr. Falke.

»Das habe ich nicht gesagt, Herr Doktor.«

»Aber gedacht. Für einen vaterlandstreuen Philippino ist Mindanao eine Insel der Abtrünnigen. Einigen wir uns so: Sie liefern an eine Adresse in Davao, und dort erfolgt die Übergabe: Geld gegen Ware. Und damit Sie nicht glauben, daß Sie Falschgeld bekommen, wird ein Banker Ihnen das Geld übergeben. Ist das Sicherheit genug?«

»Vollkommen, Herr Doktor.«

Und dann kam der Satz, auf den Dr. Falke die ganze Zeit gewartet hatte. Belisa sagte:

»Das kostet Sie zehn Prozent!«

Und der Direktor antwortete zu Dr. Falkes großer Verblüffung sofort:

»Einverstanden.«

Womit bewiesen war, daß man sie in höflichster asiatischer Form betrogen hatte.

Draußen auf der Straße blieb Belisa vor Dr. Falke stehen und zog kampfeslustig das Kinn an. »Bin ich für Sie noch immer die geldgierige, seelenlose Ausbeuterin, die über Leichen geht, um reich zu werden?«

»Was erwarten Sie? Ich bin einfach sprachlos. Das Wort danke wollen Sie ja nie hören. Aber eins sollte Ihnen aufgefallen sein: Man hat uns betrogen.«

»Glauben Sie, ich hätte das nicht bemerkt?« Sie lächelte. Ein böses, gefährliches Lächeln, das in ihren Augen blitzte. »Der Kerl wird sich wundern, wenn die Apparate erst mal in Davao sind. Um die Übergabe werden sich Carlos und Miguel kümmern. Und zusätzlich Avila.«

Es war eine Ankündigung, bei der es Dr. Falke kalt über den Rücken lief.

Und wieder fragte er sich: Was ist das für eine Frau?

Aber auch ein Tiger läßt sich streicheln ...

An diesem Tag fand im Verwaltungsgebäude von Diwata eine außerordentliche Besprechung statt. Die Gelegenheit war günstig – die Lady befand sich ja weit weg in Manila. Die Versammlung kam zustande, weil der dicke Morales dringend darum gebeten hatte. Die drei García-Brüder saßen nebeneinander auf ihren Stühlen wie Raubtiere in der Manege auf ihren Hockern; etwas abseits hatte sich Antonio Pérez in einen Korbsessel geklemmt. Morales schwitzte stark, wie immer, wenn er sich erregte.

»Fassen wir zusammen«, sagte Miguel, der Bürgermeister von Diwata. »Das Problem ist, daß wir zu wenig Huren haben. Ist es so, Manuel?«

Morales nickte. »Es leben schätzungsweise dreißigtausend Männer in der Stadt«, wiederholte er seine Rechnung. »Schätzungsweise! Wieviel es wirklich sind, weiß keiner. Das geht raus und rein. Aber bleiben wir bei dreißigtausend. Für sie haben wir jetzt gut vierhundert Huren ... auf rund hundertdreißig Mann kommt also ein Mädchen. Ein untragbares Verhältnis. Das Leben der Kerle besteht doch nur aus Goldschürfen, Fressen, Saufen, Huren und sich die Schädel einschlagen. Die Mädchen arbeiten wie am Fließband, nur stellen sie keine Ware her, sondern entleeren Schwänze. Vor dem Puff stehen sie Schlange. Und brüllen, daß sie so lange warten müssen, bis sie rankommen. Neulich ließen einundzwanzig Wartende die Hosen runter und wichsten sich einen ab ... das war vielleicht ein Bild! Jungs, die Mädchen arbeiten bis zum Zusammenbrechen – das geht doch nicht!«

»Was schlägst du vor?« fragte Miguel.

»Wir brauchen mehr Huren und mehr Puffs. Ein Zentralpuff reicht nicht ... wir müssen dezentralisieren. Mehrere Bordelle über die ganze Stadt verteilt. Dann kommt es auch zu weniger Zusammenstößen und Prügeleien. Die wichtigste Aufgabe der Stadtverwaltung von Diwata ist jetzt, Puffs zu bauen! Nur damit können wir hier Ruhe schaffen.«

»Und das in Kombination mit einem Schwimmbad und einem Sportstadion«, ließ sich Pérez vernehmen.

»Schnauze!« Carlos tippte sich an die breite Boxerstirn. »Soll'n wir auch noch 'n Opernhaus bauen wie in Manaus?!«

»Warum nicht? Freude am Leben erhöht die Freude an der Arbeit.«

»Mehr Puffs.« Pedro García, der ehemalige Wachmann und jetzige Finanzminister von Diwata, klopfte mit einem Bleistift auf die Tischplatte. »Wer soll das bezahlen?«

»Die Stadtverwaltung.« Morales wischte sich den Schweiß vom Gesicht. »Das ist doch eine Investition, die Geld bringt, die Einnahmen fließen doch nach Abzug der Hurenanteile in die Stadtkasse! Jeder Fick mehr ist eine Umsatzsteigerung.«

»Und dann das Schwimmbad«, hakte Pérez nach. »Jeder wird den Eintrittspreis bezahlen. Die Benutzung der Toiletten kostet noch mal extra Geld. Zum Schwimmbad gehört auch ein Restaurant, unter Leitung der Stadtverwaltung. Das wird ein voller Erfolg.«

»Wißt ihr, was dabei herauskommt?« fragte Miguel ahnungsvoll. »Die Kerle werden ins Wasser pissen und in irgendwelche Ecken scheißen, sie werden die Mädchen mit ins Schwimmbad nehmen und Massenvögeleien veranstalten, es wird Totschläge am laufenden Band geben, in vier Wochen sieht alles aus wie eine Jauchengrube. Jungs, wir kennen doch diese Burschen!«

»Wir werden sie wie Raubtiere bändigen!« sagte Carlos.

»Eher kriegst du einen Tiger dazu, dir die Eier zu lecken, als Ordnung in diese Bande zu bekommen!«

»Avila wird eine Ordnungstruppe gründen.« Carlos ließ eindrucksvoll seine Muskeln spielen. »Jeder, der sich danebenbenimmt, wandert ein paarmal unter'm Bambusstock herum. Wenn das nicht hilft, brechen wir ihm irgendeinen Knochen. Im Notfall lernt er im Scheißsee schwimmen. So etwas spricht sich rum und schafft Ordnung. Ordnung ist Überzeugungsarbeit.«

»Solche Probleme habe ich bei meinen Puffs nicht!« gab Morales stolz zur Kenntnis. »Da ist das Problem nur die lange Wartezeit.«

»Irrtum! Dein Problem ist: Woher nehme ich die neuen Mädchen?« Miguel stand vor schweren Fragen. »Wer nach Diwata kommt, muß schon dreimal abgebrüht sein.«

»Und das allergrößte Problem deckt ihr mit Schweigen zu: Was sagt Belisa dazu? Sie allein kann alles genehmigen.«

»Wir müssen sie überzeugen«, rief Carlos.

»Belisa überzeugen? *Wir?!* Kannst du gegen einen Orkan anpusten?!«

»Es stimmt. Wer kann Belisa überzeugen?« Pedro zählte an den Fingern ab: »Neue Bordelle. Ein Schwimmbad. Ein Freizeitpark. Ein Restaurant ... Jungs, das ist doch Wahnsinn. Sie hält uns für verrückt.«

»Ich hätte eine Idee«, sagte Pérez bescheiden.

»Noch eine! Welche denn?«

»Wenn wir alle Pläne zunächst dem Doktor vortragen ... Und dem Pater.«

»Der Pfaffe soll Puffs unterstützen?!« Carlos brach in schallendes Lachen aus. »Und der Bischof von Davao soll sie einweihen!«

»Der Doktor hat großen Einfluß auf Belisa.«

»Wenn es um sein Krankenhaus geht. Da geht es um die Gesundheit und um die Erhaltung der Arbeitskraft. So sieht es Belisa.«

»Auch im Puff geht es um die Gesundheit!« rief Morales enthusiastisch. »Ein guter Fick belebt die Geister, gibt Mut, hier in diesem Dreck weiterzuleben, ist Zärtlichkeit, die neue Kraft gibt. Im Krankenhaus macht man die Kranken gesund ... im Puff bleiben die Gesunden gesund! Das ist wertvolle Lebenshilfe. Darüber sind Tausende Bücher geschrieben worden. Und ihr alle wißt, daß das die Wahrheit ist.«

»Ich nehme die Idee von Pérez an ... sprechen wir zuerst mit dem Doktor.«

Miguel war froh, dieses Problem zur Seite wälzen zu können. Ihn plagten andere Sorgen: Eine Außenstelle des neuen Landwirtschaftsgutes war in der Nacht überfallen worden. Die erste Ernte – Bananen, Ananas, Mais und Mango – war aus dem Lagerhaus gestohlen worden. Nach dem Überfall hatten die Banditen die Halle angezündet ... sie war bis auf das Fundament abgebrannt. Die Landarbeiter, die geflüchtet waren, um ihr Leben zu retten, denn wer will schon wegen Mais oder Bananen zu Helden werden, berichteten, daß es ein Rebellentrupp gewesen sei. Rebellen, die als »Untergrundarmee« in den Urwäldern lebten und um ein selbständiges Mindanao kämpften. Avila war mit einer Kompanie von Toledos Privatarmee bereits zur Verfolgung aufgebrochen, es war alarmierend, daß die Rebellen auch Diwata angriffen und beraubten.

Die Gefahr war nicht nur spürbar, sondern greifbar. Der Überfall aus dem Dunkel der Wälder reizte dazu, die bisher ungeschriebenen Gesetze auch innerhalb der Höllenstadt zu mißachten. Bisher hatte es nur vereinzelte Diebstähle, Überfälle, Raubtaten oder Einbrüche gegeben – meistens von Neuankömmlingen, die die Diwata-Gesetze erst noch lernen mußten –, aber solche Vorfälle waren schnell bereinigt: Man hängte die Kerle auf, ersäufte sie im Scheißesee, köpfte sie mit der Machete oder schnitt ihnen die Hoden ab. Das galt als geringfügige Strafe, wenn Avila einen guten Tag hatte.

Bei Einzeltätern war so etwas wirksam. Was aber konnte man tun, wenn sich kriminelle Trupps von dreißig oder fünfzig oder gar hundert Mann bildeten und die Stadt mit Terror überzogen? Wenn Mafia-Methoden einrissen und die Stadt in Angst versetzten?

In der Nacht noch, als der Überfall auf das Gut bekannt geworden war, hatte Miguel seine Befürchtungen ausgesprochen.

»Darauf habe ich die ganze Zeit gewartet«, sagte er mit düsterer Miene. »Ich habe es nur nicht ausgesprochen. Bei dreißigtausend Halunken gibt es sicherlich tausend Oberhalunken! Und sie warten darauf, aus ihren Rattenlöchern zu kriechen, ich spüre das.«

»Sollen sie kommen!« schrie Carlos und hieb die riesigen Boxerfäuste gegeneinander. »Wir haben genug Hände, um Massengräber auszuheben!«

»Ein Krieg innerhalb der Stadt? Könnt ihr euch vorstellen, was das bedeutet? Nein, das könnt ihr nicht. Das übersteigt eure Vorstellung.«

»Es wird nie soweit kommen.« Avilas Stimme klang ruhig wie immer, auch wenn er sagte: Hängt ihn auf. »Die ersten, die ich erwische, jage ich als lebende Fackel durch die Stadt. Benzin habe ich genug.«

Da hatten sie alle geschwiegen und gespürt, daß man trotz Hitze auch frieren kann.

Carlos sprach dann aus, was alle dachten: »Die ganze Scheiße muß beendet sein, bevor Belisa aus Manila zurückkommt. Kaum ist sie weg, passiert so etwas. Wir dürfen uns nicht blamieren.«

»Sie wird mit uns zufrieden sein.« Avila legte die Fingerspitzen aneinander, eine Eigenart, die bei ihm Vernichtungswillen ausdrückte. Dabei sah es aus, als würde er beten. »Wir werden sie finden . . .«

Noch in der Nacht drangen Avilas Truppen in den verfilzten Urwald vor, in dem sich die Rebellen versteckt hatten. Wie Raubtiere schlichen sie durch den Dschungel, hervorragend ausgebildet und trainiert für solche Einsätze. Jetzt zeigte sich, daß der militärische Drill, über den viele der Toledo-Soldaten geflucht hatten, sinnvoll und überlebenswichtig war. Im Urwald überlebt nur der Zähe.

Avilas Aktion hatte Erfolg, zwar nur einen kleinen, aber er genügte vollkommen. In einem gut getarnten Unterstand, der in den Boden gegraben worden war, zwischen drei gewaltigen Mahagonibäumen, entdeckten die Diwata-Soldaten vier Rebellen. Man riß sie aus der Erdhöhle, fetzte die Kleidung von ihren Körpern, schlug mit nassen Lederriemen auf sie ein und erfuhr so, daß in den Wäldern um den *Umayan-Fluß* noch eine kleine

Armee von etwa neunhundert Freiheitskämpfern, wie sie sich nannten, hauste.

Neunhundert gut ausgerüstete Rebellen, die sich vorgenommen hatten, von der Goldstadt Diwata zu leben. Neunhundert fanatisierte Männer, die früher oder später das staatliche Militär nach Diwata locken würden. Aber genau das war das letzte, was man am Goldberg gebrauchen konnte.

»Wir sollten zeigen, daß wir uns für Politik nicht interessieren«, sagte Avila, nachdem weitere Verhöre der vier Rebellen nichts mehr gebracht hatten. »Wir sollten es ganz deutlich ausdrücken.«

Avilas Botschaft an die Aufständischen war deutlich und überzeugend.

Er ließ die vier an den Beinen aufhängen, die Köpfe nach unten, kurz über dem Boden schwebend, an den dicken Ästen der Mahagonibäume, zwischen denen die Erdhöhlen gebaut worden waren. Dann schmierte man die nackten Körper mit Honig ein und ließ die um Gnade brüllenden Männer allein.

So hingen sie einen Tag und eine Nacht und noch einen Morgen. Zwei Soldaten aus Avilas Sicherheitstruppe würgten, als sie die Hängenden kontrollierten. Die honigbeschmierten Körper waren übersät mit Käfern, Mücken, Moskitos, Schmeißfliegen und Würmern, Arme und Schultern und Teile des Brustkorbes waren von Wildtieren bereits angefressen worden, die Muskeln hingen in Fetzen an den Knochen. Wie von Avila befohlen, schlitzten die Soldaten die Bäuche der Toten auf und ließen sie weiter hängen.

So fand sie Rafael, der bei den Rebellen zum Kompanieführer befördert worden war. Rafael, dessen Bruder man zusammen mit sechzig anderen Schürfern im Stollen 97 lebendig eingemauert hatte, als der Schacht wegen mangelhafter Abstützung eingebrochen war. Rafael, der damals geschworen hatte, Diwata zu vernichten, mit einem Haß, der keine Grenze mehr kannte. Nun stand er vor den angefressenen und aufgeschlitzten Leichen seiner Freunde und schwor, zu töten, was aus Diwata kam. Vor allem Leonardo Avila und seine Männer. Einen nach dem anderen ... Tag für Tag ... Nacht für Nacht.

Töten ... töten ... töten ...

»Ich kriege dich, Avila! Ich kriege dich!« sagte er. Und zu den verstümmelten Hingerichteten: »Verlaßt euch darauf, Kameraden.«

Dann tauchte er wieder im Dschungel unter und hieb eine Stunde später einem Landarbeiter mit der Machete den Kopf ab.

Das alles geschah in den drei Tagen, in denen Belisa und Dr. Falke in Manila waren und das neueste japanische Farb-Ultraschallgerät kauften. Ein Gerät, wie es noch nicht einmal die staatliche Klinik besaß.

»Ich muß verrückt sein«, sagte sie am Abend nach dem Kauf. »Ich bin wirklich verrückt! Für diese Bande ein solches Gerät! Wer kann das verstehen?«

»Niemand.« Dr. Falke hob wie hilflos die Schultern. »Auch ich verstehe es nicht ... Haben Sie die Absicht, eine Heilige zu werden?«

»Dazu müßte ich Sie erst umbringen.« Sie sah ihn lange und schweigend an. »Ich wünschte, Sie nie kennengelernt zu haben ...«

Am nächsten Morgen, nach dem Frühgebet, wollte Pater Burgos seinen ungebetenen Gast wecken. Er fand das Zimmer verlassen; der Mann, der sich David Tortosa nannte, war in der Stadt untergetaucht. Nur etwas fiel Burgos auf: wie er das Zimmer verlassen hatte.

Das Bett war gemacht, das Bettuch gespannt, die Decke so sorgfältig gefaltet, daß jede Seite gleich lang war. Das Kopfkissen aufgeschüttelt, in der Mitte ausgerichtet und glattgestrichen.

Ein so korrektes Bett baute nur ein Soldat. Das war ihm eingedrillt worden, das gehörte zur Grundordnung, das war antrainierte Disziplin. Die Visitenkarte des Soldaten, genau wie sein Spind. Für Soldaten gibt es vier Säulen des Lebens: Bett und Spind ... die Stiefel ... und die Waffe.

Wer war David Tortosa?

Dieses Bett bewies, daß er nicht zu den Glücksrittern und Abenteurern gehörte, die den Diwata-Berg nach Gold durchlöcherten. Was aber trieb einen Mann wie ihn zu diesem verdammten Flecken Erde?

Die Frage beunruhigte den Pater, irgendwie spürte er eine nahende Gefahr, ohne sie benennen zu können. Er ahnte nur eins: Dieser Tortosa – oder wie er auch heißen mochte – würde dafür sorgen, daß man sich intensiv mit ihm beschäftigen mußte.

Erstaunt war er, als am Vormittag Bürgermeister Miguel und der dicke Bordellverwalter Morales plötzlich bei ihm in der Kirche erschienen.

»Nanu«, sagte er. »Wollt ihr beichten?«

»Wir haben ein Problem, Pater.« Miguel zögerte, aber Morales war mutiger. Er fiel ein: »Wir brauchen mehr Huren, Hochwürden.«

»Raus!« Pater Burgos zeigte auf die Tür. »Sofort raus! Ihr steht in einer Kirche, ihr Säue!«

Morales nickte, während Miguel verschämt zur Erde blickte. »Es ist dringend.« Der Dicke schnaufte durch die Nase. »Die Stimmung in der Stadt ist ernst.«

»Explosiv«, ergänzte Miguel.

Von den Ereignissen der vergangenen Nacht im Urwald erwähnten sie nichts. Sie kannten Burgos' Ansicht – für ihn würde das kein Strafgericht, sondern vierfacher, bestialischer Mord sein. Darüber mit ihm zu streiten oder gar zu diskutieren, war völlig sinnlos. Ordnung erreichte man nicht durch Beten, sondern, vor allem in Diwata, durch Härte, die ans Leben geht.

»Und was wollt ihr von mir?« fragte Burgos.

»Ihren Segen, Hochwürden.«

»Raus!«

»Wir können den Frieden in Diwata nicht mehr bewahren, wenn ...«

»Frieden!« Pater Burgos hob beide Arme über den Kopf, als wolle er den Himmel um Hilfe rufen. »Wo ist hier Frieden?«

»Noch arbeiten dreißigtausend Männer, statt die Stadt zu verbrennen.« Miguel rang die Hände. Ihm war das alles denkbar unangenehm. Carlos war da anders. Der hätte jetzt gesagt, wer nicht ficken kann, der rührt auch keinen Preßlufthammer mehr an. Das ist das Ende des Goldberges. Sprich doch mal mit den Leuten, Pater. Am Sonntag ist deine Kirche überfüllt, und auf dem Marktplatz ist es schwarz von Menschen, und sie senken die Häupter und singen von der heiligen Maria ... und hinterher verschwinden sie in ihren Hütten und wichsen oder bilden fluchende Schlangen vorm Puff. Wenn jeder nur einmal die Woche drankommen soll, rechne aus, Pfaffe, wieviel Weiber wir brauchen.

»Soll ich euch die Huren herbeizaubern?« fragte Burgos. Er kannte sehr wohl das Problem, auch wenn er es als Priester nicht sehen wollte.

»Wir brauchen Ihre Hilfe, Pater.« Miguel nagte an seiner Unterlippe. Daß er so mit einem Priester sprach, brachte ihn fast um. Er war ein guter, gläubiger Christ, das hatte er immer bewiesen, so war er auch erzogen worden, von Kindesbeinen an, wie alle Garcías, aber hier war ein Kessel mit dreißigtausend Teufeln, die Wärme für ihre Bäuche suchten. Wärme ... das waren Weiber.

»Hilfe?« Burgos war ehrlich erstaunt. »Wie soll ich euch da helfen?«

»Reden Sie mit dem Doktor darüber«, sagte Morales. »Und der soll mit der Chefin reden. So ein Problem löst nur der Doktor ...«

Burgos sah Miguel verblüfft an. »Wieso Dr. Falke? Belisa ist *deine* Schwester, Miguel!«

»Ich soll mit ihr darüber reden? Die tritt mir in die Eier, Hochwürden . . .« Miguel schüttelte wild den Kopf. »Der Doktor, der schafft das. Und wenn auch Sie ja sagen . . .«

»Ihr verlangt Unmögliches von einem Priester! Ich habe geschworen . . .«

»Der Papst ist weit weg.« Morales wischte sich mit einem riesigen Taschentuch über das schweißnasse Gesicht. »Außerdem sind wir hier in der Hölle . . . da ist alles erlaubt!«

»Das ist eine Feststellung, die ich mit euch teile.« Pater Burgos faltete die Hände. »Wir leben in einer Ausnahmesituation. Ich werde mit Dr. Falke reden.«

Später dann, draußen auf dem Marktplatz, sagte Miguel:

»Er ist ein guter Mann, nicht wahr, Manuel?«

Und Morales antwortete: »Er ist ein raffinierter Hund! Der kann sein Gewissen sauber beichten . . .«

Ein Taxi brachte Belisa und den Doktor zum chinesischen Friedhof.

Der Driver, den der Portier des »Manila-Hotels« herbeigepfiffen hatte, drehte sich in seinem Fahrersitz zu Belisa um und sah sie fragend an.

»Was ist?« fragte sie in jenem Ton, den Dr. Falke von ihr gewöhnt war, wenn sie ihre Goldgräber ansprach. »Muß der Motor erst gestreichelt werden?«

»Wohin, Miß?« fragte der Taxifahrer zurück.

»Zum chinesischen Friedhof!«

»Und wohin dort?«

»Wir haben einen Idioten als Fahrer!« Belisa warf einen hilfesuchenden Blick zu Dr. Falke. »FRIEDHOF . . .« wiederholte sie langsam.

Der Driver lächelte nachsichtig. »Sie sind zum erstenmal in Manila?«

»Ja!«

»Der chinesische Friedhof ist groß. Sehr groß. Eine Stadt für sich, Miß. Eine Stadt mit Straßen, Tempeln, Häusern, Mausoleen, Geschäften, Lokalen ...«

»Lokal! Das ist es.« Dr. Falke beugte sich vor. »Wir wollen zum Grab des Wang Zhijian.«

»Aha! Zu Jacinto Ferreras ...«

»Wang Zhijian.«

»Jacinto ist der Pächter.« Der Taxifahrer schnippte mit den Fingern der rechten Hand. »Das beste Restaurant auf dem Friedhof, eines der besten von Manila. Der Grabtempel von Mr. Wang ist berühnt. Ein wunderschönes Haus. Mr. Wang war ein Millionär in Hongkong, er ließ das Grabmal vor sechzig Jahren bauen. Sie werden staunen.«

»Ich staune jetzt schon. Ein Grab als Restaurant?!« Dr. Falke sah Belisa unschlüssig an. »Sollen wir wirklich hinfahren?«

»Liborio hat uns eingeladen, also fahren wir.« Belisa lehnte sich in den Polstern zurück. Sie waren mit großgeblümtem Plüsch in grellen Farben bezogen. Auch außen war das Taxi bunt bemalt, an den Fenstern hingen Spitzengardinen. Vorn, auf der Motorhaube, thronte als Kühlerfigur ein goldener Adler mit ausgebreiteten Schwingen. Es gehört zum Stolz jedes Taxifahrers von Manila, das bunteste und auffälligste Auto zu haben. Auch dieses Taxi fiel dadurch auf, daß rundherum auf den Kotflügeln kleine Pferdchen und Hähne aus Aluminium wippten, Symbole für Manneskraft und Reichtum. Der Höhepunkt jedoch war die Bemalung des Kofferraumdeckels: Sie stellte Jesus in einem Kreis von Heiligen dar.

Der chinesische Friedhof, ein von einer Mauer umgebenes, über vierzig Hektar großes Areal, fünf Kilometer von der Innenstadt Manilas entfernt, am Rande des Ortsteils *Calcooan City,* erreicht man am besten über die José Abad Santos Avenue.

»Es gibt zwei Eingänge in die Totenstadt«, erklärte der Taxifahrer, während sie sich durch den abendlichen Wahnsinnsverkehr von Manila quälten, hupend und fluchend, wie es sich für einen vorbildlichen Driver gehörte. »Das Nordtor und das Südtor. Das Nordtor ist meistens geschlossen. Die Fahrt durchs Südtor kostet hundert Peso extra.«

»Fünfzig Peso!« sagte Belisa. Der Ton ihrer Stimme duldete keinen Widerspruch.

Da das Taxi weiterfuhr und der Driver schwieg, war der Preis akzeptiert. Sie fuhren durch ein Stadtviertel mit verwahrlosten, zerfallenen Häusern und Hütten aus Holzlatten, Wellblech, Kunststoffbahnen und Teerpappe, nicht gerade Slums, aber am Rande der Armseligkeit, und sahen dann das weite Rund der Mauer, die den chinesischen Friedhof vom übrigen Manila trennte. Über der Mauerkrone sah man schon die Dächer prunkvoller Tempel, Pagoden, mehrstöckiger Häuser und dazu Girlanden mit chinesischen Symbolen, die im lauen Wind flatterten.

Vor der Einfahrt in das Südtor hielt das Taxi an. Belisa und Dr. Falke starrten durch das Fenster.

»Das ist er«, sagte der Fahrer unnötigerweise. »So was gibt's auf der ganzen Welt nicht wieder. Das ist einmalig. Eine Märchenstadt für die Toten.«

Er fuhr weiter, grüßte den Wächter im Südtor wie einen alten Bekannten, ohne die fünfzig Pesos zu bezahlen, und bog in die erste breite Gräberstraße ein. Ein Prunkboulevard. Rechts und links Tempel und zum Teil zweistöckige Häuser, mit geschnitzten Fassaden, Marmorverkleidungen, gepflegten Gärten ringsumher mit Sitzgruppen unter Bäumen und vor blühenden Sträuchern, steinernen oder gußeisernen Räucheraltären, von Rosen umrankten, schattigen Lauben ... und immer wieder und in vielfältigen Variationen verschwenderischen Prunks gebaute Mausoleen, die eher kleinen Palästen als Gräbern glichen. Die Verwalter dieser Grabvillen saßen an diesem milden Abend im Garten, tranken Tee, spielten Mayong, rauchten lange, schlanke Zigarren und starrten dem Taxi nach, das um diese ungewöhnliche Zeit durch den Friedhof fuhr. Über allem lag das milde Licht von Hunderten zum Teil bemalten Laternen und versteckt im Schnitzwerk der Fassaden verborgenen Lichterketten.

»Ungeheuerlich«, sagte Dr. Falke begeistert. »Jeder dieser Totenpaläste muß teurer sein als bei uns eine Luxusvilla.«

Der Taxifahrer lehnte den Kopf nach hinten. »Das hier ist der Millionärsteil. Es gibt auch einen anderen Teil«, sagte er. »An der Mauer. Da liegen die armen Chinesen ... in zubetonierten Löchern. Sie können sich kein eigenes Grabmal leisten, und nun liegen sie da in den Mauerlöchern wie in den Fächern einer Gepäckaufbewahrung. Aber sie sind glücklich: Sie warten auf ihre Auferstehung auf dem schönsten Friedhof der Welt.«

Sie fuhren vier Straßen durch den Friedhof, vorbei an taoistischen Tempeln, obeliskartigen Pagoden, mit Ornamentik überladenen chinesischen Häusern und nüchternen, supermodernen Betonbauten, deren glatte Flächen von kunstvollen Gemälden verschönt wurden, und hielten dann vor der breiten Toreinfahrt eines Baus, der im Stil einer kaiserlich-chinesischen Pagode gebaut war. Die Dächer waren übersät mit geschnitzten und vergoldeten Götterstatuen und den Glück und Frieden bringenden Phönixen. Der Driver drehte sich wieder zu Belisa und Dr. Falke herum.

»Das Grab des Wang Zhijian« sagte er. »Vielleicht das schönste in der ganzen Friedhofsstadt. Da liegen jetzt drei Generationen drin.«

»Und bei denen sollen wir essen?« fragte Belisa.

»Sie werden keine Särge sehen.« Der Driver grinste breit. »Die stehen in einem Tempelanbau. Das hier ist das Gästehaus des Mr. Wang. Er hat viele Gäste, eine große Familie, und sie sollen würdig wohnen, wenn sie die Ahnen besuchen.«

Er fuhr weiter, durch das breite Tor in einen viereckigen Innenhof, an dem der Pagodenpalast lag. Der Boden des Innenhofes war mit italienischen Kacheln ausgelegt. Auf hellblauem

Grund leuchtete eine Sonne. Kachel für Kachel... hunderte Sonnen. Symbol des Lebens für die unsterblichen Seelen.

Es war, als würde Herr Wang gleich in der mit vergoldeten Schnitzereien übersäten Eingangstür erscheinen. Statt dessen trat ein kleiner, hagerer Mann in das bewegte Licht der mit Seide bespannten Lampions.

»Das ist Jacinto Ferreras«, sagte der Taxifahrer. »Passen Sie auf... er betrügt jeden Gast.«

»Wir sind eingeladen.«

»Das ist gut.«

Seitlich im Innenhof, vor einer Garage im gleichen Pagoden-stil wie das Haupthaus, stand ein silberner Rolls Royce. Dr. Falke nickte zu ihm hin.

»Unser Gastgeber ist schon da. Dem Wagen nach muß er gut verdienen.«

»Das ist nichts besonderes.« Belisa winkte ab. »Würde er einen kleineren Wagen fahren, bekäme er keinen Kredit mehr.«

Sie stiegen aus, aber als Belisa in ihre Handtasche griff, um den Fahrer zu bezahlen, winkte der herbeieilende Ferreras schon von weitem ab.

»Es ist alles bezahlt!« rief er. »Alles bezahlt!«

Belisa gab den Driver trotzdem zweihundert Pesos. Das ließ sein Gesicht glänzen, als habe er es mit Speck eingerieben.

»Du wartest hier!« sagte sie. »Du fährst uns zurück zum Ho-tel.«

»Warten? Hier? Miß, jede Stunde kostet...«

»Habe ich nach dem Preis gefragt?«

»Ich wollte nur darauf aufmerksam machen.«

»Wir könnten schnell wiederkommen...«

»Bei dem Essen bei Jacinto – das glaube ich nicht.«

»Was auch sei: Du wartest!«

»Wie Sie befehlen, Miß...«

Der Fahrer ging zurück zu seinem Wagen und setzte sich. Ferreras übernahm die Gäste. Er zelebrierte einige Verbeugungen, sagte höflich: »Welch ein schöner Abend. Genießen Sie den Vorzug, Gäste bei Wang Zhijian zu sein. Die Kunst meiner Köche wird Sie verwöhnen.«

Er sprach wie ein Chinese, obgleich er ein echter Philippino war, und trippelte auch wie ein Chinese vor ihnen her, riß die prunkvolle Tür auf und ließ sie in das Grabmal eintreten.

Der Anblick verschlug ihnen die Sprache: der Boden aus taiwanischem rosa Marmor, die Wände mit Ornamentseide bespannt, geschnitzte Möbel aus rotem Eisenholz, eine indirekt beleuchtete Kassettendecke aus Glasmalerei, geätzten Spiegeln, vergoldetem Schnitzwerk und bronzenen Reliefs. In der Mitte des Raumes lag ein großer chinesischer Palastteppich, ein handgeknüpftes Gemälde: ein Kaiser auf der Tigerjagd. Aus einer vergoldeten Marmornische lächelte sie ein riesiger, dicker Buddha an. Aus einem einzigen Felsstein gehauen. Über zweitausend Jahre alt. Der Reichtum des Mr. Wang schien unermeßlich zu sein.

Und das war erst die Eingangshalle. Die große Halle der Pagode, nun zum Restaurant umgestaltet, übertraf jeden Prunk, den man sich nur vorstellen konnte. Der diskret ausgeleuchtete Saal war fast leer ... von einem mit Silber und Kristall gedeckten runden Tisch kam ihnen ein mittelgroßer, in einen hellblauen Maßanzug gekleideter Mann entgegen. Seine schwarz gefärbten lockigen Haare konnten nicht darüber hinwegtäuschen, daß er die Sechzig überschritten hatte.

»Willkommen!« rief er und breitete die Arme aus. Belisa zeigte auf Dr. Falke. »Das ist Dr. Falke. Der Arzt von Diwata.«

Die Männer gaben sich die Hand. Im Hintergrund lauerte Jacinto und wartete auf Anweisungen. Belisa sah sich in dem Prunkraum um.

»Wir sind allein?« fragte sie.

»Ich habe mir erlaubt, das Grab für den heutigen Abend nur für uns zu mieten.«

»Das Grab. Wie das klingt ...«

»Die Familie Wang unterstreicht damit ihren Reichtum und die Ehre, die den Ahnen bührt. Dieses Grabmal hier hat sieben Schlafzimmer, sieben Bäder, sieben Toiletten, alle klimatisiert, in jedem Zimmer ein Telefon, FAX-Anschlüsse, Fernseher, am Eingangstor einen großen Briefkasten, denn die Toten bekommen Post von ihren Verwandten, die der Verwalter ihnen dann vorliest. Mit anderen Worten: Hier leben die Toten weiter, und es ist keine Protzerei, wenn man ihnen einen solchen Tempel baut. Es ist Ausdruck der Hochachtung ...«

»Und die Wangs haben das schönste Grab?«

»So sagt man.« Liborio wies auf den sich sogleich verbeugenden Ferreras. »Und dann kam Jacinto auf die Idee, hier ein exquisites Lokal zu eröffnen. Die Familie Wang war begeistert. Gastfreundschaft pflegen die Wangs seit Jahrhunderten. Hier ist ein Ort des himmlischen Friedens, wie der Chinese sagt. Nur in den letzten Jahren kriecht die Furcht näher: die Slums, die sich an den Friedhof heranschieben. Wann werden diese Slumbewohner den Friedhof stürmen und die Grabpaläste besetzen? Jeden Tag sehen sie diese Verschwendung für die Toten, und sie, die Lebenden, hausen in Bruchbuden mit Dächern aus plattgeklopften Benzinfässern. Die Angst ist groß. Es werden auch nur noch selten solche Grabvillen gebaut. Die Welt ändert sich, und nicht zum Guten! Wer weiß, wie es hier in zwei oder drei Jahren aussieht. Deshalb: Lassen Sie uns die Stunde genießen. – Jacinto, was hast du vorbereitet?«

Der Grabpächter schnellte nach vorn. »Meine Köche träumen von diesem Essen seit Ihrer Bestellung, Mr. Liborio!« rief er enthusiastisch. »Sie übertreffen sich!«

»Zähl auf. Enttäusche meine Gäste nicht.«

»Sie werden ihr Leben lang an dieses Essen denken, Mr. Liborio.«

»Das glaube ich auch«, sagte Belisa. Noch begriff Liborio den Doppelsinn dieser Worte nicht, nur Dr. Falke verstand ihn und zog ein wenig die Schultern hoch. Er ahnte, daß es nicht nur ein fulminantes Essen werden würde, sondern eine Schlacht um Geld und Macht. Jeder Bissen ein Schlag. Jedes Gericht Sieg oder Niederlage. Ein Krieg, eingebettet in kulinarische Genüsse. Es war vergleichbar mit einem Schachspiel: Zwei unerbittliche Gegner sitzen sich gegenüber, höflich und freundlich, aber jeder von dem Willen beseelt, den anderen zu vernichten.

Wer setzte hier wen matt?

»Setzen wir uns.« Liborio ging voran an den festlich gedeckten Tisch, der geschmückt war mit Rispen seltener Orchideen, frisch eingeflogen aus den Urwäldern von Luzon.

Sie setzten sich, Jacinto Ferreras faltete die Hände und begann seinen Vortrag.

»Beginnen wir mit Talaba; das sind rohe Austern, eingelegt in Essig und Knoblauch. Dann folgt Kinilaw, ein kleingeschnittener roher Fisch und Krabben in einer scharfen Marinade aus Tomaten, Zwiebeln, Knoblauch, Essig, Kokosessig, Chili und rotem Tintenfisch. Nach Kinilaw schlage ich Lumpia Shanghai vor – kleine frittierte Frühlingsrollen, gefüllt mit Gemüse und gehacktem Hummerfleisch. Dazu eine Soße aus dem Pulver fein gemahlener Erdnüsse und geröstetem Reis. Und darauf Bangus. Ein Fisch so zart, daß er auf dem Gaumen zerfließt. Er wird zu einem Drittel aufgeschnitten und ausgehöhlt und dann gefüllt mit zerkleinerten Karotten, Kartoffeln, Tomaten, Zwiebeln und Rosinen. Das Ganze wird im Ofen gebacken.« Jacinto holte tief Atem, als überwältige ihn die mündlich vorgetragene Speisekarte. »Sie können aber als Fischgang auch Lapu-Lapu wählen, einen gegrillten Seebarsch, dezent gewürzt mit Salz, Pfeffer, Knoblauch und einer Sojasoße . . .«

»Den empfehle ich Ihnen.« Liborio schnalzte mit der Zunge. »Lapu-Lapu hat seinen Namen bekommen nach dem berühmten philippinischen Häuptling, der in einer Schlacht den spanischen Eroberer Ferdinand Magellan besiegte.«

»Ich weiß ... Lapu-Lapu, unser erster Freiheitsheld.« Belisa lächelte verhalten. »Ich habe immerhin eine Schule besucht. Wer kennt Lapu-Lapu nicht.«

»Mrs. García ...« Liborio war sehr verlegen geworden. »So war das nicht gemeint. Es sollte eine Erklärung für Dr. Falke sein. Jacinto, wir nehmen Lapu-Lapu ...«

»Eine gute Wahl.« Ferreras deklamierte weiter die Speisekarte. »Nach dem Fisch schlage ich als Fleischgang vor: Kilawin – rohes, kleingeschnittenes, kurz angebratenes Rind, das in einer Soße aus Essig, Zwiebeln, Ingwer und Salz eingelegt wird. Ihm folgt dann Lechon! Ein knusprig gebratenes Spanferkelchen mit einer angedickten, ein wenig süßen Schweinelebersoße. Das Ferkel wird über einem Kokosschalenfeuer geröstet, der Kopf mit Äpfeln gefüllt.« Jacinos Stimme zitterte vor Ergriffenheit. »Diesen Lechon macht uns keiner nach. In ganz Manila nicht! Dazu servieren wir Atsara. Man nennt es das philippinische Sauerkraut ... gekocht aus unreifen Papayas. Nach dem Lechon ...«

»Stop!« Dr. Falke hob abwehrend beide Hände. »Wer soll das alles essen?«

Liborio winkte ab. »Die Toten«, sagte er.

»Wie bitte?«

»Ein solches Festessen wird auch im Mausoleum an den Särgen serviert. Die Ahnen sollen teilhaben an den Freuden der Lebenden.«

»Und dann? Verschimmelt es dort?«

»Man sollte den Überfluß draußen vor der Mauer an die Slumbewohner verteilen«, sagte Belisa zu Dr. Falkes Verblüffung.

Liborio lachte kurz auf. »Genau das macht Jacinto. Gegen Mitternacht läßt er, was im Lokal übrigbleibt, vor die Mauer tragen. Er hofft so, daß man ihn verschont, wenn die Armen wirklich einmal den Friedhof stürmen sollten. Eine Art Lebensversicherung.«

Ferreras ging auf das Thema nicht ein. Er zählte weiter auf:

»Als Dessert schlage ich einen Becher Halo-Halo vor ... das sind geraspelte und kleingeschnittene Früchte, Mais, Haferflocken, Kokosnuß, eingebettet in zerstoßenem Eis und übergossen mit Kokosmilch, garniert mit karamelisierten Bananen und gewürzt mit einem Schluck Rum. Zum Schluß Bulalo ... eine kräftige chinesische Gemüse- und Nudelsuppe mit Rindsknie und Knochenmark, pikant gewürzt ...«

»Ich falle um!« sagte Dr. Falke.

»Sie wissen«, Liborio lächelte verzeihend, »der Chinese beendet ein gutes Mahl immer mit einer Suppe. Die Suppe ist die Krönung. Die Visitenkarte. Jacintos Bulalo ist eine Offenbarung ...«

»Kann ich anfangen?« Ferreras verbeugte sich wieder.

»Und was trinken wir?« fragte Liborio.

»Zu Vorspeise und Fisch einen delikaten Palmwein, zum Fleisch einen Cabernet aus Australien, als Digestif einen Otard, fünfundzwanzig Jahre alt, und einen Cocktail aus Rum, Limonen, Kirschbrandy über zermahlenem Eis.«

»Sehr gut, Jacinto.« Liborio wedelte mit der rechten Hand. »Laß deine Träume kommen.«

Fruchtsäfte und eisgekühltes Wasser waren selbstverständlich ... sie standen in Kristallkaraffen auf dem Tisch. Wie aus dem nichts, wie ein materialisierter Geist, stand plötzlich ein weiß gekleideter Kellner hinter ihnen und schüttete sofort Mangosaft in die geschliffenen Gläser. Die Stille in dem großen Saal, in dem nur sie saßen, hatte etwas Bedrückendes für Belisa. Auch Dr. Falke spürte diese gewollte Einsamkeit ... man saß in einem Luxusrestaurant, und doch in einem Grab. Landro Liborio schien bei der Wahl dieses Lokals eine dumpfe Vorahnung gehabt zu haben.

»Wie geht es meinem Freund Juan Perón?« fragte er.

»Sehr gut. Mein Schwager ist glücklich. Er hat sich eine Villa an der Côte d'Azur gekauft und will an der Riviera bleiben.«

Sie nahm einen Schluck Fruchtsaft. »Von Diwata hat er die Nase voll.«

»Ein wenig undankbar. Der Berg hat ihn reich gemacht.« Liborio lehnte sich in dem aus Eisenholz geschnitzten chinesischen Sessel zurück. »Und nun hat er Ihnen alles an den Hals gehängt?«

»Ja, ich habe den Berg übernommen. Und deshalb bin ich jetzt hier ...«

»Das habe ich mir gedacht. Ihr Schwager und ich arbeiten seit über zwanzig Jahren zusammen. Wir sind zusammen aufgestiegen, wir sind gemeinsam reich geworden, wir sind wie Brüder. Das Gold hat uns geprägt ...«

»Das Gold!« Belisa nahm wieder einen Schluck Saft. »Sie sind der größte Goldhändler der Philippinen. Sie haben durch meinen Schwager Millionen Dollar verdient ... und ich hoffe ...«

Dr. Falke griff nach seinem Glas und umklammerte es. Jetzt geht es los! Der erste Trompetenstoß zur Schlacht ist getan. Der Sturm kann beginnen. Wer greift jetzt an?

»Wir leben in einer Zeit, die sich rasend schnell verändert. Was gestern gültig war, wird heute angezweifelt und ist morgen schon überholt.«

»Das haben Sie gut gesagt, Mrs. García.« Liborio betrachtete wohlwollend die Talaba, die in Essig und Knoblauch eingelegten rohen Austern. Der Duft war verführerisch, das Austernfleisch rosa und ziemlich üppig. So große Austern gibt es in Frankreich nicht, dachte Dr. Falke. Der weißlivrierte Kellner goß lautlos den hellen, zartgelben Palmwein ein. »Aber das Gold – gelobt sei Gott – ist krisenfest. Auch wenn die Russen neuerdings auf den Markt drängen. Sie sollen im tiefsten Sibirien große Goldvorräte entdeckt haben. Aber keine Sorge – es ist wie bei den Diamanten. Auch die Diamantenvorkommen in Rußland sind enorm, aber man kann sie fast nur als Industriediamanten verwerten. Die Schmuckdiamanten – und die bringen das große Geld – bleiben weiter unter der Kontrolle von de Beers. Die Südafrikaner beherrschen den Markt. Bei Gold pendelt sich das ein. Natürlich wird der Goldpreis etwas fallen . . .«

Das war der erste Schlag. Dr. Falke sah zu Belisa hinüber – sie ertrug ihn ohne sichtbare Wirkung. Ihre Antwort wurde zum Gegenschlag:

»Das Diwata-Gold ist eine Ausnahme.«

Liborio gabelte die erste Auster in seinen Mund. »Gold ist Gold«, sagte er danach und trank einen Schluck Palmwein. »Köstlich diese Austern. Und Jacintos Palmwein . . . exzellent!«

»Gold ist nicht Gold.« Belisa rührte die Austern nicht an. Das glitschige Fleisch weckte Ekel in ihr. »Das Diwata-Gold ist zehn Prozent teurer geworden.«

Liborio schüttelte den Kopf, schlürfte die letzte Auster und tupfte sich die Lippen mit der weißen Damastserviette ab. Dr. Falke schob seinen leeren Teller zurück. Sofort stürzte der Kellner heran und servierte ab.

»Den Goldpreis diktiert der Markt, nicht Diwata«, sagte Liborio. »Und der Markt ist gegenwärtig satt, die Wirtschaftslage in Südostasien verschlechtert sich, die Juweliere in Hongkong, Bangkok, Seoul, Tokio und auch in Manila senken die Preise, ganz schlimm ist es in Indonesien . . .«

»Sie haben bisher bei meinem Schwager immer unter Preis eingekauft.« Belisa schwieg einen Augenblick. Der Kinilaw wurde gebracht, in einer Marinade, die einem Kunstwerk gleichzustellen war. »Sie haben meinem Schwager zwanzig Jahre lang erzählt, was Sie jetzt mir erzählen. Und er hat Ihnen geglaubt. Sie waren ja sein Freund. Sie haben zwanzig Jahre lang zu wenig bezahlt.«

»Sie sagen da Dinge, Mrs. García, die mich beleidigen könnten!«

»Ich habe Beweise! Ich habe alle Verkäufe der letzten zehn Jahre durchgerechnet, ich habe herausgelesen, daß Sie in den letzten fünf Jahren, bevor ich kam, mit dem Halunken Ramos zusammengearbeitet haben! Ich kann beweisen, daß Sie Toledo immer falsche Zahlen genannt haben.«

Liborio stocherte in dem köstlichen Kinilaw herum. Sein Gesicht hatte sich verändert. Es war hart geworden, kantig, mit geröteter Haut überspannt.

»Wen interessieren Beweise?« sagte er mit ruhiger Stimme. »Wen?«

»Mich!«

»Freundschaften und Geschäfte sind zwei feindliche Brüder. Das müssen Sie noch lernen, Mrs. García.«

»Ich bin bereits soweit, daß ich eine Diplomprüfung ablegen könnte. Sie geben also zu, meinen Schwager betrogen zu haben?«

»Ich habe meine unternehmerischen Interessen wahrgenommen ...«

»Das ist doch dasselbe!«

Der Kellner brachte die zartbraun gebackenen Frühlingsrollen Lumpia Shanghai. Der Duft des gewürzten Gemüses und des mit Erdnußpulver überstäubten Hummers war wie ein herbes Parfüm. Liborio schob zwei Frühlingsrollen auf seinen Teller. Belisas Anschuldigungen schienen ihm den Appetit nicht zu verderben und sein Feinschmeckerherz nicht zu belasten.

»Sie sind noch jung«, sagte er nachsichtig. »Sehr jung. Klugheit wächst mit dem Alter. Und Gold verlangt Klugheit.«

»Deshalb ist es bei mir für Sie auch zehn Prozent teurer. Damit tragen Sie einen Teil der Schuld ab.«

»Das Wort Schuld kenne ich nicht.«

Dr. Falke trank sein Glas Palmwein aus. Liborios Bekenntnis war gleichzeitig eine Aufforderung: Greif an, du kleines Biest! Du rennst dir deinen schönen Kopf ein.

»Sie haben nie etwas bereut, Mr. Liborio«, fiel er in das Gespräch ein. Liborio sah ihn an, als bemerke er erst jetzt seine Anwesenheit.

»Warum sollte ich?« antwortete er dann.

»Es gibt die Eigenschaft der Anständigkeit.«

»Ich war nie anständig, bin es nicht und werde es auch nicht sein. In unserem Geschäft gilt ein anständiger Mensch als Idiot. Sie sind Arzt ... haben Sie noch nie davon gehört, daß Ihre Kollegen auf der ganzen Welt überhöhte Rechnungen ausstellen? Sie geben Ihnen eine Spritze, und dann steht auf der Rechnung: Infusion. Nur ein Beispiel. Natürlich ist nicht jeder Arzt ein Gauner, aber viele. Sie gehören zu den ehrlichen Idioten, ich ahne es. Zu den Humanisten. Ich gehöre nicht dazu: Ich will Geld verdienen, wo immer ich Geld wittere. Ich bin wie ein Bär, der schon von weitem den Honig riecht.«

»Genau das empfinde ich jetzt auch.« Belisa beugte sich etwas über den Tisch und schupperte. »Ich rieche Sie, Mr. Liborio.«

»Lassen Sie uns unser köstliches Essen genießen. Jacinto ist wirklich ein Zauberer in der Küche. Zerreden wir seine Kunstwerke nicht ...«

»Ab sofort zehn Prozent mehr!« sagte Belisa hart. »Oder kein Gold mehr!«

»Wollen Sie es in der Markthalle verkaufen?« Liborios Stimme troff plötzlich vor Spott. »Ein Stand wie ein Gemüsebauer, nur, daß darüber steht: Hier könnt ihr Gold kaufen, direkt vom Erzeuger.«

»Ich werde mein Gold an andere verkaufen. Fünf Prozent billiger, um Sie auszuschalten. Ich kann sofort an Arturo Gómez liefern ...«

Der Name Gómez schien Liborio nun doch zu treffen. Gómez war sein unmittelbarer Konkurrent ... seit Jahren kämpften sie um die Vormacht auf den Philippinen. Es ging um einen Markt, auf dem zehn Cents manchmal entscheidend waren.

»Gómez ...« Liborio zog den Namen durch seine Zähne wie Kaugummi. »Mrs. García, das ist eine Drohung ...«

»Ich werde ihm den gesamten Aufkauf des Diwata-Goldes übertragen. Das Exklusivrecht!«

»Davon weiß Juan Perón bestimmt nichts.«

»Ich will ihn damit auch verschonen. Er soll nie erfahren, daß sein bester Freund ihn jahrzehntelang betrogen hat. Sein Herz soll fröhlich bleiben. Er soll sein Leben an der Côte d'Azur genießen und seine Liebe zu Jessica, meiner Schwester, pflegen. Jetzt bin ich da, um zu kämpfen!«

»Ist das endgültig?«

»Ja, es ist endgültig.«

»Wir sind ab heute also Feinde ...«

»Sie sehen das falsch, Mr. Liborio.« Dr. Falke mischte sich wieder ein. Es war ein Rettungsversuch. Liborio zum Feind zu haben, das spürte Dr. Falke, war eine gefährliche Situation.

»Ich sehe nie etwas falsch!« war Liborios Antwort.

»Mrs. García denkt nur an eine Nachzahlung.«

»Und ich denke, daß ihre Jugend von zu vielen Idealen belastet ist. Ein noch nicht ausgegorener Wein, von dem man nicht weiß, wie er sich entwickelt. Was soll ich nachzahlen? Mr. Toledo und ich hatten Verträge, und die habe ich erfüllt.«

»Mit zu niedrigen Einkaufspreisen!« rief Belisa empört.

»Wer sie akzeptiert, darf sich später nicht beklagen.« Liborio hob die Schultern. Es sollte Bedauern ausdrücken. »Geschäfte macht man nicht mit Bruderküssen.«

»Warum reden wir weiter?« Belisa stand so heftig auf, daß der schwere Stuhl umkippte. »Dr. Falke, gehen wir.«

»Sie wollen Jacintos Meisterwerk, den Lapu-Lapu, und vor allem den Lechon verschmähen? Und den australischen Cabernet?«

»Mir steckt das Essen im Halse fest.« Sie blickte hinunter auf Liborio, der ungerührt auf den Lapu-Lapu wartete, den »Häuptlings-Fisch«. Der Kellner goß zum Auftakt ein Gläschen Ingwerschnaps ein. »Ab heute gibt es für Sie kein Diwata mehr.«

»Ich werde es überleben.« Liborio trank den Ingwerbrand. »Mrs. García, Sie begehen eine große Dummheit. Ich habe viel Einfluß bei der Regierung. Einige Minister sind meine Freunde. Sie haben die Macht, Ihnen die Konzession zu entziehen und die Goldmine zu verstaatlichen. Dann wird Militär den Diwata-Berg besetzen, im Interesse des Staates. Auch – nein, gerade – Minister wühlen gern im Gold.«

»Es gibt Gesetze!«

»Ach, lieber Doktor ... das sagen Sie in Manila? Sind Sie genauso blind wie Mrs. García, genauso naiv? Gesetze sind wie Eier – man kann sie weich gekocht essen oder hart. So, wie man sie braucht. Die Regierung würde den Goldberg Diwata sofort enteignen und besetzen, wenn bestimmte Herren sich daran beteiligen könnten.«

»Ich habe eine Armee von dreißigtausend Diggern!« schrie Belisa.

»Und das Militär hat Panzer und Raketen.«

»Die Weltöffentlichkeit würde aufschreien!« rief Dr. Falke empört.

»Einen Scheißdreck würde sie tun. Wen interessiert im Liegestuhl am Strand von Miami, was da in Mindanao passiert? Die Brüste im Liegestuhl nebenan sind interessanter und greifbarer. Ein Supergirl, mit Silikon veredelt. Goldgräber im Dschungel – die kennt man aus Hollywood-Filmen. Eine Saubande! Aber die langen Beine da, das sind sexuelle Wegweiser. Dr. Falke, das Leben ist so einfach. Es besteht aus einem Satz: Fressen oder gefressen werden. *Mich* kann man nicht fressen.« Er nickte zu der vor Wut zitternden Belisa hinüber. »Ob sie das begreift? Vielleicht können Sie es ihr erklären.«

»Wir haben also Krieg?«

»Ich habe ihn nicht begonnen. Zwischen Juan Perón Toledo und mir war immer Frieden.«

»Weil er sich von Ihnen betrügen ließ! Das ist jetzt vorbei!« schrie Belisa. »Vorbei! Vorbei!«

Im Hintergrund der Halle erschien Jacinto. Er sah sehr unglücklich aus.

»Kann ich weiter servieren?« fragte er.

»Schmeiß alles in den Müll!« Belisa griff nach einem Kristallglas und warf es an die Wand. Aber die Seide, mit der sie bespannt war, war dick unterfüttert ... das Glas fiel unversehrt auf den chinesischen Palastteppich. Da warf sie den Kopf in den Nacken, gab Dr. Falke ein Zeichen und verließ, vorbei an dem bleich gewordenen Ferreras, den Speisesaal des chinesischen Grabes. Dr. Falke folgte ihr wortlos.

Liborio blickte ihnen nach und schüttelte den Kopf.

»Kein Benehmen mehr, diese Jugend«, sagte er und lehnte sich zurück in den geschnitzten Sessel. »Jacinto, sie haben kein Benehmen mehr. Laß den Lechon kommen. Ich freue mich auf das Ferkelchen. Der Genuß sollte immer im Vordergrund stehen. Es ist schrecklich, dumme Menschen um sich zu haben ...«

Das knusprige Spanferkel in der Schweinelebersoße war wirklich unübertrefflich. Und dazu noch der australische Cabernet ... Liborios Zunge schwelgte im Paradies.

Nach drei Tagen landeten Belisa und Dr. Falke wieder auf der in den Urwald geschlagenen Flugpiste von Diwata. Schon als sie in niedriger Höhe die Slumstadt überflogen, die Schachteingänge, die Steinmühlen, die Goldwaschanlagen und dazwischen das Heer der halbnackten, schwitzenden, meist braunhäutigen Männer, die Kolonnen mit Säcken und Loren, die von oben aussahen wie ein wimmelnder Haufen brauner Maden, legte Belisa ihre rechte Hand auf Dr. Falkes Arm.

»Das ist unsere Welt!« sagte sie mit heiserer Stimme. »Verdammt, ich liebe sie.«

»Keine Sehnsucht nach den Seidentapeten von Manila?«

»Nicht einen Hauch.« Sie zeigte nach unten auf das Labyrinth der Hütten, Wege und Abwasserkanäle. »Da gehöre ich hin.«

»In eine Welt aus Dreck und Hoffnungslosigkeit, Träumen und elendem Tod?«

»Wir wollen es ja besser machen, Doktor.«

»Mit dreißigtausend Entwurzelten? Mit Glücksrittern, Abenteurern, Kriminellen und Gesetzlosen?«

»Auch das sind Menschen. Warum sind Sie sonst in Diwata?«

Dr. Falke gab darauf keine Antwort ... er hatte sie schon hundertmal gegeben. Verblüffend war nur die plötzliche Sinneswandlung von Belisa; wurden aus menschlichen Handwerkszeugen, als die sie ihre Arbeiter betrachtet hatte, auf einmal wirklich Menschen?

»Glauben Sie, daß Liborio seine Drohung wahr macht?« fragte er, um das Thema zu umgehen.

»Welche Drohung?«

»Daß er das Militär auf uns hetzt.«

»Er blufft.«

»In vielem hat er recht. Überall blüht die Korruption. Vom Minister bis zum kleinen Stempelbeamten. Das Offizierscorps ist sowieso immer unzufrieden, die Politiker basteln an ihrem Profil und schielen auf Regierungssessel. Das Kassieren eines ganzen Goldberges wäre ein spektakulärer Erfolg für alle Kreise. Wenn Liborio die nötigen Verbindungen hat ...«

»Wenn! Mein Schwager hat sie auch! Keiner nimmt einem Toledo etwas weg.«

»Toledo ist weit weg.«

»Aber seine Schwägerin ist hier! Ich! Ab sofort bekommt Liborio kein Gold mehr von mir. In einer Woche steht er in Unterhosen da, in zwei Wochen nackt. Er braucht das Diwata-Gold.«

»Und in drei Wochen besetzt das Militär den Berg!«

»Diwata ist kein Objekt, das man mit Toten erkaufen will. Und es würde Tote geben. Viele Tote! Was Liborio nicht weiß: Auch wir haben Panzer und Raketenwerfer. Wir können in

Stunden zehn Flugzeuge zu Bombern umrüsten. Sie kennen nicht das Arsenal, das Avila angelegt hat, Doktor. Wir sind eine moderne Armee! Mein Schwager hat sie aufgebaut ... die Hälfte allen Gewinns hat er für die Rüstung ausgegeben. Wußten Sie das nicht?«

»Nein. Ich bin sprachlos. Bisher habe ich geglaubt, daß so etwas nur bei den Drogenmafiosi in Kolumbien möglich ist. Diese Kokainbarone von Medellín haben ihre eigene Armee, besser ausgerüstet als das staatliche Militär. Das weiß jeder.«

»Aber von Diwata weiß es keiner, und das ist gut so! Sollen sie kommen, die Gierigen von Manila. Wir werden sie wegjagen wie Mistkäfer.«

Sie schwieg. Das Flugzeug setzte zur Landung an und schwebte auf die Rollbahn zu. Einige Wagen warteten am Rollfeld, darunter auch die gepanzerte Limousine von Belisa. Auch Avila war gekommen mit einem Schützenpanzerwagen und vier Jeeps voller Soldaten. An einem Geländewagen lehnten die drei Brüder Miguel, Carlos und Pedro. Ein großer Empfang.

Sie hatten sich festgelegt: Kein Wort über die Vorfälle auf der Plantage. Der Rebellenüberfall war einfach nicht geschehen, der Brand in der großen Lagerhalle war durch einen Kurzschluß entstanden, die auf der Urwaldlichtung aufgehängten Leichen würde Belisa nie sehen. Dafür war plötzlich ein anderes Problem aufgetaucht, das wesentlich gefährlicher war als die Bedrohung durch eine sich im Urwald versteckende Fanatikergruppe.

In Diwata war Kokain aufgetaucht.

Seit wann das Rauschgift verkauft wurde, wer es lieferte, wer der Dealer war, woher es kam, wie es in die Wildnis transportiert wurde, das waren Fragen, die über die Leitung der Mine hereinstürzten. Nur durch Zufall hatte Avila von dem Eindringen der Droge nach Diwata Kenntnis bekommen: Einer seiner Sicherheitsposten hatte einen Goldgräber in einer Wohnhöhle am Berg entdeckt, vollgepumpt mit dem Gift und im Wahn wie ein Vogel das Fliegen übend. Seine ausgebreiteten Arme bewegte er wie Schwingen, und dabei schrie er, er würde von dem Mordberg wegfliegen an das Ufer des Meeres. Als vier Soldaten ihn wegschleppen wollten, um ihn ins Krankenhaus zu bringen, versagte plötzlich sein Herz. Er starb in den Armen der Avila-Soldaten.

»Da kommt eine Katastrophe auf uns zu!« orakelte Pedro, als Avila den Vorfall meldete. »Das ist kein Einzelfall! Das Kokain schleicht sich in die Stadt. Irgendein Saukerl hat das Kokain hergebracht und ist dabei, einen Handel aufzuziehen. Dann haben wir hier die doppelte Hölle! Tausende rauschgiftverseuchte Goldgräber ... könnt ihr euch das vorstellen?! Es gibt schon jetzt kaum ein Verbrechen, das in Diwata nicht möglich ist – und nun auch noch Drogen! Dann können wir alles gleich in die Luft sprengen.« Er blickte in die betretenen Gesichter seiner Brüder und Avilas. »Wie kommt das Kokain hierher? Wo ist hier ein Loch, durch das man schlüpfen kann! Mit den Transportflugzeugen ist es unmöglich. Die Piloten sind sauber, auf diese Jungs können wir uns verlassen. Über die Straße? Wochenlang zu Fuß von Davao oder Tagumi, oder von Norden aus Cagayan del Oro oder Marawi City? Unwahrscheinlich. Da kann ein einzelner nur ein paar Kilogramm mitschleppen, und dann ist Ebbe. Nein, es muß einen anderen Weg geben.«

»Wir werden ihn finden.« Avila sagte es in seiner ruhigen Art, mit der er auch Todesurteile aussprach. Er verkörperte in Diwata das Gesetz, die Rechtsprechung des Dschungels – weshalb also eine besondere Betonung?

»Wie?« fragte Miguel.

»Der Tote war nicht der einzige, der Kokain geschnupft hat. Es gibt mehrere, vielleicht schon Hunderte ... und einen von ihnen entdecken wir. Dann wissen wir auch, wo er das Kokain gekauft hat.«

»Wenn er redet . . .«

»Er wird reden.« Avila lächelte schwach. »Bisher hat noch jeder meine Fragen beantwortet.«

»Und wenn wir nichts entdecken?« rief Carlos.

»Das ist unmöglich. Kokain ist in der Stadt . . . und ein Süchtiger kommt früher oder später aus seinem Versteck heraus. Nur ein wenig Geduld, Freunde. Wir werden noch Arbeit genug bekommen.«

Das Flugzeug war ausgerollt, die Tür öffnete sich, die Treppe wurde herausgeklappt . . . Belisa stieg aus, umarmte ihre Brüder und gab Avila die Hand, was eine besondere Auszeichnung war. Ein Morales hätte nie ihre Hand berühren dürfen. Dr. Falke folgte ihr. Er trug die flache Aktentasche aus hellem Schweinsleder, in der Belisa ihre Geschäftsnotizen aufbewahrte. Während Belisa in den gepanzerten Wagen stieg, hielt Avila Dr. Falke am Ärmel fest.

»Wann kann ich Sie sprechen, Doktor?« fragte er.

»Heute noch?«

»Es eilt.«

»Probleme?«

»Eine große Sauerei.«

»In einer Stunde im Krankenhaus?«

»Ich komme.«

Dr. Falke ging hinüber zu der schweren Limousine. Die Tür stand noch offen, Belisa wartete auf ihn.

»Was wollte Avila von Ihnen?« fragte sie mißtrauisch.

»Ich weiß nicht.« Er setzte sich neben sie und spürte sofort, daß er neben einer Raubkatze saß. Ihr Körper war wie zum Sprung angespannt.

»Wieder Geheimnisse?« zischte sie.

»Noch weiß ich gar nichts.«

»Aber Avila hat was angekündigt.«

»Ja.«

»Warum kommt er damit zu Ihnen und nicht zu mir?«

»Fragen Sie ihn selbst.«

»Der Chef hier bin ich!«

»Was niemand anzweifelt. Ich weiß ja auch nicht, was Avila von mir will. Aber ich werde es Ihnen sagen.«

»Wirklich?«

»Was ich verspreche, halte ich.«

»Warum sagt man mir nicht die Wahrheit? Warum verschont man mich? Warum will man mich in Watte packen?«

»Weil Sie eine so schöne Frau sind ...«

»Dummheit. Ich bin härter als ihr alle!« Sie starrte Dr. Falke an. Erst jetzt schien sie zu begreifen, was er gerade gesagt hatte. »Haben Sie gesagt, ich sei schön?«

»Ja. Und Sie wissen es ...«

»Ich bin für Sie, Dr. Falke, nicht schön. Verstehen Sie das? Für Sie bin ich Belisa García, weiter nichts. Doch, ja – ich bin Ihr Boß. Alles andere ist für Sie nicht vorhanden.«

»Sie können mein Tun befehligen, aber nicht meine Gedanken. Aber Sie haben recht, – meine Gedanken sind völlig unwichtig. Nur für mich sind sie wertvoll.«

»Wertlos wie nasse Pappe!« Sie beugte sich nach vorn und klopfte an die Scheibe, die den Fahrersitz von der hinteren Sitzbank trennte. »Fahr, Alfredo.«

Die schwere Limousine rollte an. Vorweg fuhr jetzt der leichte Panzer, die Jeeps und der Wagen der Brüder folgte ihnen. Ein Konvoi der Sicherheit.

Nach zehn Minuten erreichten sie die ersten Schächte. Die Kolonnen der Sackträger keuchten an ihnen vorbei, die Steinzerkleinerungsmaschinen schepperten, knirschten und krachten. An den Sammelstellen stauten sich die schwitzenden, mit Staub und Steinmehl gepuderten, erschöpften Menschen. Gestalten, ausgespien aus dem Inferno des Erdinneren. Graubraune Gespenster mit starren Augen und aufgerissenen Mündern. Und über allem schwebte ein Gestank aus Schweiß, Urin, Fäkalien und Moder. Oder war es die Ausdünstung lebender Leichen?

Dr. Falke schloß einen Moment die Augen.

Die Hölle hatte sie wieder.

Der Kokaintote lag in der Kammer, in der man sonst Kartons und Kisten lagerte. Man hatte ihn auf gebündeltes Altpapier gelegt, als sei er selbst Abfall. Pater Burgos hatte ihm die Hände gefaltet und ein Handtuch über das Gesicht gelegt.

»Wenn das stimmt, was Avila vermutet, dann ist hier bald der Teufel los!« sagte er, als Dr. Falke das Tuch wegzog. »Können Sie feststellen, ob es wirklich Kokain war?«

»Ich will's versuchen. Labormäßig bin ich natürlich nicht auf so etwas eingerichtet. Und obduzieren? Ich bin kein Gerichtsmediziner.«

»Er war – so berichten die Soldaten – vollkommen high, ehe sein Herz versagte.«

»Nehmen wir an, es war Kokain ... dann werden wir sehr schnell weitere Fälle haben.«

»Das befürchten die García-Brüder auch. Carlos wartet direkt darauf, so einen Schnupfer auseinanderzunehmen zu können. Eines ist klar: In Diwata ist ein Dealer aufgetaucht!« Pater Burgos starrte plötzlich an Dr. Falke vorbei, als sähe er ein Gespenst. »Daß ich daran nicht gedacht habe ...« sagte er gedehnt.

»An was?«

»Da ist vor drei Tagen eine merkwürdige Type aufgetaucht. Kommt in die Kirche, verlangt ein Bett, schläft im Gastzimmer ...«

»Das haben Sie zugelassen?«

»Er appellierte an die christliche Nächstenliebe.«

»Und?«

»Am nächsten Morgen war er verschwunden. Er hat sich nicht wieder gemeldet. Er ist untergetaucht. Aber sein Benehmen, seine Sprache, seine geistige Verfassung, seine Intelligenz ... alles sprach gegen einen Abenteurer, der durch Goldgräberei sein Glück sucht.« Pater Burgos wischte sich über die Augen, als müsse er sie putzen. »Er könnte es sein. Mit ihm ist das erste Kokain in die Stadt gekommen.«

»Und Sie haben ihn wie einen Gast behandelt!«

»Wer denkt denn an so was?!«

»Pater, wir müssen diesen Mann finden!«

»Unter dreißigtausend in den Slums?«

»Wenn er so anders ist als die anderen, fällt er irgendwann auf.«

»Er wird sich anpassen. Er ist – wie ich schon sagte – intelligent genug. Er heißt übrigens David Tortosa. Ob das sein richtiger Name ist . . .«

»Ich bezweifle das.« Dr. Falke beugte sich über den Toten. Ein seltsames Lächeln war auf dem Gesicht erstarrt. Es mußte ein seliges Sterben gewesen sein. Ein Tod im Hochgefühl. Kokain macht glücklich, zunächst, dann folgt die Phase der Depression und des großen Weltschmerzes. Kokain zaubert den Himmel herbei, der dann zusammenbricht und alles unter sich begräbt. Es zerstört mehr die Seele als den Körper . . . ein Mensch zerfällt in sich selbst. Hier, bei diesem Toten, schien der Tod durch eine Überdosis eingetreten zu sein. Er war kein alter Schnupfer, er war erst vor kurzem ahnungslos in den Teufelkreis von Glück und Elend hineingeraten.

»Weiß Belisa schon von dem Vorfall?« fragte Pater Burgos.

»Nein, aber ich werde es ihr nachher berichten. Und ich weiß jetzt schon, wie sie reagieren wird: Sie wird eine Belohnung aussetzen für den, der den Dealer verrät. Einen Beutel Gold . . . dafür würden hier Tausende sogar ihre Mutter umbringen. So gesehen, hat der Dealer keine Chance. Damit rechnet auch Avila. Dann aber wird es grausam werden. Sie wissen, was man mit dem Dealer anstellen wird . . .«

»Das wäre Mord!«

»Avila nennt es konsequente Strafe. Sie können das nicht verhindern.«

»Ich werde ihn unter den Schutz der Kirche stellen.«

»Sie werden die Kirche stürmen und ihn herausholen.«

»Das haben sie selbst beim Glöckner von Notre-Dame nicht gewagt.«

»Hier ist nicht Paris, sondern Diwata. Hier ist Gott ein sonntäglicher Singsang, weiter nichts.«

»Sie wissen nicht, wie viele zu mir beichten kommen . . .«

»Heimlich. Das ist es. Heimlich! In der Öffentlichkeit wird sich keiner rühren, wenn Avila Ihre Kirche stürmt, um einen Dealer herauszuholen. Im Gegenteil, man wird ihn beklatschen.« Dr. Falke deckte das Handtuch wieder über das Gesicht des Toten. »Lassen Sie ihn begraben. Ihn zu untersuchen, bringt nichts.«

Zwei Stunden später saß Dr. Falke vor Belisa García.

Sie hatte sich wieder hinter dem groben Holztisch in der dreckigen, stinkenden Rattenhütte niedergelassen, vor sich die Goldwaage, auf der sie die Goldbeutel wog, die ihr von der Quecksilberscheideanstalt gebracht wurden. Wie immer umstanden zehn schwer bewaffnete Männer des Sicherheitsdienstes die elende Bretterbude, in der sich Gold im Wert von vielen tausend Dollar häufte. Es wurde am Abend aus Diwata hinausgeflogen zu den Tresoren der Außenstelle Davao.

Belisa blickte von ihrer Waage hoch, als Dr. Falke eintrat. Sie trug wieder ihre verwaschenen, ausgefransten Jeans und einen weiten, roten Baumwollpullover, dreckig und fleckig. Das schwarze Haar bedeckte eine bunte Strickmütze, die wie ein Kaffeekannenwärmer aussah. Jetzt konnte niemand mehr sagen, sie sei eine schöne Frau. Das einzig Glänzende waren ihre Augen und die Zahnreihe, wenn sie beim Sprechen die Lippen hochzog.

»Ich weiß, was los ist«, sagte sie, als Dr. Falke auf dem wackeligen Stuhl vor ihr Platz genommen hatte. »Avila hat alles erzählt. Ich setze eine Belohnung von fünfzig Gramm reinen Goldes aus.«

»Fünfzig Gramm? Das ist doch Wahnsinn! Jetzt wird eine Menschenjagd losgehen.«

»Das will ich ja! Ich will dieses Schwein fassen! Kokain in Diwata! Ich lasse meine Arbeiter nicht vergiften.«

»Es kann ein Einzelfall sein.«

»Das werden meine fünfzig Gramm Gold feststellen.« Sie legte den abgewogenen Goldsack zur Seite in eine Plastikschüssel, als sei er ein Stück Abfall. »Hat Miguel mit Ihnen gesprochen?«

»Wegen des Baus von neuen Bordellen? Ja.«

»Bordelle?« Belisas Stimme hob sich. »Er erzählte mir vom Bau eines Schwimmbades und eines Sportzentrums.«

»Mit Sportzentrum meinte er sicherlich die Bordelle ...« Dr. Falke hob die Hand, um Belisa das Wort abzuschneiden. »Nein, nein, das ist nicht wieder ein Mißtrauen oder ein Verschweigen. Das ist Achtung vor Ihrer Würde. Ehrfurcht. Auch ein bißchen Angst.«

»Ich fresse niemanden!«

»Verzeihen Sie Miguel. Er hat mich gebeten, mit Ihnen darüber zu sprechen.«

»Über Huren?!«

»Ja. Wir brauchen neue Häuser, verteilt über die Stadt, und mindestens zweihundert weitere Mädchen. Auch müssen wir für die Kultur etwas tun.«

»Kultur ...?«

»Es reicht nicht, daß sich die Kerle in den Saloons, wie sie nach alter Goldgräberart genannt werden, besaufen, Karten spielen, sich gegenseitig betrügen, daß sie am Billardtisch hängen, sich die Köpfe einschlagen, um die paar Huren prügeln und zu schwulen Bataillonen heranwachsen. Was wir brauchen, sind außer Kinos vor allem Tanzlokale, Varietés, Musicalbühnen, Jazzlokale, Erotiktheater ... alles, was die Kerle davon abhält, aus Langeweile oder Frust um sich zu schlagen oder gar völlig sinnlos zu töten. Wir haben täglich durchschnittlich vier bis sechs Tote, und Sie sollten mal sehen, wieviel Verletzte – keine Arbeitsunfälle – jeden Tag ins Krankenhaus eingeliefert und bei mir versorgt werden. Das wird sich alles beruhigen, wenn wir den Männern etwas bieten können. Wir sind kein Glücksritterlager mehr, sondern eine mittelgroße Stadt! Und eine Stadt hat eigene Gesetze, soziale und kulturelle. Wenn *wir* nicht etwas tun, handeln die anderen, und dann entgleitet Diwata Ihren Händen. Dann bestimmen andere, trotz Avila, Miguel und Carlos. Man wird sie wegjagen ... und Sie dazu! Es braucht nur ein richtiger Demagoge zu kommen, ein Massenführer, ein Volksaufrührer, dem die Kerle nachrennen ... dann nützt die ganze Toledo-Privatarmee nichts mehr. Ihr könnt nicht Zehntausende umbringen. Gib dem Affen Zucker und dem Löwen Fleisch, dann sind sie zufrieden. Das ist eine alte Weisheit.«

»Und gib dem Büffel die Peitsche, dann zieht er den Pflug.« Sie griff nach dem nächsten Beutelchen voll Gold. »Reden wir später darüber. Ich muß erst nachdenken. Wie sieht es im Krankenhaus aus?«

»Es ist voll. Ich war ja drei Tage nicht da.«

»Ich werde heute abend bei Ihnen essen.«

»Wie schön. Ich werde Pater Burgos bitten, seine ganze Kochkunst aufzubieten. Wie auf dem chinesischen Friedhof wird es aber nicht werden.«

»Ich weiß gar nicht, wie es dort geschmeckt hat.« Sie schüttete die Goldkörner in die Waagschale. »Ich habe ja kaum etwas gegessen ... ich war viel zu aufgeregt ...«

Es war das erstemal, daß Belisa einen Blick in ihr Inneres preisgab. Ein Mädchen, mit Angst im Herzen, aber in einer Hülle aus Eisen.

Mit dem Gefühl, ihr endlich innerlich nähergekommen zu sein, verließ der Doktor die Rattenhütte.

Am nächsten Morgen, bei der allgemeinen Sprechstunde, wartete ein Mann geduldig in der langen Schlange der Kranken. Als er endlich vor Dr. Falke stand, stützte er sich auf die Lehne des vor dem Doktor stehenden Stuhles, ohne sich zu setzen.

»Was hast du?« fragte Dr. Falke ohne aufzublicken. »Wo fehlt's?«

»Ich habe Durchfall«, sagte der Mann.

»Dann setz dich auf deine Grube, scheiß dich aus, trink drei Tage lang keinen Schnaps, iß Bananen und geriebene Äpfel und denk daran, daß ein leerer Darm gesund ist und den Körper reinigt. – Der nächste . . .«

»Erstaunlich, daß bei solchen Therapien die Menschen weiterleben. Hier muß ein harter Schlag wohnen . . .«

Dr. Falkes Kopf zuckte hoch. Vor ihm stand ein Digger, der sich rasiert hatte und sogar ein sauberes Hemd über fast neuen Jeans trug. An den Füßen glänzten halbhohe Cowboystiefel. Das blonde Haar war kurz geschnitten, so wie es in der US-Army üblich war. Sein blondes Haar leuchtete unter der Deckenlampe. Gefärbt, dachte Dr. Falke. Eindeutig wasserstoffblond. Und das in Diwata!

»Sollen wir dir eine Darmspülung verpassen?« fragte Dr. Falke.

»Wenn wir dadurch Zeit gewinnen, miteinander zu sprechen. Ich hab' mir sagen lassen, an Sie ist nur als Patient heranzukommen. Durchfall, habe ich gedacht, ist eine unverfängliche Krankheit.«

Dr. Falke lehnte sich zurück. Plötzlich wußte er, wer der Goldgräber war.

»Sie sind David Tortosa.« Dr. Falke strich das übliche Du.

»Wie kommen Sie darauf?«

»Pater Burgos hat Sie genau beschrieben. Nur Ihre gebleichten Haare . . .«

»Die trage ich seit vorgestern. Eine Hure war so gütig, sie mir zu färben.«

»Was wollen Sie in Diwata?«

»Das hat der Pater auch gefragt. Ich will Geld verdienen, aber er glaubt mir das nicht.«

»Ich auch nicht.«

»Weil ich nicht so verkommen aussehe wie die anderen Kameraden? Sorry, ich bin nun mal ein Ästhet. Man braucht nicht im Dreck zu leben, wenn man ein Dreckskerl ist.« Er sagte diese Sätze auf englisch. Ein amerikanisches Englisch, wie Dr. Falke sofort feststellte. Könnte Texas sein oder die Gegend drumherum.

»Und wer sind Sie wirklich?«

»Nur David Tortosa.«

»Wissen Sie, daß man Sie sucht? Auf Ihren Kopf hat man fünfzig Gramm reines Gold ausgesetzt.«

»Auf meinen Kopf? Warum denn?«

»Man hat hier etwas gegen Kokain . . .«

»Was habe ich mit Kokain zu tun?« Tortosa starrte Dr. Falke wirklich betroffen an. »Was reden Sie da?!«

»Seit Sie hier sind, wird Kokain verteilt.«

»Und Sie glauben, ich . . .«

»Sie gehören nicht hierher . . .«

»Das ist das einzige, was richtig ist.« Tortosa griff in die Tasche seiner Hemdjacke. »Sie sind Arzt, Sie sind zum Schweigen verpflichtet. Sehe ich das richtig?«

»Völlig richtig.«

»Dann bitte.« Tortosa holte einen Ausweis aus der Tasche und hielt ihn Dr. Falke hin. Der warf einen kurzen Blick darauf und zuckte zurück.

»Sie heißen ja wirklich David Tortosa. Und Sie sind vom CIA . . .«

»So ist es. Captain David Tortosa vom CIA.« Er zog den Ausweis zurück und steckte ihn wieder ein. »Zufrieden?«

»Nein.«

»Was noch?«

»Was sucht das CIA hier in Diwata?«

»Eine knifflige Frage.«

»Sie sind dienstlich hier.«

»Natürlich. Freiwillig würde mich keiner in dieses Teufels-nest bringen. Aber es ist mal eine unvergeßliche Abwechslung. Es ist ein Einsatz – so muß man das sehen. Ob Vietnam, Ku-weit, Irak oder Diwata – es gibt einen Befehl und eine Pflicht. Ich säße jetzt auch lieber in Miami am Strand, 'ne knackige Puppe in Reichweite. Und das werde ich auch tun, wenn ich hier fertig bin.«

»Mit was fertig, Captain?«

»Einen herausholen, den wir suchen.«

»Das klingt nach Hollywood . . .«

»Die Sache ist auch filmreif. Seit zwei Jahren verfolgen wir einen Doppelagenten. Er arbeitete für das Pentagon und für den sowjetischen Geheimdienst. Er hat Videobänder verscherbelt, hin und zurück, voller Top-Secret-Informationen und Bilder. Aufgefallen ist er durch einen dummen Fehler . . . er hat ein Vi-deo verwechselt. Im Pentagon lief plötzlich ein Pornoband: Un-ser Mann in einer Fickshow mit einer Russin. Er hat den Irrtum auch sofort bemerkt und ist seitdem verschwunden. Seit über zwei Jahren . . . aber jetzt haben wir eine Spur. Und die führt nach Diwata. An diesen höllischen Goldberg. Der Agent – er heißt Mark Suffolk – soll hier bei den Goldgräbern hausen. Un-ser Informant wollte uns noch Genaueres mitteilen, vor allem, woher er sein Wissen bezogen hat . . . aber dann starb er bei ei-nem Autounfall. Die Bremsen versagten.«

»Mord.«

»Wir vermeiden solche unschönen Worte. Es war ein Unfall, weiter nichts. Wir wissen jetzt nur, daß sich Suffolk in Diwata befindet. Er wird natürlich seinen Namen und sein Aussehen verändert haben.« Tortosa beugte sich etwas zu Dr. Falke vor. »Ist Ihnen in den vergangenen Jahren in Ihrer Praxis jemand aufgefallen . . . angenehm aufgefallen? Suffolk ist ein kluger, höflicher, gewitzter Mensch, sehr kontaktfreudig, hilfsbereit, voller Ideen ...«

»Ein so hell leuchtender Mann läuft hier nicht rum. Und wenn ... Sie haben an meine ärztliche Schweigepflicht appelliert ...«

»Es geht um einen Doppelspion, Doktor!«

»Mich kümmert als Arzt nicht die Politik. Ich helfe Menschen. Das allein ist für mich wichtig. Der Mensch.«

»Sein Verrat hätte im Kriegsfall Millionen Tote gekostet.«

»Hätte! Im Kriegsfall. Und jetzt? Die Sowjetunion gibt es nicht mehr, der Ost-West-Konflikt ist begraben, es herrscht das Bewußtsein des Friedens, weil im Atomzeitalter keiner mehr einen Krieg gewinnen kann. Der Schrecken der Vernichtung ist der Garant des Friedens. Das klingt verrückt, aber es paßt zu dieser Menschheit. Und jetzt kommen Sie, um einen alten Hut zu zerknüllen! Ein Verräter jenseits der Realität ist ein toter Mann. Eine Lachnummer. Ein Schattengewächs. Warum wollen Sie ihn wieder ans Licht zerren?«

»Sie reden wie ein Priester. Sind Sie ein Doppelgänger von Pater Burgos?«

»Ich hasse Rache, nur um des Gefühls der Befriedigung willen. Captain Tortosa, ich sage es Ihnen ganz deutlich: Sollte ich jemals mit diesem Suffolk in Berührung kommen, werde ich ihn vor Ihnen warnen.«

»Mein Fehler, ich gebe es zu.«

»Was?«

»Ich hätte Ihnen nicht sagen dürfen, wer ich bin. Soviel Dummheit ist kaum zu verzeihen. Ich habe nur eine Trumpfkarte im Ärmel.«

»Und die wäre?«

»Ich werde Suffolk vor Ihnen outen! Sie kennen nur die Menschen, die zu Ihnen kommen ... bei mir ist es umgekehrt: Ich gehe zu den Menschen, mit wachen Augen und hochempfindlichen Ohren.«

»So wie Sie jetzt auftreten, werden Sie immer ein Außenseiter sein. Warten Sie ab, bis Sie die erste Prügel bekommen. Ihre blonden Haare reizen geradezu auf.«

»Irrtum. Ich werde mich in Diwata unentbehrlich machen.«

»Das möchte ich sehen.«

»Warten Sie ab. In einem Monat sieht hier einiges anders aus.« Captain Tortosa nickte Dr. Falke zu, die Hand reichte er ihm nicht hin. »Bis demnächst, Doktor. Wir werden noch viel voneinander hören.«

Er verließ das Ordinationszimmer und sah sich einer Menge böser Gesichter gegenüber. »Verzeiht, Kameraden!« sagte er und lächelte freundlich. »Ich habe euch warten lassen. Aber es war eine lange, gründliche Untersuchung. Ich habe einen ganz geschwollenen Schwanz ...«

Die Männer grinsten breit. Sie verziehen ihm. Ein geschwollener Schwanz ist ein überzeugendes Argument. Gute Besserung, Junge. Kann uns auch passieren.

Der nächste betrat die Praxis. Eine Stichwunde im linken Oberarm. Eine Meinungsverschiedenheit.

Das Übliche ...

Pater Burgos hatte sich für das Abendessen alle Mühe gegeben.

Er hatte ein Huhn gekauft und es auf kreolische Art zubereitet. Dazu gab es gedünstete Ananas und Papaya-Gemüse mit einer Kokos- Limonensoße. Besser hätte es auch Jacinto Ferreras nicht kochen können.

»Ich habe es mir überlegt«, sagte Belisa, während sie an einem Hühnerknochen knabberte. Anders als in Manila verzichtete sie auf das Besteck, sondern aß wie eine Eingeborene mit den Händen.

»Was haben Sie überlegt?« fragte Dr. Falke zurück.

»Ich werde die Bordelle bauen! Und ein Tanzlokal, ein Varieté, eine Bühne ...«

»Habe ich einen Hörfehler?« Pater Burgos bewegte den

Kopf, als müsse er Wasser aus seinen Ohren schütteln. »Sie wollen hier einen Vergnügungspark hochziehen?«

»Die Männer brauchen Abwechslung außer Karten spielen, saufen, huren und sich die Köpfe einschlagen. Der Doktor hat recht: Wir müssen für Shows sorgen.«

»Aha! Von Ihnen kommt der Vorschlag?!« Burgos zeigte auf Falkes Teller. »Ich hätte Ihnen Gift untermischen sollen!«

»Das sagt ein Priester?«

»Da gibt es nur ein Problem, ein großes«, warf Belisa ein.

»Welches?«

»Wer soll die Saloons leiten? Das müssen Fachleute sein. Glaubt ihr, irgend jemand kommt hier in den Dschungel, in diese Satansstadt, um hier ein Tanzlokal zu eröffnen?«

»Fürs erste wäre Antonio Pérez der richtige Mann. Schwimmbad mit Restaurant, das wäre ein Anfang. Und Pérez ist ein Mann mit Ideen. So etwas spricht sich schnell herum. Ich wette, daß aus Davao bald Unternehmer anreisen, um hier auf ihre Art Gold zu scheffeln.«

»Und die Huren?«

»Die wird Morales besorgen.«

»Und ihr glaubt, das geht so glatt in eine schöne Zukunft? Wir werden eine große Polizeitruppe aufstellen müssen.«

»Zweihundert Huren mehr.« Belisa leckte ihre fettigen Finger ab. Nichts erinnerte mehr an die große Dame von Davao oder Manila. Sie war ein kleines, schmutziges Slummädchen. »Wir haben dann über sechshundert Huren in Diwata. Die müssen alle ärztlich überwacht werden. Wie wollen Sie das schaffen, Doktor?«

»Drei Tage im Monat ist Kontrolle. Fließbandarbeit.«

Belisa verzog die Lippen, als ekele sie sich. »Es muß für einen Frauenarzt doch furchtbar sein, Tag für Tag nur das ... das eine zu sehen. Ich könnte keine Frau mehr lieben.«

»Für einen Arzt ist das ein Körperteil wie ein Auge, eine Nase, ein Ohr. Der Teil ist entweder krank oder gesund – darauf nur kommt es an.« Dr. Falke war erstaunt über Belisas Gedanken. »Warum interessiert Sie das?«

»Weil ich eine Frau bin. Ich möchte gern mehr über die Gedanken der Männer wissen.« Ihr Blick heftete sich an Dr. Falkes Augen. »Möchten Sie nicht mehr über die Gedanken einer Frau wissen?«

»Nein.«

»Warum nicht?«

»Ich will mich überraschen lassen. Warum soll ich das uralte Spiel verderben: Such das Geheimnis dieser Frau. Das hat mit einem einzelnen Körperteil nichts mehr zu tun.«

»Welch tiefsinnige Gespräche!« Pater Burgos hob wie abwehrend seine Hände. »Haben Sie keine anderen Themen? Ich sehe in den Plänen große Gefahren. Nicht die Huren, so sehr ich kraft meines Amtes verpflichtet bin, sie zu verdammen ... aber der Ausbau von Vergnügungsstätten kann leicht zum Chaos führen. Nämlich genau zu dem, was wir bekämpfen wollen: das Vordringen von Rauschgift, das Einsickern von Dealern. Bisher haben wir es mit Glücksrittern und Abenteurern zu tun ... aber dann werden die gewerbsmäßigen Kriminellen kommen. Kriminelle aller Schattierungen ... von Falschspielern und Betrügern bis zur Mafia besonderer Prägung.«

»Avila und Carlos werden für Ordnung sorgen!« sagte Belisa überzeugt.

»Es ist wie ein Virus. Zunächst sieht man ihn nicht, spürt man ihn nicht, ist er ganz still im Körper ... und plötzlich bricht er aus, aber dann hat er bereits den ganzen Körper verseucht.« Pater Burgos stieß seinen Kopf in Dr. Falkes Richtung. »Sehen Sie das auch so?«

»So könnte es werden, wenn wir nicht aufpassen.«

»Läßt sich ein Virus durch Aufpassen aufhalten?«

»Ja. Wir nennen es Vorsorge.«

»Und wie soll die bei dreißigtausend Entwurzelten aussehen?«

»Indem wir die ersten, die wir erwischen, öffentlich aufhängen!« sagte Belisa. Sie sagte es ganz ruhig, ohne die Stimme zu heben. Pater Burgos sprang von seinem Stuhl hoch.

»Töten! Immer nur töten! Töten! Gott wird ...«

»Stop!« Dr. Falke würgte Burgos' weitere Worte ab. »Gott ist in Diwata ein armes, zerlumptes Männchen, das vom Abfall der Menschen lebt.«

»Aber er lebt. Diese Kirche hier beweist es. Und die zu mir kommen zum Gebet, zur Beichte, die beweisen es auch. Gott lebt. Auch wenn er bis zum Hals im Sumpf steckt.«

»Wollen Sie die Menschen ändern, Pater? Das schaffen Sie nicht, weil selbst Gott vor seiner Schöpfung kapituliert. Ja, sie kommen zu Ihnen zur Beichte ... aber wenn Sie ihnen die Wahl lassen: Hier kannst du beten, dort kannst du huren ... was wohl werden sie tun, für was sich entscheiden? Fürs Huren! Und hinterher, vielleicht, kommen sie dann, um zu beten. Die gläubigsten Christen, die am Sonntag in der Kirche sitzen, singen und beten und den Segen ihres Priesters entgegennehmen, sind die Paten und Killer der Mafia. Sie glauben es nicht? Gehen Sie sonntags mal in eine sizilianische Kirche und zählen Sie die Zuchthausjahre zusammen, die da vor dem Altar knien!«

»Ich kapituliere nicht!« schrie Burgos. »Ich nicht! Ich glaube an das Gute im Menschen.«

»Gut und böse, das ist alles relativ!« Dr. Falke schob seinen Stuhl zurück und stand auf. »Denken Sie an das große Kruzifix, das Ihre Kirche schmückt. Ein vierfacher Mörder hat es geschnitzt ...«

Pater Burgos schwieg. Er faltete nur die Hände und betete lautlos ...

Ungefähr vier Wochen später erfuhr Dr. Falke, daß er Konkurrenz bekommen hatte. Ein Goldgräber, der zu ihm ins Krankenhaus kam, um eine Fleischwunde am linken Oberschenkel nähen zu lassen, sagte zu ihm:

»Wissen Sie, Doktor, daß in der Stadt ein Wunderheiler lebt? Der hat vielleicht zu tun! Da stehen sie Schlange. Der blickt einem ins Auge und sagt, wo es fehlt. Und dann bekommen Sie einen Tee, und der hilft wirklich.«

»Das ist nichts Neues. Bestimmte Krankheiten kann man mit Teemischungen lindern. Seit Jahrtausenden sind darin die Chinesen führend. Sie haben für alle Krankheiten einen speziellen Tee.«

Beim Mittagessen sagte Dr. Falke dann zu Pater Burgos: »Wir haben in der Stadt einen Wunderheiler. Den sehe ich mir mal an. Kommen Sie mit? Die Leute nennen ihn schon einen Mann Gottes.«

»Ein Mann Gottes – das geht mich an! Natürlich komme ich mit.«

Es war einfach, den Wunderheiler zu finden. Jeder schien ihn zu kennen, aber man sprach nicht laut darüber. Wirkliche Wunder brauchen die Stille ... das Laute ist der Quell der Scharlatanerie. Mitten in der Stadt stand die Bretterhütte des Heilers; eine wartende Menschenschlange umlagerte sie. Als Dr. Falke und Pater Burgos sich zum Eingang zwängten, schlug ihnen Zischen und Gemurmel entgegen.

In der Hütte, hinter einem Tisch, auf dem eine schillernde Glaskugel stand, saß ein Mann mit hellblonden, gebleichten Haaren. Burgos blieb wie zurückgestoßen stehen.

»Das ist er!« rief er. »Das ist der Mann, der bei mir geschlafen hat!«

»Darf ich vorstellen«, Dr. Falke machte eine große Geste. »David Tortosa, Captain des CIA, Menschenjäger und jetzt auch Wunderheiler.«

»So sehen wir uns wieder.« Tortosa stand auf. »Ich hatte Sie schon früher erwartet.«

»Ich habe heute erst von dem Wunderheiler erfahren ...«

»Ein Loch im Informationsnetz.«

»Es ist übrigens eine geniale Idee, sich hier als Wundermann niederzulassen. Damit bekommen sie engen Kontakt zu allen möglichen Personen und können Informationen sammeln. Ihnen erzählt man alles. Bravo!«

»Danke.« Tortosa grinste breit. »Kommen Sie mir jetzt nicht mit medizinischen Anklagen! Ich pfusche Ihnen nicht ins Handwerk. Ich verordne nur Tees. Harmlose Kräutermischungen, aber sie helfen, weil die Menschen daran glauben. Ich habe mal gelesen, daß man fünfzig Prozent aller Krankheiten psychisch beeinflussen kann.«

»Fünfzig Prozent ist übertrieben. Aber einige Krankheiten lassen sich wirklich mit Placebos heilen.«

»Sie sind also Captain des CIA.« Pater Burgos verschränkte die Arme über der Brust. »Und Dr. Falke machte eben die Bemerkung, Sie seien Menschenjäger. Wie soll ich das verstehen?«

»Ich führe einen Befehl aus. Das ist alles. Mit Dr. Falke sprach ich schon darüber – wir sind zu keiner Verständigung gekommen. Es Ihnen als Priester zu erzählen, ist völlig sinnlos. Obwohl die Kirchengeschichte randvoll mit Menschenjagden ist. Die Inquisition . . .«

»Diese Dunkelheit sollten wir überwunden haben.« Burgos winkte ab. »Ich will gar keine Einzelheiten wissen. Mir genügt, daß Sie einen Menschen verfolgen.«

»Ich vertrete das Gesetz und handele nach dem Gesetz. Will die Kirche predigen: Da ist ein Mörder, aber in Wahrheit ist er nur ein kleiner, verirrter Mensch?!«

»Suchen Sie einen Mörder?« Burgos breitete die Arme aus. »Bedienen Sie sich. Wir haben in Diwata – grob geschätzt – über fünfhundert Mörder.«

»Unser Mann hat durch seinen Verrat Millionen Menschen gefährdet. Wir kennen seine weiteren Pläne nicht. Wir wissen nur, daß er hier im Goldberg arbeitet. Der beste Ort, um zu verschwinden und Spuren zu verwischen.«

»Und wenn Sie ihn finden, was dann?«

»Ich bringe ihn nach Washington. Vor ein Gericht.«

»Und Sie glauben, er geht freiwillig mit?« Dr. Falke schüttelte den Kopf. Wie kann ein Captain des CIA so naiv sein? »Und mit Gewalt? Sie werden ihn nie aus diesem Land herausbringen. Auch wenn es eine alte Freundschaft zwischen den Philippinen und den USA gibt, wird Ihnen keiner helfen. Ihre Regierung wird nie eine Auslieferung bekommen. Was soll also dieser ganze Einsatz?«

»Der Krieg im Dunkel der Spionage läuft nach eigenen Gesetzen ab. Sie können einem Außenstehenden nie erklärt werden. Vieles, was bei Ihnen illegal ist, ist bei uns legal.« Tortosa ging zu einem Schrank, der aus Latten gezimmert war, holte eine Flasche Whiskey heraus und hielt sie vor sich hin. »Trinken Sie einen mit?«

»Nein, danke.«

»Es ist Whiskey aus Ihrer eigenen Brennerei. Diwata-Whiskey, kein übler Tropfen. Habe schon anderes Gift getrunken.« Er nickte zur Tür hin. »Warten draußen viele?«

»Es sieht nach Andrang aus«, sagte Pater Burgos. »Wo bekommen Sie Ihre Tees her?«

»Sie werden lachen – ich pflücke sie selbst. Am Urwaldrand. Irgendwelche Blätter und Gräser. Keine Ahnung, was es ist. Getrocknet und kleingeraspelt werden sie zu Tee. Und – ich staune selbst – es hilft! Die Kranken sind zufrieden. Damit, mit diesen Pflanzen, sollten sich mal die Biologen und Pharmazeuten beschäftigen. Vielleicht wächst im Urwald auch ein Kraut gegen Krebs oder Parkinson. Übrigens, wenn Patienten kommen, die wirklich ernsthaft krank sind, dann sage ich immer: Junge, geh zuerst zum Doktor. Wenn der dir nicht helfen kann, dann kommst du wieder zu mir. Bisher ist noch keiner zurückgekommen. So besorge ich Kundschaft für Sie.«

»Sehr großzügig. Ich habe also recht, wenn ich annehme, Ihr Teehandel, Ihre Wunderheilungen haben nur den einen Zweck, etwas über Suffolk zu erfahren.«

»Und ich werde etwas erfahren, da bin ich mir gewiß!« Tortosa setzte die Whiskeyflasche an den Mund und nahm einen langen Schluck. »Noch Fragen, Gentlemen?«

»Nein.«

»Dann lassen Sie wieder die Kranken zu mir kommen.« Er lachte, ging um den Tisch herum und setzte sich wieder. »Die ihr mühselig und beladen seid, kommet her zu mir ... So heißt es doch in der Bibel, oder so ähnlich, nicht wahr, Herr Pater?«

»Gehen wir.« Burgos stieß Dr. Falke in den Rücken. »Gott wird auch ihm verzeihen.«

»Dann müßte ich erst sündigen.« Tortosa lachte wieder. »Aber das Gegenteil ist der Fall: Ich helfe. Meine Tees sind unschlagbar. Und Gott mischt mit – bisher hat es noch keine Vergifteten gegeben.«

Draußen vor der Hütte hatte sich die Warteschlange vermehrt. Die zerfurchten Gesichter grinsten Dr. Falke an.

»Na ...« rief einer aus der Menge. »Haben Sie was lernen können, Doktor?«

»Ja!« Dr. Falke wartete, bis sich das Gelächter gelegt hatte. »Ich habe gelernt, daß ihr alle Idioten seid!«

Verfolgt von den lauten Protesten der Goldgräber gingen sie durch die Schlammstraßen und über die mit Holzstegen belegten Wege zurück zum Krankenhaus und zur Kirche.

»Glauben Sie, daß dieser Mensch wirklich ein amerikanischer Offizier ist?« fragte Burgos.

»Ja.«

»Und warum?«

»Weil er so stur ist. Einen guten Soldaten erkennt man an seiner Sturheit.«

Von Landro Liborio in Manila hörten sie nichts. Belisa hatte sofort die Goldlieferungen an ihn eingestellt und die Tagesausbeute dem Goldhändler Arturo Gómez gegeben, Liborios größtem Konkurrenten. Gómez war sofort bereit gewesen, den neuen Preis zu zahlen, ein Beweis, wie hoch die Gewinnspanne war.

Das sprach sich natürlich herum, aber Liborio schwieg.

Pedro, der sich vom Wächter einer Bank zum Finanzbuchhalter gemausert hatte, sah das als ein gefährliches Zeichen an.

»Er hat etwas vor«, sagte er bei einer Besprechung. »Er brütet etwas aus, und dieses Ei wird uns nicht schmecken!«

»Er braucht unser Gold. Daß es jetzt Gómez aufkauft, muß ihn verrückt machen. Das verletzt seine Ehre. Er wird mit einem Vorschlag kommen, ich weiß es.« Belisa studierte die Kontenauszüge. Durchschnittlich fünfundneunzigtausend Dollar Reingewinn pro Woche, das war eine Summe, über die man sich freuen konnte. Und der Berg überraschte immer wieder. In einem Seitental hatte man Probebohrungen vorgenommen und neue Goldadern entdeckt. Jetzt war man dabei, neue Schächte in diese Flanke des Berges zu treiben. Tag und Nacht ratterten die Maschinen, man arbeitete in drei Schichten. In Diwata entstanden sechs neue feste Steinhäuser mit fließendem Wasser, Duschen, Klobecken und kleinen, mit Ventilatoren belüfteten Zimmern ... die neuen Bordelle. Morales war drei Wochen lang herumgereist, nicht nur auf Mindanao, sondern auch auf den Inseln Leyte, Negros, Mindoro und Luzon, aber es war schwer, zweihundert Mädchen für Diwata anzuwerben. Zwar gab es genug Huren auf den Philippinen, und in den armen Gebieten und einsamen Dörfern verkauften die Eltern gern ihre Töchter als »Haushaltshilfen« in die Stadt, aber nach Diwata wollte kaum jemand ziehen, wenn man ihnen auf der Karte zeigte, wo es lag. Im tiefsten Dschungel. Das war kein Lebensziel.

»Ich bin der Verzweiflung nahe!« klagte Morales, als er nach drei Wochen Herumreisen in den Urwald zurückkehrte. »Selbst mit Goldklumpen kann man sie nicht locken. Wer bereit ist, sind die alten, ausgelutschten Huren, die in Diwata ihre letzte Chance sehen. Aber ich brauche junge, knackige Weiber! Echtes Frischfleisch. Dafür habe ich drei Kneipenwirte aufgetan, die bereit sind, Bars mit Tanz und Unterhaltungsprogrammen aufzuziehen. Aber nur auf eigene Rechnung, nicht als Pächter. Dafür sichern sie zu, eine Schutzgebühr von zehn Prozent des Umsatzes zu zahlen.«

»Das sind Mafia-Methoden!« rief Miguel.

»Das ist normal! Wir leben hier nur hinter dem Mond. Ob bei den Chinesen, Indern, Italienern, Spaniern, Japanern ... es gehört zum modernen Geschäftsleben, daß man an Organisationen zahlt. Es wurde gar nicht darüber diskutiert. Die Wirte boten das Schutzgeld von selbst an. Da sagt man doch nicht nein.«

»Und wie soll das praktisch aussehen?«

»Die Wirte kommen nach Diwata und bauen auf eigene Kosten ihre Lokale, so wie sie sich das denken.« Morales grinste breit. »Die freie Marktwirtschaft kommt nach Diwata! Wenn ich daran denke, wie es hier noch vor drei Jahren ausgesehen hat. Wir haben Unglaubliches geleistet.«

»Belisa hat es geleistet«, sagte Miguel stolz. »Ohne sie wäre das hier noch der stinkende Berg mit den offenen Scheißgräben.«

»Den Scheißesee gibt es noch immer.«

»Auch der steht auf dem Programm. Wir werden eine richtige Kläranlage bauen, den Scheißesee zuschütten und später, nach der Verrottung, als Düngedepot nutzen. Manuel, wir haben große Pläne ...«

Von einem Tag auf den anderen änderte sich dann plötzlich alles: Ein Anruf aus Davao rief Belisa in das Verwaltungsgebäude. Miguels Gesichtsausdruck verhieß nichts Gutes. »Er ruft in zehn Minuten wieder an ...« sagte er. Seine Stimme klang seltsam dumpf.

»Wer?« fragte Belisa. »Er will unbedingt mich sprechen?«

»Ja. Ein Mr. del Carlo.«

»Kenne ich nicht. Ein Goldhändler?«

»Er hat keinen Beruf genannt. Er sagte bloß: Es ist wichtig! Sehr wichtig. Eine amtliche Angelegenheit.«

»Amtlich?«

»So drückte er sich aus.«

»Was habe ich mit einem Amt zu tun?«

»Ich habe sofort an Liborio gedacht. Wer weiß, was er in Manila mobil gemacht hat.«

»Wir werden es abwehren. Warten wir ab, was dieser del Carlo zu sagen hat.«

Es dauerte nicht lange, da schellte das Telefon wieder. Miguel hob ab.

»Ja«, sagte er. »Die Chefin ist da. Ich gebe sie Ihnen.«

Belisa nahm ihm den Hörer ab und meldete sich. »Belisa García.«

»Hier ist Francisco del Carlo.«

»Ich kann im Moment mit Ihrem Namen nichts anfangen ...«

»Ich bin Oberst der Armee. Stellvertretender Kommandant von Davao.«

»Oberst del Carlo?« Belisa blickte hinüber zu Miguel. Sie sah, daß er blaß geworden war. »Rufen Sie privat oder dienstlich an?«

»Beides. Gemischt, wenn man so sagen darf. Ich kenne Ihren Schwager, und deshalb vergesse ich für ein paar Minuten meine militärische Stellung. Ich ... ich möchte Sie – ganz privat – warnen.«

»Warnen? Wovor?«

»Das Innen- und das Wirtschaftsministerium in Manila haben beschlossen, die Goldmine von Diwata zu verstaatlichen. Der Antrag ist vom Finanzministerium vorgetragen worden. Die Garnison von Davao hat den Befehl erhalten, so bald wie möglich das Gebiet von Diwata zu besetzen. Ich habe dafür ein Regiment bereitgestellt. Es kann jederzeit in Marsch gesetzt werden. Das wollte, das mußte ich Ihnen in alter Freundschaft zu Ihrem Schwager sagen, bevor ich den Befehl zum Einsatz gebe.«

»Liborio!« sagte Belisa ohne jede Erregung.

»Was ist Liborio?« fragte del Carlo.

»Der Mann im Hintergrund. Der Saubermann, der sogar Minister bestechen kann. Ein Genie der Korruption.«

»Ich kenne keinen Liborio.«

»Sie nicht – aber fragen Sie mal einige Minister.«

»Was ändert das ... ich habe meine Befehle.« Oberst del Carlo räusperte sich. »Ich werde nächste Woche Diwata besetzen müssen.«

»Ich würde das gut überlegen, Oberst. Ich habe hier eine Privattruppe mit Panzern, Raketenwerfern, Luftabwehrkanonen, Geschützen, modernsten Maschinenwaffen ...«

»Ich könnte Fallschirmtruppen einsetzen.«

»Sie würden schon in der Luft abgeschossen werden. Außerdem können wir in kürzester Zeit alle Wege nach Diwata und unser Rollfeld verminen. Sie kämen gar nicht an uns heran. Wissen Sie nichts von unserer Privattruppe?«

»Ich habe davon munkeln hören. Belisa García, wollen Sie Hunderte Tote in Kauf nehmen?«

»Das frage ich Sie, Oberst del Carlo. Sie opfern viele brave, tapfere Soldaten für die Korruptheit eines Liborio und einiger Minister. Ist das die Sache wert?«

»Das habe ich nicht zu entscheiden. Das hat Manila zu verantworten. Ich bin Soldat, ich habe einen Befehl, ich muß ihm gehorchen.«

»Den Ton kenne ich. Verliert man beim Militär das Denkvermögen?«

»Ich hätte auch ohne Warnung kommen können.« Es war, als suche del Carlo um eine Entschuldigung nach. »Aber ich will kein Blut vergießen, deshalb habe ich angerufen. Wir sollten uns einigen.«

»Einverstanden.« Belisas Stimme wurde etwas härter, aber sie klang nicht spöttisch. »Sie bleiben in Davao, und ich arbeite weiter in Diwata. Das ist die einzige Lösung unseres Problems.«

»Sie verspotten mich«, sagte del Carlo auch sofort. »Natürlich werden Sie vom Staat eine Entschädigung bekommen. Er will Sie nicht einfach enteignen.«

»Das kann er auch gar nicht.«

»Belisa, wir können alles. Die Aktion würde still durchgezogen, und keiner auf der ganzen Welt würde sich um Sie kümmern. Auch die möglichen Toten werden verschwiegen werden, es wird das alles nicht gegeben haben. Hoffen Sie nicht auf Ihre dreißigtausend Arbeiter ... die werden Sie verraten, wenn der Staat ihnen ein paar Peso mehr pro Sack gibt. Belisa, erkennen Sie doch die Lage. Manila will Ihre Goldmine, und es bekommt sie auch! Ob nächste Woche, in einem Monat oder einem halben Jahr ... Sie können sich nicht ewig wehren. Die Armee ist stärker als Sie.«

Belisa sah ihren Bruder an. Miguel lehnte an der Wand und hatte über einen zweiten Hörer alles verfolgt. Er war geschockt, sein Gesicht zuckte nervös. Belisa atmete tief durch.

»Lassen Sie mir zwei Wochen Zeit«, sagte sie stockend.

»Wie soll ich das begründen?«

»Sie haben von meiner Privatarmee erfahren und brauchen eine bessere Ausrüstung für Ihr Regiment.«

»Und was wollen Sie in dieser Zeit tun? Auch aufrüsten?«

»Ich will nach Manila fliegen und mit dem Präsidenten sprechen.«

»Ob Ihnen das gelingt ...« sagte del Carlo zweifelnd. »Wer kommt schon an den Präsidenten heran?«

»Ich!«

Das klang so fest und sicher, daß del Carlo unwillkürlich den Atem anhielt. Aber dann antwortete er:

»Und was wollen Sie Fidel Ramos sagen?«

»Die Wahrheit über seine korrupten Mitarbeiter. Ramos war bis 1991 Verteidigungsminister; er kann überblicken, was ein Überfall auf Diwata an Toten kostet. Und er wird erkennen, daß hinter seinem Rücken die Geldscheine von Hand zu Hand wandern. Daß ein Mistkerl wie Liborio sogar Ministerien kaufen kann.«

»Und wer ist Liborio?«

»Ein Goldhändler, dem ich den Hahn zugedreht habe, weil er meinen Schwager betrogen hat. Das ist nun seine Rache. Er hat es mir ins Gesicht gesagt.«

Del Carlo schwieg. Er schien konzentriert nachzudenken. Dann sagte er:

»Wenn das die Wahrheit ist, Belisa, dann zögere ich den Einsatz um zehn Tage hinaus. Aber in diesen zehn Tagen muß etwas Entscheidendes geschehen – länger kann ich nicht stillhalten. Ich möchte fast darum beten, daß es Ihnen gelingt, bis zum Präsidenten vorzudringen. Es wäre – vielleicht – Ihre einzige Rettung. Was aber, wenn es Ihnen nicht gelingt?«

»Dann bedeutet das Krieg!« Belisas Stimme war hart, als lasse sie stählerne Stimmbänder schwingen. »Dann hören wir auf, die Toten zu zählen!«

»Mir graut vor diesem Gedanken.«

»Mir auch. Aber bleibt mir eine andere Wahl?«

»Sie könnten nachgeben ...«

»Nachgeben?« Ihre Stimme ging in die Höhe. »Nachgeben? Da kennen Sie Belisa García nicht ...«

Ohne die Antwort abzuwarten, hängte sie den Telefonhörer ein. Miguel klatschte lautlos in die Hände.

»Bravo!« sagte er. »Damit sind wir alle zum Tode verurteilt ...«

Antonio Pérez versank in der Arbeit, die er sich gewünscht hatte. Er war nicht nur für den Bau des Schwimmbades und des dazugehörenden Restaurants verantwortlich, er hatte auch die sanitäre Ausstattung der neuen Bordelle übernommen. Er hatte selbst die Baupläne gezeichnet und legte seine Entwürfe Belisa und ihren Brüdern vor. Sie waren beeindruckend, mit Buntstiften ausgemalt, schöne, moderne Bauten mit einem Hauch von Kolonialstil, wie man ihn in den amerikanischen Südstaaten findet. Sie hatten nur einen Fehler: Es fehlten die statischen Berechnungen. Aber da es in Diwata kein Bauamt gab, das die Pläne durchsehen und genehmigen mußte, wischte man alle Bedenken mit dem Satz beiseite: Vor dreitausend Jahren haben die Menschen schon Häuser gebaut, ohne Mathematikprofessoren zu sein. Ein Argument, das Miguel und Carlos einleuchtete. Nur Dr. Falke hatte Bedenken.

»Und wenn der ganze Bau zusammenstürzt?« fragte er nach einer Sitzung.

»Hier stürzt nichts ein.« Pérez klopfte mit den Handknöcheln auf die ausgebreiteten Zeichnungen. »Wo belastet wird, stehen Betonpfeiler.«

»So einfach ist das!«

»So einfach. Außerdem haben wir unter unseren Goldgräbern hundertsechs ehemalige Maurer, also Fachleute. Sogar zwei Bauingenieure sind darunter.«

»Was will man mehr!« rief Carlos begeistert.

»Wir haben alles hier.« Pérez hob abzählend seine zehn Finger. »Dachdecker, Installateure, Maler, Schreiner, Eisenbieger, Schlosser und Fliesenleger. Wir haben überhaupt alle Berufsgruppen hier. Es gibt nichts, was wir nicht mit eigenen Leuten herstellen können. Die Sache hat nur einen Haken.«

»Wo liegt das Problem?« fragte Belisa.

»Sie fallen als Goldgräber aus, wollen aber ihren vollen Lohn. Und noch einen Aufschlag. Als Facharbeiter, sagen sie. Die Kerle sind nicht auf den Kopf gefallen. Sie wissen genau, was sie jetzt wert sind.«

»Ich werde jedem einzelnen aufs Hirn schlagen!« schrie Carlos.

»Dann haben wir gar keine Handwerker.« Pérez sah Belisa an und dann Pedro – er war der »Finanzminister« von Diwata. »Geld muß schon fließen, sonst können wir alles vergessen. Halbe Sachen mache ich nicht ... da müßt ihr euch einen anderen suchen. Das wäre genau so, als wenn der Doktor nur einen Finger amputiert, wenn's ne ganze Hand sein muß.«

»Ein dämlicher Vergleich, Pérez!« sagte Dr. Falke. »Besser wäre gewesen, zu sagen, ich würde ein Arschloch vergolden, weil es Durchfall hat.«

»Sie haben an Ihrem Krankenhaus nicht sparen müssen!«

»Es ist zum Nutzen aller.«

»Der Freizeitpark auch! Das Leben macht mehr Freude.«

»Da hat er recht.« Dr. Falke nickte. »Belisa, Sie werden alle Gewinne in die Projekte stecken müssen ... wenn Sie sie realisieren wollen. Eine Rendite wird erst in Jahren anfallen.«

»Oder überhaupt nicht.«

»Das wäre schlecht gewirtschaftet.«

»Sind wir denn alle verblödet?!« Belisa tippte sich an die Stirn. »Wir begeistern uns an Bauplänen ... und in Davao wartet ein Regiment der Regierungsarmee, um Diwata zu besetzen und die Mine zu enteignen. Bauen? Wißt ihr, was wir tun, wenn wir diesen Kampf verlieren? Nicht bauen, sondern vernichten! Wir werden alles in die Luft sprengen. Alles! Manila wird eine Kraterlandschaft erobern. Ein Mondgebirge. Einen Riesenhaufen Steine und Scheiße. So sieht die aktuelle Lage aus. Nächsten Dienstag sind Dr. Falke und ich in Manila beim Präsidenten ... erst dann werden wir wissen, was unsere Zukunft ist.«

»Wir fliegen alle mit!« rief Carlos und rollte wild die Augen.

»Das wäre die sichere Ablehnung. Nein. Ich werde allein mit dem Präsidenten sprechen. Ganz allein. Wenn man mich vorläßt ...«

»Und was soll ich dabei?« fragte Dr. Falke.

Sie sah ihn an, als habe sie die Frage nicht verstanden. »Sie würden mich«, sagte sie, als sei sie maßlos enttäuscht, »schutzlos in diesen Kampf ziehen lassen? Sie liefern mich der Gefahr aus?«

»Wenn Sie es wünschen, gehe ich mit Ihnen hinter Gitter.«

»Ich wünsche es!«

»Dann gibt es keine Fragen mehr.«

Später, als sie allein waren, saßen die drei Brüder in Miguels Wohnung an einem runden Tisch und tranken Palmwein.

»Ich warte darauf«, sagte Carlos und zog an seiner Zigarre.

»Auf was?« Miguel schüttelte den Kopf.

»Aber sie tut es nicht.«

»Was, zum Teufel?«

»Sie geht nicht mit dem Doktor ins Bett.«

»Warum sollte sie das?« fragte nun Pedro.

»Sie kann ohne ihn nicht sein. Jungs, wir sind doch nicht blind. Wenn sie den Doktor zwei Tage nicht sieht, wird sie unruhig.«

»Aber dauernd ohrfeigt sie ihn, mit Worten.«

»Wir kennen doch unsere Schwester. Sie will nie Schwäche zeigen.«

»So wird sie nie einen Mann bekommen.« Miguel paffte dicke Rauchringe in die Luft. »Der Doktor wäre mir als Schwager recht. Wie bringen wir die beiden zusammen? Überlegt mal!«

»Man müßte ihr Mitleid wecken«, schlug Pedro vor.

Carlos starrte ihn verständnislos an. »Wie denn?« fragte er dann.

»Ihm müßte irgendwas passieren. Ein leichtes Unglück. Ein harmloser Unfall. Jedenfalls sollte es gefährlicher aussehen als es ist. Das lockt Belisa vielleicht aus ihrem Panzer.«

»Du bist verrückt, Pedro.« Miguel winkte mit beiden Händen ab. »Wer brächte es fertig, dem Doktor was anzutun?! Und wenn's der kleinste Kratzer ist ... undenkbar! Es muß doch andere Wege geben, um die beiden zusammenzubringen.«

»Der Doktor ist aber auch ein sturer Hund!«

»Vielleicht wird in Manila alles anders.« Pedro schüttete sich frischen Palmwein ein. »Ich war ehrlich erstaunt. Zum erstenmal hat sie zugegeben, daß sie Schutz sucht. Das ist doch schon ein Anfang. Der Doktor muß das nur erkennen ...«

»Wir können ihn doch nicht auf ihr festbinden.« Carlos brach in lautes Lachen aus. »Wie kann man nur so dämlich sein?! Ich hätte sie längst im Bett.«

»Du sprichst von deiner Schwester!« Miguel blies seinem Bruder dicken Zigarrenrauch ins Gesicht. »Wir müssen da ganz behutsam vorgehen ... nur wie, das weiß ich noch nicht.«

»Vielleicht klappt es diesmal in Manila.« Pedro schüttelte den Kopf, als stehe er einem unlösbaren Rätsel gegenüber. »Es ist auch zu blöd: Da wohnen sie in einem Appartement, liegen Bett neben Bett ... und nichts passiert. Belisa war, ist und bleibt ein Rätsel.«

Es war wirklich nur ein Zufall, daß sich David Tortosa und Belisa begegneten.

Der Teemischer und Wunderheiler, im Hauptberuf Captain des CIA, war unterwegs zu einem Patienten. Das war eine Neuerung: Er besuchte jetzt auch Kranke, so wie ein Hausarzt seine Patienten betreut. Meistens waren es Grippekranke mit hohem Fieber oder Darmkranke, die es nicht wagten, ihre Behausung zu verlassen, aus Angst, der Durchfall könnte sie unterwegs bewältigen und zwingen, in irgendeine Ecke zu scheißen. Jetzt war David Tortosa unterwegs zu einem Grippekranken, um ihm mit einem Spezialtee das Fieber auszutreiben.

Tortosa und Belisa trafen sich auf dem Marktplatz. Sie kam gerade aus der Verwaltung, wo Pedro ihr die Abrechnung der letzten drei Tage vorgelegt hatte. Es sah gut aus ... die neue Goldader in dem Seitental ließ die Ausbeute in die Höhe schnellen. Miguel hatte zweitausend Goldgräber in diese neuen Schächte geschickt; eine neue Zermahlungsanlage war montiert.

Belisa blieb ruckartig stehen, als sie den wasserstoffblonden Mann über den Marktplatz gehen sah. Sie stieß einen lauten Pfiff aus.

»He! Du da!« rief sie über den Platz. »Komm mal her!«

Tortosa blieb stehen und blickte zu Belisa hinüber. »Meinen Sie mich?« rief er zurück.

»Wen sonst?«

»Mich pfeift man nicht heran.« Tortosa stand breitbeinig da. »Ich bin kein Hund!«

»Bist du da so sicher? Komm her!«

Langsam kam Tortosa auf sie zu und blieb zwei Meter von ihr entfernt stehen.

»Wenn ich ein Hund wäre, würde ich Sie jetzt anpinkeln ...« sagte er langsam.

»Und dann würdest du heute abend in der Pfanne braten. Wer bist du?«

»David Tortosa.«

»Und was machst du hier in Diwata? Du gräbst doch kein Gold.«

»Wie man's nimmt. Ich bin der Wunderheiler.«

»Der was?«

»Wunderheiler. Ich nehme dem Doktor die Bagatellfälle ab.«

»Weiß das Dr. Falke?«

»Ja. Ich habe mich, wie's sich gehört, vorgestellt.«

»Du ... Sie sind auch Arzt?«

»Bleiben wir beim Du. Nein, ich bin alles andere als Arzt. Und Wunderheiler nennen mich die anderen.« Tortosa hob die Schultern, als müsse er um Entschuldigung bitten. »Ich kann nichts dafür. Wobei ich zugeben muß, daß meine Teemischungen manchmal wirklich Wunder wirken.«

»Warum bleichen Sie sich die Haare?«

»Warum bohren sich die Papuas Bambusstäbchen durch die Nasenflügel und hängen sich Wildschweinhauer um den Hals?« Tortosa strich mit beiden Händen über seine leuchtendblonden Haare. »Ich nehme an, Sie sind die Gold-Lady!«

»Jetzt fangen Sie auch damit an! Ich hasse das Wort!«

»Aber jeder nennt Sie hier so. Übrigens finde ich Gold-Lady nicht schlecht. Sie sehen so aus.«

»Wie sehe ich aus?!« Ihre Stimme wurde höher.

»Als ob Sie in einem Bohrloch vor einer Goldader schlafen.«

»Und Sie sehen lächerlich aus mit ihren gefärbten Haaren!«

»Mein Image. Ein Wunderheiler muß wunderlich aussehen. Es genügt, wenn Dr. Falke im weißen Arztkittel herumläuft.«

»Seit wann sind Sie hier in Diwata?«

»Seit ungefähr sechs Wochen. Nein, sieben.«

»Weiß Miguel, daß es Sie gibt?«

»Ihre Brüder trinken auch meine Tees.«

»Ich habe Sie in der Verwaltung noch nie gesehen.«

»Stimmt. Ihre Brüder kommen zu mir.«

»Davon habe ich nichts gewußt.«

»Müssen Sie denn alles wissen?«

»Ja! Ja! Ich muß! Ich will Sie heute abend in der Verwaltung sprechen. ich überlege mir, ob ich Sie nicht wegjagen lasse. Ich werde Avila fragen.«

»Auch Oberst Avila ist mein Kunde.«

»Ich entscheide heute abend!«

Sie drehte sich weg und ging weiter. Tortosa blickte ihr nach und lächelte.

»Welch ein Satansweib!« sagte er leise. »Es muß phantastisch sein, so etwas zu bändigen . . .«

Wenig später stand Belisa in Dr. Falkes Ordinationszimmer, griff nach einer verchromten Schale und schleuderte sie an die Wand. Der Schale folgte eine Emailleschüssel. Dr. Falke starrte sie fassungslos an.

»Wenn ich noch mehr erfahre, was man mir verschweigt, reiße ich das ganze Krankenhaus ein!« schrie sie. »Warum hat mir keiner von diesem Wunderheiler erzählt?!«

»Tortosa? Woher kennen Sie den denn?«

»Ich bin ihm eben begegnet.«

»Und er hat Ihnen gesagt, wer er ist?«

»Er heilt mit Tee!«

»Und sonst?«

»Auch meine Brüder trinken die Brühe! Und Sie wissen es! Nur ich nicht. Ich ... ich hasse euch alle! Dreißigtausend Männer um mich herum, und ich bin allein!«

»Ich wollte Sie nicht mit diesem Tortosa belästigen. Es genügt, wenn ich mich mit ihm beschäftige.«

»Wie wollen Sie wissen, was für mich interessant ist? Bestimmen Sie meinen Geschmack?« Sie griff nach einer anderen Schale und warf sie auch gegen die Wand. »Ich finde den Mann interessant!« schrie sie dabei.

»Auch wenn er Sie belügt?«

»Hier lügen alle.«

»David Tortosa ist Captain des CIA ...«

»Was ist er?« Sie riß die Augen weit auf. »CIA? Vom amerikanischen Geheimdienst? Was will er denn in Diwata?«

»Er jagt einen Doppelagenten. Einen gewissen Mark Suffolk. Er will ihn zurück in die USA bringen.«

»Ein Spion bei uns? Ein amerikanischer Spion ...«

»Das ist das Harmloseste, was wir zu bieten haben.«

»Und was geschieht, wenn Tortosa ihn entdeckt?«

»Darauf bin ich selbst gespannt. Vielleicht vergiftet er ihn mit Tee?« Es sollte spöttisch klingen, aber man hörte dennoch die Sorge heraus.

»Soll ich ihn aus Diwata entfernen lassen?«

»Das ist Ihre Entscheidung, Belisa. Aber ich glaube, so schnell werden wir den Captain nicht los. Er hat schon zu viele Anhänger in der Stadt, die auf seine Wunderheilungen schwören. Ich höre im Krankenhaus täglich davon. Ihn gewaltsam zu entfernen, könnte zu einem Problem werden. Ich kann nur hoffen, daß er Suffolk nie entdeckt. Suffolks Tarnung muß perfekt sein. Seit zwei Jahren ist er untergetaucht.«

»Mögen Sie Spione?«

»Nicht besonders.«

»Und David Tortosa?«

»Er ist Offizier und führt einen Befehl aus. Darüber kann

man nicht diskutieren; ein militärischer Befehl ist indiskuta-
bel.«

»Genau wie bei Oberst del Carlo. Er soll Diwata besetzen,
und er tut es.«

»So ist es. Das Kriegerische im Menschen ist sein fatalstes
Erbgut.«

Am Abend fand nur ein kurzes Gespräch zwischen Belisa und
Captain Tortosa statt. Sie standen sich allein gegenüber, seine
Augen blitzten sie an, und sie empfand eine nie gekannte Hem-
mung, ihm zu sagen: »Morgen haben Sie Diwata verlassen ...
oder ich lasse Sie mit Gewalt in den Dschungel schaffen!«

Sie sagte bloß: »Sie sind vom CIA ...«

»Hat Ihnen Dr. Falke das gesagt?«

»Sie suchen einen Spion.«

»Ich habe einen Auftrag.«

Der Befehl, dachte sie. Der Befehl, dem man blindlings gehorcht. Selbst Menschenjagd wird dann legal. Ein Befehl ...
und alles ist erlaubt. So sind Armeen, so sind Völker vernichtet
worden. Ein Befehl ...

»Vergessen Sie ihn, solange Sie in Diwata sind.«

»Das darf ich nicht.«

»Was glauben Sie, was passiert, wenn ich bekanntgebe, daß
ein CIA- Mann bei uns eingedrungen ist.«

»Sie werden das nicht bekanntgeben.«

»Und warum nicht? Wer kann mich daran hindern?«

»Ihr Gewissen. Sie würden mich in Lebensgefahr bringen. Sie
könnten meine Mörderin werden?«

»Hier lebt eine Masse Mörder.«

»Ich weiß. Einige sind Kunden von mir. So makaber das
klingt: nette Burschen.«

»Haben Sie das Kokain in die Stadt gebracht?«

»Nein. Das hat mich schon Dr. Falke gefragt. Warum ver-
dächtigt man mich? Nur, weil ich ein Ami bin? Ich wünsche
die Dealer zum Teufel!«

Belisa drehte sich um, ging zum Fenster und blickte hinaus auf den Marktplatz. Gegen die Scheibe sagte sie:

»Ich gestatte Ihnen, in der Stadt zu bleiben.«

»Zu gnädig, Mylady.«

»Unter einer Bedingung.«

»Und die wäre?«

»Sie helfen mit, den Rauschgifthändler zu finden. Als ›Wunderheiler‹ haben Sie die besten Möglichkeiten, mit ihm bekannt zu werden. Vielleicht kommt er sogar eines Tages zu Ihnen und bietet Ihnen Stoff an.«

»Möglich.« Tortosa nickte zustimmend. »Ich verlange nur eine Gegenleistung: Sie stören mich nicht bei der Suche nach Suffolk.«

»Einverstanden.« Belisa drehte sich wieder zu ihm um. »Welchen Tee können Sie mir bei Schlaflosigkeit empfehlen?«

»Ich werde Ihnen eine Mischung zusammenstellen.«

»Danke.« Sie ging an ihm vorbei zur Tür. Dort drehte sie sich noch einmal zu ihm um. »Sehen Sie, wie einfach es ist, sich zu verständigen ...?« sagte sie. »So einfach ...«

4

Sie hatten im »Hotel Manila« wieder die alte Suite bekommen. Das Luxusappartement mit Blick auf den Rizal-Park, den zwei Schlafzimmern und dem Whirlpool als Mittelpunkt des marmornen Badezimmers. Die Bar war gefüllt, auf dem Tisch in der Polsterecke stand ein riesiger Strauß gelber Rosen, im Eßzimmer daneben leuchteten in einer geschliffenen Kristallvase sieben blaßrosa und zitronengelbe Orchideenrispen. In einem Kühler wartete eine Flasche Champagner darauf, entkorkt zu werden. Ein üppiger Korb voller tropischer Früchte stand daneben.

Belisa war nicht wiederzuerkennen. Wieder war aus dem mit Dreck bespritzten Mädchen aus der Rattenhütte eine junge, elegante Frau geworden, die jetzt ein luftiges Seidenkleid von Lacroix trug und die Haare hochgesteckt hatte, was ihren schlanken Hals freigab. Ihre zierlichen Füße staken in hochhackigen Pumps mit einer diskreten goldenen Schnalle als Verzierung. Die Schuhe waren aus hellbraunem Straußenleder und hatten sie bei ihrem ersten Besuch in Manila eine Menge Geld gekostet, mehr, als ein Digger in Diwata in einem Monat verdienen konnte.

Nachdem sie einen starken Kaffee mit Cognac getrunken hatten, kam Dr. Falke mit einem Vorschlag heraus.

»Wie wäre es«, sagte er, »wenn Sie, bevor Sie die ganze Sache Politik werden lassen, zuerst noch einmal mit Liborio sprechen?«

»Eher gehe ich nackt durch die Hotelhalle!« rief sie empört.

»Wissen Sie schon, wie Sie an den Präsidenten Fidel Ramos herankommen wollen? Der erstbeste Sekretär schmeißt Sie raus.«

»Ich werde mich als Verwandte von Oberst del Carlo ausgeben.«

»Ein Oberst ist ein kleines Kirchenlicht, weiter nichts. In der Präsidialkanzlei wird noch niemand den Namen del Carlo gehört haben. So unwichtig ist er. Belisa, denken Sie doch nüchtern. Sie bleiben bei irgendeinem Referenten hängen, der Sie vergißt, sobald Sie das Zimmer verlassen haben.«

»Der Präsident ist für jeden Bürger da!«

»Theoretisch. Glauben Sie, man ließe mich so ohne weiteres an Kohl heran?«

»Wer ist Kohl?«

»Ach ja, das können Sie ja nicht wissen. Der deutsche Bundeskanzler.«

»Das mag bei Ihnen in Deutschland anders sein. Bei uns hört man den Bürger an.«

»Das erzählt man euch, und ihr glaubt es.« Dr. Falke winkte ab; es hatte keinen Sinn, mit ihr über die Praxis der Macht zu diskutieren. In den nächsten Tagen würde sie ihre Niederlage begreifen ... dann war immer noch Zeit, im letzten Augenblick mit dem mächtigen Liborio zu verhandeln. Das Leben besteht aus Kompromissen, es will nur keiner wahrhaben. Mit dem absoluten Anspruch auf Recht zu leben, ist programmierter Untergang.

»Wie würden Sie denn zum Präsidenten kommen, Sie Klugscheißer?!« fragte sie provozierend.

»Gar nicht. ich fasse aussichtslose Sachen nicht an. Ich erspare mir Niederlagen, die ich voraussehen kann.«

»Wer nicht kämpft, kann nicht siegen.«

»Ein zweifelhafter Spruch. Don Quichote kämpfte gegen Windmühlen ...«

»Wer ist Don Quichote?«

»Ihnen das zu erklären, dauert zu lange. Lassen wir das. Wenn Sie erreichen, beim Präsidenten vorgelassen zu werden ...«

»Was dann?«

»... dann bohre ich zehn Säcke Goldgestein aus dem Berg.«

»Wette angenommen.«

»Und wenn Sie verlieren?«

Sie sah ihn mit zur Seite geneigtem Kopf an und lachte kurz. »Dann«, sagte sie, »dann dürfen Sie mich küssen!«

»So sicher sind Sie sich?« Ihr Angebot ließ sein Herz schneller schlagen.

»Ja! Ich würde sonst eine solche Wette nie eingehen.« Sie ging mit tänzelnden Schritten durch das große Wohnzimmer der Suite und blieb an der Bar stehen. Sie überlegte, ob sie einen Drink nehmen sollte, entschloß sich aber doch, darauf zu verzichten. »Wir werden heute abend französisch essen gehen.«

»Das hört sich gut an.«

»Ich habe mich erkundigt. Es gibt in Manila ein sehr gutes Lokal. Es heißt ›La Fayette‹. Und vorher gehen wir einkaufen. In den Modesalons von Dior und Chanel ...«

»Sie wollen in Diwata Dior und Chanel tragen?«

»Blödsinn! Ich werde jetzt öfter verreisen, wenn mir der Präsident garantiert, daß Diwata nicht verstaatlicht wird. Ich will die internationalen Kontakte ausbauen. Ich will noch mehr Gold verkaufen.«

»Ich würde mit Dior und Chanel warten, bis ich vom Präsidenten zurück bin. Vielleicht können Sie sich diese Ausgaben sparen.«

»Ich kaufe!« Sie blickte auf ihre Armbanduhr. »Gehen wir.«

Dr. Falke war etwas verunsichert. »Ich soll mitkommen?« fragte er.

»Natürlich. Dazu sind Sie ja da.«

»Von Mode verstehe ich nichts.«

»Das ist auch nicht nötig. Sie sollen nur sagen, ob es Ihnen gefällt oder nicht.«

»Kommt es darauf an?«

Sie schwieg, überlegte eine Antwort und sagte dann: »Sie sind ein Mann ...«

»Das will ich nicht bestreiten.«

»Es kommt mir darauf an, ob einem Mann gefällt, was ich trage. Das ist alles.«

»Kaum.«

»Wieso nicht?«

»Ihre dreißigtausend Goldgräber werden unterschiedlicher Meinung sein. Denen sind Sie in dreckigen Jeans lieber als in einem Dior- Fummel.«

»Ich habe schon gesagt: Ich werde mehr verreisen. Die Männer in Rom ...«

»O Gott, Sie wollen nach Rom?!«

»Oder London, Madrid, Berlin, Caracas. Oder Quito oder Rio ...«

»Mit anderen Worten: Sie wollen ausbrechen.«

»Was heißt ausbrechen?«

»Sie haben es satt, weiter wie bisher im Dreck zu leben.« Er machte eine weite Geste, die die ganze Suite umfassen sollte. »Das hier soll Ihre Welt werden. Leisten können Sie sich das. Nach fast drei Jahren Hölle entdecken Sie, daß es draußen eine Art Paradies gibt.«

»Ich habe es mir verdient, mein Leben zu teilen. Ich will zwei Leben leben.« Sie griff jetzt doch zu einem Mixbecher und goß drei Alkoholika ein, die Dr. Falke aus der Entfernung nicht erkennen konnte, schüttelte sie und goß ein Cocktailglas voll. Sie nahm einen Schluck, hustete und stellte das Glas weg. Die Mischung war offensichtlich zu stark. »Träumen Sie nicht von einem Leben ohne Diwata?«

»Nicht mehr. Ich weiß, daß ich in den Dschungel gehöre, daß man mich dort braucht.«

»Und ich weiß, daß ich aus dem verdammten Berg so viel Gold herausholen werde, wie es noch keiner ahnt! Ich habe einen Haufen verfallener Hütten übernommen und werde daraus eine Stadt machen. Eine Stadt mit Kanalisation, Schwimmbad, Theatern, Tanzlokalen, Restaurants, Bars, Läden, einem modernen Krankenhaus, einer Kirche ...«

»Zehn Bordellen ...«

»Auch das! Aus Diwata wird eine richtige, saubere Stadt werden, mitten im Dschungel. Eine Stadt, in der Ordnung herrscht ...«

»In der Räuber, Betrüger, Diebe, Wegelagerer, Schänder und Mörder unter falschen Namen hausen, Glücksritter und Abenteurer, Geflüchtete und Gejagte, eine Stadt, in der heute noch innerhalb von vierundzwanzig Stunden vier bis sechs Morde geschehen, in der die Kerle sich die Schädel einschlagen, beim Kartenspiel betrügen, in der man für ein Beutelchen Goldstaub einem anderen die Kehle durchschneidet ... da wollen Sie Ordnung hineinbringen? So viele kann Avila gar nicht erschießen oder aufhängen, um aus Diwata eine Musterstadt zu machen.«

»Und deshalb heißt der eine Teil meines Lebens Diwata ... der andere ist die Welt hinter dem Dschungel. Ist das so schwer zu verstehen?«

»Ja ... denn es wird nicht gehen.«

»Ich werde es Ihnen beweisen. Jeder Mensch hat ein Ziel – ich habe zwei! Und ich habe Zeit, ich bin noch jung, ich habe Kraft in mir und den nötigen Mut! Ihr alle werdet noch staunen.«

Eine Stunde später traten sie aus dem Lift in die große Hotelhalle. Drei Kamerateams des philippinischen Fernsehens nahmen Gespräche mit Gästen auf und filmten den Luxus des Hotels. Als Belisa und Dr. Falke durch die Halle gingen, wurden sie sofort von einem Reporter angehalten. Eine Kamera richtete sich auf sie. Belisa blieb stehen.

»Würden Sie ein paar Worte sagen, ein kleines Interview ...« rief der Reporter in sein Handmikrofon und hielt es dann Belisa vors Gesicht. Belisa schüttelte den Kopf.

»Ich habe nichts zu sagen«, antwortete sie.

»Nur eine Frage. Die Regierung plant eine Steuerreform. Was halten Sie davon?«

»Nichts. Ich verstehe nichts von Politik. Ich verstehe auch nichts von Steuern.«

»Auch Sie werden belastet, müssen mehr bezahlen. Finden Sie das gerecht?«

»Gerecht? Ich kann das nicht beurteilen. Wenn es dem Volk nützt, muß es gerecht sein. Der Präsident wird wissen, was er tut. Ich vertraue ihm. Wenn etwas notwendig ist, muß man es tun.«

»Sie sind reich. Sie werden am meisten zahlen müssen.«

»Ich bin nicht reich.«

»Sie wohnen im teuersten Hotel von Manila.«

»Das bezahlt meine Firma.« Belisa lächelte in die Kamera. Sie sah in diesem Augenblick wirklich süß aus. »Mehr kann ich nicht sagen. Ich habe ja gar keine Ahnung von Politik. Das ist Sache des Präsidenten.«

»Sie vertrauen der Regierung?«

»Wem sollte man sonst vertrauen?«

»Wie war Ihr Name?«

»Belisa García. Aus Mindanao, genauer aus der Gegend von Davao.«

»Mindanao. Das ist eine besonders unruhige Provinz. Rebellen, Kommunisten, Separatisten. Was halten Sie von den vielen Gruppierungen, die ja größtenteils regierungsfeindlich sind?«

»Wie oft soll ich Ihnen sagen, daß mich Politik nichts angeht.« Sie lächelte wieder in die Kamera, diesmal mit einem bösen Blick. »Ich will zufrieden leben, weiter nichts.«

»Und das können Sie?«

»Ja. Ich arbeite ja auch dafür.«

»Millionen können es nicht und haben keine Arbeit. Da muß doch die Regierung etwas falsch machen?!«

»Wenn Sie das wissen, dann machen Sie es doch besser!«

Sie schob das Mikrofon zur Seite und ging an der Kamera vorbei in die weite Hotelhalle. Der Reporter stürzte sich auf Dr. Falke, aber der winkte sofort ab.

»Ich bin Deutscher.«

»Sie haben in Ihrem Land die gleichen Probleme.«

»Mag sein, aber ich kann hier in Mindanao nichts in Bonn ändern. Und über Steuern reden, Steuern in Deutschland – das ist überhaupt ein Thema, das Herzinfarkte auslöst. Da sind die Philippinen noch glücklicher dran als wir.«

Er schob ebenfalls das Mikrofon zur Seite und folgte Belisa. Draußen vor dem Hotel wartete noch ein Kamerateam und nahm Belisa sofort ins Bild. Sie hob beide Hände.

»Ich habe nichts mehr zu sagen!« rief sie.

»Eine Frage noch: Haben Sie einen Wunsch?«

»Ja. Ich möchte einmal mit dem Präsidenten sprechen.«

»Das möchten viele. Aber an Fidel Ramos ist schwer heranzukommen.«

»Deshalb ist es ja mein größter Wunsch.«

»Und sonst haben Sie keine Wünsche?«

»Nein. Im Augenblick nicht.«

Und dann begann die Zeit des großen Einkaufens.

Sie besuchten Dior und Chanel, Gucci und Lacroix, Yves St. Laurent und fast alle anderen großen Modehäuser, die in Manila ihre Filialen errichtet hatten. Die Hauptstadt war ein gutes Pflaster, es gab genug Reiche, die sich französische Eleganz gönnen konnten. Aber es war eine kleine Schicht, die abgegrenzt in den Villenvierteln am Rande der Stadt wohnte ... in Manila selbst schäumte der Millionenverkehr von Angestellten, Armen und Ärmsten, hingen die Menschentrauben an den Bussen und hupten die bunt bemalten Jeepneys, die Kleintaxis, im Gewühl der Menschenmassen. Eine Stadt, die keine ruhige

Minute kannte, die Tag und Nacht unter einer Lärmglocke atmete, wo in Luxusvillen Hunde mit saftigen Steaks gefüttert wurden und einige hundert Meter weiter Slumbewohner in Müllhaufen nach Eßbarem suchten, Obdachlose sich Wohnhöhlen in die Abfallhalden gegraben hatten. Eine Stadt, in der Glanz und Elend der Menschen aufeinanderprallten und doch nebeneinander existieren konnten.

Belisas Modetrip verlief nach einem einfachen Ritual: Sie ließ sich in den Modepalästen Kleider und Kostüme vorführen, zog dieses und jenes Stück an und sah Dr. Falke stumm fragend an. Spitzte der die Lippen oder schüttelte den Kopf, sagte sie sofort: »Nein! Das nicht!« Wenn er nickte oder den Kopf wiegte, paradierte sie vor ihm hin und her, und wenn er in die Hände klatschte, kaufte sie das Modell. Nie sagte sie dann: »Das gefällt mir aber nicht!« sondern erkannte seinen Geschmack an.

Nach über fünf Stunden des Anprobierens brach Belisa den Einkaufsbummel ab. In einem Café, das ein Italiener ganz im venezianischen Stil gebaut hatte, erholten sie sich bei einem riesigen Eisbecher mit Rumfrüchten. Und da erst sagte Belisa:

»Sie haben einen absonderlichen Geschmack, Doktor.«

»Ist das Eis so schlecht?«

»Die Sachen, bei denen Sie genickt oder in die Hände geklatscht haben. Es gab da ganz andere Modelle! Zum Beispiel das lange Seidenkleid von Valentino...«

»Mit dem durchsichtigen Oberteil?«

»Das meine ich.«

»Das war mir zu erotisch.«

»Ich bin erotisch!« Sie sagte es so betont, daß Dr. Falke die Augenbrauen hob. »Und das Kleid von Chloé?«

»Das war so kurz, daß man fast Ihr Höschen sehen konnte.«

»Und das Röhrenkleid von Givenchy?«

»Eben nur eine Röhre aus Satin. Sie sind kein Typ für solche Extravaganzen.«

»Was für ein Typ bin ich denn?«

»Eine Frau, die es nicht nötig hat, ihre Brüste in durchsichtigem Stoff zu zeigen oder ihre Oberschenkel bis zu den Hüftknochen.«

»Aber wenn es mir gefällt?!«

»Warum haben Sie dann diese Kleider nicht gekauft? Seit wann lassen Sie sich beeinflussen? Ich habe mich nicht aufgedrängt. Außerdem können Sie ja alles umtauschen.«

Sie schwieg, stocherte in dem Eis herum und spielte mit dem langen Löffel in den Rumfrüchten.

»Ihr Stil ist veraltet!« sagte sie endlich.

»Das könnte sein. Ich bin fast doppelt so alt wie Sie. Und in Diwata ist vieles an mir vorbeigegangen. Ich hatte Sie gewarnt. Von Mode verstehe ich gar nichts! Mir reichen Hose, Hemd und Pullover. Und selbst den brauche ich bei vierzig Grad Hitze nicht. Tauschen Sie alles um und kleiden Sie sich wie ein Modepüppchen. Was geht das mich an?«

Den letzten Satz hätte sich Dr. Falke verkneifen sollen. Es war ein Satz zuviel. Belisas Kopf zuckte hoch. Ihre schwarzen Augen schossen Blitze.

»Sie sind und bleiben ein Ekel!« sagte sie mit soviel Verachtung, wie es einer gekränkten Seele möglich ist. »Sie haben das Gemüt einer Aderklemme!«

»Ein nützliches Instrument ... ohne sie gäbe es eine Menge Tote.«

Bis zum Abend sprachen sie dann nur noch wenige Worte miteinander. Erst beim Essen im »La Fayette«, wo man ihnen ein fabelhaftes Chateaubriand und einen samtroten, weichen Burgunder servierte, sagte Dr. Falke:

»Das neue Kostüm steht Ihnen wunderbar.«

»Es ist von Laroche.«

»Farbe, Form, Stoff, alles paßt zu Ihnen.«

»Danke. Gut, daß Sie mir das sagen.« Sie nahm einen Schluck Rotwein. »Ich werde es nicht mehr anziehen ...«

Er nickte. Oh, du Aas, dachte er. Du herrliches Biest!

Warum willst du dich selbst verbrennen ... mir bleibt doch deine Asche.

Am nächsten Morgen, nachdem sie, als sei das selbstverständlich, zusammen im Whirlpool gebadet hatten und sie ihm erlaubte, ihren Rücken mit einem Körperöl, das nach Rosen duftete, einzureiben, rief sie in der Kanzlei des Präsidenten an. Die Telefonzentrale verband sie mit irgendeinem Beamten.

»Ja?!« sagte der Mann knapp. »Was ist?«

»Ich möchte einen Termin bei Präsident Ramos haben«, sagte Belisa, als sei das etwas Normales.

»Weiter nichts?« fragte die Stimme spöttisch zurück.

»Nein, das genügt.«

Es knackte ein paarmal in der Leitung, bis sich eine andere, höflichere Stimme meldete. »Referat eins. Wissen Sie, was Sie da verlangen? Ihr Name ...«

»Belisa García ...«

»Wer bitte?«

»García.«

»Einen Augenblick.« Wieder das Knacken in der Leitung, dann eine neue Stimme. Sie schien etwas aufgeregt zu sein. »Hier ist Alfredo Boniz. Erster Sekretär des Präsidenten. Sie sind wirklich Belisa García?«

»Ganz sicher.«

»Von wo rufen Sie an?«

»Vom Manila-Hotel.«

»Mein Gott, ist das ein Zufall! Sie haben gestern ein Fernseh-Interview gegeben.«

»Ja. Es waren dumme Fragen.«

»Der Herr Präsident hat es gesehen und war von Ihrer Reaktion begeistert. Sie äußerten den Wunsch, den Präsidenten zu sprechen. Der Präsident freut sich, Sie empfangen zu können. Er hat uns den Auftrag gegeben, Sie zu suchen, und nun rufen Sie selbst an. Wann können Sie zum Präsidenten kommen?«

»Wann der Herr Präsident wollen.«

»Heute vormittag, um elf Uhr?«

»Gut. Um elf. Ich komme.«

»Melden Sie sich bei der Wache im Palast und nennen Sie meinen Namen. Ich hole Sie dann ab. Alfredo Boniz. Der Präsident wird eine Viertelstunde Zeit für Sie haben. Das ist viel!«

»Mehr brauche ich auch nicht. Danke.«

Sie legte auf und sah Dr. Falke an. Der starrte fassungslos in ihre Augen.

»Das ist nicht wahr ...« sagte er. »Da hat sich einer einen Scherz mit Ihnen erlaubt. Ramos wird Sie empfangen?«

»Sie haben es gehört.« Sie tanzte durch den Raum und um den Glastisch herum. »Elf Uhr!« sang sie dabei mit lauter Stimme. »Elf Uhr! Elf Uhr!« Und dann, mit ausgebreiteten Armen stehenbleibend: »Ich bekomme alles, was ich will! Alles! Glauben Sie es jetzt, Herr Dschungeldoktor ...?«

Und dann tanzte sie weiter, schleuderte den Bademantel von sich und stand nackt in der Sonne vor der Terrassentür.

Ein Zauberwesen, als sei sie aus einem der Sonnenstrahlen geboren.

Was an diesem Vormittag zwischen Präsident Ramos und Belisa García besprochen wurde, stand in keinem Protokoll. Es war eine völlig private Unterredung, und sie dauerte länger als die vorgeschriebene Viertelstunde. Immer, wenn der Protokollchef an die Tür klopfte und die Zeit anmahnte, winkte der Präsident ab. Erst nach fast einer Stunde brachte Ramos selbst Belisa in den Vorraum und umarmte sie, als sei sie seine Tochter.

In einem Vorzimmer wartete Dr. Falke. Zu ihm hatte man gesagt:

»Sie werden nicht vorgelassen.«

Dann hatte man ihn nach Waffen abgetastet, und erst, als der erste Sekretär Alfredo Boniz für ihn bürgte, ließ die Wache ihn gehen. Er mußte in einem Vorzimmer des Präsidententraktes Platz nehmen. Dort saßen drei Beamte herum, blätterten in Akten und spielten große Betriebsamkeit vor. Als Belisa von Ramos zurückkam, sprang Dr. Falke auf und lief ihr entgegen.

»Sie waren wirklich bei ihm?« rief er zweifelnd.

»Was denken Sie denn?«

»Bis jetzt?«

»Bis jetzt. Er ist ein kluger Mann, der zuhören kann. Und er handelt schnell.«

»Was wird aus Diwata?«

»Ich behalte es. Was haben Sie denn geglaubt?«

»Und der Befehl an das Militär von Davao?«

»Ist bereits zurückgenommen.«

»Gratuliere.« Dr. Falke zwang sich, Belisa nicht an sich zu ziehen. »Ich hätte das nie, nie für möglich gehalten.«

»Es wird sich vieles ändern. Liborio können sie nicht verhaften und verurteilen, dann müßten auch einige Minister und hohe Beamte verhaftet werden. Das gäbe eine Regierungskrise«, sie lächelte verhalten, »so wichtig bin ich nun auch wieder nicht. Aber sie werden Liborio die Lizenz für den Goldhandel entziehen.«

»Damit ist er am Ende.«

»Nur kurz. Er wird die Philippinen verlassen und woanders eine neue Handelsfirma gründen. In Südamerika, Mittelamerika, in der Karibik. Er hat überall Freunde sitzen. »Sie hakte sich bei Dr. Falke unter. »Feiern wir?«

»Jetzt oder heute abend?«

»Den ganzen Tag.«

Sie verließen den Präsidentenpalast, ließen sich von einem Taxi in die Innenstadt bringen und saßen dann unter der Markise eines Straßencafés, fort vom Lärm des alles erstickenden Verkehrs, löffelten wieder einen großen Eisbecher und tranken dazu den starken, schwarzen philippinischen Kaffee.

»Ich habe mir etwas überlegt«, sagte sie plötzlich. »Welchen Tag haben wir heute?«

»Den 25. Juni.«

»Ich werde den 25. Juni zum ›Diwata-Day‹ erklären. Jedes Jahr wird der 25. Juni ein Feiertag für Diwata sein. Jeder Einwohner von Diwata bekommt ein Geschenk. Was halten Sie von der Idee?«

»Sie ist gut und großzügig, aber undurchführbar.«

»Wieso?!« Ihre Augen begannen wieder zu blitzen. Widerspruch. Sie duldete keinen Widerspruch, Dr. Falke wußte es genau. »Alles ist durchführbar!«

»Wie wollen Sie dreißigtausend, später vielleicht vierzigtausend Menschen beschenken? Für jeden einen Dollar? Das wäre lächerlich! Für jeden zehn Dollar – das wären vierhunderttausend Dollar! Und auch bei zehn Dollar würde man lachen. Oder bekommt jeder ein Fähnchen in die Hand gedrückt, auf dem steht: ›Diwata-Day – Glück durch Dschungelgold‹!«

»Sie machen sich lustig über mich!« zischte sie. »Amerika feiert auch seinen Unabhängigkeitstag!«

»Aber die Regierung verteilt nicht über zweihundertfünfzig Millionen Geschenke. Im Gegenteil: Es ist eine Ehre, diesen Tag als US-Bürger zu erleben! Würden Sie es als eine Ehre ansehen, im Dschungel von Diwata zu leben?«

»Ich werde aus diesem Dreckshaufen eine blühende Stadt machen ... das sage ich jetzt zum hundertstenmal!«

»Und zum hundertunderstenmal sage ich: Es wird Ihnen nicht gelingen. Diwata entzieht sich allen normalen Maßstäben! Es ist kein Lebensraum – es ist ein Klumpen ausgestoßener Menschen, die nur eins zusammenhält: Gold! Gut! Gut! Proklamieren Sie Ihren ›Diwata-Day‹, erheben Sie den 25. Juni zum Dschungel-Nationalfeiertag. Es wird der Tag werden, an dem die Zahl der Morde auf das Zehnfache steigt. Draufschlagen – der Höhepunkt der Feier. Vor allem, wenn die Kerle betrunken sind.« Er blickte in ihre wütenden Augen, ließ sich durch diesen Blick aber nicht abhalten weiterzusprechen. »Was soll dieser Gedenktag? Es ist für alle besser, wenn keiner erfährt, wie nahe wir einer Katastrophe waren. Hätten Sie nicht mit dem Präsidenten sprechen können ...«

»Ich habe aber!« rief sie so laut, daß sich die Gäste an den Nebentischen zu ihnen umdrehten. »Sie hätten Diwata nicht retten können!«

»Das gebe ich zu.«

»Keiner hätte es gekonnt!«

»Und dieses Wissen sollten wir für uns behalten. Nur Sie und ich.«

»Und meine Brüder und Avila ...«

»Auch sie werden schweigen. Es ist nichts geschehen. Schweigen ist oft die beste Informationspolitik.«

»Oje, Sie haben ja die Begabung zum Politiker.« Belisa sagte es voller Spott, aber mit einem Unterton, der Dr. Falke widerwillig recht gab. »Sie lassen mich mit meinem Triumph allein.«

»Nein. Ich bin da.«

»Sie?! Sie können nur in die Hände klatschen.«

»Ich bewundere Sie, Belisa.«

»Ein einsamer Applaus.«

»Aber ein ehrlicher.«

»Und was hätten Sie getan, wenn ich beim Präsidenten gescheitert wäre?«

»Ich hätte Sie getröstet.«

»Hilfloses Mitleid!«

»Ich hätte an Ihrer Seite mit Avilas Truppen um Diwata gekämpft.«

»Das hätten Sie? Wie wollen Sie wissen, ob ich gekämpft hätte?«

»Ich weiß es. An vorderster Front. Mit einem Schnellfeuergewehr an der Schulter. Etwas anderes wäre gar nicht denkbar. Sie sind der Typ der Jeanne d'Arc.«

»Wer ist denn das nun wieder?«

»Das erzähle ich Ihnen später mal. Eine französische Heldin. Die Franzosen nennen sie die heilige Johanna!«

»Ich bin nicht die Heilige von Diwata!« Sie schürzte die Lippen und nahm einen Schluck des höllisch starken Kaffees. »Doktor, Sie sind verrückt!«

»Vielleicht. Ich verstehe mich selbst nicht mehr. Ich sage Dinge, die ich sonst nie sagen würde.« Er versuchte ein Lachen, es mißlang. »Gehen wir zur Feier des Tages wieder einkaufen?«

»Nein. Wir fahren zurück ins Hotel und bereiten uns auf den festlichen Abend vor. Ich werde das Abendkleid von Cloé tragen ...« Sie hob den Kopf, als mache sie gerade eine fatale Erkenntnis. »Aber Sie haben ja gar keinen Abendanzug. Wir müssen sofort einen Smoking kaufen.«

»Muß das sein?«

»Ich im Abendkleid und Sie in einem zerknitterten, alten Anzug ... wollen Sie mich blamieren?« Sie winkte der Kellnerin. Zahlen. »Wir kaufen einen Smoking.«

»Der allein tut es auch nicht!« wehrte er ab.

Sie schüttelte den Kopf. »Hemd, Schleife, Lackschuhe, Strümpfe, alles, was dazugehört. Die im Herrenausstattungsgeschäft werden schon wissen, was nötig ist.«

»Ich habe seit fast zehn Jahren keinen Smoking mehr getragen ...«

»Dann tun Sie es jetzt im elften Jahr. Ist es dieser 25. Juni nicht wert? Wenn wir schon allein feiern müssen, dann soll es eine richtige Feier werden. Mit Abendkleid, Smoking und Champagner. In einem Festsaal im Hotel ›Manila‹. Ein Saal für uns allein! Und wir werden von der Bar die Combo herüberholen und tanzen.« Ihr Gesicht strahlte, ein Zittern lief über ihren Körper. Sie war einfach faszinierend. Sie war die Schönste von Gottes Schöpfungen. Dr. Falke krampfte die Finger ineinander. »Der ›Diwata-Day‹ – er gehört uns ganz allein!«

Dr. Falke sah in seinem Smoking hervorragend aus. Die Frauen im Manila-Hotel drehten sich nach ihm um ...

Dr. Falke wachte am späten Vormittag auf. Er lag vollständig angezogen, mit Smoking, Hemd und Schuhen, auf der Couch im Wohnzimmer der Suite, nur den Kragen hatte er geöffnet und die Fliege gelöst. Er kam sich elend vor, leicht schwindelig und von einer bohrenden Übelkeit befallen.

Er stand auf, wischte sich mit beiden Händen über das Gesicht und sah sich um. Die Erinnerung kehrte langsam zurück und bohrte sich in seine Gehirnwindungen.

Die »Siegesfeier« im Salon III des Hotels. Ein intimes Séparée mit modernen Designermöbeln, einem üppig gedeckten Tisch, mit Champagner und dreierlei Braten in einer Kombination aus stark gepfefferten Soßen, mit einer Eisbombe mit heißer Schokolade. Ein diskreter Kellner in einer weißen Uniform, später dann, irgendwann, kam die Combo aus der Bar in den Salon und spielte allein für sie, und Belisa tanzte mit ihm nach exotischen Rhythmen, von denen er keine Ahnung hatte, und sie hörte mit ihrem alles mitreißendem Temperament erst auf, als er erschöpft und mit brennenden Füßen kapitulierte und in einen Sessel fiel. Und dann hatten sie weiter getrunken, bis ihm die Augen zufielen und er nichts mehr kannte als den unbändigen Wunsch, sich einfach fallenzulassen und nichts mehr zu hören.

Belisa. Wo war Belisa?

Er rappelte sich auf, ging leicht schwankend hinüber zu ihrem Schlafzimmer und lehnte sich in den Türrahmen.

Sie lag nicht im, sondern auf dem Bett, völlig nackt, die Beine an den Leib gezogen, wie eine weggeworfene, kleine, hellbraune Puppe. Sie schlief fest, mit ruhigem Atem, und um das Bett herum lagen das Abendkleid, die Strümpfe, die Schuhe, die Unterwäsche und eine Anzahl tiefroter Rosen, verstreut, als habe sie die Blumen einzeln durch den Raum geschleudert.

Dr. Falke strengte sich an, aber er konnte sich an nichts erinnern. Wie kamen die Rosen in das Zimmer? Wann waren sie gebracht worden? Was war überhaupt geschehen, bevor sich Belisa das Kleid vom Körper gerissen und sich auf das Bett gelegt hatte? Hatte er dem allen zugesehen, ohne es wahrgenommen zu haben? Sie war nackt, er aber trug noch seinen korrekten Smoking – es hatte also nichts zwischen ihnen gegeben. Eigentlich war das verrückt und völlig unglaublich. Aber es mußte so gewesen sein, es gab keine anderen Deutungen.

Leise trat er an das Bett heran, schlug den Brokatstoff des Bettüberwurfs um ihren nackten Körper und wankte dann in das Badezimmer. Es kostete ihn eine gewaltige Überwindung, sich unter die kalte Dusche zu stellen, um die Dumpfheit aus seinem Körper zu vertreiben. Er prustete laut, aber er spürte die Wohltat, ein Gefühl als ob der Alkoholrest aus ihm weggeschwemmt würde. Er fühlte sich erfrischt, aber dennoch müde.

Als er die gläserne Duschkabine verließ, prallte er mit Belisa zusammen, die davor gewartet hatte. Sie war noch immer völlig nackt und stand da, als sei es das Natürlichste auf der Welt.

»Sie Egoist!« sagte sie verächtlich.

»Ich bin mir keiner Schuld bewußt.« Er griff nach dem Badetuch und hüllte sich darin ein. »Was werfen Sie mir vor?«

»Warum haben Sie mich nicht geweckt, um auch zu duschen?«

»Sie schliefen so fest. Ich brachte es nicht übers Herz, Sie ...«

»Haben Sie überhaupt ein Herz?« Sie ging an ihm vorbei in die Duschkabine. »Und Ausdauer haben Sie auch nicht. Keine Kondition! Sie sind einfach umgefallen und auf der Couch liegengeblieben. Sie haben mich allein gelassen ...«

»Ich bin das Saufen nicht mehr gewöhnt.« Er rubbelte sich mit dem Badetuch ab und spürte eine wohlige Wärme auf der kalten Haut aufsteigen. »Früher ... als Student und junger Assistenzarzt, Himmel, was haben wir da gesoffen! Sie haben recht ... keine Kondition. Auch das Saufen muß man trainieren. Ich bitte um Verzeihung. Aber wieso überstehen Sie so eine Alkoholsintflut?«

»Ich habe bei drei Brüdern gelernt.« Sie drehte den Wassermixer auf und stellte sich unter die Dusche. Hin und her drehte sie sich dabei, hob die Arme über den Kopf, massierte ihre Schenkel und den Bauch, die Hüften und die Brüste, und es kümmerte sie gar nicht, daß Dr. Falke ihr zuschaute.

Er aber rührte sich nicht. Er wußte, daß sie auf eine Reaktion wartete, um ihm dann wieder ins Gesicht zu schlagen ... nur, um zu zeigen, daß sie die Herrin war. Die Unangreifbare. Sie ließ dem Leben nicht einfach seinen Lauf ... nur sie bestimmte.

Triefend kam sie aus der Kabine und streckte die Hände aus.

»Das Handtuch!«

Ein befehlender Ton. Dr. Falke zog ein neues Badetuch aus dem verchromten Ständer und reichte es ihr hin.

»Abtrocknen!«

Auch das tat er, frottierte ihren Körper, berührte ihn überall, von den schlanken Beinen über ihr schwarzlockiges Dreieck hinauf zu den Brüsten und den Schultern, und sie stand steif da, als sei sie eine nackte Schaufensterpuppe aus Plastik – ohne einen Laut von sich zu geben, mit geschlossenen Augen.

Dr. Falke zog das Badetuch weg. »Fertig«, sagte er.

»Danke.« Sie schwebte an ihm vorbei in ihr Schlafzimmer, drehte ihm den Rücken zu und schien nachzudenken, was sie anziehen sollte. Auf ihrem kleinen, festen Gesäß lag der Sonnenschein, der von der Terrasse hereinfiel. Ihre hellbraune Haut glänzte, als sei sie aus Seide gewirkt. »Am Nachmittag fliegen wir nach Davao«, sagte sie plötzlich.

»Der Rückflug war für morgen geplant.«

»Ich will Oberst del Carlo sprechen. Ich will mich überzeugen, daß er Diwata wirklich nicht mehr besetzt.«

»Sie haben das Wort des Präsidenten Fidel Ramos.« Dr. Falke nickte ihr zustimmend zu. »Aber Ihre Gedanken sind richtig. Vom Präsidenten bis zu Oberst del Carlo ist ein langer Weg, auf dem einige große Steine liegen können. Wenn Regierungschefs immer wüßten, was unter ihnen in Wirklichkeit geschieht, sähe die Welt anders aus. Vom Willen bis zur Tat sind die Straßen oft aufgerissen.«

»Genau das habe ich auch gedacht.« Sie drehte sich zu ihm um, noch immer ohne Anstalten zu machen, sich etwas überzuziehen. »Das haben Sie mir beigebracht. Bin ich nicht eine gute Schülerin?«

»Sie nehmen Lehren an?« fragte er verblüfft.

»Nur wenn sie mich überzeugen. Aber das ist selten. Und es gibt keinen Grund, sich darauf etwas einzubilden. Ich lerne auch von Avila ... zum Beispiel, auf Menschen zu schießen.«

Sie ging zu dem eingebauten Spiegelschrank, riß die Türen auf und verschwand hinter ihnen.

Dr. Falke verließ das Zimmer mit der Frage, wie es möglich sei, daß Teufel und Engel nebeneinander in einem so wunderbaren Körper wohnen können.

Oberst del Carlo zu sprechen war schwieriger, als den Erzbischof von Davao um eine Audienz zu bitten. Man reichte Belisa und Dr. Falke von einem Offizier zum anderen weiter, von Dienststelle zu Dienststelle, bis sie endlich bei dem Adjutanten landeten. Er war der einzige, der mit dem Namen Belisa García etwas anzufangen wußte.

»Sind Sie angemeldet?« fragte der Adjutant.

»Nein.«

»Dann sehe ich schwarz.«

»Im Gegensatz zu mir ... dann sehe ich rot.«

»Ist das politisch gemeint?«

»Das können Sie sich aussuchen.«

Der Offizier wandte sich an Dr. Falke. »Und Sie? Was wollen Sie?«

»Ich bin Arzt.«

»Der Herr Oberst ist nicht krank.« Er sah wieder auf Belisa. »Belisa García, ich habe Ihren Namen vom Herrn Oberst irgendwann einmal gehört. Ich kann mich nur nicht an den Zusammenhang erinnern.« Er blickte auf das Telefon, das auf dem Schreibtisch stand. »Ich werde nachfragen.«

Das Telefongespräch dauerte keine Minute. Der Adjutant sprang auf, führte Belisa und Dr. Falke über einen langen Flur zu einer breiten Tür, klopfte an, öffnete sie, knallte die Hacken zusammen und meldete:

»Belisa García, Herr Oberst!«

Und dann standen sie dem stellvertretenden Kommandeur der Garnison Davao gegenüber. Einem mittelgroßen, etwas dicklichen Mann, der sie über eine Halbbrille hinweg anblinzelte. Väterlich-freundlich, aber doch scharf musternd und abschätzend.

»Es freut mich, Sie kennenzulernen«, sagte del Carlo. Es war keine Floskel, er meinte es ehrlich. »In vier Tagen hätten wir uns ohnehin getroffen. In Diwata.«

»Wieso?« Belisa riß die Augen weit auf. »Die Aktion ist doch abgesagt.«

»Was ist abgesagt?«

»Der Befehl, Diwata zu besetzen«, warf Dr. Falke ein.

»Das muß ein Irrtum sein.« Del Carlo rückte seine Brille höher auf die Nase. »Der Befehl besteht weiter! Ich habe keine anderen Befehle ...«

»Sie hatten recht ... der Weg ist voller Steine.« Belisa lehnte sich gegen Dr. Falke, als müsse sie Halt suchen. »Herr Oberst, ich war beim Präsidenten ...«

»Bei Fidel Ramos?«

»Gibt es noch einen anderen?«

»Sie wollen mit dem Präsidenten gesprochen haben? Sie?«

»Ist das so unglaublich?«

»Es ist unmöglich!«

»Dann rufen Sie in Manila bei seiner Kanzlei an. Ich habe von Fidel Ramos die Zusicherung, daß Diwata nicht verstaatlicht wird. Daß alles so bleibt, wie es jetzt ist. Er hat mir versprochen, daß es keinen Militäreinsatz gibt. Rufen Sie an ...«

»Wann war das?«

»Vor drei Tagen.«

»Ach so.« Del Carlo grinste breit. »Dann kann es noch nicht bei mir sein. So etwas geht seinen Dienstweg. Vom Präsidenten zu dessen Kanzlei, von dort zum Verteidigungsministerium, vom Minister zum Heereskommando, nachdem der Finanz- und der Innenminister befragt worden sind, denn von ihnen kam ja der Antrag auf Verstaatlichung. Vom Oberkommando der Armee geht es dann zu unserer Garnision und landet bei mir. Und erst dann ist der Befehl zurückgenommen.«

»Und wie lange dauert das?« fragte Dr. Falke ahnungsvoll.

»Wer weiß das? Die Rücknahme von Irrtümern dauert immer länger als der Irrtum selbst.«

»Das heißt: Wenn Sie in vier Tagen noch nicht den Gegenbefehl haben, marschieren Sie in Diwata ein?!«

»So kann es sein. Der erste Befehl ist ja noch nicht offiziell zurückgenommen.«

»Aber das ist doch Irrsinn!« rief Dr. Falke voller Empörung.

»Das ist Verwaltung.« Oberst del Carlo grinste wieder. »Warum regen Sie sich auf? Betrachten Sie es als ein Ringelspiel: Wir kommen nach Diwata, und wir verlassen Diwata wieder. Das Ganze wird dann als militärische Übung abgehakt. Eine kleine Abwechslung im trägen Soldatenalltag.«

»Es kann dabei Tote geben!« sagte Belisa hart.

»Bloß das nicht ... dann wird es ernst! Warten wir doch alles ruhig ab.«

»Bitte rufen Sie in Manila an, Her Oberst!« rief Belisa flehend. »Bitte.«

»Ich will es versuchen.« Del Carlo griff zum Telefon. Der Behördenapparat begann zu summen. Von Büro zu Büro, von einem Ministerium zum anderen. Del Carlo wagte es sogar, beim Oberkommando anzurufen. Und dann legte er auf. Erleichterung zog über sein Gesicht. »Es stimmt«, sagte er. »Es liegt der Wunsch des Präsidenten vor. Er wird geprüft ...«

»Ein Befehl des Präsidenten wird geprüft?« Dr. Falke starrte del Carlo an. »Ein Wunsch. Militäraktionen kann nur der Minister oder der Oberkommandierende befehlen. Ich hoffe, daß ich morgen oder übermorgen die Entscheidung bekomme.«

»Übermorgen. Im letzten Augenblick . . .«

»Seien Sie froh, daß es diesen letzten Augenblick noch gibt.« Oberst del Carlo lehnte sich zufrieden zurück. »Darf ich Sie ins Kasino zu einem Glas Wein einladen? Belisa García, Sie wissen gar nicht, was Sie da geleistet haben.« Und dann, im Offizierston: »Vor Ihnen muß man strammstehen . . .«

Es war Belisas zweiter Triumph, und sie strahlte Dr. Falke an, mit der stummen Forderung in den Augen: Gib zu, daß ich unschlagbar bin . . .

Die drei Brüder und Avila warteten an der in den Urwald geschlagenen Landepiste, als der Transporthubschrauber der Mine über Diwata knatterte.

»Unser Paradies hat uns wieder«, sagte Dr. Falke ironisch. »Wie ich von hier oben sehe, hat Avila alle strategischen Stellen besetzt. Die einzige Straße in die Stadt ist mit Panzersperren abgeriegelt. In der Bananenplantage stehen die Raketenwerfer. Das müßte Oberst del Carlo sehen . . .«

»Er wird es spüren, wenn er Diwata wirklich erobern will. Aber er wird nicht kommen. Ich vertraue auf das Wort des Präsidenten.«

»Liborios Einfluß ist größer als wir dachten. Sie haben ja aus dem Versteckspiel der Worte herausgehört, wen er alles gekauft hat. Das alte Spiel, Belisa: Geld ist Macht. Seit Jahrtausenden.«

»Schon heute hat Liborio keine Macht mehr.«

»Aber Geld . . . und einen Teil davon wird er in die Finanzierung seiner Rache an Ihnen investieren.«

»Glauben Sie?«

»Ich möchte sagen: Ich weiß es.«

»Dann muß man ihm die Gelegenheit dazu nehmen.«

»Das wird kaum möglich sein.«

»Auch ein Liborio ist sterblich.«

Sie sagte es leichthin, aber Dr. Falke begriff sofort. Er blickte zur Seite und sah ihr kantig gewordenes Gesicht.

»Sie sind doch keine Mörderin, Belisa.«

»Er will mich vernichten – ich wehre mich nur. Was heißt Mord . . . es gibt Überfälle.«

»Inszenierte Überfälle. Auch das ist Mord.« Er legte die Hand auf ihren Arm, aber dieses Mal schob sie sie nicht brüsk zur Seite. »Wollen Sie das auf Ihr Gewissen laden?«

»Für Diwata tue ich alles!« Ihre Stimme war scharf wie eine Klinge. »Alles! Sogar mein Gewissen könnte ich hergeben . . .«

Sie setzten zur Landung an, der Hubschrauber ging genau auf den Punkt nieder, neben dem die gepanzerten Autos warteten. Die drei Brüder umarmten Belisa und küßten sie, als wäre sie Jahre weg gewesen. Dr. Falke stieg in Avilas Jeep ein.

»War es erfolgreich?« fragte Avila.

»Das wissen wir in spätestens vier Tagen.«

»Wir sind bereit.«

»Ich habe es aus der Luft gesehen. Beten wir, daß es nicht dazu kommt.« »Es ist merkwürdig.« Avila fuhr der schweren Limousine Belisas nach. »Immer, wenn Sie und die Lady verreist sind, passiert was.«

»Was ist denn jetzt los?«

»Beim letztenmal brannte das Lagerhaus ab und Rebellen aus dem Dschungel plünderten in der Stadt. Jetzt häufen sich Vergiftungen.«

»Vergiftungen?«

»Wir hatten innerhalb von zwei Tagen neununddreißig Tote . . .«

»Mein Gott!« Dr. Falke schlug entsetzt die Hände zusammen. »Womit haben sie sich vergiftet?«

»Das ist ja das Rätsel. Keiner hat eine Ahnung. Die Vergifteten ringen plötzlich nach Luft, fassen sich ans Herz, fallen um und sind tot. Herzlähmung, sagt der Wunderheiler, den man sofort gerufen hat, weil Sie ja in Manila waren. Im Krankenhaus liegen sechsundzwanzig Vergiftete, die es vielleicht überlebt haben. Aber keiner wagt, sie anzufassen, aus Angst, man könne sich an ihnen auch vergiften. Es ist unheimlich, Doktor. Von heute auf morgen fallen die Männer um und sterben.« Avila umklammerte das Lenkrad. »Große Scheiße!«

»Das ist es. Sie haben recht, Avila – da haben wir ein verdammtes Problem.«

Im Krankenhaus herrschten wirklich chaotische Zustände.

Die Krankenschwestern, diese von Dr. Falke ausgebildeten ehemaligen Huren, weigerten sich, die Zimmer zu betreten, in denen die Vergifteten dahinsiechten. Auch die Krankenpfleger, vor einem Jahr noch Glücksritter, Goldschürfer, Abenteurer und gesuchte Kriminelle, brachten, mit Mundschutz und Gummihandschuhen bekleidet, nur noch das Essen in die Zimmer und verschwanden dann wieder. Einzig Pater Burgos ging von Bett zu Bett, betete und gab den Sterbenden die Sakramente. Alle bewunderten ihn, weil er keine Angst vor Ansteckung hatte und den Todgeweihten sogar die Hand reichte.

Dr. Falke stürmte sofort in das Krankenhaus, als Avilas Jeep vor dem Eingang bremste. Im Vorraum stieß er auf Captain David Tortosa. Er hatte einen weißen Kittel von Dr. Falke angezogen und stank nach einem Desinfektionsspray.

»Endlich!« sagte er. »Die sterben mir unter der Hand weg. So schnell kann der Pater gar nicht beten, wie die Seelen in den Himmel sausen. Haben Sie schon mal etwas von einer epidemischen Herzlähmung gehört?«

»So etwas gibt es nicht. Hier wütet ein Virus, ein Infekt oder wirklich Gift, wie Avila vermutet. Rätselhaft ist nur die Schnelligkeit. Jede Krankheit braucht eine Entwicklungszeit. Im Urwald verbergen sich noch viele Rätsel. Immer neue Krankheiten tauchen auf.«

Von den Stationen kam jetzt Pater Burgos herüber. Er sah

blaß und zerfurcht aus. Zwei Nächte hatte er jetzt bei den Sterbenden und Toten verbracht.

»Gut, daß Sie wieder da sind«, sagte er und sank erschöpft auf einen Stuhl. »Schon wieder neun Tote. Sie kommen her, machen den Mund auf, wollen etwas sagen, fallen um und sind tot. Und jetzt kommt es: Die paar, die noch leben, sagen übereinstimmend, sie hätten Bananen gegessen.«

»Bananen? Unsere Bananen? Aus unserer Plantage? Sofort ein Bananenverbot! Pater, rufen Sie sofort bei Miguel an. Lautsprecherwagen durch alle Straße, zu den Schächten, überall hin: Keine Bananen mehr essen. Nicht einmal anfassen! Und wenn es eine Panik gibt, das ist mir jetzt egal ... keiner faßt mehr eine Banane an!«

Pater Burgus rannte zum Telefon. Captain Tortosa begann heftig zu atmen.

»So etwas kann doch nicht von den Bananen kommen«, stotterte er. »Dann wäre ich auch längst tot. Ich habe noch vor zwei Stunden eine gegessen.«

»Dann haben Sie Glück gehabt ... wenn es an den Bananen liegt.«

»Sie glauben auch nicht daran, stimmt's? Gibt es überhaupt giftige Bananen?«

»Nein.«

»Aber sie können ein unbekanntes Virus oder Bakterien in sich tragen?«

»Es ist alles möglich. Die Natur überrascht uns immer wieder. Und was ein unbekannter Urwald hervorbringen kann, das habe ich in den letzten vier Jahren gelernt. Hier gibt es Pflanzen, die ein Krebszellenwachstum aufhalten können, und Pflanzen, die das Blut zersetzen. Das Hautgift eines kleinen bunten Frosches im Dschungelsumpf ist schon bei einem zehntel Milligramm für den Menschen tödlich. Die Eingeborenen tränken damit ihre Pfeilspitzen.«

Sie gingen von Zimmer zu Zimmer. In den Betten lagen die

Vergifteten, die noch lebten. Bleich, schwer atmend, mit verdrehten Augen und aufgerissenen Mündern. Zwei starben gerade, als Dr. Falke zu ihnen trat ... ihr Herz blieb einfach stehen, nach einem kurzen, kaum wahrnehmbaren Zucken.

Pater Burgos stürzte zu ihnen ins Zimmer. »Alarm ausgelöst!« keuchte er. »Draußen sind neue Fälle gebracht worden. Aussichtslos. Doktor, was können Sie tun?«

»Nichts. Herzstärkende Injektionen, das ist alles. Ich habe ja keine Erklärung für diese Spontanmortalität. Ein Blutbild machen. Ja! Aber ich bin nicht auf toxische Untersuchungen eingerichtet. Allenfalls kann ich Schlangengifte in den Griff bekommen.«

»Dann spritzen Sie dieses Gegengift, Doktor!« rief Burgos.

»Daran habe ich auch schon gedacht. Versuchen wir es.«

»Tun Sie etwas. In Gottes Namen, tun Sie etwas ...«

»Und Sie auch.« Dr. Falkes Stimme wurde bitter. »Fragen Sie Ihren Gott, warum er diese Katastrophe zuläßt. Wo ist Gott? Hier brauche ich ihn jetzt ...«

Die Versuche, die rätselhafte Krankheit mit Schlangengift zu beeinflussen oder gar aufzuhalten, mißlangen. Die infizierten Männer starben mit deutlichen Anzeichen einer Herzlähmung.

»Zweiundsiebzig«, sagte Pater Burgos dumpf. »Wenn das so weitergeht, müssen wir Massengräber ausheben. Hinzu kommt die Seuchengefahr. Keiner will die Toten anfassen, keiner sie beerdigen. Diwata ist vor Angst fast gelähmt. Bananen. Alle haben Bananen gegessen. Hunderte versuchen zu kotzen, um den Magen zu entleeren ... wenn es nicht schon zu spät ist.« Er blickte hinüber zu Tortosa. Der saß müde am Tisch und trank einen Whiskey. »Und sie rufen nach Ihnen, dem Wunderheiler! Sie hoffen auf ein Wunder.«

»Wie soll ich ihnen erklären, daß meine Tees harmlos sind? Sie würden mich in der Luft zerreißen.« Tortosa umklammerte sein Whiskeyglas. »Außer Bananen haben Sie keine Spur, Doktor?«

»Ich habe überhaupt keine Spur, ich habe nur Tote. Zweiundsiebzig Herzlähmungen.« Miguel und Avila hatten schnell reagiert. Lautsprecherwagen rollten kreuz und quer durch die Stadt und warnten vor dem Genuß von Bananen. Trupps in Schutzanzügen, Atemmasken und dicken Gummihandschuhen holten die Bananen aus den Hütten der bereits Infizierten und Verstorbenen, brachten sie auf Anweisung von Dr. Falke zum Krankenhaus und stapelten sie neben der Abfallgrube. Von den drei Brüdern ließ sich keiner bei Dr. Falke blicken, sie riefen nur jede Stunde an.

Anders Belisa ... sie war zum Krankenhaus gekommen, vermummt in einem Schutzanzug. Dr. Falke hatte es nicht anders erwartet. Gefahr zog sie wie ein Magnet an.

»Kann ich helfen?« fragte sie, als sie im Vorraum des Hospitals stand, das nun ein Totenhaus geworden war. Nebeneinander, wie geschichtetes Holz, lagen die Leichen in zwei Räumen. In drei anderen Zimmern rangen die Vergifteten mit dem Tod. Die Herzspritzen, die sie bekommen hatten, zeigten Wirkung: Sie starben langsamer. Aber sie starben.

Die Krankenschwestern waren im Schwesterngebäude zusammengekrochen wie nasse Hühner. Die Krankenpfleger saßen im Behandlungszimmer herum und weigerten sich beharrlich, die Toten anzufassen und wegzutragen. Die am Morgen Gestorbenen begannen bereits, in der Hitze zu stinken. Zwar hatten Avilas Soldaten drei langgestreckte Massengräber ausgehoben, aber keiner trug die Leichen weg.

»Hier können Sie nicht helfen«, sagte Dr. Falke.

»Man stirbt doch nicht an Bananen.«

»So klug bin ich auch.«

»Bananen aus unserer eigenen Plantage!«

»Vielleicht liegt da das Geheimnis. Verseuchter Boden. Womit verseucht? Ich weiß es nicht. Der Dschungel ist immer gut für Überraschungen. Wieviel Urwaldpflanzen kennen wir denn? Tausende, und doch ist es nur ein Bruchteil. Ich habe nur eine Erklärung: Irgendein Stück Boden, auf dem wir Bananen gepflanzt haben, ist durch andere Pflanzen vergiftet.«

»Und das merken wir erst jetzt?«

»Die Natur hat eigene Gesetze, und sie schlägt zu, wenn sie ihre Zeit für gekommen hält.«

»Der ökologische Philosoph.« Belisa zeigte auf die gestapelten Leichen. »Was wird aus ihnen? Warum trägt sie keiner zu den Gräbern?«

»Weil der Mensch im Grunde feig ist. Da habe ich die rauhesten Kerle als Pfleger, und was tun sie? Sie sitzen herum und weigern sich.«

»Weigern sich?« Belisas Stimme schwoll an und wurde höher. »Sie weigern sich einfach?«

»Wie Sie sehen. Ich habe schon Avila um Hilfe gebeten. Aber seine Trupps in den Schutzanzügen sind noch in Diwata unterwegs, um Bananen einzusammeln, bevor noch mehr passiert. Solange müssen die Toten warten. Ich kann keinen zwingen …«

Belisa senkte den Kopf. Dann machte sie drei große, energische Schritte, riß die Tür zum Behandlungszimmer auf und blickte auf die versammelten Krankenpfleger.

»Die Toten wegschaffen!« Ihre befehlende Stimme ließ die Männer zusammenzucken. »Bewegt euch, ihr Scheißkerle!«

Niemand rührte sich.

Belisa drehte sich zu Dr. Falke und Pater Burgos um, ging dann zur Tür des Nebenraumes und zeigte auf die Leichen.

»Wenn sie alle zu feig sind, machen wir es!« sagte sie.

Dr. Falke hielt sie an ihrem Plastikanzug fest. »Sie fassen nichts an!« rief er. »Sie gehen sofort zurück in die Verwaltung.«

»Nein! Ich bleibe hier.« Sie riß sich aus Dr. Falkes Griff los und schlug sogar nach seiner Hand, als er wieder zugreifen wollte. »Sie haben hier nichts zu befehlen!«

»Er befiehlt ja nicht, er will nur nicht, daß Sie in einer halben Stunde auch auf dem Leichenstapel liegen.« David Tortosa stellte sich in die Tür und verbaute ihr damit den Zugang zu den Toten. »Und ich will es auch nicht.«

»Wer fragt denn Sie? Bildet das CIA nun auch Feiglinge aus?!«

Tortosa blieb in der Tür stehen und gab den Weg nicht frei. »Wissen Sie, was Sie sind?« fragte er.

»Ich weiß das besser als Sie!«

»Sie sind ein störrisches, unbelehrbares, aufsässiges, überdrehtes, unerzogenes Weibsstück! Ihnen fehlt ein Mann, der Ihren Arsch nicht streichelt, sondern draufdrischt!«

Zum erstenmal sah Dr. Falke eine sprachlose Belisa García. Über Pater Burgos' Gesicht breitete sich ein Strahlen aus. Endlich, endlich war jemand da, der nicht vor ihrer Schönheit niederkniet. Dr. Falke wartete darauf, daß Belisa explodierte. Aber nichts geschah. Sie starrte Tortosa nur wie ein fremdes Wesen an, drehte sich um und verließ das Krankenhaus. Pater Burgos atmete hörbar auf.

»Captain, gratuliere!« sagte er.

»Das war längst fällig.« Tortosa nahm ein Paar Gummihandschuhe vom Tisch und zog sie über. »Sie ist eine tolle Frau. Etwas Einmaliges. Das erkenne ich an – aber ich kann nicht vertragen, wenn Macht zu Zwang führt.«

»Und Sie haben keine Angst, daß Belisa jetzt Avila mobilisiert und Sie verhaften läßt?« fragte Dr. Falke.

»Nein.«

»Oder Carlos. Der hämmert Sie wie einen Holzpflock in den Boden.«

»Carlos ist ein heimlicher Patient von mir.«

»Patient! Wie das klingt!«

»Meinetwegen ... sagen wir Teetrinker. Er schwört auf meine Mischung. Er hat seitdem keinen Reizmagen mehr.«

»Und aus welchen Kräutern besteht Ihr Tee?«

»Keine Ahnung. Ich habe im Dschungel ausgerupft, was da wuchs ...«

»Kann es sein, daß nicht die Bananen giftig sind, sondern Ihre Teemischungen?«

»Unmöglich. Ich trinke sie ja selbst.«

»Und Sie haben auch Bananen gegessen. Wie Pater Burgos.«

»Er hat immer die Hilfe Gottes . . .«

»Und Ihnen muß der Satan helfen!« sagte Burgos.

»Streiten wir nicht, ob Himmel oder Hölle hilfreich sind. Tragen wir die Toten vor die Tür.«

Dazu kamen sie nicht. Avila fuhr mit fünf Lastwagen vor, und seine vermummten Soldaten schleppten die Leichen vor das Krankenhaus, warfen sie wie Tierkadaver auf die Ladefläche der Wagen und fuhren zu den ausgehobenen Massengräbern. Man hatte die Gräber in der Nähe der Fäkalienschlucht, des berüchtigten Scheißesees von Diwata, angelegt, ein sehr sinnvoller Platz, den Miguel ausgesucht hatte.

Als die Toten abtransportiert waren, wurden alle Zimmer des Krankenhauses desinfiziert. Jetzt arbeiteten auch die Krankenpfleger wieder, aber Dr. Falke sprach kein Wort mit ihnen. Er ignorierte sie, es war, als seien sie für ihn nicht mehr vorhanden.

Und das Sterben ging weiter. Bis zum Morgen waren es insgesamt hundertsieben Tote. Und immer die gleichen Symptome, immer das gleiche Sterben: Herzlähmung. Die neuen Toten kamen aus den Randbezirken von Diwata, in denen die Lautsprecherwagen nicht mehr rechtzeitig hatten warnen können . . . und überall, wo man die Leichen einsammelte, fand man auch Bananen in den Häusern. Avilas Vermummte brachten sie mit den Opfern zusammen ins Krankenhaus.

Nach dieser fürchterlichen Nacht, als am Morgen die Sonne wieder gleißend über dem Goldberg stand, sagte Dr. Falke zu Avila:

»Ich brauche vier Schweine . . .«

Avila riß die Augen auf. »Schweine? Was wollen Sie denn feiern, Doktor?«

»Nicht feiern ... experimentieren.«

»Mit Schweinen?« rief Pater Burgos.

»Ich will sie vergiften.«

»Warum nehmen Sie keine Hunde?« schlug Avila vor. »Wir haben hier Hunderte von streunenden Hunden. Schweine sind zu schade.«

»Haben Sie schon mal einen Hund gesehen, der Bananen frißt?«

»Da hat der Doktor recht«, sagte Tortosa. »Bananenfressende Hunde sind selten. Ich habe noch keinen gesehen.«

Das geplante Schweineexperiment sprach sich schnell herum. Carlos und Miguel kamen zum Krankenhaus. Ein paar Minuten später erschien auch Belisa García. Im Goldberg ging die Arbeit weiter ... man konnte es sich nicht leisten, über Tote nachzudenken und zu diskutieren, wenn die Lebenden satt werden wollten.

Avilas Soldaten schleppten die quiekenden Schweine herbei und setzten sie in einem kleinen Hof hinter dem Krankenhaus aus. Hier lagerten auch die bei den Toten eingesammelten Bananen ... ein gelber Haufen reifer, duftender Früchte.

Im Labor des Krankenhauses war alles vorbereitet. Nun trugen auch Dr. Falke und Pater Burgos Schutzanzüge und Gummihandschuhe. Die Zahl der Toten hatte sich auf hunderteinundzwanzig erhöht ... Siebenunddreißig Kranke schienen durch die Herzspritzen gerettet worden zu sein. Die Pumpleistung ihrer Herzen war äußerst schwach, aber sie lebten. In sicherer Entfernung, als handele es sich um einen Kampf wilder Schweine, saßen die Brüder, Belisa, Avila, Tortosa und einige Soldaten an der Umzäunung des Platzes.

»Fangen wir an«, sagte Dr. Falke zu Burgos.

Der Priester nickte. »Mit Gottes Hilfe ...«

»Mit Hilfe des Mikroskops – das ist mir sicherer.«

Die »Vorstellung« sah undramatisch und harmlos aus.

Dr. Falke nahm zwei Bananen aus dem Stapel, schälte sie und

warf sie zwei Schweinen zu. Grunzend fielen sie darüber her und zermatschten sie ihn ihren Schnauzen. Pater Burgos blickte auf seine Uhr. Wie lange würde der Todeskampf dauern?

Nichts geschah. Noch dreimal fütterte Dr. Falke die Schweine mit den geschälten Bananen, so, wie sie jeder Mensch verzehren würde ... und die Schweine zeigten keine Wirkung. Pater Burgos starrte Dr. Falke verunsichert an. »Verstehen Sie das?« fragte er dann. »Wenn da wirklich schnell wirkende Bakterien oder ein Virus am Wirken ist ... kann ein Schwein dagegen immun sein?«

»Möglich ist alles. Die Mikrowelt ist voller Überraschungen. Die Bakteriologen erleben es täglich. Wir wissen jetzt nur eins: Das Schweineexperiment ist fehlgeschlagen.«

Er griff in den Haufen der Früchte und warf den beiden anderen Schweinen ein paar Bananen zu. Mit fröhlichem Gequieke stürzten sie sich auf die Leckerbissen, zermalmten sie und schluckten sie herunter.

»Guten Appetit!« sagte Pater Burgos noch und wollte sich abwenden. Aber dann blieb er in der Drehung stehen und starrte auf die beiden Schweine.

Sie blieben plötzlich wie festgewachsen stehen. Ein Zittern lief durch ihre rosigen Körper, sie versuchten noch ein paar Schritte, taumelten, ihre Schnauzen öffneten sich, als japsten sie nach Luft ... und dann fielen sie lautlos um und waren tot.

»Mein Gott ...« stammelte Pater Burgos. »Mein Gott ...«

Dr. Falke schlug die Fäuste in den Gummihandschuhen zusammen.

»Die Schalen!« rief er. »Sie haben die Schalen gefressen. Pater, die Schalen sind es! Die Schalen!«

Er griff wieder in den Bananenhaufen, warf den beiden anderen Schweinen die Früchte zu ... und in Minutenschnelle wiederholte sich das Sterben der ersten Tiere. Zittern, Wanken, nach Luft schnappen, Umfallen, Tod.

Ein Sterben innerhalb von sechs Minuten. Der vor Erregung

bebende Burgos hatte die Zeit gemessen. Am Rande des Platzes schrien die Zuschauer durcheinander. Am lautesten hörte man Carlos' Stimme.

»Welche Arschlöcher fressen denn Bananenschalen?« schrie er. »Und was ist los mit den Schalen?!«

»Das wissen wir gleich.«

Dr. Falke trug vier Bananen von dem tödlichen Stapel ins Labor, schälte sie und legte die Schalen unter das Mikroskop. Er brauchte die Okulare gar nicht erst auf große Stärke zu stellen ... er sah es auch so. Ja, wer Bescheid wußte, konnte es mit dem bloßen Auge erkennen.

Die Struktur der Schale. Die feinen Kanäle. Auf der Schale und in den Ritzen schimmerten im Licht des Mikroskops feine, etwas milchige Kristalle. Sie klebten wie winzige Glassplitter an der Schale, aber es war kein Glas, es waren organische Kristalle.

Dr. Falke schob den Stuhl zurück und blickte zu Pater Burgos hinüber. Auch die Brüder Belisa, Avila und Tortosa standen nun an der Wand des Labors.

»Auf den Bananenschalen klebt Gift«, sagte er. Er sagte es langsam, jedes Wort tropfte von seinen Lippen. »Giftkristalle.«

»Das ist ... das ist doch unmöglich«, stotterte Miguel. »Was für ein Gift?«

»Das weiß ich noch nicht.«

»Gift kann doch nicht durch die Luft fliegen wie Samenkörner ...«

»Alles ist möglich. Oder anders gesagt: Im Dschungel ist alles möglich.« Dr. Falke atmete tief durch. »Wir wissen jetzt jedenfalls eins: Wir wissen, wo der Feind sitzt. Wir wissen, wie er aussieht ... aber wir kennen seinen Namen nicht. Jetzt werde ich einige kluge Bücher wälzen, in Ermangelung eines toxikologischen Labors.«

»Wir können also die gesamte Plantage plattmachen!« rief Carlos.

»Abwarten. Ich brauche noch einige Stauden ... wahllos

343

aus den Feldern gehauen. Stauden aus verschiedenen Teilen der Plantage. Vielleicht kann man die ... die Seuche eingrenzen.« Er sprach das Wort Seuche aus, als habe er große Zweifel. »Ich weiß nur eins ganz sicher: Bananen schwitzen keine Kristalle aus.«

Bis zum Abend arbeitete Dr. Falke in seinem Labor. Er opferte noch zwei Schweine und drei knöcherige, von der Räude befallene streunende Hunde. Und wieder das gleiche Sterben ... bei den Schweinen, die die Schale fraßen, sechs bis zehn Minuten. Bei den Hunden, denen er die Kristalle ins Fell rieb, nachdem er die Haut etwas eingeritzt hatte, dauerte das Sterben über eine Stunde. Die Todesursache war die gleiche: Herzlähmung. Plötzlicher Stillstand.

Am Abend rief Dr. Falke die Brüder, Tortosa, Avila und Belisa ins Krankenhaus. Pater Burgos hatte die Sterbesakramente beim hundertsiebenundzwanzigsten Toten gelesen. Nun gab es keine kritischen Fälle mehr ... die anderen Vergifteten würden überleben.

Dr. Falke breitete auf seinem Tisch einige Bücher und einen schriftlichen Bericht aus.

»Ich glaube, ich kenne die Ursache!« sagte er in die atemlose Stille hinein. »Und ich weiß, daß fast jede Begegnung mit ihr tödlich ist. Wer überlebt hat, kann wirklich Gott danken.« Er holte tief Atem. »Der Tod heißt Antiarin.« Er blickte in eines der aufgeschlagenen Bücher. »Auf den Philippinen, vor allem aber auf Mindanao – also bei uns – wie auch auf Guimaras, Kalinga-Apayan und Cagayan wächst ein Baum, den man den Upasbaum nennt. Seine Heimat ist eigentlich Java, aber er hat sich vor allem auf Mindanao verbreitet. Dieser Baum mit dem botanischen Namen *Antiaris toxicaria* scheidet einen Milchsaft aus, wenn man seine Rinde anritzt. So ähnlich wie bei einem Gummibaum. Dieser Milchsaft ist hochgiftig, und wenn er an die Luft, also mit Sauerstoff in Berührung kommt, kristallisiert der Saft sehr schnell und wird zu dem Gift Antia-

rin. Es ist eines der stärksten Kontaktgifte, die wir kennen ...
durch die Haut aufgenommen, führt Antiarin schon in winzi‐
gen Dosen zum Tod durch Herzlähmung. Toxikologen haben
mit Fröschen experimentiert – man nimmt für diese Forschun‐
gen gern Frösche aus tropischen Gebieten – und gemessen,
daß 0,009 Milligramm unweigerlich zum Tod führen! Könnt
ihr euch vorstellen, wie tödlich ein winziges Kristall bei ei‐
nem Menschen ist?! Und die Bananenschalen waren übersät
mit Antiarin-Kristallen! Jede Berührung ist absolut tödlich!
Das ist des Rätsels Lösung.«

»Nur halb.« Tortosas Gesicht zuckte vor innerer Erregung.
»Wie kommt das furchtbare Antiarin an die Bananenschalen?
Fliegt es von den Bäumen durch die Luft?«

»Nein.« Dr. Falke faltete die Hände, als wolle er beten. »Der
Upasbaum muß geritzt werden, das kristallisierte Gift muß ein‐
gesammelt werden, und dann werden die Bananenstauden mit
dem Gift eingerieben ...«

»Das heißt ...« Pater Burgos stockte der Atem.

»Ja, das heißt es!« Dr. Falke blickte hinüber zu Belisa und
den anderen. »Wir haben bisher hundertsiebenundzwanzig
Tote. Alle vergiftet. In Diwata läuft ein Massenmörder herum!«

»Gott schütze uns«, stammelte Burgos.

»Nein!« Dr. Falke schüttelte wild den Kopf. »Wir sollten
beten, daß wir diesen Mörder finden ... bevor er sich etwas
Neues ausdenkt ...«

Dr. Falkes Vermutung bestätigte sich: Nur ein kleiner Teil der
Plantage war durch das Gift verseucht. Es waren die Stauden,
die am Rande des Feldes wuchsen, direkt an der Dschungel‐
grenze. Dort war das Gebiet sumpfig, bis der eigentliche Ur‐
wald begann mit seinen himmelhohen Bäumen, dem verfilzten
Unterholz, dem Lianennetz und den armdicken Luftwurzeln.
Die anderen Teile der Plantage waren sauber, die Bananen von
diesen Feldern waren einwandfrei. Trotzdem ordnete Miguel

an, das gesamte Gebiet zu roden und umzugraben. Die Grenze zum Dschungel wurde vermint, nur ein schmaler Streifen, den nur Eingeweihte kannten, war noch begehbar. Avila stellte eine neue Truppe zusammen; sie überwachte Tag und Nacht die Plantage und die angrenzenden Gemüse- und Getreidefelder. Die teuflischen Antiarin-Kristalle konnte man überall anbringen. Auf dem Mais, den Kohlköpfen, den Mangofrüchten, den Bohnen ... es genügte ein Mann mit einer kleinen Blechdose und einem Pinsel, um tausendfachen Tod zu verteilen.

»Warum?« fragte Belisa, als zweifelsfrei feststand, daß jemand das Gift bewußt angebracht hatte. »Warum? Warum tötet man unschuldige Menschen?«

»Wir haben ungeheures Glück gehabt.« Dr. Falke hatte die Erkenntnis aus einer einfachen Rechenaufgabe gewonnen. Wenn ein Bruchteil eines Milligramms Antiarin einen Menschen tötete, wie gigantisch war dann der Tod, den man an die Bananen geschmiert hatte! »Wir hätten statt hundertsiebenundzwanzig Toten dreißigtausend haben können! Wir alle wären nicht mehr. Aus Diwata wäre ein einziger, riesiger Leichenberg geworden.«

»Liborio ...« Belisa starrte vor sich hin. »Halten Sie Liborio für fähig, so etwas zu tun? Will er sich rächen, indem er uns alle umbringen läßt? Trauen Sie ihm das zu?«

»Nein ... obwohl der Mensch zu allem fähig ist. Denken Sie an Hiroshima, denken Sie an die Giftgas-Depots im Irak, aber auch in den USA, denken Sie an die biologischen Bomben in den unterirdischen Lagern, an Plutoniumstaub-Granaten, an Milzbrand-Raketen ... die menschliche Vernichtungsphantasie kennt keine Grenzen! Ob hier Liborio am Werk war ... alles ist möglich.«

»Es war Liborio!«

»Wer will das beweisen? Er hat die Bananen natürlich nicht selbst mit Antiarin bemalt, das ist doch klar. Wie also könnte man Liborio anklagen?!«

»Indem wir die Kerle fangen, die für ihn gearbeitet haben!«
schrie Carlos.

»Für diesen Massenmord genügt ein Mann. Ein einzelner.
Ich sagte es schon: eine Blechdose und ein Pinsel. Und einen
Upasbaum anritzen, um den milchigen Saft zu gewinnen, kann
man auf Mindanao tausendfach. Man muß nur wissen, wie giftig er ist. Die Urwaldbewohner wissen es.«

»Warum sollten sie uns alle umbringen? Was haben wir ihnen getan?« fragte Belisa hilflos.

»Wir haben ihnen das Land weggenommen. Den Berg. Wir
haben dreißigtausend Abenteurer, Glücksritter und Geschei-
terte in ihre Heimat geholt. Wir haben das Land verändert und
bestimmt nicht schöner gemacht. Wir haben die Flüsse mit unserem Quecksilber verseucht, die Fische vergiftet, Krankheiten
in die umliegenden Dörfer geschleppt, die Frauen vergewaltigt,
den Dschungel abgeholzt ... reicht das nicht, um sich zu rächen?«

»Nach so vielen Jahren?«

»Jede Suppe braucht eine bestimmte Zeit, bis sie kocht.«

»Das heißt«, stellte Captain Tortosa nüchtern fest, »daß wir
ab jetzt mit weiteren Anschlägen rechnen müssen. Daß wir zu
einer Zielscheibe geworden sind für alle möglichen Aktionen!«

»Davon gehe ich aus.« Dr. Falke blickte zu Avila hinüber,
der mit seiner kleinen Armee für die Sicherheit Diwatas sorgen
mußte. »Man hat uns den Krieg erklärt. Ein Oberst del Carlo
mit seinen Regierungstruppen ist nicht mehr nötig. Der neue
Angreifer ist tausendfach, nein millionenfach gefährlicher.«

»Und wie können wir uns vor ihm schützen?« fragte Burgos.
»Vor einem Feind, den man nicht sieht?«

»Vernichten!« sagte Carlos dumpf und spreizte seine Riesen-
finger. »Alles niederbrennen! Alle Dörfer im Umkreis. Leeres
Land schaffen!«

»Dann haben wir ganz Mindanao gegen uns. Und die Regierung.«

»Ich werde mit dem Präsidenten sprechen.« Belisa schien sich an diese Hoffnung zu klammern, aber Dr. Falke schüttelte den Kopf. »Warum nicht?!« rief sie enttäuscht.

»Hier kann auch Fidel Ramos nicht helfen. Es hat Jahre gedauert, bis man mit den Rebellen und Separatisten von Mindanao überhaupt verhandeln konnte. Die NPA – die Neue Volksarmee – und die Guerillabewegung der MNLF – der Moro National Liberation Front – die über vierzigtausend Untergrundkämpfer und Sympathisanten besitzen und dreizehn von einundzwanzig Provinzen Mindanaos kontrollieren sollen, machen dem Präsidenten mehr Kopfzerbrechen als ein Mann, der hundert Bananenstauden mit Gift einreibt. Wir müssen das Problem selbst lösen.«

»Aber wie?« rief Miguel.

»Das weiß ich auch nicht.« Dr. Falke hob hilflos die Schultern. »Wir müssen wachsam sein ... mehr können wir nicht tun.«

Am Abend rief Belisa in Davao an und ließ Oberst del Carlo ans Telefon bitten. Er schien bester Laune zu sein und begrüßte Belisa mit: »Guten Abend, Schönste aller Inseln!« Sie ging auf diese Art der Unterhaltung nicht ein.

»Was ist?« fragte sie knapp.

»Was soll sein?« fragte der Oberst zurück.

»Die vier Tage sind rum.« »Habe ich Diwata besetzt?«

»Deshalb frage ich ja.«

»Da ich nicht bei Ihnen einmarschiert bin, ist die Angelegenheit erledigt.«

»Und warum teilen Sie mir das nicht mit, warum lassen Sie mich warten und nehmen mir nicht die Angst?«

»Angst? Sie haben Angst? Das ist etwas Neues. Von Ihnen kann man alles erwarten, nur keine Angst. Sie haben einen Sieg errungen, ich salutiere als Soldat vor Ihnen, aber Sie können nicht verlangen, daß ich mich bei Ihnen entschuldige. Ich befolge nur einen Befehl.«

»Das betonen Sie immer so überzeugend und geistlos.«

»Danke.«

»Ist das Militär auch dazu da, die Bevölkerung zu schützen?«

»Das ist Aufgabe der Polizei.«

»Auch gegen die Rebellen ... ?«

Del Carlo schwieg einen Augenblick. Er schien sich erst auf die neue Situation einstimmen zu müssen. »Rebelllen?« fragte er dann gedehnt. »Was haben Sie mit Rebellen zu tun? Haben Sie Drohungen erhalten?«

»Nein. Hundersiebenundzwanzig Tote.«

»Du lieber Himmel! Ein Überfall?«

»Ein Giftanschlag, der beinahe ganz Diwata ausgelöscht hätte. Genügt das, um militärischen Schutz zu bitten?«

»Ich muß das sofort an das Oberkommando melden. Von mir aus ...«

»... können Sie keine Entscheidung treffen.«

»Richtig. Einen Militäreinsatz kann nur die Regierung beschließen. Wieder diese Rebellen von Mindanao! Ich fliege morgen früh zu Ihnen nach Diwata. Sorgen Sie dafür, daß ich nicht von Ihrer Luftüberwachung abgeschossen werde.«

»Ich erwarte Sie, Herr Oberst.«

»Das war ein großer Fehler«, sagte Tortosa später, als Belisa von dem Telefonat erzählt. »Ein ganz großer Fehler.«

»Ich weiß, ich weiß, ich bin von lauter Klugscheißern umgeben, die alles besser machen würden.«

»Sie haben genau das getan, was wir verhindert wollten: Sie holen Militär nach Diwata. Und wenn die erstmal da sind, gehen sie so schnell auch nicht wieder weg.«

»Sie müssen das ja wissen!« zischte Belisa.

»Eben! Ich gehöre solch einem Verein an. Was sollen die Soldaten denn hier tun? Zelte im Dschungel aufschlagen und Krieg gegen Unbekannt spielen? Dr. Falke deutete es schon an: Es kann ein einzelner Mann gewesen sein, der die Giftkristalle an die Bananen pinselte. Lady, wir verrennen uns da völlig.«

»Nennen Sie mich nicht immer Lady!« schrie sie ihn an. »Ich sage ja auch nicht Teemixer zu Ihnen!«

»Das würde mich nicht stören.« Tortosa zog die Knie an. Sie saßen auf zwei großen, aus dem Berg gebrochenen Felssteinen neben der elenden Hütte, in der Belisa nach wie vor die Goldsäckchen wog und registrierte. Wie immer bewachten vier Männer Avilas sie aus angemessener Entfernung. Ihre ständig anwesenden Beschützer. »Warum sind Sie so ungenießbar?«

»Sie beleidigen mich schon wieder.«

»Ich sage nur, was ich denke.«

»Das ist nicht immer klug.«

»Tun Sie das nicht? Lügen Sie?«

»Sie sind der ungehobeltste Mann, den ich kenne. Sie sind ein Rüpel!«

»Warum bauen Sie eine Mauer zwischen sich und dem Leben? Sie umgeben sich mit Dornen, aber hinter den Dornen blühen die Orchideen. Sie wehren sich gegen alles, was diese Blüten berühren könnte.«

»Ich will nicht berührt werden!« sagte sie hart.

»So schlechte Erfahrungen gemacht?«

»Nein – ich will sie erst gar nicht machen.«

»Was erwarten Sie dann vom Leben?«

»Gold! Gold! Gold! Reichtum. Macht.«

»Das Beste, Schönste haben sie vergessen: Liebe.«

»Liebe predigt Pater Burgos.«

»Die himmlische. Wie ist es mit der irdischen?«

»Ich habe den besten Liebhaber der Welt: das Geld!« Sie sprang von ihrem Stein auf und tigerte vor Tortosa auf und ab. Sie spürte einen ungeheuren Drang, sich zu bewegen; in ihrem Innern verschob sich das Gleichgewicht. Ein Gefühl, das Panik in ihr aufkommen ließ. Tortosa folgte ihr mit seinen Blicken – er war hingerissen von ihrer wilden Schönheit, die, das wußte er jetzt, noch nie ein Mann gebändigt hatte.

»Geld«, sagte er geringschätzig. »Geld ist der untreueste Liebhaber von allen.«

»Mir läuft er nicht weg.«

»Und damit hat sich Ihr Leben erfüllt?«

»O nein, ich habe noch viele Pläne.«

»Ich weiß. Aus Diwata eine schöne Stadt zu machen. Theater, Schwimmbad, Stadion, Kinos, Restaurants, Bars, eine Klinik, um die Sie jede Großstadt beneiden wird, eine Kirche, rund um die Stadt ein Kranz von Bordellen, die modernsten Goldfabriken ... das werden Sie alles schaffen. Das traue ich Ihnen zu. Da hält Sie keiner auf. Aber ist das alles das wirkliche Ziel des Lebens?«

»Ja! Für mich ja!« Sie blieb abrupt vor ihm stehen. »Warum reden Sie so dumm herum, Herr Captain? Warum sagen Sie es nicht deutlich: Belisa, Sie müssen gefickt werden! Das denken Sie doch wirklich! Sie wundern sich, daß ich ficken sage? Ich bin in Davao aufgewachsen, wo wir als Kinder gesehen haben, wie die Kerle in Hauseingängen oder Hinterhöfen gebumst haben, ja in einer solchen Gegend bin ich groß geworden. Und hier, in Diwata, gibt es drei lebenswichtige Funktionen: Fressen, Saufen, Ficken. Und ich lebe mittendrin! Da kommen Sie aus einer anderen Welt und wollen mir etwas über Liebe erzählen? Und meinen doch das gleiche wie alle: Ficken. Nur: ›Liebe‹ hört sich romantischer an, vornehmer, gebildeter, diskreter. Was starren Sie mich so glotzäugig an? Weil ich als braves Mädchen solch ein Wort benutze? Weil es shocking ist? Sagen Sie, was Sie denken!«

»Wie Sie befehlen, Lady: Ich möchte mit Ihnen schlafen!« Es war, als fletsche ein Raubtier die Zähne, als sie auf diesen deutlichen Satz antwortete.

»Was glauben Sie, was meine Brüder tun, wenn ich ihnen das erzähle?«

»Zumindest Carlos wird mich in der Luft zerreißen.«

»Und davor fürchten Sie sich nicht?«

»Nein ... denn Sie werden Ihren Brüdern nichts erzählen.«

»Sind Sie da so sicher?«

»Ja ... denn Sie haben mich jetzt nicht ins Gesicht geschlagen, was berechtigt gewesen wäre.«

»Weil ich Sie anders bestrafen werde!«

»Darauf bin ich gespannt.«

»Das dürfen Sie auch sein. Ihr Leben ist nichts mehr wert ...«

Sie wandte sich brüsk ab und lief davon. Tortosa blickte ihr nach, bis sie in der Verwaltung verschwand. Er nahm ihre Drohung nicht ernst; er lächelte vor sich hin. Er wußte, daß er der erste Mann war, der so brutal mit ihr gesprochen hatte.

Was seine Suche nach dem Doppelagenten betraf, so war sie bisher ein Mißerfolg. Nicht der geringste Hinweis wies auf die Spur von Mark Suffolk. Seine Tarnung schien vollkommen zu sein. Tortosa belieferte jetzt schon viele »Patienten« mit seinen Teemischungen, sein Ruf als Wunderheiler hatte sich schnell über die ganze Stadt verbreitet. Mit Hilfe einiger Wundergläubiger hatte er eine Hütte aus Brettern und Wellblech gebaut, und bald standen die Heilungsuchenden in genauso langer Schlange vor seiner Behausung wie vor dem Krankenhaus. Dr. Falke war ihm sogar dankbar. Die »faulen Kranken«, die bei jedem Wehwehchen zu ihm gekommen waren, belagerten jetzt Tortosa. Und Tortosa war zu allen freundlich, unterhielt sich mit ihnen, fragte sie aus und suchte einen Hinweis auf Suffolk. Auch als er ein paarmal ein Foto von Suffolk zeigte – mein bester Freund, sagte er, sucht auch Gold –, erkannte ihn keiner. Er mußte sein Aussehen vollständig verändert haben.

Am nächsten Morgen landete ein Militärhubschrauber aus Davao auf der Flugpiste von Diwata. Oberst del Carlo und drei weitere Offiziere wurden von Avila empfangen. Der Sicherheitschef des Goldberges trug eine selbst entworfene Uniform, in der er wie ein General aussah. Del Carlo gab ihm die Hand, als sei er ihm ebenbürtig, die anderen Offiziere grüßten lässig. Der Oberst blickte um sich.

»Das sieht ja ganz vernünftig aus!« stellte er fest. »Ich habe aus der Luft eine Raketenbatterie gesehen.«

»Boden-Luft-Raketen«, sagte Avila knapp.

»Die kann man doch nicht in einem Supermarkt kaufen ...«

»Doch.«

Del Carlo holte tief Luft. »Sie machen Witze!«

»Nein. Es gibt Supermärkte für Waffen aller Art ... man muß sie nur kennen. Die gute Ausrüstung einer Kampftruppe ist heute kein Problem mehr. Aber das wissen Sie doch ... auch die philippinische Armee kauft Waffen in aller Welt. Das Geschäft mit der Abschreckung ist das beste Geschäft.« Avila lächelte schwach. »Wer uns angreift, wird viel Blut verlieren.«

»Das ist ja fast wie bei den Kokainbaronen in Medellín und ihrer Privatarmee.«

»Besser!« Avila zeigte auf die wartenden Jeeps. Wir können fahren, hieß das. »Wir haben die moderneren Waffen als Medellín.« Als sie auf der Fahrt in die Stadt an einem mit Stacheldraht umzäunten Depot und an Hallen aus Fertigteilen vorbeikamen, sagte er leichthin: »In zwei Monaten bekommen wir drei deutsche Tigerpanzer. Natürlich gebraucht ... aber immerhin: Tiger-Panzer!«

»Vom Supermarkt ...«

»Richtig.«

»Ich werde das nach Manila berichten müssen!«

»Tun Sie das, Herr Oberst ... es ändert nichts.«

»Warum bin ich eigentlich hier, wenn Sie sich besser schützen können als es die Armee kann?!«

»Ein Irrtum unserer Chefin. Eine Überreaktion.« Avila lächelte verlegen. »Daran sieht man, daß der Boß eine Frau ist.«

Belisa und del Carlo begrüßten sich wie alte, gute Bekannte. Auch Miguel, Carlos und Pedro benahmen sich friedlich, waren höflich und bemühten sich, nicht in der in Diwata üblichen groben Sprache zu reden. Nur die abwehrende Steifheit der drei den Oberst begleitenden Offiziere regte Carlos auf.

»Die drei Krummschwänze trete ich gleich in den Arsch!« sagte er zu Miguel, als sie einmal kurz das Zimmer verließen.

»Halt an dich!« mahnte Miguel.

»Was bilden die sich ein? Nur weil sie Uniform tragen ...«

»Es stimmt, es sind arrogante Kerle ... aber das ist nun mal so.«

»Was ist so?«

»Wer eine Uniform trägt, hält sich immer für etwas Besseres. Ein Zivilist ist ein Pisser – nur die Uniform veredelt einen Menschen. Das ist überall so, nicht nur bei uns auf den Philippinen. Also, bremse dich.«

Del Carlo und die Offiziere saßen auf Bambusstühlen, tranken verdünnten Selbstgebrannten aus der Diwata Schnapsfabrik und rauchten die ausgezeichneten einheimischen Zigarren. Belisa hatte ihnen von dem Giftanschlag genau berichtet und sich dann entschuldigt, daß sie die Armee um Hilfe gebeten hatte.

»Ich sehe jetzt ein, daß es dumm von mir war. Aber ich dachte zunächst, daß es Rebellen sind, die uns angreifen wollen«, sagte sie.

»Guerillas vergiften nicht, sie schießen!« sagte einer der Offiziere etwas hochnäsig. »Wie wollen Sie behaupten, hier gäbe es Rebellen?«

»Die Farm wurde schon einmal überfallen, beraubt, und eine Lagerhalle wurde verbrannt. Wir haben damals vier Gefangene gemacht.« Miguel schwieg sofort, als er Dr. Falkes strafenden Blick auffing. Del Carlos Reaktion folgte prompt.

»Sie hatten also wirklich Kontakt mit Guerilleros?! Wo sind die vier Gefangenen?«

»Sie wollten flüchten und gerieten in ein Minenfeld. Wir haben das, was von ihnen übrigblieb, begraben.« Avila reagierte sofort. Sein Gesicht drückte bedauernde Unschuld aus.

Oberst del Carlo fragte nicht weiter. Er gab sich mit der Auskunft zufrieden, obwohl er wußte, wie elegant Avila log. Was mit den vier Gefangenen geschehen war, glaubte er zu wissen. Was hatten da Fragen noch für einen Sinn?

»Auch wenn wir Ihnen nicht gegen die oder den Kriminellen helfen können, war es für mich doch ein Erlebnis, nach Diwata zu fliegen. Eine völlig andere, fremde, faszinierend schreckliche Welt. So etwas sollte Präsident Ramos auch mal kennenlernen.«

»Er ist mit Freuden eingeladen!« sagte Belisa. »Er kann alles besichtigen, ich habe nichts zu verbergen. Unser Außenbüro zahlt pünktlich unsere Steuern.«

»Das ist ja wohl auch das wichtigste, wie in jedem Staat«, warf Pedro grinsend ein. »Die Steuerehrlichkeit ist der Maßstab rechten Bürgerseins. So gesehen, sind wir vorbildlich.«

»Man wird das in Manila zu schätzen wissen. Nur ... Ihre Privatarmee wird keine Begeisterung hervorrufen.«

»Die Guerillas!« brummte Carlos. »Wir schützen uns selbst und sparen damit dem Staat Millionen Peso. Ist das nichts?«

»Wenn man es so betrachtet ...« sagte del Carlo gedehnt.

»Wir sehen es so.« Miguel goß eine neue Runde Rum ein. »Wir entlasten den Staat und sorgen für Ruhe auf Mindanao ... wenigstens in einem Teil der Insel.«

»Geradezu patriotisch!« Es klang sehr spöttisch.

»Das sind wir. Patrioten!« Carlos sagte es sehr laut, und damit war das Thema beendet.

Am Abend, nachdem del Carlo alles besichtigt hatte, flog der Oberst zurück nach Davao. Im Hubschrauber beugte sich einer der Offiziere zu ihm vor.

»Welch eine Bande!« sagte er. Seine Stimme zitterte vor Empörung. »Sie machen sich über uns lustig!«

»Sie haben sieben Panzer, zwei Raketenbatterien, vier Geschütze und vierhundert Mann unter Waffen. Modernsten Waffen! Da muß man ein wenig großzügig sein. Immerhin zahlen sie eine Menge Steuern und sind ein wichtiger Wirtschaftsfaktor. Manila wird das nicht anders sehen.«

Noch auf der Flugpiste, als sich der Militärhubschrauber gerade in die Luft geschraubt hatte, stieß Belisa Dr. Falke mit dem Ellenbogen in die Seite.

»Was habe ich jetzt wieder falsch gemacht?« fragte sie giftig.

»Nichts.«

»Sie haben die ganze Zeit kein Wort gesagt.«

»Es gab keinen Anlaß, etwas zu sagen.« Er nickte ihr zu. »Sie waren großartig, Belisa. Der Hinweis auf die Steuern – ein überzeugendes Argument für jeden Finanzminister. Man wird Sie in Ruhe lassen. Und das ist doch unser aller Ziel.«

»Und wie schützen wir uns vor dem unbekannten Massenmörder?«

»Diese Frage kann ich Ihnen noch immer nicht beantworten. Wir müssen abwarten.«

»Was weitere Tote kosten kann.«

»Damit müssen wir rechnen. Ich kann es nachempfinden, mir geht's genauso: Diese Hilflosigkeit zerrt an den Nerven. Aber es bleibt nichts übrig, als zu warten . . .«

Rafael hatte sich von dem Guerillahaufen getrennt.

Während der Kommandant mit seinen wilden Burschen durch den Urwald weiter in den Norden Mindanaos zog, um in der Provinz Surigao zu operieren und die Regierungstruppen um den Flugplatz von Tandag zu überfallen, blieb Rafael im dichten Dschungel von Diwata zurück. Obgleich ihn der Kommandant zum Führer eines Trupps ernennen wollte, winkte er ab.

»Ich habe eine Aufgabe zu erfüllen«, sagte er. »Eine ganz persönliche, keine politische wie du. Es ist eine Lebensaufgabe, verstehst Du? Mein ganzes Leben, bis zu meinem Tod, hat nur noch einen Sinn, wenn ich meinen Schwur erfüllt habe.«

»Ich weiß, ich weiß! Dein Bruder, den sie im Schacht 97 eingemauert haben.«

»Und über sechzig andere Kameraden. Alle müssen noch gelebt haben. Sie haben meinen Bruder Placido und sechzig Männer einfach eingemauert! Schacht zu ... aus! Als ob es diese Menschen nie gegeben hat – aber es hat sie gegeben. Für mich leben sie weiter. Jeden Tag unterhalte ich mich mit meinem Bruder Placido. Sei ganz ruhig, sage ich zu ihm. Reg dich nicht auf ... ich räche dich! Ich werde sie alle vernichten, die Schuldigen und die Unschuldigen, denn du warst ja auch ein Unschuldiger. Den ganzen verfluchten Berg werde ich vernichten, und alles, was drumherum ist, soll auch vernichtet werden. Es soll so werden, wie in Sodom und Gomorrha ... nichts soll mehr übrigbleiben! Und erst, wenn es Diwata nicht mehr gibt, werde ich ruhig und zufrieden sein.«

»Verrückt!« Der Kommandant hatte sich an die Stirn getippt. »Du als Einzelkämpfer! Total verrückt. Komm mit uns, das hat einen Sinn. Es geht um ein freies Mindanao! Dein sinnloses Töten ...«

»Ihr tötet doch auch!«

»Wie kannst du das vergleichen, Rafael?! Wenn wir die Soldaten der Regierung oder deren Sympathisanten töten, dann gehört das zu den politischen Notwendigkeiten. Keine Revolution ohne Tote, das ist nun mal so. Das ist überall so auf der Welt. Das war immer so. Das gehört zum Ziel. Politiker sind Verbrecher, sagen viele. Irrtum – sie sind die ehrlichsten Menschen auf der Welt. Sie können jeden Toten begründen. Denk an Vietnam, an Kuba, an Kuweit, an Somalia. Sie haben immer einen triftigen politischen Grund gehabt. Aber du ... bei dir ist es billige Rache, weil man deinen Bruder eingemauert hat. Und außerdem bist du ein Idiot! Wie kann ein einzelner Mann eine Goldstadt wie Diwata auslöschen?«

»Ich kann es!« sagte Rafael, und die Überzeugung hob seine Stimme. »Ich kann es!«

Dieses Gespräch hatte vor drei Wochen stattgefunden. Die Guerilleros waren dann abgezogen, versickerten im Urwald, wurden vom Dschungel verschluckt. Nur ab und zu tauchten sie aus dem feuchten Halbdunkel der riesigen Bäume auf, überfielen Dörfer, raubten alles Eßbare, vergewaltigten ab und zu die Frauen, »bestraften« die völlig unpolitischen und braven Bauern als angebliche Ramos-Anhänger und hinterließen Flugblätter, auf denen stand:

»Es lebe die neue Zeit! Es lebe das freie Mindanao! Tod den Verrätern!«

Und dann lösten sich die Trupps wieder im Urwald auf wie Frühnebel.

Rafael entdeckte endlich eine Möglichkeit, Diwata völlig zu vernichten. Er bekam den Tip von einem Bauern, der ein Massaker der Guerilleros überlebt hatte. Der Saft des Upasbaumes. Die Einfachheit des Massensterbens hatte Rafael zuerst selbst entsetzt. So leicht und mühelos unzählige Menschen töten zu können, war unfaßbar und – je länger Rafael sich die Folgen ausmalte – faszinierend. Ein bißchen Saft aus einer aufgeritzten Rinde, und Tausende sind unrettbar verloren. Der Tod im Kristall ... durch einen kleinen Hautriß dringt er in den Körper, und jeder Goldgräber, jeder Steinbrecher, jeder Sackschlepper hat zerrissene Hände. Das Gift kann in ihn eindringen, als seife er sich damit ein. Einen garantierteren Tod gibt es nicht!

Rafael brauchte nicht viel: ein scharfes Messer mit langer Klinge, ein Paar Gummihandschuhe und eine leere Konservendose. Bei einem Fischer am Umayan-Fluß besorgte er sich die Handschuhe und die Blechdose, das Messer besaß er bereits, und so zog er los und suchte nach den Bäumen, die ihm die Eingeborenen beschrieben hatten. Es war ein Gewächs mit großen, ovalen Blättern, kirschenähnlichen Früchten und einem dünnrindigen Stamm, der sich leicht einritzen ließ und sofort den milchigen Saft hergab. »Der Baum blutet«, sagen die Dschungelbewohner. Und weil man ihn verletzt hat, rächt er sich mit seinem unheimlichen Gift.

Nach einem Tag der Suche in einem lichteren Teil des Urwaldes fand Rafael eine kleine Gruppe von Upasbäumen. Sie stand von anderen Bäumen etwas abgesondert an einer Lichtung, als hätten sogar die anderen Pflanzen Angst, in ihrer Nähe zu leben.

Rafaels Herz zuckte vor Freude, er faltete die Hände, dankte Gott, dem Herrn, für diese Entdeckung – und ging ans Werk.

Der nächste Tag schon zeigte seinen Erfolg.

Als die Soldatenkolonnen in Schutzanzügen die ganze Bananenplantage abholzten, mit Feuer rodeten und jede Pflanze vernichteten, jubelte Rafael seinen Triumph heraus. »Ja! Ja! Tod! Tod!« schrie er in den Dschungel hinein. »Vernichtet! Alle vernichtet! Brennt! Brennt! Verbrennt alle! Tod euch allen! Bruder – siehst du die Feuer?! Sie sind für dich!«

Seine wahnsinnige Rache hatte nur einen Nachteil: Sie traf die Falschen. Die Unschuldigen. Die Männer, die nichts anderes waren als er selbst: arme Goldgräber. Die Schuldigen gab es in Diwata nicht mehr ... Ramos, der damals unbeschränkte Herrscher, war längst getötet worden. Von den Arbeitern, die den Schacht 97 mit über sechzig Goldgräbern zugeschüttet hatten, lebten zwölf nicht mehr, die anderen waren aus dem höllischen Diwata verschwunden und aus den Fängen des Goldberges geflüchtet. Lieber in den Städten stehlen und rauben, als noch weiter tief im Stollen nach Gold zu bohren. Der Traum vom Reichtum verfaulte in der feuchten Hitze des Dschungels. Aber für Rafael war das anders: Jeder, der noch das Goldgestein aus dem Berg karrte, war schuldig am Tod seines Bruders. Ein Schuldiger verdiente seine Strafe, und die hatte bei Rafael nur einen Namen: Tod!

Von da an wurden die Plantagen und alle öffentlichen Einrichtungen streng bewacht. Tag und Nacht streiften Avilas Sicherheitstruppen an den Grenzen entlang, die nachts unter gleißendem Scheinwerferlicht lagen, und schossen auf alles, was sich aus der Dunkelheit bewegte.

Die Statistik konnte sich sehen lassen: neun wilde Schweine, zwei Jaguare, drei Ameisenbären, ein verwilderter Esel, drei

Stachelschweine, vier Krokodile beim Landausflug, ein dicker vollgefressener Tapir ... und ein menschliches Liebespaar. Sie – eine Hure. Er – ein Mineningenieur.

»Das soll einer begreifen!« schrie Miguel, als man die beiden Leichen zum Rathaus brachte. »Wir haben einen Puff, der Kerl hatte eine eigene Hütte ... und die gehen zum Vögeln in den Dschungel! Wer kann mir das erklären?«

Keiner konnte das, und so wurde das Liebespaar in einem Grab für immer vereint, und Pater Burgos sprach die weisen Worte: »Nur Gott kann in die Seelen der Menschen blicken. Es tröstet, daß sie in Liebe starben.«

Aber noch etwas Seltsames geschah in Diwata. Nur kritische Beobachter bemerkten es, und zu ihnen gehörte auch Dr. Falke. Er sagte eines Abends, als sie wie so oft zusammen auf der Terrasse des Krankenhauses saßen, starken Kaffee tranken und eine der vorzüglichen philippinischen Zigarren rauchten:

»Ist Ihnen nicht aufgefallen, daß Belisa öfter mit diesem Tortosa zusammen ist?«

»Ich bin nicht blind«, antwortete Burgos.

»Haben Sie eine Erklärung dafür?«

»Vielleicht hat sie Bauchgrimmen und braucht einen Spezialtee von David?«

»Lassen Sie den Unsinn!« Dr. Falke war deutlich verunsichert. »Sie sitzt sogar in seiner Bruchbuche, wenn er seine ›Patienten‹ behandelt.«

»Na und?«

»Bei mir war sie noch nie, wenn ich operiert habe.«

»Sie sind ja auch nur ein kleiner, beschissener, dämlicher Urwalddoktor. Tortosa aber ist – vergessen Sie das nicht – ein Wunderdoktor! Ein Wunderheiler sogar! Doktor sein, das kann jeder ... aber HEILER! Das ist es! Um das Wunder schwebt das Göttliche ...«

»Das ist doch Blödsinn!«

»Natürlich ist das Blödsinn ... aber der Mensch denkt nun

eben mal so! Um David flimmert ein Glorienschein ... um Sie höchstens der Ruf: Der schneidet dir den halben Arsch weg! Der Ehrliche ist immer der Dumme.«

»Das sagen Sie als Priester?«

»Weil ich die Menschen anders kenne als Sie. ERkenne! Neunzig Prozent der Kerle, die zu mir zur Beichte kommen, belügen mich. Ich weiß das, aber ich muß ihnen die Absolution erteilen, weil ich ihnen nicht das Gegenteil beweisen kann. Wären sie ehrlich, bekämen sie einen Tritt in die Eier ...«

»So spricht ein Priester?!«

»Das habe ich hier schnell gelernt ... Belisa ...«

»Ja, darum geht es.«

»Sie lieben sie.«

»Wärmen Sie dieses uralte Thema nicht wieder auf.«

»Tortosa scheint da forscher zu sein.«

»Eben das macht mir Sorge. Ein CIA-Offizier mit dem Befehl, einen Menschen zu jagen. Tortosa ist rücksichtslos und von einer besonderen Moral. Wenn Belisa auf ihn hereinfällt ... das gibt eine Katastrophe!«

»Wenn sie ihn wirklich liebt? Sie weiß doch, wer er ist! Wenn sie das nicht stört ...«

»Sie überblickt es nicht ...«

»Haben Sie jemals Liebende gesehen, die nicht blind sind vor den Realitäten dieser Welt?«

»Man sollte mit Belisa darüber sprechen.«

»Wer? Ich?« Pater Burgos hob abwehrend beide Hände. »Ich habe keine Begabung zum Märtyrer. Ich setze mich nicht freiwillig in die Nesseln. Warum klären Sie Belisa nicht auf?«

»Sie würde mir vorwerfen, aus egoistischen Motiven zu handeln.«

»Hätte sie damit nicht recht?«

»Sie rennt in ihr Unglück!« rief Dr. Falke fast verzweifelt. »Und Sie reißen auch noch dumme Witze!«

»Ist es Belisas Leben oder Ihr Leben?«

»*Unser* Leben!«

»Genau das sagen Sie ihr!«

»Sie wird mich auslachen.«

»Dann hat sie den Schlamassel verdient, in den sie hinein-rennt.«

»Ich habe immer gedacht, die Kirche rettet auch Menschen.«

»Wenn sie sich von Gott entfernen holen wir sie zurück ... aber wir können sie nicht wegreißen, wenn sie mit dem falschen Mann oder Mädchen im Bett liegen. Die Kirche überwacht die Seelen, aber nicht den Koitus.«

»Wir reden, reden, reden ... es muß was geschehen!«

»Dann unternehmen Sie doch etwas! Nur eines sollten Sie nicht tun: Tortosa umbringen. Ich muß jetzt mit Ihnen wie mit einen psychisch Kranken reden: Kein Mensch, nicht die schön-ste aller Frauen, ist einen Mord wert! Nichts rechtfertigt einen Mord! Das Leben eines Menschen ist etwas Heiliges, weil es von Gott gewollt ist. Es ist unantastbar und wird doch mil-lionenfach vernichtet. Man hat sich sogar daran gewöhnt, daß Millionen sinnlos sterben ... und nennt das Politik!«

»Das hat doch nichts mit Belisa zu tun!«

»Im kleinen – doch! Sie wünschen Tortosa in die Hölle.«

»Da ist er bereits«, sagte Dr. Falke bitter. »Ich wünsche ihn aus unserer Hölle fort!«

»Ein unerfüllbarer Wunsch. Tortosa geht erst, wenn er diesen Suffolk gefunden und liquidiert hat.«

»Wer sagt denn, daß sich dieser Suffolk überhaupt in Di-wata versteckt? Tortosa klammert sich da an ein Gerücht. Er hat keinerlei konkrete Hinweise. Seit Wochen fragt er vergeb-lich herum.«

»Für Suffolk ist Diwata das beste Versteck der Welt. Wenn jemand spurlos verschwinden kann, dann hier. Und Tortosas Tarnung als Wunderheiler ist perfekt. Gerade in dieser Gesell-schaft von Glücksrittern, Entwurzelten, Abenteurern, Phanta-sten, Hoffnungslosen, Kriminellen und Zerbrochenen an der

Endstation ist ein Wunderheiler fast ein Gottersatz. Für mich ist er ein Glaubensgegner ... das ist mehr als ein Nebenbuhler um die Gunst einer Teufelsfrau! Noch können wir nebeneinander leben – was aber, wenn er diesen Suffolk wirklich hier findet? Was kann ich tun, damit er ihn nicht ›bestraft‹, wie er es vornehm nennt? Ich glaube, diese Frage ist wichtiger als die, ob er heute oder morgen mit Belisa ins Bett geht.«

»Darum muß er weg aus Diwata!«

»Aber wie?«

»Noch weiß keiner, wer er wirklich ist. Noch weiß keiner, daß der Tee-Doktor ein CIA-Captain ist. Wenn man das ausstreute ...«

»Dann wären Sie ein Mörder ... denn Tortosa würde keinen Tag mehr überleben! Man würde ihn in Stücke reißen. Carlos würde ihn mit seiner Faust in die Erde rammen wie einen Holzpflock! Oder im Scheißesee ersäufen. Natürlich wären Sie fein raus, Sie hätten Tortosa nicht berührt – aber moralisch wären Sie sein Mörder. Könnten Sie das schlucken? Könnten Sie damit leben? Blei auf dem Gewissen wegen einer Frau! Wie wollen Sie das aushalten? Gerade Sie!«

»Ich soll also ruhig zusehen, wie er sie vögelt?«

»Man wird Sie kaum als Zeugen einladen.«

»Ich könnte daran zerbrechen.«

»Sie nicht! Betrachten Sie sich als Kranken, der ab und zu Wahnvorstellungen hat, und heilen Sie sich selbst. Stellen Sie sich vor den Spiegel, rufen Sie sich täglich zu: Ich bin ein Idiot! Früher oder später hilft das. Sich anzuschreien ist die beste Therapie, sagen die Psychologen. Die gehen mit ihren Patienten in den Wald und sagen: So, und nun schreie, schreie, schreie und schlag um dich ... und es hilft!«

»Ich kenne diese ›Befreiungstherapie‹ ... wissen Sie denn, wie oft ich in den vergangenen Jahren geschrien habe?«

»Das hast du wirklich?« Pater Burgos, der gar nicht merkte, daß er zum Du übergegangen war, legte den Arm um Dr. Falke.

Er spürte, wie der Freund innerlich zitterte. Wo war die rätselhafte Stärke dieses Mannes geblieben? Diese Überlegenheit, mit der er das Leben in Diwata ertrug? Diese innere Kraft, die auf jeden ausstrahlte, der ihm in die Augen blickte. Zerbrach das alles an Belisa García? An einem Mädchen, das wie ein Engel aussah und wie ein Teufel sprach? An einer Frau, die sich mit jedem Atemzug vergoldete?

Er zog Dr. Falke noch enger an sich und strich über sein Haar, als segne er ihn, was vermessen gewesen wäre.

»Wir müssen da durch, Peter«, sagte er fast zärtlich. »Und wir schaffen es. Und außerdem: Wir brüten ungelegte Eier aus! Wir wissen gar nichts. Wir vermuten bloß. Wir stellen uns vor, daß David es fertig kriegt, Belisa auf die Matratze zu legen. Wir stellen uns das vor ... aber wir wissen gar nichts! Wir ziehen uns einen Verdacht über wie ein Nesselhemd! Du verbrennst in einer imaginären Flamme. Warten wir die Entwicklung doch erst mal ab.«

»Dann ist es zu spät!« Dr. Falke befreite sich aus Burgos' Umarmung. »Ich will die Entwicklung verhindern!«

»Das kannst du nicht ... es sei denn, du kriegst Belisa früher ins Bett als Tortosa.« Pater Burgos winkte ab. »Aber dieses Wettrennen verlierst du. Du bist nur ein Arzt ... und kein Wunderheiler. Wunder kommen bei Frauen immer an ...«

Auch an diesem Abend saß Belisa wieder in Tortosas elender Hütte und sah zu, wie er seine »Patienten« behandelte. Sie hockte ganz hinten in einer dunklen Ecke auf einem hölzernen Schemel und rührte sich nicht. Sie war wie ein Schatten.

Die Kranken kamen in Scharen, Tortosa hörte sich geduldig ihre Leidensgeschichten an, griff dann in verschiedene Büchsen mit getrockneten Kräutern und mischte den Tee, kassierte ein paar Pesos und zeigte ganz nebenbei zwei Bilder von Suffolk. Eines, wie er in den USA ausgesehen hatte, eines wie er jetzt aussehen könnte, mit Bart und anderer Frisur. Aber keiner erkannte ihn wieder. Immer nur Kopfschütteln. Doch Tortosa ließ nicht locker, er fragte Tag um Tag, mit einer unendlichen Geduld.

An diesem Abend war es etwas ruhiger. Als der letzte wartende Patient bedient war, rührte sich Belisa in der Schattenecke.

»Wo haben Sie das gelernt?« fragte sie.

»Was?«

»Das Teemischen.«

»Von meiner Großmutter.«

»Großmutter?« fragte sie verblüfft.

»Meine Großeltern hatten eine Farm. In den Südstaaten. In Mississippi. Eine schöne Farm mit über zweihundert schwarzen Arbeitern. Ehemalige Sklaven waren ihre Urgroßväter... aber die Nachkommen blieben bei meinen Vorfahren.« Die Lügen gingen Tortosa prächtig von den Lippen. »Diese Neger hatten sogar ihre alte Kultur gerettet und besaßen einen eigenen Zauberer. Einen Voodoo-Priester. Von ihm bekam meine Großmutter die Rezepte für die verschiedenen Tees, und ich habe sie praktisch geerbt.«

»Wachsen denn auf Mindanao die gleichen Kräuter wie in Amerika?«

»Ähnliche...« wich Tortosa aus. Das Thema mußte gewechselt werden, sonst würde es gefährlich. Belisa war keine dumme Allesgläubige. »Es kommt immer auf die Zusammensetzung an. Auf das Gleichgewicht, wie bei allem im Leben. Auch der Mensch ist eingebunden in ein Gleichgewicht.«

»Wie meinen Sie das, David?«

Tortosa atmete auf. Das Thema Tee war erledigt. Belisa ließ sich wegführen.

»Darf ich etwas vorschlagen?« fragte er.

»Bitte.«

»Wie wäre es, wenn wir zum Du übergehen würden? Es redet sich einfacher.«

Sie gab ihre Antwort nicht sofort, aber dann nickte sie wortlos.

»Siehst du ...« er lächelte jungenhaft »... das ist Gleichgewicht. Unsere Gedanken halten sich die Waage.«

»Woher willst du meine Gedanken kennen?«

»Ich lese sie in deinen Augen.«

Sie zog sich wieder nach hinten in den Schatten zurück.

»An was denke ich jetzt?« fragte sie.

»Du denkst: Ist das ein frecher Kerl!«

»Richtig!« rief sie bestimmt aus dem schützenden Schatten heraus. Tortosa grinste.

»Aber du denkst weiter ...«

»Falsch!«

»Du denkst, mit diesem Mann könnte ich eine andere Seite meines Lebens entdecken.« »Ganz, ganz falsch!«

»Belisa, Lügen bringen das Gleichgewicht durcheinander ...«

»Ich lüge nicht!«

»Hast du noch nie einen Mann geliebt?«

»Das geht dich einen Dreck an!« rief sie grob.

»Also nicht.«

»Und wenn ich sage, daß ich in Davao hundert Männer gehabt habe?«

»Dann glaubt dir das keiner. Denn dann hättest du keine Angst.«

»Ich habe keine Angst! Nie! Ich kenne keine Angst! Angst wovor?«

»Angst vor dem Gefühl. Man kann alles und jeden belügen, nur nicht sein eigenes Gefühl.« Plötzlich schnellte Tortosa vor, griff Belisa an der Schulter, zog sie an sich, riß an den Haaren ihren Kopf nach hinten und küßte sie. Das alles geschah so schnell und so überraschend, daß sie an keine Gegenwehr dachte; sie hing in seiner umklammernden Umarmung, spürte seinen Leib, roch seinen Schweiß, genoß seine saugenden Lippen, ja, sie genoß es, und erwiderte den Druck seiner Lenden und sein spürbares Begehren.

Aber es war nur ein Augenblick, nur der Moment der Überrumpelung, ein paar Sekunden der Auflösung ... dann stieß sie ihre Fäuste in Tortosas Gesicht, befreite sich aus seinen Armen, hob das Knie, um ihn ins Geschlecht zu treten, traf aber nur seinen Oberschenkel, weil er sich reflexartig drehte, und rannte dann aus der Hütte. Hinter sich hörte sie noch, wie Tortosa rief:

»Warum läufst du weg?! Du willst doch wie ich ficken ...«

Sie war draußen. Draußen bei den vier Leibwächtern, die immer in ihrer Nähe waren, immer bereit, einzugreifen. Es wäre nur ein Wink nötig gewesen, und sie hätten Tortosa erschossen, aber Belisa gab diesen Befehl nicht ... sie lief davon in ihre Hütte, warf sich dort auf die dreckige Matratze, grub das Gesicht in ein Federkissen und weinte. Ab und zu trommelte sie mit den Fäusten auf das Bett, aber es half nichts. Der Mann, den sie zu lieben begann, hatte sie wie eine Hure behandelt. Aber auch eine Hure hat ihre Ehre, wenn sie wirklich liebt. Tortosa hatte ein Stück ihrer Seele zerstört.

An diesem Abend, es war schon sehr spät und Dr. Falke wollte gerade zu Bett gehen, erschien Tortosa im Krankenhaus. Er wunderte sich im stillen, daß er den Weg bis zum Spital unbehelligt hatte gehen können.

»Sie?« fragte Dr. Falke erstaunt. »Was ist denn los, David?«

»Ich hätte eine Bitte, Doktor«, sagte Tortosa. Er gab sich alle Mühe, Haltung zu bewahren.

»Fühlen Sie sich krank? Wo klappert's?«

»Ich möchte Sie bitten, einen Brief weiterzubefördern. Einen Brief an meine Eltern und ... und an eine Frau, die nicht einsehen will, daß ich kein Ehemann sein kann.«

»Kommen Sie rein, David, setzen Sie sich, trinken Sie einen Whiskey, und was immer auch los ist: Beruhigen Sie sich.«

»Sie sehen, ich bin ganz ruhig.« Tortosa kam ins Zimmer,

setzte sich und holte ein Kuvert aus der Jackentasche. Dr. Falke goß den Whiskey ein.

»Was ist passiert?« fragte er dabei.

»Ich kann mein Leben in Stunden abzählen.«

»Ist jemand Ihren Teemischungen zum Opfer gefallen?«

»Wenn es das wäre ...« Tortosa winkte lässig ab. »Darum würde sich niemand kümmern. Ein Toter mehr in Diwata fällt nicht auf. Nein, es geht um eine Ehrenangelegenheit.«

»Wie soll ich das verstehen? In welcher Ecke versteckt sich in Diwata die Ehre?«

»Ich möchte keine näheren Erklärungen geben.« Tortosa zeigte auf den Brief. »Werden Sie ihn befördern, Doktor? Früher oder später wird man mich finden ... erschossen, erstochen, aufgehängt, aufgeschlitzt, geköpft, was weiß ich, was man mit mir vorhat? Tun Sie mir den Gefallen ... auch wenn Sie mich zur Hölle wünschen, ich weiß es.«

»Wer bedroht Sie?«

»Keine Fragen mehr, Doktor.« Tortosa trank den Whiskey aus. »Danke für den Drink ... war vielleicht der letzte.«

»So eilig haben Sie's zu sterben?«

»Ich nicht ... aber ich kenne meine Gegner. Doktor, ich habe eine große Dummheit begangen, eine selbstmörderische Dummheit, aber ich konnte in diesem Augenblick nicht anders. Vernunft ist ein Harlekin, er tanzt auf unserer Nase herum. Eine Minute Unvernunft, und es kostet das Leben.«

Dr. Falke beugte sich zu Tortosa vor. »Das klingt, als ob eine Frau im Spiel ist« sagte er.

»Vergessen sie es. Denken Sie nur an den Brief an meine Eltern, wenn es passiert ... Nein, nein Doktor, keine weiteren Worte ... Sie können mich nicht schützen.«

»Sie leben jetzt also mit dem Tod in der Tasche?!«

»So ähnlich ... wenn ich mich nicht täusche.«

»Täusche?« Dr. Falke umfaßte Tortosas Schultern. »Es gibt also eine Hoffnung?«

»Es gibt im Leben immer eine Hoffnung. Es ist schon vorgekommen, daß ein Fallbeil klemmt. Nur – hingerichtet wurde dann beim zweiten Anlauf. Man entgeht dem Schicksal nicht.« Tortosa erhob sich und ging zur Tür. Den Brief an seine Eltern ließ er auf dem Tisch liegen. Bevor er die Tür öffnete, drehte er sich noch einmal um. »Ach ja, da ist noch etwas. Haben Sie eine amerikanische Fahne hier?«

»Nein.«

»Schade. Ich hätte Sie sonst gebeten, mich in die Flagge einzurollen und mich als amerikanischen Offizier zu begraben. Aber Avila kann zwölf Soldaten Salut schießen lassen. Gute Nacht, Doktor ... und vielen Dank.«

Tortosa überlebte diese Nacht. Auch die nächste und die übernächste. Er wunderte sich sehr. Warum befahl Belisa nicht seinen Tod?

Er hätte in diesen Tagen mehrmals die Gelegenheit gehabt, mit einem der Transportflugzeuge Diwata zu verlassen. Dr. Falke konnte ihn nicht überreden. Tortosa blieb.

Er war Offizier und hatte einen Befehl auszuführen.

Nichts geschah.

Kein Überfall, kein Niederknüppeln, kein Tod aus dem Hinterhalt. Tortosa wußte dafür keine Erklärung, und als eines Abends Carlos erschien und einen Tee gegen »Dauerpissen«, wie er seine Beschwerden bezeichnete, verlangte, war sich Tortosa sicher, daß Belisa den Vorfall in sich begraben hatte und nur darauf wartete, die richtige Zeit für ihre Rache abzuwarten.

Einer neuen Begegnung ging Tortosa aus dem Weg. Er verließ seine Hütte nur noch, um im Dschungel neue Kräuter und Wurzeln zu rupfen. Dabei sicherte er sich nach allen Seiten ab, er hatte seine Pistole immer schußbereit im Gürtel und reagierte auf jedes Rascheln im Busch mit blitzschnellen Bewegungen. Das hatte er auf der Militärakademie gelernt, bei der Sonderausbildung im Nahkampf, die so gnadenlos gewesen war, als ginge es um einen Ernstfall. Den einzigen Spaziergang, den er sich in Diwata noch gönnte, war der Weg aus seiner Behausung bis zum Lazarett. Es waren nur sechshundertfünfzig Meter, aber es waren Meter auf einer Todesstraße.

Auf der Baustelle herrschte Trubel.

Nachdem es sicher war, daß ein Dekret von Präsident Fidel Ramos den Familien Toledo und García den Besitz des Diwata-Berges garantierte, konnte das Projekt Schwimmbad-Sportstadion-Restaurant-Freizeitpark realisiert werden.

Vier ehemalige Architekten und Ingenieure hatten die Pläne gemeinsam mit Antonio Pérez entworfen. Da es im Dschungel keine Bauämter und damit auch keine Beamten gab, die endlos prüften, konnte der Bau sofort begonnen werden. Man hatte dazu einen ebenen Platz innerhalb von Diwata ausgesucht, ein sehr gutes Grundstück, das natürlich mit Hütten zugebaut war, aber das war kein Hindernis. Bürgermeister Miguel ordnete an: »Die Hütten verschwinden!«, und ein paar Tage später rückten die Baukolonnen an und rissen die Hütten nieder. Die Bewohner wurden umquartiert, und es gab keine Diskussionen oder gar Proteste: Avilas Truppe umzingelte die Baustelle und sorgte für einen reibungslosen Umzug in neue, am Rande der Stadt errichtete Holzhütten. Wer dennoch Fragen stellte, landete im Krankenhaus bei Dr. Falke, mit eingeschlagenen Zähnen, Nasenbein- oder Oberkieferbrüchen. Damit überzeugte man jeden, daß die neuen Hütten besser seien als die alten. Was übrigens auch stimmte. Von da ab rollte eine Transportmaschine nach der anderen über die schmale Flugpiste und brachte Baumaterial. Vier Lastwagenkolonnen quälten sich über die einzige, enge, sumpfige Dschungelstraße nach Diwata ... fünf Tage lang ein Kampf um jeden Meter.

Der Transportleiter der ersten Gruppe brachte es deutlich zum Ausdruck. Er sagte zu Miguel:

»Die nächsten Lieferungen nur gegen Aufschlag! Gefahrenzulage! Und noch eins: Ich habe noch nie soviel Verrückte auf einem Haufen gesehen ...«

Als genügend Material herangeschafft worden war, arbeiteten über zweitausend Mann am Bau. Wo gab es das sonst: zweitausend Bauarbeiter auf einer Stelle! Mitten im Dschungel, an einem Berg, der das alles bezahlte. Als die ersten Baumaschinen, Bagger, Kräne, Betonmischer und Zementsilos in Diwata eintrafen, schüttelte Dr. Falke nur fassungslos den Kopf.

»Was stört Sie nun schon wieder?« fragte Belisa angriffslustig.

Sie hatte sich irgendwie verändert, und Dr. Falke wußte keine Erklärung dafür. Sein Verdacht, daß Tortosa und Belisa sich nähergekommen waren, schien sich nicht zu bestätigen. Ihre Besuche bei ihm hatte sie eingestellt, keiner verlor ein Wort über den anderen, und Tortosa saß jetzt abends mehr im Krankenhaus bei Dr. Falke als in seiner Hütte.

»Was soll mich stören?« fragte Dr. Falke zurück.

»Sie schütteln den Kopf.«

»Ich begreife das nicht.«

»Was begreifen Sie nicht?«

»Da schuften dreißigtausend Männer bis zur völligen Erschöpfung, fressen sich in den Berg, brechen das Goldgestein in notdürftig abgestützten Stollen, da werden Land und Flüsse mit Quecksilber vergiftet, die Goldgräber bekommen mit ihren Sackprämien gerade so viel, daß sie essen, saufen und huren können und sich zur Abwechslung gegenseitig totschlagen ... und Sie gehen hin und bauen einen Freizeitpark, wie ihn sogar europäische Großstädte nicht haben! Das soll jemand verstehen?«

»Das ist praktizierter Sozialismus.«

»Das ist Irrsinn! Größenwahn! Geben Sie jedem Digger ein paar Peso mehr – das ist besser.«

»Irrtum! In einer Großstadt wäre das der richtige Weg ... aber nicht hier im Dschungel. Noch mehr Geld, das heißt hier:

Noch mehr saufen! Noch mehr Morde. Es gibt ein Dschungel-gesetz, das jede Pflanze kennt: Wachse, indem du den anderen vernichtest. Der andere nimmt dir Licht und Luft weg!«

»Und Sie haben keine Angst, daß, wenn alles fertig ist, die Regierung in Manila die Wunderstadt Diwata übernimmt?«

»Nein. Ich habe das Wort des Präsidenten.«

»Ein Politikerwort! Was ist das wert? Nach der nächsten Wahl kann alles anders sein. Die Interessen des Staates sind vorrangig.« Dr. Falke machte eine weite, alles umfassende Armbewegung. »Was hier entsteht, ist ein kleiner, selbständiger Staat.«

»Sie haben es begriffen, Doktor!« Belisa reckte sich, als strahlten hundert Scheinwerfer sie an. »Ich baue meinen eigenen Staat!«

»Muß ich in Zukunft Majestät zu Ihnen sagen?«

»Sie sind ein Arschloch!«

»Das weiß ich.«

»Tortosa würde mich verstehen.«

Es war das erstemal nach langer Zeit, daß sie diesen Namen wieder aussprach.

»Bestimmt! Er wird zu allem in die Hände klatschen, was Sie tun. Schon, um Ihre Zuneigung zu gewinnen.«

»Und wenn er die schon hat?« rief sie provozierend. Ihre Augen sprühten wieder Feuer. Dr. Falke hob die Schultern. Na also, dachte er. Da sind wir nun ... »Das ist Ihr Problem«, sagte er. Er spürte dabei einen Schmerz in der Brust, aber er unterdrückte ihn durch tiefes Einatmen.

Sie starrte ihn verwirrt an, drehte sich dann weg und ließ ihn an der Baustelle stehen. Er blickte ihr nach und spürte, daß der Schmerz zu tief saß, als daß ein paar Atemzüge ihn hätten auslöschen können.

Antonio Pérez schwebte gewissermaßen im siebten Himmel. Sein Traum nahm von Tag zu Tag mehr Gestalt an. Es war, als baue er ein neues Weltwunder, und das mitten im Dschungel. Die zweitausend Arbeiter, die wie Ameisen auf dem Baugelände herumwimmelten, Gruben ausschachteten, Betonwände hochzogen, Fertigteile montierten, Holzbalken einsetzten und Ziegel vermauerten, waren für ihn zu seinem Herzschlag geworden. So muß es damals in Manaus gewesen sein, als die Gummibarone mitten in den Urwald eine Oper nach dem Vorbild der Grand Opéra von Paris bauten und zur Eröffnung den sagenhaften Tenor Enrico Caruso einluden ... ein Hochgefühl, Natur und Menschenkraft besiegt zu haben. Auch hier in Diwata floß das Geld aus den Taschen der Millionäre, aber er, Antonio Pérez war die Idee, aus der das einmalige Werk sproß.

In Diwata galt Pérez als angesehener »Bürger«. Das war so etwas wie ein Panzer, in den man ihn gehüllt hatte: Keiner durfte ihn angreifen. Er war sicher vor Überfällen, er konnte nachts durch die Straßen gehen, ohne Gefahr zu laufen, ein Messer zwischen die Rippen zu bekommen, und in den Bars war er einer der wenigen, die man beim Kartenspiel nicht betrog oder beim Würfeln bis aufs Hemd auszog.

Antonio Pérez war eine Persönlichkeit geworden.

Zu Dr. Falke sagte er einmal: »Da sieht man mal, wie weit man es mit dem Bau von Scheißhäusern bringen kann. Aus einem Kackbecken wird ein ganzer Freizeitpark. Und Sie haben einen großen Anteil daran, Doktor.«

»Ich?« fragte Dr. Falke verwundert. »Wodurch denn?«

»Durch Ihren Einfluß auf die Gold-Lady.«

»Ich habe keinen Einfluß. Im Gegenteil.«

»Genau das ist es. Wenn Sie ja sagen, sagt sie nein. Das ist ein positives Negativdenken. Und Sie tun das bewußt ...«

»Antonio ... wer sind Sie?«

Pérez winkte ab. »Das fragen Sie immer wieder, Doktor. Ich bin ein Niemand. Ich bin Vollwaise ...«

»Reden Sie keinen Quatsch!«

Pérez grinste. Sie saßen auf einem Steinhaufen an der riesigen Baustelle und blickten auf das Gewimmel der Bauarbeiter. Mit etwas Phantasie konnte man schon den Grundriß erkennen. Das Schwimmbecken, das Fundament des Stadions, die Bodenplatte für das Restaurant. Zweitausend Mann sind wie eine Zaubertruppe ... unter ihren Händen wächst Neues fast über Nacht.

»Ich wollte als Goldgräber reich werden«, sagte Pérez und schüttelte dabei den Kopf. »Der falsche Weg, wie ich bald erkannt habe. Mach die Augen auf, was die Menschen brauchen, und gib es ihnen ... da liegt der Erfolg. Hier in Diwata waren es eben die Scheißhäuser.«

»Und woher sprechen Sie ein so gutes Englisch?«

»Auch das habe ich Ihnen schon erzählt. Meine Mutter, die von der Insel Leyte stammt, aus dem Ort Baybay, ließ sich von einem amerikanischen GI vögeln. Das Ergebnis bin ich. Zufrieden?«

»Damals haben Sie mir etwas anderes erzählt.«

»Ich erzähle jedesmal etwas anderes. Das macht das Leben lustig. Man kann auswählen, Daten vertauschen, Personen erfinden, Orte sammeln, Erlebnisse vermischen und Lebensabschnitte durcheinanderschieben ... damit kann man wunderbar spielen und jederzeit ein anderer sein.«

»Sind Sie ein Mörder?«

»Vielleicht. Sehen Sie sich nur den riesigen hölzernen Christus an ... wer schleppt ihn in Diwata bei den Prozessionen? Ein vierfacher Mörder! Einigen wir uns also darauf, daß ich ein Mörder bin?! Vielleicht habe ich meinen Vater, diesen Hurenbock, umgebracht, weil er mich gezeugt hat?«

»Nein.«

Pérez hob die Augenbrauen. Man sah deutlich, wie er tiefer in sich hineinkroch.

»Was heißt nein?« fragte er.

»Sie haben es nicht nötig, hier zu leben.«

»Sie Spinner! Wo anders könnte ich Millionär werden?«

»Das wußten Sie nicht, als Sie plötzlich in Diwata auftauchten.«

»Das weiß man nie im voraus. Es sei denn, man heißt Aga Khan und erbt Milliarden. Die liegen zwar hier im Berg, aber der gehört leider nicht mir. Nicht direkt – aber sein Gold ernährt mich.«

»Und Sie haben keine Angst, daß man Sie doch irgendwann umbringt?«

»Auch das haben Sie mich schon mal gefragt. – Nein, ich habe keine Angst. Warum sollte man mich umbringen? Ich tue nur Gutes, alle profitieren davon, ein Vermögen trage ich nicht in den Taschen herum, das lege ich in Davao auf die Bank, außerdem stehe ich unter dem Schutz von Avila und Carlos García ... so sicher wie ich lebt kein Präsident. Wir zwei können nur auf natürliche Weise sterben, nicht durch fremde Hand.«

»Das ist ein zu großes Vertrauen in den Menschen, Antonio.«

»Wer sollte Ihnen etwas tun, Doktor? Sie sind der Engel in dieser Hölle.« Pérez erhob sich von dem Steinhaufen; er wollte hinüber zur Ausschachtung des Schwimmbeckens. »Nur ein Wahnsinniger könnte so etwas tun.«

»Und davon gibt es in Diwata genug.« Auch Dr. Falke wandte sich zum Gehen. »Eines noch, Antonio: Ich bin immer für Sie da. Wenn etwas auf Ihre Seele drückt, ich bin immer zur Stelle. Und Pater Burgos natürlich auch.«

»Danke, Doktor.« Pérez lachte auf. »Kein Bedarf. Ich brauche keinen Pfadfinder für meine Welt.«

Am Abend saß wieder Tortosa bei Dr. Falke im Krankenhaus und rauchte seine geliebte Zigarre. Er hatte sich die Haare frisch gebleicht ... sie glänzten hell unter der Lampe.

»Schrecklich!« sagte Dr. Falke. »Muß das sein?«

»Was?«

»Diese Haare.«

»Sie gehören zu meinem Image. Ein Wunderheiler muß einen Spleen haben, einen Stich, ein Tralala in der Birne. Erst dann nimmt man ihn ernst. Wenn ich plötzlich wie ein normaler Mensch aussähe, glaubt keiner mehr an meine Tees. Warum ist ein Zebra schön? Weil es ein gestreiftes Fell hat. Wäre es einfarbig, würde es keiner beachten. Das ist bei Ihnen doch genauso. Laufen Sie in Zivil herum, na gut, man weiß, daß Sie Arzt sind ... aber von dem Moment an, wo Sie ihren weißen Arztkittel überziehen, sind Sie für die meisten Menschen etwas Besonderes. Ein Auserwählter! Der weiße Kittel verleiht einem Arzt Autorität, nicht der Maßanzug. Den sieht der Patient nicht, aber der weiße Arztkittel verbreitet therapeutischen Glauben. Also – lassen Sie mir die weißblonden Haare. Sie sind mein Firmenschild.«

Seit einigen Tagen war das Krankenhaus überfüllt. Meistens waren es Verletzungen von Bauarbeitern, Risse, Quetschungen, offene Wunden, Verbrennungen, Verstauchungen und Knochenbrüche, aber auch sechs Verwundungen durch Messerstiche und zwei Schußlöcher. Avila, der Sicherheitchef, war alarmiert. Im »Rathaus« fand eine Konferenz statt, an der die drei Brüder, Belisa, Dr. Falke und Avila teilnahmen. Geladen war der immer fetter werdende Manuel Morales, der »Vater des Puffs«, wie man ihn seit langem nannte. Seit drei Monaten gab es jetzt neun Bordelle rund um Diwata und den berüchtigten Zentralpuff am Marktplatz, die Urzelle der Diwata-Hurenhäuser. Sie wurden beherrscht von Carmela und Violeta, Huren der ersten Generation, die nichts mehr erschüttern konnte. Beide Frauen wechselten sich bei Morales ab, was ihren Einfluß ungemein stärkte. Von den jungen Dingern, die Morales in allen Landesteilen angeworben hatte, hielt er wenig, so frisch und so schön sie auch waren ... er spürte, daß sie sich vor dem Fettkloß ekelten und ihre Nummer nur abzogen, um keinen Ärger zu bekommen.

Die fleißige Anwerbetätigkeit von Morales hatte endlich Erfolg gebracht: In Diwatas zehn Bordellen arbeiteten mittlerweile sechshundertsiebzehn Mädchen in drei Schichten. Es war ein Fließbandfick, aber anders war es nicht zu schaffen. Die Kerle standen Schlange vor den Puffs. Niemand beneidete Morales, denn sechshundertsiebzehn Weiber zu kontrollieren ist eine Aufgabe, als wenn man sich mit nacktem Hintern in einen Ameisenhaufen setzt. Ganz schlimm wurde die Situation, wenn sich eines der Mädchen ernsthaft in einen Freier verliebte – das kam in letzter Zeit öfter vor, und deshalb die Messerstiche und Schüsse. Ein Puffbetrieb dieses Ausmaßes und dieser Frequentierung verträgt keine individuellen Gefühle. Er ist ein knallhartes Geschäft und keine süße Liebeslaube.

»Manuel, wir sind besorgt«, sagte Miguel zu Morales, als der »Rat« versammelt war. »Deine Mädels fangen an zu spinnen.«

»Jawohl!« Carlos hieb mit der Faust auf den Tisch. »Sie sollen vögeln, aber nicht Händchen halten. Liebesdramen, die fehlen uns noch!«

»Das große Problem ist, daß Manuel die Kontrolle über die Bordelle verliert«, sagte Avila.

»Niemals!« Morales erbleichte und ließ seinen fetten Leib vor Empörung beben. »Ich habe alles im Griff!«

»Anscheinend nicht.« Avila sah ihn starr an, und dieser Blick war in ganz Diwata gefürchtet. »Ich habe Informationen, daß sich im Bordellbetrieb eine Art Mafia gebildet hat.«

»Unmöglich!« schrie Morales, hochrot im Gesicht. »Wie soll das laufen?«

»Ganz einfach. Die Mädchen arbeiten zu von uns festgesetzten Tarifen. Jede Leistung hat ihren bestimmten Preis. In Peso oder Goldstaub. Es ist aber so, daß die Mädchen mehr als den Tarif verlangen und das zusätzlich verdiente Geld an diese neue Mafiagruppe abliefern. Ehe ich zuschlage: Was weißt du davon, Manuel?«

»Nichts! Gar nichts! Ich bin völlig ahnungslos«, schrie Morales entsetzt.

»Du hast also nichts damit zu tun?« brüllte Carlos und schüttelte seine imponierenden Boxerfäuste.

»Ich schwöre: Nein! Bei meinem Augenlicht schwöre ich . . .«

»Schwöre bei deinem Schwanz, denn den schneide ich dir ab!« sagte Miguel fast im Plauderton. »Wenn du irgend etwas weißt . . .«

»Ich schwöre bei meinem Schwanz!« schrie Morales. »Ich habe nicht bemerkt, daß man uns betrogen hat! Wer sind die Kerle?!«

»Ich werde sie morgen einkassieren.« Avila blickte hinüber zu Belisa. »Es werden unangenehme Stunden werden. Und Sie, Doktor«, sein Blick flog zu Dr. Falke, »werden einige Totenscheine ausstellen müssen.«

»Gestorben an Herzinfarkt?« fragte Dr. Falke spöttisch.

»Nein. Vom Gericht zum Tode verurteilt, Urteil vollstreckt. Wir brauchen in Diwata nichts zu vertuschen.«

»Lassen sich Probleme nur mit Toten lösen?«

»Sie fragen, als seien Sie erst gestern von einer Klosterschule gekommen. Seit wieviel Jahren leben Sie in Diwata?«

»Über ein normales Leben hinaus . . .«

»Wie wollen Sie diese Mafia bekämpfen? Sie sind Arzt, zu Ihnen kommt jemand mit einem bösen Geschwür . . . was tun Sie? Sie schneiden es auf. Diese Mafiosi sind ein Geschwür an unserem Körper.«

Es waren neun Glücksritter, die sich in die Idee verliebt hatten, mit den Dirnen ein Nebengeschäft aufzuziehen. Kameradschaftlich hatten sie die zehn bisher bestehenden Bordelle unter sich aufgeteilt. Sie wollten die Einnahmen zur Seite legen, bis sie in Manila groß in die Pornoszene einsteigen konnten. Nicht kleckern, sondern klotzen, und dazu braucht man Kapital. Es liefen in Diwata sechshundertsiebzehn Mädchen herum.

Die Verhaftung geschah schlagartig an allen zehn Stellen.

Als Avilas Soldaten die Männer im »Rathaus« ablieferten, hatte man sie schon halb totgeschlagen. Sie konnten kaum noch gehen, bei vieren war das Gesicht nicht mehr zu erkennen, einen mußte man tragen . . . man hatte ihm beide Beine gebrochen. Das aber hielt Morales nicht ab, sich auf jeden einzelnen zu stürzen, ihn zu treten, zu bespucken und anzubrüllen, daß man ihnen zuerst die Eier abschneiden würde, bevor man sie aufhängte.

»Mich betrügen!« schrie er immer wieder. »Mich! Den ehrlichsten Menschen auf dieser verdammten Erde! Ihr seid ein Stück Dreck, und so werdet ihr auch behandelt werden!« Die »Gerichtsverhandlung« fand am Abend im Rathaus statt. Richter waren die drei García- Brüder, Ankläger war Avila, die Verteidigung hatte Dr. Falke übernommen – eine völlig überflüssige Aufgabe, denn es gab nichts zu verteidigen. Wenn jemand etwas einwenden wollte, brüllte ihn Carlos sofort nieder. »Halten Sie die Schnauze!« war ein beliebter Satz. »Jedes Wort ist zu schade!«

Auch die Mädchen, die für die neun Mafiosi gearbeitet hatten, wurden verhört. Sie gaben alle Vorwürfe sofort zu, das Klügste, was sie tun konnten. Sie wurden auch zuerst verurteilt. Es waren hundertundsechs Huren, die lauthals weinten und denen Miguel mit Donner in der Stimme zurief: »Ihr werdet drei Tage lang die Scheißkanäle säubern, bis ihr selbst zu Scheiße geworden seid!« Es war ein mildes Urteil. Die Mädchen bedankten sich, indem sie Miguel die Hand küßten, so wie in früheren Zeiten Häuptlingen unterwürfige Ehre entgegengebracht wurde.

Anders bei den neun Männern.

Zu ihnen sagte Miguel: »Man sollte euch im Scheißesee ersäufen. Aber ich bin ein Mensch ... man soll euch mit der Machete den Kopf abschlagen.«

»Man wird uns rächen!« rief einer der Mafiosi. »Wir haben einflußreiche Freunde in Manila und Davao.«

»Wir warten auf sie«, sagte Avila mit seiner nüchternen Stimme, die sich immer gleich blieb, ob er schmeichelte, Witze riß oder den Tod verkündete. »Braucht ihr noch einen Priester?«

»Der Himmelskomiker ist unnötig!«

»Wie ihr wünscht. Ein Abschiedsessen?«

»Ich möchte deine Eier braten!« schrie einer und spuckte Avila ins Gesicht. Damit war die Gerichtsverhandlung beendet. Die neun Verurteilten wurden abgeführt. Avila wandte sich an Dr. Falke.

»Haben Sie noch immer mildernde Gründe, Doktor?«

»Ja. Es sind Menschen.«

»Schweinedreck sind sie!« schrie Carlos. »Frech bis zum letzten Augenblick.« Dr. Falke erhob sich von seinem Stuhl hinter dem »Verteidigertisch«. Belisa saß mit gesenktem Haupt da.

»Sie könnten sie begnadigen, Belisa«, sagte er. »Sie sind der Boß!«

»Ich bin nicht Herr über Leben und Tod ...«

»O doch, das sind Sie! Sie sind für über dreißigtausend Menschen verantwortlich – ist Ihnen das nicht klar? Es genügt nicht, ihnen Arbeit und Pesos zu geben, Sie haben auch eine moralische Verantwortung. Das Leben besteht nicht nur aus Atmen oder Kopfabschlagen!«

»Sie führen in Diwata die Moral ein?« Avilas Stimme klang jetzt spöttisch. »Ausgerechnet hier? Sie haben über Hunderte von Morden miterlebt, aber jetzt, beim Kampf gegen die Mafia, falten Sie die Hände?!«

»Die Morde konnte ich nicht verhindern, aber hier handelt es sich um Tötungen außerhalb des Gesetzes.«

»Wo ist da ein Unterschied?« schrie Carlos. »Kopf ab ist Kopf ab!«

»Und das Gesetz im Dschungel sind wir!« fügte Miguel hinzu. »Ein einfaches Gesetz, das jeder versteht: Du bist ein freier Mensch, aber Du tust, was man von dir verlangt.«

»Wunderbar! Und wie nennt man diese Rechtsform?«

»Angewandte Bereinigung menschlicher Verfehlungen«, antwortete Avila. »Ist das nicht ein gutes Gesetz ... im Dschungel?!«

Am Abend wurden die Verurteilten hingerichtet. Man schlug ihnen die Köpfe ab. Pater Burgos war bei ihnen, auch wenn sie ihn nicht beachteten, und betete für sie. Als er zurückkehrte, fragte Dr. Falke:

»Na, wie war es?«

»Kurz.« Burgos schlug das Kreuz. »Schnell. Die Männer können mit den Macheten umgehen. Das haben sie ja im Urwald geübt.«

Dann setzte er sich in eine Ecke des Zimmer, blickte hinüber zum Kruzifix an der Wand, faltete die Hände und fügte, nachdem er tief Atem geholt hatte, hinzu:

»Wie gut, daß Hälse so dünn sind . . .«

Beim Bau des Schwimmbades gab es eine Unterbrechung: Die Arbeiter schufteten schneller, als Nachschub an Material in den Urwald kam. Das lag an zwei Dingen: Zum einen verlangten die Transportfirmen, deren Lastwagen sich durch die Sümpfe quälten, fünfzig Prozent Gefahrenzulage, weil zum zweiten in den letzten Tagen die Kolonnen überfallen worden waren. Ganz gleich, was sie transportierten – man raubte alles. Man konnte alles gebrauchen.

»Das sind die Guerillas von Mindanao«, sagte Avila. »Die Vaterlandsbefreier. Sie wollen Fortschritt und vernichten durch Fanatismus. Das ist doch Unsinn! Militärisch kommt man ihnen nicht bei . . . also sollte man mal mit ihnen verhandeln.«

»Und was sollen wir ihnen sagen?« fragte Belisa.

»Daß wir hier etwas bauen, von dem sie träumen: Einen Flecken Erde mit Freiheit, Arbeit und Zukunft.«

»Sie bezeichnen uns als üble Kapitalisten«, sagte Dr. Falke.

»Weil sie ausgeschlossen sind. Sie stehen draußen vor der Tür, und keiner macht die Türen auf.«

»Soll das heißen, Sie wollen mit den Rebellen zusammenarbeiten, Avila?«

»Vorübergehend . . .«

»Wie stellen Sie sich das vor?«

»Dort im Dschungel leben keine dreißigtausend Guerilleros. Ich schätze, es sind höchstens zweitausend. Aber diese zweitausend können uns sehr gefährlich werden. Denken Sie an die vergifteten Bananen. Sie kommen aus der Dunkelheit, und sie verschwinden wieder in der Dunkelheit. Und sie hinterlassen Elend, Tod, Verwüstung, ewige Unsicherheit ... wir werden nie zur Ruhe kommen, auch wenn wir Gefangene töten oder als Abschreckung dem Wild zum Fraß an die Bäume binden. Wir sollten Frieden durch Kooperation suchen.«

»Sie werden Ansprüche stellen.«

»Natürlich.«

»Führungsansprüche ... sie denken ja politisch.«

»Von uns aus ... sollen sie von politischen Zielen träumen.«

Dr. Falke war entsetzt. »Sind Sie plötzlich verrückt geworden, Avila?« rief er. Er verstand den Sicherheitschef nicht mehr.

»Sie überblicken die Lage nicht, Doktor.« Avilas Stimme hatte wieder diese eintönige Gleichmäßigkeit. »Vor allen sehen Sie nicht klar in die Zukunft.«

»Ich sehe sie ganz deutlich! Avila, Sie befehligen eine erstklassig ausgerüstete Privatarmee, die sogar Oberst del Carlo imponiert. Perfekter als die Regierungstruppen in Davao. Und diese Truppe wollen Sie den Rebellen ausliefern?!«

»Wer sagt denn das?«

»Glauben Sie, die Guerillas leben neben uns her? Die haben einen anderen Begriff von Kooperation.«

»Das ist Verhandlungssache.«

»Bei Kenntnis unseres Waffenarsenals gibt es für die Rebellen keine Verhandlungen mehr. Und wenn ... dann ist das nur Verzögerungstaktik, ein listiges Abwarten, bis man blitzschnell zuschlagen kann. Sie werden uns überrumpeln.«

»Genau das ist es, Doktor.«

»Wie bitte?« Dr. Falke starrte Avila verständnislos an. »Sie wollen ...«

»Ich will Zeit gewinnen.« Avila lächelte genüßlich, als habe er einen Guavenlikör getrunken. »Ich will sie, die mörderischen Patrioten, alle um mich haben und in Ruhe unsere Stadt aufbauen. Und wenn wir soweit sind, wenn wir das Schwimmbad einweihen und auf den Caféterrassen serviert wird, werden sich dreißigtausend Diwataner um dreitausend Guerilleros kümmern . . . «

Dr. Falke verschlug es die Sprache. Er wollte nicht begreifen, was er hörte. Endlich rang er sich durch zu fragen:

»Sie wollen alle Rebellen töten lassen?«

»Es ist eine politische Endlösung. Die Mehrzahl der Menschen lebt mit dieser Politik. Blicken Sie nach Asien, nach Afrika, nach Südamerika, sogar nach Europa, zum Beispiel auf den Balkan . . . man nennt so etwas elegant ethnische Säuberung. Wer kümmert sich da darum, was im Dschungel von Mandanao geschieht . . . wir aber haben Frieden!«

»Das wird Belisa García nie zulassen! Nie!« schrie Dr. Falke.

»Sie wird am nächsten Morgen erfahren, daß ihre Stadt frei von Ungeziefer ist. Natürlich muß sie das erst verdauen . . . aber was geschehen ist, kann nicht rückgängig gemacht werden. Und wenn man einen Schuldigen braucht . . . ich übernehme persönlich die volle Verantwortung.« Avila beugte seinen Kopf zu Dr. Falke vor. »Sie haben jetzt natürlich die Möglichkeit, Belisa García alles zu erzählen. Der Boß wird sofort reagieren, das weiß ich. Aber auch das bringt nur eine Verzögerung . . . allerdings, bei der Parasitenvernichtung werden dann auch Sie nur noch ein Insekt sein. Davor rettet Sie niemand.«

»Sie kommen sich wie der mächtigste Mann im Land vor, nicht wahr, Avila?«

»Ich glaube sogar, daß ich es bin.«

»Weil Ihr Bett aus Maschinenpistolen besteht?«

»Seit Jahrtausenden besitzt die Macht der, der die besten Waffen hat. Draußen in der Welt herrscht jetzt ein Gleichgewicht: Atombombe gegen Atombombe. Bakterienbombe gegen

Bakterienbombe. Überlebenschance null. Kein Sieger, kein Besiegter mehr. Hier bei uns im Dschungel ist es aber noch wie im Mittelalter: Ein Schnellfeuergewehr ist besser als ein Holzknüppel. Und die Gewehre habe ich!«

»Ich werde dem Boß von unserem Gespräch berichten«, sagte Dr. Falke heiser.

»Tun Sie das, Doktor.« Avila kippte den Rest des Likörs in sich hinein. Er war nicht böse; er hatte es nicht anders erwartet. Er war von seiner Stärke so überzeugt, daß er sich für unangreifbar hielt. »Schade ... einen so guten Arzt wie Sie werden wir nie wieder finden. Eigentlich gehören Sie zu Diwata wie jeder Stein hier. Aber es werden ja viele Steine bewegt ...«

Seine abendliche Zigarre rauchte David Tortosa wieder bei Dr. Falke in dessen Wohnraum im Krankenhaus.

Dr. Falke hatte einen langen und schweren Tag hinter sich: Er hatte zehn neuen Krankenpflegern die Prüfung abgenommen, allesamt dunkle Existenzen, nach deren richtigen Namen und ihrer Herkunft Dr. Falke nie gefragt hatte; sie waren gelehrig und fleißig gewesen und hatten die Prüfung gut bestanden. Auch neun Krankenschwestern, ausgesucht unter den sechshundertsiebzehn Huren, bekamen ihr Zeugnis. Ein schönes, in Davao gedrucktes Dokument: Diplom der Krankenpflegerschule, Krankenhaus Diwata. Ein Kruzifix und der Äskulapstab zierten das eindrucksvolle Schriftstück.

Das Krankenhaus war überbelegt. Die Bauarbeiten brachten viele Verletzungen mit sich, was auf einen Mangel an Schutzmaßnahmen zurückzuführen war. Dafür hatte Miguel kein Geld genehmigt. »Jeder soll auf sich selbst aufpassen!« hatte er gesagt. »Er soll einen Balken durchsägen, nicht seinen Arm.«

Hinzu kamen die Reihenuntersuchungen bei den Dirnen. Sechshundersiebzehn Mädchen mußten regelmäßig auf den Tisch. Morales nannte es so: »Der Doktor will euch ins dritte Auge blicken.« Auch bei flüchtiger Kontrolle kostete das viel

Zeit ... drei Laborantinnen waren damit beschäftigt, die Abstriche zu mikroskopieren. Auch sie waren ehemalige Huren, heute aber beste Fachkräfte.

Genauso viel zu tun wie Dr. Falke hatte Pater Burgos. Er betete und segnete, er sprach Trost und Mut zu, er nahm die Beichten ab – von denen einige zu lebenslänglichem Zuchthaus gereicht hätten –, spendete die Sterbesakramente, schrieb für die Analphabeten Briefe an deren Verwandte, hielt seine Messen ab und war am Abend ebenso erschöpft wie Dr. Falke.

Die »Zigarrenstunde« war eine wahre Erholung ... ein Glas Wein, ein Glas Whiskey, die würzige Tabakstange, ein Gespräch – das war wie ein tiefes Aufatmen.

»Wann werden Sie Diwata verlassen, David?« fragte Dr. Falke. Tortosa stieß eine Rauchwolke aus.

»Sie wollen mich gerne loswerden, nicht wahr?«

»Soll ich Ihnen den Brief an Ihre Eltern zurückgeben? Die Gefahr scheint ja vorbei zu sein.«

»Ich betrachte sie nur als aufgeschoben. Behalten Sie den Brief. Bitte.«

»Sie wollen nicht sagen, was Sie bedroht?«

»Nein.«

»Und Sie geben auch nicht auf, nach diesen Phantom Suffolk zu suchen?«

»Er ist kein Phantom, er lebt unter uns.«

»Sie werden ihn nie entlarven. Vielleicht ist es sogar umgekehrt: Er hat Sie erkannt und bleibt in Deckung.«

»Das kann er nicht ... er kennt mich gar nicht. Ich bin ihm völlig fremd. Er hat nie ein Foto oder sonst was von mir gesehen. Aber ich kenne sein Gesicht in vielen Variationen. Er müßte sein Gesicht durch Operation schon völlig verändert haben. Aber dazu war die Zeit zu kurz. Seit seiner Enttarnung hat er keine Ruhe mehr gehabt. Zuletzt wurde er in Saigon gesehen. Er verkaufte Ananas auf der Straße und verschwand dann plötzlich. Ich kam zwei Tage zu spät ...«

»Und hier soll er also nach Gold graben?!! Filmreif, David...«

»Für 007 wäre das ein Erlebnis. Aber ich bin kein James Bond ... bei mir fliegen keine Autos oder Inseln in die Luft; es wird eine stille, unauffällige Abrechnung sein.«

»Und dann kehren Sie befriedigt nach Hause zurück.«

»So ist es. Ich habe dann meinen Befehl ausgeführt.«

»Und Sie könnten sich nicht vorstellen, in Diwata zu bleiben?«

Die Frage, die große Frage, die auf Dr. Falkes Seele lastete. Die Frage, die ihm den Schlaf verjagte. Sein Blick hing an Tortosas Lippen.

»Nein! Weshalb? Mich erwarten in Washington andere Aufgaben.«

Dr. Falke atmete tief auf. Impulsiv sagte er: »Ich könnte Sie umarmen, David!«

»Ich weiß, Sie mögen mich nicht. Damit muß ich leben. Trotzdem ist es schön, ab und zu am Abend bei Ihnen zu sitzen und eine Zigarre zu rauchen. Auch ich brauche mal Erholung von dem Elend und dem Gestank da draußen.«

»Es wird sich vieles ändern. In zwei Jahren werden Sie Diwata nicht wiedererkennen. Haben Sie mal mit Antonio Pérez gesprochen?«

»Dem Bauverrückten? Nein.«

»Er wird Ihnen die Pläne zeigen, die wirklich wahnsinnig sind ... und die realisiert werden! Die Lady garantiert das.«

»Die Lady.« Tortosa blickte einem Rauchring aus seiner Zigarre nach. »Können Sie sich vorstellen, daß sie mit einem Mann im Bett liegt?«

»Warum nicht? Sie ist eine wunderschöne Frau.«

»Das sagen wir vögelgeilen Männer. Wir träumen davon, wie sie unter uns stöhnt. Ich glaube, sie ist ein Neutrum. Ein Engel, und Engel sind ja geschlechtslos. Ob sie jemals einen Mann an sich rangelassen hat ... ich glaube es nicht. Die hat eine aus

Stahl geschmiedete Muschi. Um die zu knacken, müßte man sie halb tot schlagen. Ihren ersten Mann kann sie nur durch eine Vergewaltigung bekommen. Und dann wird sie ihn wie die Schwarze Witwe auffressen. Hätten Sie den Mut, sie auf die Matratze zu zerren?«

»Nein.«

»Na also. Ich bin als Offizier einer Sondereinheit in allem ausgebildet, was man sich auf militärischem Gebiet nur vorstellen kann ... aber an die Lady wagte ich mich nicht heran.«

»Und wenn sie selbst den ersten Schritt tut?«

»Ich sage ja: das tödliche Spinnenweib. Der arme Kerl, der in ihren Armen schwitzt. Ein Orgasmus ist keinen Tod wert.«

»Die Chinesen nennen ihn den ›kleinen Tod‹.«

»Es sind ja in den Kaiserreichen auch genug dafür geköpft worden.« Tortosa hatte seine Zigarre zu Ende geraucht und legte den Stummel in den Keramikaschenbecher, das selbstgemachte Geschenk eines Patienten, der einem anderen Goldgräber den Bauch aufgeschlitzt hatte. »Es war wieder eine angenehme Stunde bei Ihnen, Doktor. Morgen habe ich viel vor: neue Kräuter und Wurzeln suchen im Dschungel. Mein Teevorrat schmilzt dahin. Vor allem mein Blasentee.«

»Woraus besteht der?«

»Keine Ahnung!« Tortosa lachte laut und dröhnend. »Aber er hilft! Neben der Hustenmischung mein meistverkaufter Tee.«

»Sie sind ein genialer Scharlatan!«

Dr. Falke brachte Tortosa zur Tür, aber bevor Tortosa hinausging auf den Platz, fragte er noch:

»Wo steckt eigentlich der Pater?«

»Im Puff.«

»Oha!«

»Er betet bei einer Sterbenden. Das Mädchen hat Leberkrebs. Ich habe es gewußt, aber ich brachte es nicht übers Herz, sie wieder wegzuschicken. Es war sowieso zu spät.«

»Das ist es, was ich an Ihnen bewundere: Ihren Humanismus! In dieser Hölle ist ein Mensch doch nichts wert! Aber Sie lieben jeden Menschen.«

»Nur so kann man Arzt sein ... Arzt, wie ich es verstehe.«

Dr. Falke blickte Tortosa nach, wie er durch die Nacht zwischen den Hütten verschwand, sein Körper sich im Schatten auflöste und nur ein heller Fleck übrigblieb: die gebleichten Haare. Dann erlosch auch dieser Schimmer.

Kurz darauf sah er Pater Burgos aus der Dunkelheit auftauchen.

»War das nicht Tortosa?« fragte er, als er an der Tür stand.

»Ja. Er hat mir erzählt, daß er nicht in Diwata bleiben will.«

»Du Glücklicher!«

»Blödsinn.« Dr. Falke ging ins Haus. »Was macht das Mädchen?«

»Es ist vor einer halben Stunde gestorben. Du mußt jetzt zu ihr, wegen des Totenscheins. Sie ist ohne Schmerzen gestorben. Dein Medikament war gut.«

»Ich weiß ... es war eine Erlösung.«

Pater Burgos sah Dr. Falke schräg an. »Das will ich als Priester nicht gehört haben«, sagte er langsam. »Aber oft ist es eine Gnade, wenn ein wenig nachgeholfen wird ...«

Tortosa hatte sich vorgenommen, am frühen Morgen in den Dschungel zu gehen. Auch wenn er das alles als Unsinn betrachtete, tat er es doch den Schamanen nach und sammelte die Kräuter entweder bei Mondschein oder im Morgengrauen, wenn die Pflanzen noch vom Tau benetzt waren. Die eingeborenen Zauberer nannten den Tau den Speichel der Götter, den diese verlieren, wenn sie die Natur küssen. Wer daran glaubt, hilft mit, an die Wirksamkeit der Kräuter zu glauben.

So wanderte also Tortosa durch den Urwald, einen großen Korb auf den Rücken geschnallt, und rupfte Gräser, Blüten, Zweige und Samenknollen aus dem Boden, hackte Wurzeln daraus, schnitt Kletterpflanzen von den Baumstämmen und betete im stillen darum, daß keine giftige Pflanze darunter war. Die auffälligsten und schönsten Blüten ließ er in Ruhe, sie konnten gefährlich sein. Er wußte, der giftigste Frosch im Dschungel war ein herrlich gelb und rot gemustertes Tier, eine wahre Schönheit und der sichere Tod! So ähnlich konnte es auch bei den Blumen sein. Also: Finger weg davon! Er bückte sich gerade, um eine hellbraune knotige Wurzel abzuschneiden, als nahe bei ihm ein Schuß ertönte.

Tortosa reagierte so, wie er ausgebildet war: Mit einem Satz warf er sich hin, lag ganz flach auf dem schwammigen Dschungelboden und war innerhalb der üppigen Pflanzen nicht zu sehen. Gleichzeitig zog er seine Pistole und lud durch. Sein Gehör schärfte sich in Sekunden um ein Vielfaches ... die Nahkampfausbildung beherrschte seinen Körper.

Er blieb in der Deckung liegen, als seitlich von ihm jemand rief:

»Komm raus, Kumpel. Es ist vorbei. Da wollte dich einer auf Indianerart abknipsen.«

Tortosa blieb liegen. In solchen Situationen sind Worte wenig wert. Er wartete auf andere Zeichen.

»Ich stehe vier Meter links von dir«, rief die Stimme. »Ich weiß, Vertrauen kann tödlich sein. Aber wenn ich dich töten wollte, hätte ich dich erschossen und nicht den anderen.«

Das war ein Argument, wenn auch ein lahmes. Tortosa wagte es: Er schnellte aus der Deckung und rollte sich sofort wieder ab.

Nichts. Kein Schuß. Nur die Stimme:

»Bravo. Das hast du gut gemacht, Junge.«

Tortosa erhob sich. Er sah einen Mann im hohen Gras stehen und richtete die Pistole auf ihn. Es war ein gefährlicher Augenblick, denn der andere konnte natürlich schneller sein. Aber der Mann hob beide Arme hoch in die Luft und ließ sie dann wieder fallen.

»Mein Gewehr liegt zu meinen Füßen. Wirf mal 'nen Blick hinter dich. Da liegt einer, der gerade einen Bogen spannte, um dich mit 'nem Pfeil lautlos wegzupusten. Zufällig war ich hier.«

»Ich verdanke dir also mein Leben?« sagte Tortosa heiser. Er begriff jetzt, daß er eigentlich schon fast tot gewesen war. »Danke ...«

Sie gingen aufeinander zu, reichten sich die Hand, umarmten sich dann wie Brüder und gingen hinüber zu dem Toten. Es stimmte – neben dem Erschossenen lag ein Bogen, an den Gürtel hatte er einen Köcher mit Pfeilen geschnallt. Er schien, der Hautfarbe nach, ein Eingeborener zu sein ... aber es war Rafael, der Goldgräber und Terrorist, der Rächer seines Bruders, der als Einzelkämpfer durch den Dschungel gezogen war.

»Kennst Du ihn?« fragte der Schütze.

»Nein.«

»Aber ich kenne dich.« Der Mann grinste breit. »Wer kennt dich nicht in Diwata. Deine gebleichten Haare. Du bist der Wunderheiler. Stimmt's?«

»Das war leicht zu erraten.« Tortosa griff in die Tasche und holte eine Packung Zigaretten hervor. »Und wer bist du?«

»Antonio Pérez.«

»O Gott!« Tortosa lachte laut auf. »Der Verrückte! Noch gestern haben wir von dir gesprochen. Beim Doktor. Er hat mir erzählt, was du alles planst. Ein kleines Weltwunder im Urwald.«

Er reichte Pérez die Zigaretten hin. Pérez nahm eine und hielt sie schnuppernd unter die Nase. »Amerikanische? Wie kommst du denn da ran?« Tortosa wich aus. »Beziehungen«, sagte er. »Du kennst amerikanische Zigaretten?«

»Hab sie mal geraucht. Bevor ich nach Diwata kam. Aber das ist tausend Jahre her.«

»Und warum bis du jetzt in Diwata?«

»Fragt man danach? Frage ich dich, woher du aufgetaucht

bist? Wir leben hier, basta! Hast Du eine Vergangenheit, hab ich eine Vergangenheit? Wen interessiert das? Du bist hier ein Wunderheiler, weil die armen Schweine hier etwas Besonderes haben müssen, woran sie glauben können, außer Fressen, Saufen und Ficken. Jeder Mensch, auch der Gottloseste, braucht seine eigene Gottheit. An die lehnt er sich an ... es kann Jesus sein oder ein Revolver oder ein Messer oder eine Machete oder irgend etwas, das einem Halt gibt. Da hast du in Diwata eine Marktlücke entdeckt ... gratuliere.«

Tortosa sah Pérez eine Weile stumm an. Er kam sich leer, seiner Knochen beraubt und ausgeblutet vor. Eine Hülle, die keinen Inhalt mehr hatte. Mit hängenden Armen stand er da, zu seinen Füßen der Guerillero, vor dem ihn Pérez gerettet hatte, und er wußte nicht, was er tun sollte, er wußte nur, daß er am Ziel war, daß er seinen Auftrag bis auf eine Kleinigkeit erfüllt hatte, und daß er diese Kleinigkeit nun nicht mehr vollbringen konnte: Man kann nicht den Mann töten, der einem gerade das Leben gerettet hat. Auch militärische Befehle können eine moralische Grenze haben.

Pérez hob die Augenbrauen. »Was starrst du mich so an?« fragte er. »Wie heißt du wirklich?«

»David. Wirklich, David«, antwortete Tortosa heiser vor innerer Erregung. »Und du?«

»Antonio ...«

»Auch wirklich?«

»Nein.« Pérez bückte sich und griff nach seinem im Gras liegenden Gewehr. »Eigentlich kennt meine Mutter mich unter einem anderen Namen.«

»Und den willst du für dich behalten ...«

»Dir gegenüber nicht. Warum sollte ich? Du lebst doch nur noch durch mich. Ich heiße Suffolk. Mark Suffolk.« Seine Blicke bohrten sich in Tortosas Gesicht. »Sagt dir der Name etwas?«

»Suffolk?« Tortosa holte tief Atem. »Nein!« sagte er dann.

»Nein. Er ist für mich ohne Bedeutung. Ein Name wie tausend andere hier. – Ich danke dir, Mark.«

Es schien, als sei das Thema damit beendet. Suffolk-Pérez schulterte sein Gewehr und nahm dem toten Rafael den Köcher mit den Indianerpfeilen ab. »Ich wette ... alle vergiftet. Du hättest keine Überlebenschance gehabt, selbst bei einem Streifschuß nicht. Diese Dschungelgifte sind absolut tödlich. Ein Ritz nur in der Haut – aus! Gehen wir.«

»Ja, gehen wir.« Tortosa wandte sich ab. Er kam sich elend vor und spürte Pérez' Blicke wie glühende Punkte auf seiner Haut. Immer und immer wieder quoll in ihm die Frage auf: Kann ich jemanden töten, der mir das Leben gerettet hat? Und diese Fragte würgte ihn und nahm ihm den Atem. Wann wird ein Befehl sinnlos?

Wann wird ein Befehl zur Gewissenlosigkeit?

Wann darf man sagen: Nein, diesen Befehl befolge ich nicht?!

Wann ist Befehlsverweigerung eine moralische Notwendigkeit?

Wieweit kann ein Gewissen belastet werden?

Wo steht man an der Grenze seiner Ehre?

»Du bist plötzlich so still, David«, sagte Pérez. Sie hatten den Dschungelsaum erreicht und blickten zu den Plantagen hinüber. Avilas Patrouillen umkreisten sie. Auf den neuen Wachtürmen standen die Soldaten hinter den Maschinengewehren und tragbaren Raketenwerfern. »Kommt jetzt der Schock, daß du noch lebst?«

»So ähnlich ... ich ringe mit meiner Wiedergeburt ... nein, mit einer Neugeburt.« Tortosa legte beim Gehen den Arm um Pérez' Schulter. »Es ist verdammt schwer, sich in ein neues Wesen hineinzuleben.«

»Aber du bleibst immer noch du.«

»Das weiß ich nicht. Darum kämpfe ich noch mit mir selbst ...«

Sie erreichten den Platz, auf dem Suffolk-Pérez einen Jeep

abgestellt hatte. Es war eine Auszeichnung von Belisa García, denn in Diwata gab es noch keine Privatautos; alles war Eigentum der Mine und wurde von Avila kontrolliert. Pérez durfte den Jeep benutzen, um schnell zu den Baustellen zu kommen.

»Was wolltest du um diese frühe Zeit im Dschungel?« fragte Tortosa, als sie in das Fahrzeug kletterten.

Suffolk blickte hinüber auf den Rand der Grünen Hölle. Sie war wie eine riesige grüne Wand, die undurchdringlich schien. Baumriesen, die an den Himmel stießen, verfilztes Unterholz, umschlungen von Lianen und überwuchert von Riesenfarnen.

»Ich bin ab und zu hier und träume ...« antwortete er.

»Träumen? Wovon?«

»Von den vergangenen tausend Jahren ...«

»Du trauerst ihnen nach?«

»Immer weniger. Ich gewöhne mich an das neue Leben. Allmählich finde ich es sogar schön. Aber das dauert seine Zeit.«

»Du hast ... da draußen ... eine Frau ...« Tortosa wußte es genau. Er kannte Suffolks Lebenslauf wie den seinen.

»Ich hatte sie. Sie hat sich scheiden lassen.«

»Aber du liebst sie noch?«

»Sie war eine schöne Frau. Aber – vor tausend Jahren – war es die falsche Frau. Der Fehler lag bei mir; ich hätte nie heiraten dürfen. Nicht in dieser Zeit.« Suffolk winkte ab. »Alles Scheiße, David! Reden wir nicht mehr darüber. Jetzt bin ich der Baumeister von Diwata. Ich baue die Hölle um. Ob sie dadurch besser wird, weiß ich nicht. Auf jeden Fall anders ... und das ist schon was wert!« Er ließ den Jeep an. »Wo willst du hin, wenn dir Diwata stinkt?!«

»Die Welt ist groß, Mark.« Tortosa lächelte schwach. »Und Tee wird überall getrunken. Und Wunderheiler – das hast du ja schon gesagt – braucht die Welt.«

Er lehnte sich zurück, während Suffolk anfuhr. Wohin, dachte er. Zurück nach Washington. Hinein in die Uniform, rüber ins Pentagon und Meldung machen:

»Sir, das Unternehmen ist gescheitert. Die Verdachtsperson ist nicht unser Mann. Sonst keine weiteren Hinweise.«

Und General Arthur Simmons würde antworten: »Wäre ja auch zu phantastisch gewesen. Habe nie an den Tip geglaubt. Mindanao. Immerhin haben Sie jetzt mal den richtigen Dschungel kennengelernt, David. War anstrengend, was? Ruhen Sie sich aus, Sie sehen ja reichlich ramponiert aus. Fahren Sie in Urlaub, Captain. Wohin wünschen Sie sich?«

»Nach Haiwaii, Sir«, würde er antworten. »Nach Maui . . .«

Und General Simmons würde scherzen: »Das wird ja einen mächtigen Wirbel unter den Frauen geben . . .«

Und danach ? Nach Hawaii?

Ein neuer Auftrag des CIA. Captain David Tortosa, das Bild eines Offiziers.

War er noch wert, eine Uniform zu tragen? Die Verdienstmedaillen? Die Beförderung zum Major?

Tortosa schielte zur Seite auf Suffolk. Als spüre er den Blick, wandte Suffolk ihm das Gesicht zu und lächelte ihn an. Ein Freund. Der Lebensretter.

»Das Leben ist Mist!« sagte Tortosa.

»Aber Mist braucht man zum Düngen.« Sie hatten die Straße nach Diwata erreicht. »Und auf gedüngten Feldern wächst neues Leben. So ist auch Mist wertvoll. Wenn du soweit bist, so zu denken, macht dir alles Spaß.«

»Das ist ein gutes Wort.« Tortosa legte wieder den Arm um Suffolks Schulter. »Wir atmen . . . was wollen wir mehr . . .«

Die Leiche Rafaels, den Avila anhand eines Blechschildes, in das eine Nummer gestanzt war, als Guerillero erkannte, wurde kurzerhand in den Scheißesee geworfen. Ein ordentliches Grab verweigerte Avila dem protestierenden Pater Burgos.

»Wer weiß, vielleicht ist er an dem Giftanschlag auf die Bananen beteiligt gewesen«, mutmaßte Avila ahnungsvoll. »Dann hat er kein Grab verdient!«

Der Held aber war Antonio Pérez. Hunderte, die meisten Tortosas Teetrinker, drückten ihm die Hand. Sogar Miguel und Carlos umarmten ihn und Belisa Garcí empfing ihn im Rathaus. Sie war blaß von dem Schrecken, den die Nachricht bei ihr hinterlassen hatte.

»Was willst Du haben, Antonio?« fragte sie. »Wünsch dir etwas. Such dir was aus, ganz gleich, was ... du bekommst es! Ich werde dir ewig dankbar sein. Du hast ein Leben gerettet, das mir ... mir sehr viel bedeutet.«

Mehr sagte sie nicht, aber Suffolk verstand. Und er wußte in diesem Augenblick, daß er stummer Zeuge einer kleinen, inneren Tragödie war, die niemand mehr aufhalten konnte. Belisa rang mit ihrer heimlichen Liebe zu Tortosa ... und Tortosa wollte Diwata verlassen. Der Wunderheiler hatte ihr das Wunder der Liebe gezeigt und zerstörte es gleichzeitig mit seiner Flucht.

»Was soll ich mir wünschen?« sagte Pérez-Suffolk nachdenklich und vermied es dabei, Belisa anzusehen. »Bis jetzt gehört alles der Mine, also Ihnen. Ich möchte am Umsatz des Freizeitparks mit zehn Prozent beteiligt werden.«

»Das ist unverschämt!«

»Sie haben gesagt, ich könne mir wünschen, was ich will ...«

Belisa nickte. »Ich halte mein Wort. Aber diese zehn Prozent sind dein Schicksal.«

»Wie soll ich das verstehen?« Suffolk zog den Kopf zwischen die Schultern. Was kommt jetzt, dachte er. »Damit gehörst du zu uns. Du wirst Diwata nie mehr verlassen können.«

»Ich habe nie den Gedanken gehabt, Diwata zu verlassen, Chefin. Ich habe noch viele Pläne für die Stadt der Goldgräber.«

»Auf meine Kosten!«

»Zum Wohle aller. In zehn Jahren wird Diwata kein Nest der Gescheiterten mehr sein. Und Ihnen wird man ein Denkmal setzen.«

»Ich will kein Denkmal, ich will Geld verdienen.« Es war der alte, oft gehörte Ausspruch, mit dem sie jeder persönlichen Ehrung auswich. »Antonio, du bist ein verdammter Hund!«

»Kein Protest. Der Hund ist der beste Freund des Menschen.«

Suffolk verabschiedete sich mit einer Verbeugung und verließ das »Rathaus«. Draußen auf dem Platz holte er tief Atem. Wann wird es stattfinden, das Drama im Herzen der Gold-Lady, dachte er. Ich habe ihm das Leben gerettet, aber diese Tragödie kann ihn umbringen. David, du mußt so schnell wie möglich verschwinden.

Er ging hinüber zum Krankenhaus und hörte, daß Dr. Falke gerade operierte. Ein Blinddarmdurchbruch. Er setzte sich in das Wohnzimmer und wartete. Nach einer halben Stunde kam Dr. Falke aus dem OP zurück.

»Sie Held!« sagte er zur Begrüßung und griff nach der Whiskeyflasche. »Ich wußte gar nicht, daß Sie schießen können. Man lernt nie aus.«

»War Tortosa schon bei Ihnen?« fragte Suffolk.

»Nein. Der sitzt in seiner Hütte und nimmt die Parade der Gratulanten ab. Aber ich nehme an, daß er am Abend hier erscheint und seine Zigarre bei mir raucht.«

»Er wird eine große Neuigkeit für Sie bereithalten.«

»Hat er einen neuen Tee gemixt?«

»Es wird Sie freuen: Tortosa will Diwata verlassen.«

Einen Augenblick war es völlig still im Raum. Es schien, als müsse Dr. Falke diese Nachricht erst verdauen. Er goß sich und Pérez-Suffolk einen Whiskey ein und trank einen Schluck, bevor er etwas sagte.

»Verlassen? Warum das denn?«

»Ich weiß es nicht. Erklärt hat er seinen Entschluß nicht. Nachdem ich ihn gerettet habe, betrachtet er sich wie in einem zweiten Leben, und das soll vielleicht anders werden als das erste.«

»Das glaube ich nicht.« Tortosa ... ein anderes Leben ... unmöglich. »Er hat das sicherlich in einer Art Schock gesagt. Ich kann das verstehen. So haarscharf am Tod vorbei ...«

»Irgend etwas hat ihn verändert – ich spüre das. Die Todesnähe war es nicht. Er ist ja überhaupt ein undurchsichtiger Mensch. Wissen Sie, woher er kommt?«

»Nein«, log Dr. Falke. »Er war plötzlich da.«

»Und so plötzlich wird er auch wieder verschwinden.« Suffolk hob sein Whiskeyglas. »Freuen Sie sich nicht?«

»Warum sollte ich?«

»Ich bin nicht blind.«

»Das dürfen Sie als Baumeister auch nicht sein.«

»Sie verehren Belisa García ...«

»Wer verehrt sie nicht.« Dr. Falke versteifte sich. Hart setzte er sein Glas zurück auf den Tisch.

»Seit Jahren himmeln Sie den Boß an. Innerlich fühlen Sie sich mit ihr sogar verheiratet. Ein belebender Wahn. Aber dann kam Ihnen Tortosa in die Quere ...«

»Blödsinn, Pérez, Sie reden Dummheiten.«

»Wie's auch sei ... das hat nun bald ein Ende.« Suffolk-Pérez winkte ab. »Ende des Themas. Ich habe übrigens noch eine Neuigkeit für Sie.«

»Wieder so ein Windei?«

»Ich bin seit heute Teilhaber des Stadions. Mit zehn Prozent.«

»Gratuliere.«

»Weil ich Tortosa das Leben gerettet habe. Belisa García war aus Dankbarkeit zu allem bereit.« Suffolk ging zur Tür und blickte zurück auf Dr. Falke. Der saß am Tisch und starrte in die Luft. Auch Dankbarkeit kann erschlagen.

Ohne ein weiteres Wort verließ Suffolk das Krankenhaus.

Am Abend kam Tortosa wirklich zu Dr. Falke, um seine Zigarre zu rauchen. Diesmal war auch Pater Burgos anwesend.

»Da war Gott in der Nähe!« sagte er.

»Nein.« Tortosa schüttelte den Kopf. »Antonios Gewehr.«

»Im richtigen Augenblick. Sie sollten wirklich einmal beten.«

»Das habe ich bereits. Meine Zwiesprache mit Gott ist anders als bei Ihnen, Pater. Ich hatte heute viel mit ihm zu besprechen. Es ging um meine Ehre. Und ich weiß jetzt, was ich tun werde.«

»Sich nicht mehr die Haare bleichen ...«

»Genau, das ist es.« Tortosa lachte etwas gequält. »Es ist erfrischend, Ihren Sarkasmus zu inhalieren. Er wird mir fehlen ...«

In dieser Woche, am Freitag, gelang es Juan Perón Toledo, Belisa über Funktelefon zu erreichen.

»Ich umarme dich, mein Mädchen!« rief er. Seine Stimme klang fröhlich. »Hier ist Juan Perón ... wie geht es dir?«

»Juan!« Belisa stieß einen Jauchzer aus. »Mein Gott, du bist es wirklich. Von wo rufst du an?«

»Aus Südfrankreich. Aus Cap Ferrat. Unsere neue Villa ist nächste Woche fertig. Ein Traumhaus. Direkt am Meer, mit einem natürlichen Felsenbad. Jessica ist ganz verrückt auf diese Villa.«

»Wo ist Jessica? Ist meine Schwester neben dir? Gib sie mir.«

»Jessica ist einkaufen. In Cannes. Sie kauft eigentlich immer ein. Möbel, Gardinen, Teppiche, Vasen, Geschirr ... sie ist glücklich. Und ich bin es auch. Mein Kleines, ich möchte hier für immer leben. Hier will ich einmal sterben. Ich habe keine Sehnsucht nach Diwata, Davao oder Mindanao. Wenn wir mal wieder auf die Philippinen kommen, dann nur zu Besuch.« Toledo holte Atem. »Wie geht es der Mine?«

»Du hast es an der Jahresabrechnung gesehen, Schwager. Der Umsatz hat sich fast verdreifacht. Und es gibt keine Schwierigkeiten. Ich stehe unter dem Schutz von Präsident Ramos. Und ich baue Diwata um. Das kostet natürlich viele Dollars ...«

»Wenn du sie hast. Du bist verantwortlich, Mädchen.«

»Du kommst also nie mehr nach Diwata zurück, Juan?«

»Ich will hier in unserer schönen Villa in Cap Ferrat leben.«

Belisa umklammerte das Telefon, als sei es ein Halt vor dem Abstürzen. »Ich . . . ich habe dir einen Vorschlag zu machen, Juan«, sagte sie und schluckte dann mehrmals.

»Ich höre.«

»Ich habe jetzt neunundvierzig Prozent des Berges . . . verkauf ihn mir zu fünfundsiebzig Prozent. Mit den fünfundzwanzig Prozent, die dir bleiben, kannst du mit Jessica glücklich in Frankreich leben. Und außerdem, es bleibt in der Familie. Ich garantiere dir eine weitere Umsatzsteigerung. Es ist auch für dich ein gutes Geschäft. Mühelos. Du kannst dein Glück auf Cap Ferrat sorgenfrei genießen.«

Sie atmete tief aus und wartete auf Toledos Antwort.

Er schien kurz nachzudenken und sagte dann:

»Fünfundsiebzig Prozent . . . ?«

»Das ist gerecht, Juan. Du brauchst dich um nichts mehr zu kümmern.« Das tat er ja sowieso nicht. »Du brauchst nur noch Geld zu zählen.«

»Das hört sich gut an.«

»Ich garantiere dafür.«

»Und wenn ich sterbe? Wir müssen einen Vertrag machen. Was wird aus Jessica?«

»Sie erbt deine fünfundzwanzig Prozent . . . und ich lege noch zehn Prozent drauf. Es bleibt ja in der Familie.«

»Mach es schriftlich, Kleines.«

»Du bist einverstanden, Juan?«

»Ja. Noch etwas . . .«

»Was ist?«

»Du bist ein Aas! Ein Luder! Ein genialer Weibsteufel!«

»Ich weiß, Schwager.« Belisa lachte auf. Es war das Lachen einer Siegerin, der nichts mehr im Wege stand. Belisa, die Herrscherin von Diwata. Die Besitzerin eines Berges voller Gold.

Die mächtigste Frau des Landes, die keiner kannte. Die Unantastbare. Der goldene Engel. »Aber es wäre eine Katastrophe, wenn ich anders wäre . . .«

Am Abend kam Belisa in das Krankenhaus hinüber. Tortosa hatte heute nicht seinen Zigarrentag. Pater Burgos verdrückte sich sofort in seine Wohnung neben der Kirche, als er Belisa kommen sah. Sie war etwas enttäuscht, daß Tortosa nicht anwesend war.

»David ist nicht hier?« fragte sie.

»Nein. Er will heute den getrockneten Tee schneiden, raspeln, zerbröseln, mischen. Er ist in seiner Hütte, wenn Sie ihn sehen wollen.« Dr. Falke wies auf einen der Rattansessel. »Womit kann ich Sie erfreuen, Belisa?«

»Ich habe die große Freude noch in mir. Wir wollen feiern.«

Am Glanz ihrer Augen sah er, daß etwas Ungewöhnliches geschehen sein mußte. Belisa schien von innen zu leuchten.

»Feiern«, sagte Dr. Falke. »Was und womit?«

»Mit Champagner.«

»Habe ich nicht.«

»Das nächste Flugzeug soll drei Kisten Champagner bringen!« rief sie übermütig.

»Dafür habe ich kein Geld.«

»Sie?! Die Mine bezahlt es. Natürlich. Was haben Sie denn zum Feiern da?«

»Nur einen australischen Wein.«

»Diesen Cabernet . . .«

»Mehr kann ich mir nicht leisten. Ich bin nicht Ordinarius einer Universitätsklinik, sondern Dschungelarzt.« Dr. Falke ging zu dem kleinen Kühlschrank, den er bei der Einrichtung des Krankenhauses für sich abgezweigt hatte. »Wollen Sie einen Cabernet? Ich habe ihn gekühlt . . . so schmeckt er besser als lauwarm, vor allem in unserem Klima.«

Er wartete ihre Antwort nicht ab, holte die Flasche aus dem Kühlschrank, entkorkte sie, schenkte zwei Gläser ein und reichte eines an Belisa. Die ganze Zeit hatte sie ihm stumm zugesehen, musternd, als müsse sie ein Nugget, einen kleinen Goldklumpen bewerten.

»Worauf stoßen wir an?« fragte er, als sie noch immer schwieg.

»Ich habe heute mit meinem Schwager gesprochen«, sagte sie endlich.

»Mr. Toledo! Endlich ein Lebenszeichen. Wie geht es ihm?«

»Blendend. Er ist das personifizierte Glück. Er hat eine Villa auf Cap Ferrat gebaut und will in Frankreich bleiben.«

»Cap Ferrat ist wunderschön ...«

»Sie kennen die Côte d'Azur?«

»Von einem Urlaub her. Damals konnte ich mir das noch leisten. Drei Wochen Sonne, Meer, französische Küche, köstlicher Wein und eine schöne Frau ...«

Belisas Gesicht erstarrte in einem gefrorenen Lächeln. »Sie hatten eine Geliebte dabei?«

»Solche Tage sind unvollkommen ohne eine schöne Frau.«

»Sie schämen sich nicht, so etwas zu sagen?!«

»Nein. Warum? Ich habe nicht immer Dschungelorchideen geliebt. Früher hatten Orchideen bei mir einen weiblichen Körper, eine glatte, samtene Haut, ein sanftes Muskelspiel in der Umarmung, einen warmen Atem, ein Seufzen aus der Tiefe ...«

»Hören Sie auf!« Belisa preßte beide Hände gegen die Ohren. »Hören Sie auf! Es ist ekelhaft!«

»Verzeihung.« Dr. Falke vollführte eine leichte Verneigung. »Ich vergaß: Sie kennen das ja alles nicht. Sie stehen über diesen Dingen. Was also gibt es zu feiern?«

»Mein Schwager hat mir die Mine verkauft.«

»Was?«

»Der Berg gehört jetzt zu fünfundsiebzig Prozent mir! Ich bin die Alleinherrin.«

»Gratuliere! Bravo! Aber das waren Sie doch immer.«

»Ich war Verwalterin – jetzt bin ich Inhaberin.«

»Und Sie können bald Ihren Traum erfüllen: ein Schloß für Belisa García. Das war doch Ihr Ziel, wenn ich mich recht erinnere.«

Sie nahm das Glas und hielt es ihm entgegen. »Auf die Zukunft!« rief sie dabei.

»Auf Ihre Träume. Und auf die Erfolge Ihrer verdammten Zähigkeit und Härte!«

Sie stießen an, tranken ein halbes Glas des Rotweines, und einen Augenblick sah es so aus, als wollten sie sich um den Hals fallen. Aber es war wirklich nur ein Wimpernzucken, dann stellte Belisa ihr Glas auf dem Tisch ab.

»Jetzt müßten wir den Rest des Weines eigentlich auf Sie trinken!« sagte sie.

»Auf mich?« Dr. Falke war ehrlich verwundert.

»Ohne Sie hätte ich vieles nicht geschafft. Nicht nur das Krankenhaus, die Kirche, die Abwasserleitungen, die neuen Siedlungen, die Hygiene, eigentlich alles, was das neue Diwata einmal sein wird ... ohne Sie wäre nichts geschehen.« Und, als wolle sie das Lob abschwächen: »Nicht so schnell. Die wilden Kerle da draußen lieben Sie.«

»Und dieser Kerle wegen bleibe ich auch hier.«

»Nur wegen dieser Ausgestoßenen?« fragte sie lauernd.

»Ja. Sie brauchen mich.«

»Und ich brauche Sie nicht?«

»Ich bin ein Teil der Mine. Zufällig trage ich einen weißen Kittel, weil ich Arzt bin. Ja, und eine Art Reisebegleiter bin ich, wenn Sie nach Davao oder Manila fliegen.«

»Sie werden mich noch oft begleiten, Dr. Falke.« Ihr Blick glitt an ihm herab, als taxiere sie einen Gegenstand. »Vielleicht sogar nach Europa, wenn ich den Vertrag mit meinem Schwager unterschreibe. In Paris. Cap Ferrat werde ich mit Ihnen nicht besuchen ...«

Sie ließ das halbe Glas Wein stehen, drehte sich brüsk um und verließ das Zimmer. Dr. Falke unternahm nichts, um sie jetzt, gerade jetzt zurückzuhalten. Er sagte nur leise, als hinter ihr die Tür zuschlug: »Verdammt nochmal – ich liebe dich . . .«

Es war für Pérez-Suffolk ein schwerer Gang, aber er mußte es tun. Aber er machte zuerst einen Umweg zu Dr. Falke. Es war ein Sonntag wie immer: Die eine Schicht hörte Pater Burgos beim Gottesdienst zu, die andere Schicht schlief oder soff, die dritte Schicht war in den Stollen und bohrte sich in den Goldberg. Eine ruhige Stunde gab es in Diwata nicht. Vor allem nicht, seit man in einem Seitental neue Goldadern gefunden hatte. Die Geologen, die Gesteinsproben und Probebohrungen untersuchten, versprachen ein noch nicht abzuschätzendes Vorkommen aus reinem Gold. Die alten Sagen der Eingeborenen stimmten also: Mindanao war ein Dorado wie früher einmal das Land der Mayas und Azteken. Und der Berg gehörte Belisa García . . . Suffolk traf Dr. Falke im Ambulatorium an. Der gipste gerade einen Unterschenkelbruch.

»Sind Sie krank?« fragte Dr. Falke.

»Wieso? Sehe ich so aus?«

»Das will ich meinen.«

»Spätestens heute abend erleben wir einen Vulkanausbruch.«

»Machen Sie keine Witze, Antonio! Diwata ist kein Vulkangebiet. Vielleicht vor hundert Millionen Jahren, aber jetzt nicht mehr. Wer verbreitet solchen Unsinn?«

»Ich! Und im Augenblick wissen nur ich und Sie davon.« Suffolk wartete, bis der Patient von einem Pfleger hinausgerollt wurde. »Ich habe heute am frühen Morgen Abschied genommen«, sagte er dann.

»Von wem?«

»Von David Tortosa. Er ist mit der Frühmaschine weg. Für immer.«

»Das ist nicht wahr!« Dr. Falke hielt die gipsverschmierten Hände von sich.

»Ich soll Sie grüßen. Tortosa war bei mir, bevor er abflog. Er wolle keinen langen Abschied nehmen, sagte er. Den Wunderheiler gibt es nicht mehr. Seine Teevorräte vererbt er Ihnen. Warum er abgehauen ist, das war nicht aus ihm rauszukriegen. Er sagte nur zu mir: ›Du hast ein unverschämtes Glück gehabt‹ ... verstehen Sie das?«

»Nein.« Dr. Falke ging zum Waschbecken und wusch sich den Gips von den Händen. Tortosa hat Diwata verlassen. Ich hätte ihm das nicht zugetraut. Aber er muß eingesehen haben, daß er diesen Mark Suffolk in Diwata nicht finden würde. Es war eine falsche Spur. Damit war sein Auftrag auf Mindanao beendet. Etwas anderes hielt ihn nicht fest. Dr. Falke atmete tief durch. »Er ist eben ein Abenteurer ...«

»Und jetzt kommt das Erdbeben ...«

»Wo denn?«

»Belisa García ...« Suffolk preßte die Finger aneinander. »David hat mich gebeten, es Belisa zu sagen. Ich soll sagen, er hätte sich lieber mit einem Kuß verabschiedet. Doktor, ich habe richtig Angst, ihr das auszurichten. Wollen Sie das nicht übernehmen?«

»Ich werde mich hüten!«

»Sie wird mir den Kopf abreißen!«

»Sie nicht ... aber Carlos.«

»Das reicht auch.«

»Aber warum sollte Belisa so reagieren?«

»Mensch, Doktor ... weil sie ihn heimlich liebt.«

Dr. Falke senkte den Kopf. Pérez sprach aus, was er bisher immer verdrängt hatte. Er wollte es einfach nicht wahrhaben. Er weigerte sich, es zu denken. »Sie sprechen da etwas Unbewiesenes aus, Antonio«, sagte er heiser.

Suffulk schlenkerte mit den Armen durch die Luft. »Sie werden es sehen, Doktor!« rief er. »Belisa wird zu einem feuerspeienden Vulkan werden ... Machen Sie im Krankenhaus schon mal ein Bett für mich frei.«

Suffolk wartete bis zum Abend, dann erschien er in der Bruchbude, in der Belisa die letzten Säckchen Gold abwog, die von der Scheideanstalt herüber gebracht worden waren. Ein guter Tag ... die Ausbeute übertraf den Wochendurchschnitt. Sie blickte erstaunt hoch, denn Antonio Pérez hatte sie in der Hütte nur in Ausnahmefällen besucht. Wenn er um diese Zeit zu ihr kam, mußte es einen besonderen Anlaß geben.

»Was ist, Antonio?« fragte sie fröhlich. »Ist das Stadion eingestürzt?«

Das war der denkbar schlechteste Ausgangspunkt für ein Gespräch. Suffolk räusperte sich. »Ich habe einen Gruß zu überbringen«, sagte er zögernd.

»Einen Gruß? An mich? Von wem denn?«

»Von David Tortosa ...«

»David?« Ihre Augen wurden groß und rund. Ihr Gesicht erstarrte. Der Mund wurde zu einem Strich. Auch ihre Stimme schien plötzlich zu verschwimmen. »Was soll das? Einen Gruß?« Und dann ein Schrei: »Ist ihm etwas passiert?!«

»Ich ... ich soll Ihnen sagen, daß Sie in seinen Gedanken und Erinnerungen ewig bei ihm sein werden. Sein Abschied ...«

»Abschied?!« Belisas Gesicht begann zu zucken. Suffolk biß die Zähne aufeinander. Der Vulkan brodelte.

»Tortosa ist mit dem ersten Flugzeug abgeflogen. Er hat Diwata für immer verlassen.«

»Und das sagst du mir jetzt erst?« schrie sie auf. »Jetzt erst?!«

»Er wollte es so.«

»Er wollte es so! Er wollte es so!« Sie griff nach einem der Goldbeutel und warf ihn Suffulk ins Gesicht. Die Umschnürung löste sich, und der Goldstaub rieselte über Suffolks Kopf und puderte ihn mit dem im Lampenlicht flimmernden Metall. »Er fliegt einfach davon! Ist einfach weg! Und läßt mich grüßen! Und ihr habt es alle gewußt! Und ihr habt geschwiegen! Ihr habt mich alle betrogen! Alles nur Verräter!«

»Ich ...«

»Raus! Geh! Ich will deine Visage nicht mehr sehen! Geh!«
Und als sich Suffolk zum Ausgang wandte, schrie sie ihm nach:
»Weiß es auch Dr. Falke?«

»Ich sollte ihn auch von Tortosa grüßen.«

»Er wußte es also?!« Sie griff nach einem neuen Goldbeutel,
aber bevor sie ihn auch an Suffolks Kopf schleudern konnte,
rannte er aus der Hütte. Er hörte nur noch, wie sie den Stuhl
an der Wand zerschlug. Der Vulkan war ausgebrochen.

Dr. Falke saß mit Pater Burgos im Wohnzimmer, als Suffolk
ins Krankenhaus stürzte. Dr. Falke zeigte hinter sich.

»Es ist ein Zimmer für Sie reserviert. Wie hat sie's aufgenommen?«

»Sie tobt!«

»Sie sehen so vergoldet aus.«

»Sie wirft mit Goldbeuteln um sich.«

»Dann ist es echte Trauer«, sagte Dr. Falke sarkastisch.

»Sie wird gleich hier sein.« Pater Burgos faltete die Hände.
»Wie wir vermutet haben: Sie liebte Tortosa wirklich. Heimlich, innerlich ... sie wollte nicht zeigen, daß sie schwach werden kann. Sie wollte immer die Siegerin sein. Die Überlegene.
Aber sie war an ihre Grenze geraten. Tortosa ist zu früh verschwunden. Ich muß schon sagen: Gott sei Dank!«

Aber Belisa kam an diesem Abend nicht zu Dr. Falke. Sie
saß, umgeben von ihren Brüdern, bei Miguel in der Wohnung
und weinte. Weinte haltlos, wie ein kleines Kind, das man geschlagen hat und das nicht weiß, warum es geschlagen wurde.
Sie lag auf dem Sofa, das Gesicht in ein Kissen gedrückt, und
ihr ganzer Körper schien sich in ein einziges Zittern aufzulösen.

Carlos rannte wie ein eingesperrter Kampfstier herum und
brüllte durch die Gegend. »Wenn ich den Kerl kriege«, schrie
er, »in Stücke reiße ich ihn! In Stücke! Lisa, Kleines, soll ich
Antonio im Scheißesee ersäufen? Soll ich ...«

Sie schüttelte den Kopf und weinte weiter. Miguel starrte

an die Wand und begriff, daß Worte jetzt keinen Trost bringen konnten. Nur Pedro, der Jüngste, behielt einen klaren
Kopf.

»Das Leben eines Menschen besteht aus Kapiteln«, sagte er.
»Nun gut – das Kapitel Tortosa ist abgeschlossen … auf ihn
warten neue Lebensabschnitte. Darauf sollten wir uns konzen-
trieren, nicht auf die Vergangenheit. Im nächsten Jahr wird man
fragen: Tortosa? Wer war Tortosa? Ach, der Wunderheiler mit
den gebleichten Haaren. Der Spinner, der Tee mischte. – Lohnt
es sich überhaupt, darüber zu sprechen?«

»Er hat mich betrogen!« schrie Belisa und zuckte aus den
Kissen hoch.

»Betrogen?« Carlos ballte die Fäuste. »Hat er dich gevö-
gelt?«

»Nein!«

»Dann vergiß es!« Carlos sah ratlos seine Brüder an. Er hat
nicht … warum benimmt sie sich dann, als habe er ihr ein Kind
gemacht? Die dämlichen Weiber … auch Belisa ist da keine
Ausnahme. Weint sich die Seele aus dem Leib, nur weil so ein
Kerl, eine stille Liebe, abhaut. Soll einer die Weiber verstehen
… »Pedro hat recht: Es gibt Wichtigeres als blondierte Wunderheiler. Nur sein Tee wird mir fehlen. Er hat mir immer gut-
getan …«

Belisa kam nicht zu Dr. Falke. Nicht am nächsten Tag, nicht
in den folgenden Tagen. Sie ließ sich überhaupt nicht mehr sehen. Die Goldabrechnungen hatte Pedro übernommen. Suffolk,
der sich auf seiner Baustelle verbarrikadierte, wurde nicht an-
gegriffen. Pater Burgos, der Belisa wegen eines Toten sprechen
wollte, wurde nicht zu ihr gelassen. Miguel fing ihn ab.

»Wie geht es ihr?« fragte Burgos mutig.

Miguel spielte den Gleichgültigen. »Gut«, antwortete er.
»Warum fragen Sie, Pater?«

»Ich habe sie tagelang nicht gesehen.«

»Die Chefin ist sehr beschäftigt. Neue Projekte …«

»Am Sonntag war sie auch nicht in der Kirche.«

»Man kann auch zu Hause beten. Predigen Sie nicht immer: Gott ist überall?«

»Das stimmt.«

»Na also, wozu die Frage?!«

»Es wäre gut, wenn ich sie sprechen könnte.«

»Kein Bedarf!« Miguel wurde ungeduldig. »Wenn die Chefin mit Ihnen sprechen will, wird sie das sagen.«

»Gewiß. Grüßen Sie sie von mir.«

»Nein.«

»Warum nicht?!«

»Von Grüßen hat sie die Nase voll! Noch einen schönen Tag, Pater.«

Später sagte Burgos zu Dr. Falke: »Belisa vergräbt sich wie eine trauernde indische Witwe. Doktor, ich will nicht aufdringlich sein, aber ich glaube, daß du dich um sie kümmern solltest.«

»Sie hat mich nicht gerufen.«

»Du weißt, daß sie das nie tun wird. Aber sie wartet auf dich.«

»Wie willst du das wissen?«

»Mein Gefühl.«

»Ich lasse mich ungern hinauswerfen. Ich warte auf ein Zeichen von ihr.«

»Darauf wartest du schon drei Jahre.«

»Und wenn – ich habe Zeit. Ich lasse mich von ihr nicht unterkriegen!«

»Ihr zwei Dickschädel! Dabei kann der eine ohne den anderen nicht mehr auskommen. Warum wagst du nicht diesen kleinen Schritt?«

»Sie will herrschen. Sie will auch mich beherrschen. Aber ich lasse mich nicht beherrschen.«

»Dr. Falke, der Macho!«

»Nein, in ihren Händen wäre ich wie weiches Wachs. Aber

diese Hände müßten streicheln und nicht zudrücken. Und darauf warte ich.«

Ungefähr zehn Tage später brachte eines der Transportflugzeuge Post nach Diwata. Auch ein Brief für Dr. Falke war dabei. Ein Brief von David Tortosa. Er schrieb:

>»Mein lieber Doktor.
Wenn Sie diesen Brief erhalten, bin ich längst in Manila oder gar schon in Los Angeles. Ich habe die Uniform wieder angezogen, auch wenn ich mich unwohl fühle, sie noch zu tragen. Ich habe versagt, und für einen Offizier ist es schwer, das zu verkraften. Ich muß darüber hinwegkommen, und das wird eine Zeit dauern. Sie werden sich oft gefragt haben, warum ich Diwata so plötzlich verlassen habe, ohne Ihnen einen Grund zu nennen oder mich von Ihnen zu verabschieden. Ein Abschiednehmen hätte auch Wahrheit bedeutet, und das hole ich heute nach. Antonio Pérez hat mir das Leben gerettet, und man bringt keinen Menschen um, dem man sein Leben verdankt. Antonio Pérez ist Mark Suffolk.
Muß ich mehr sagen? Ich habe als Offizier versagt, aber vielleicht als Mensch gewonnen. Ist das ein Trost? Ich werde diese Frage nie mehr loswerden.
Leben Sie wohl, Doktor, Sie Dschungelheiliger. Ihr Captain David Tortosa.«

Dr. Falke ließ den Brief in seinen Schoß sinken und starrte auf das billige, etwas zerknitterte Papier.
Tortosa – Suffolk ... Mein Gott, welch ein Schicksal hatte sich hier abgespielt. Pater Burgos würde sagen: Hier hat Gott Regie geführt. Fast konnte man daran glauben. Ein Jäger wird von der Beute gerettet. Gibt es etwas Widersinnigeres? Was wäre geschehen, wenn Tortosa Suffolk früher erkannt hätte? Hätte er ihn tatsächlich liquidiert?

Dr. Falke faltete den Brief zusammen und ging zu der Baustelle des Stadions. Er traf Suffolk bei den großen Betonmischern an, eine Decke wurde gegossen.

»Nanu!« rief Suffolk in den Lärm hinein, »brauchen Sie Beton für einen Gipsverband?«

»Ich hätte einen nötig, um mich aufzurichten.« Er reichte ihm die Hand hin. »Willkommen in der normalen Welt ... Mark Suffolk ...«

Suffolk zog das Kinn an, aber er schien auf diesen Augenblick innerlich vorbereitet zu sein. »Seit wann wissen Sie es?« fragte er nur.

»Tortosa hat mir einen Brief geschrieben.«

»Dann wissen nur Sie es?«

»Ja.«

»Begraben Sie es in sich. Ich möchte Antonio Pérez bleiben. Das andere Leben gibt es nicht mehr.«

»Da stimme ich Ihnen zu, Antonio. Sie haben ein unverschämtes Glück gehabt.«

»Wieso?«

»Wissen Sie, wer David Tortosa ist?«

»Ein Glücksritter, der ab und zu auch ein Wunderheiler ist.«

»Und ein Captain des CIA, der den Befehl hatte, den Doppelagenten Suffolk zu entlarven und zu erschießen.«

»Du lieber Himmel!« Suffolk atmete rasselnd. »Er sollte mich ...«

»Sie haben sein Leben gerettet und damit auch Ihr Leben. Bis dahin waren Sie für ihn auch nur Pérez. Sie haben es ihm dann gesagt ...«

»Ohne zu wissen, wer er ist. Natürlich. Wir hätten uns gegenseitig umbringen müssen.« Suffolk wischte sich über das verschwitzte Gesicht. »Das muß ich erst verkraften. Es hat sich ja alles verändert. Es gibt keinen Suffolk mehr ... ich bin Antonio Pérez. Ich habe hier eine große Aufgabe übernommen. Sie verraten mich auch nicht an Belisa?«

»Es bleibt ganz unter uns.« Dr. Falke drücke Suffolks Hand. Es war ein Versprechen, das unlösbar war. Ein langer Händedruck, der ein neues Leben besiegelte. »Was hören Sie von Belisa?«

»Sie war noch nicht bei Ihnen?«

»Sie meidet mich wie eine ansteckende Krankheit.«

»Mit mir spricht sie wieder, und Carlos ist auch wieder der alte Freund geworden. Der Vulkan ist verglüht. Jetzt muß man die Asche wegräumen. Das wird Ihre Aufgabe sein, Doktor.«

»Eine lebenslange Arbeit.«

»Ich wünsche Ihnen dazu viel Glück. Es riecht hier überall nach einem Neuanfang. Verpassen Sie nicht den bereitstehenden Zug.«

Er klopfte Dr. Falke auf die Schulter, ließ ihn stehen und ging hinüber zu der Betonmischmaschine. Er ließ einen ziemlich selbstquälerischen Freund zurück.

Es war schon später Abend, als die Tür aufsprang und Belisa das Zimmer betrat. Dr. Falke, gerade ein Glas Palmwein eingießend, begrüßte sie mit der Flasche in der Hand.

»Auch einen?« fragte er. Sein Erstaunen, seine Freude, ja, sein Glück versteckte er hinter den saloppen Worten.

Belisa schüttelte den Kopf. Sie blieb in der Tür stehen, als hätte sie nur schnell ins Zimmer geguckt und wollte sofort wieder gehen. Sie trug ihre dreckigen, geflickten Jeans und einen weiten, verwaschenen gelben Pullover, an den Füßen klebten lehmverschmierte Stiefel. Ihre Arbeitskleidung in ihrer Rattenbude mitten in der Mine. Das Haar hatte sie unter ein turbanähnlich geschnürtes Tuch verborgen. Sie sah klein, schmutzig, verschmiert und süß aus. Dr. Falke spürte seinen Herzschlag bis in den Hals.

»Danke«, sagte sie. »Ich habe nur eine Frage ...«

»Ich höre.«

»Wollen Sie Diwata auch verlassen?«

»Nein. Ich werde Sie nie verlassen, Belisa ...«

»Ich habe auch nichts anderes erwartet.« Ihre Stimme klang einen Augenblick lang ganz zärtlich, aber ebenso plötzlich schlug sie um und wurde geschäftlich. »Ich muß mit einem neuen Großhändler reden und den Vertrag mit Toledo unterschreiben. Wir fliegen übermorgen nach Manila und nächste Woche nach Paris ...«

Ohne eine Antwort abzuwarten, verließ sie den Raum. Dr. Falke atmete tief auf. »Ja«, sagte er dann, »ja, Lady. Wir werden zusammen fliegen. Nach Paris. Ab heute nenne ich Paris Hoffnung ...«

HISTORISCHE ROMANE
BEI BLANVALET

Colleen McCullough,   35714
Das Lied von Troja

Cheryl Sawyer,   35536
In einem fernen Land

India Edghill,   35668
Die Ungekrönte

James L. Nelson,   35674
Der Sturmvogel

FRAUENUNTERHALTUNG
MIT WITZ UND BISS

Claudia Keller,   35373
Unter Damen

Marlene Faro,   35355
Die Vogelkundlerin

Milena Moser,   35520
Artischockenherz

Tina Grube,   35507
Schau mir bloß nicht in die Augen